JACQUELINE AUBRY

HOROSCOPE
2000

LES ÉDITIONS QUEBECOR
7, chemin Bates
Outremont (Québec)
H2V 1A6
Téléphone : (514) 270-1746

© 1999, Les Éditions Quebecor

Bibliothèque nationale du Québec
Bibliothèque nationale du Canada
ISBN 2-7640-0365-X

Éditeur : Jacques Simard
Coordonnatrice de la production : Dianne Rioux
Conception de la page couverture : Bernard Langlois
Photo de la page couverture : Pierre Dionne
Maquillage : Sylvie Beauchamp
Révision : Jocelyne Cormier
Correction d'épreuves : Francine St-Jean
Infographie : Composition Monika, Québec

Nous reconnaissons l'aide financière du gouvernement du Canada par l'entremise du Programme d'Aide au Développement et l'Industrie de l'Édition pour nos activités d'édition.

JACQUELINE AUBRY

HOROSCOPE
2000

LES ÉDITIONS
Quebecor

SOMMAIRE

AVANT-PROPOS

Il y a pire que le bogue informatique en l'an 2000 : le moral d'une foule de gens est en panne. On veut faire renaître les années 1950 et sa promesse de prospérité, mais ça ne fonctionne pas. On ne fait que s'enfoncer dans des souvenirs déformés par les épreuves et le mal de vivre.

LES BULLETINS DE NOUVELLES ET LA DÉPRIME COLLECTIVE[1]

Au début de 1999, au Québec, il n'était plus question que des malades non soignés dans les urgences ; cette situation a finalement abouti à la grève des infirmières. Les meurtres de conjoints ont fait les manchettes ; ailleurs mais également ici, Pinochet a provoqué des haut-le-cœur ; notre dollar a chuté. Avalanche dans le Grand Nord : l'école est fermée. Avalanches en Italie et en Suisse : les vacances d'hiver sont terminées. Tremblements de terre en Chine, au Mexique, etc.

Un peu partout aux États-Unis depuis le début de 1999, il y a eu tornades, ouragans, inondations, crimes contre les homosexuels, contre les Noirs. Avril 1999, une tuerie dans une école américaine : 13 étudiants assassinés. Les prisons débordent et leurs gardiens n'en peuvent plus. Avril 1999, il y a eu une journée où les prostitués se réclamaient d'un statut officiel. Des feux ont brûlé des porcheries, des forêts, des maisons et des gens. À côté des petits gagne-pain, quelques bouffonneries ministérielles, sans omettre la bataille linguistique qui commence sérieusement à ressembler à une guerre de religion ou à un désir de sortir les Anglais de chez nous. La « frontière d'avril » entre le Québec et l'Ontario est-elle raisonnable ? Était-ce un blocus ?

On ne peut ignorer que nos humoristes sont de plus en plus nombreux. Les Québécois sont-ils donc plus tristes qu'auparavant ? Cet humour à tous les coins de rue nous signale-t-il qu'on ne peut plus regarder la réalité en face et en parler avec de vrais mots ?

---

1. La forme masculine a été utilisée dans le seul but d'alléger le texte.

Depuis le mois de mars 1999, le Kosovo est une province connue en raison de ses réfugiés et de l'intervention de l'Otan. Vous n'avez pu ignorer ces pauvres gens affamés, ils étaient sur vos écrans à tous les bulletins de nouvelles, en anglais, en français, sur les chaînes européennes, etc.; les nouvelles yougoslaves furent trafiquées sur la chaîne nationaliste de Slobodan Milosevic. Et que dire de Bill Clinton? Il a fait jaser le monde entier à cause de ses aventures extraconjugales. Aux États-Unis, s'il a accaparé les écrans, ce fut une vraie fleur ou un spectacle burlesque à côté des drames et des pertes de vie dont nous avons été des témoins oculaires et passifs.

Les habitants de la planète sont perturbés. Pensons à ces pauvres femmes algériennes, tunisiennes, marocaines : elles sont docteures, ingénieures, professeures, informaticiennes, chirurgiennes, écrivaines, musiciennes, pour ne mentionner que ces métiers. Des femmes éduquées, efficaces et fort utiles dans leur communauté sont retournées de force à la lessive et aux chaudrons; aux petites filles, on a interdit l'école, les livres et tout apprentissage autre que les travaux domestiques; sous peine de graves sanctions, des femmes sont obligées de vivre dans une djellaba; il leur est formellement interdit de montrer leur visage au cas où elles seraient séduisantes, au cas où elles s'enorgueilliraient, au cas où elles tenteraient Satan et les extrémistes. Et avez-vous pensé aux bombes que l'Inde a lancées sur le Pakistan? C'est une autre guerre parmi tant d'autres.

Chez nous, nos enseignants sont épuisés, leur contrat de travail est insatisfaisant; les élèves sont en trop grand nombre, les classes sont trop petites; nos universités sont les plus pauvres du Canada, on manque de fonds et ceux qui ont à cœur d'étudier et qui n'ont pas de parents riches, travaillent la nuit et étudient le jour; un beau matin, ils n'en peuvent plus, ils décrochent, ils sont au bout du rouleau; ils sont au début de la vingtaine et avaient un avenir prometteur.

Quand une entreprise privée fait un don, celui-ci doit aller dans le secteur universitaire qui desservira les plans d'une compagnie; ailleurs dans le Canada, les dons faits aux universités ne vont pas à un secteur particulier. Il n'y a pas assez d'infirmières alors que notre population vieillissante a de plus en plus besoin de leurs services. Nos médecins fuguent et s'installent à l'étranger où ils sont mieux payés. Grève ici, grève là. Chez Bell, plus personne ne répond au téléphone. Les policiers font pression, ils veulent une augmentation de salaire... ça n'en finit plus.

La liste des mauvaises nouvelles est longue, puisqu'il y en a tous les soirs à chaque poste de radio et de télévision et si vous ne savez pas ce qui se passe dans le monde, si vous pensez que vous êtes seul sur la planète, vous êtes mal syntonisé. D'après un sondage canadien, les Québécois sont les plus pauvres, mais ils demeurent plus optimistes que les Canadiens des autres provinces. L'argent n'est pas important? Allez voir dans nos casinos.

NOTRE PAUVRETÉ QUÉBÉCOISE

Durant les mois de mai et de juin 1999, on a beaucoup parlé de la pauvreté en Ontario, du fossé qui s'élargit entre les pauvres et les riches; on a même dit que les pauvres assommaient les gens des quartiers riches qui s'isolent de plus en plus dans leurs châteaux forts comme ça se fait couramment, par exemple, en Afrique, au Mexique, en Colombie où de grandes entreprises contrôlent la vie des gens. Il suffit de penser aux cueilleurs de bananes: en dehors des forêts de bananiers, point de salut; c'est du pur esclavage; ces gens en chair et en os comme vous et moi ne sont pas non plus soignés quand, après des années, ils ont pataugé dans les pesticides. Il y a quelque chose de bien étrange dans tout ça. Si on sait ce qui se passe dans d'autres pays, dans la province voisine, ces gens n'ont pas droit de parole et personne ne leur a prêté un micro pour dénoncer leurs misères. Chez nous au Québec, il vous suffit de prendre le métro pour savoir qu'il y a des pauvres; ils quêtent, ils ont faim. Une étude faite au sujet du Plateau Mont-Royal démontre qu'un tiers des gens doivent aller à la soupe populaire. Ça fait pas mal de monde. Nous avons eu de la compassion pour les réfugiés kosovars, mais que fait-on chez nous pour ceux qui ont à peine de quoi subvenir à leurs besoins? Avons-nous de la compassion ou ne sommes-nous que des tape-à-l'œil? Même l'accueil Bonneau est traité comme un fait divers, comme si nos pauvres faisaient semblant d'être pauvres.

Et que dire des gens qui ont des problèmes de maladies mentales; ils sont paranoïaques, schizophrènes, psychotiques; les hôpitaux les reçoivent quand ils sont en crise, on leur prescrit quelques médicaments et ils sont aussitôt dans les rues, désemparés quand ils ne sont pas carrément désespérés.

On a tout de même trouvé une solution pour des gens atteints du cancer qui attendaient des soins: ils iront aux États-Unis. Mais quel est donc ce désordre qui règne chez nous? J'ai une amie qui souffre le martyre depuis 10 mois après qu'on lui a dit qu'il était urgent qu'elle subisse une hystérectomie. En attendant, on lui fait passer des tests; on lui a prescrit des calmants pour qu'elle ne puisse se plaindre. Ce n'est pas dans sa nature de prendre ce genre de médicaments; elle s'est fait aider d'un naturopathe afin d'atténuer le mal et de pouvoir endurer l'impossible jusqu'à ce qu'elle retrouve une vie saine et qu'elle puisse enfin reprendre son travail. Ma copine a frappé aux portes de divers hôpitaux, mais en vain. Elle est de plus en plus épuisée. Les femmes qui ont été obligées de subir cette opération savent à quel point elles ont souffert avant qu'on les opère. Je vous raconte ce cas, mais il y en a beaucoup d'autres aussi urgents. En l'an 2000, il y aura une importante injection d'argent dans le monde médical pour les services que la population est en droit de recevoir. Mais avons-nous les bons administrateurs?

JUPITER ET LE SCÉNARIO DU PIRE CLIMAT SOCIAL

Jupiter gère le climat social; en l'an 2000, il traversera le Bélier, le Taureau et le Gémeaux. Il s'agit des trois premiers signes du zodiaque qui, en général, ne sont pas très raisonnables. Le Bélier exagère parce qu'il a besoin d'être approuvé; c'est un signe de Mars et symbolise la guerre. Nous étions sous cette influence en 1999. On ne s'est pas gêné pour lancer des bombes. Et croyez-vous que c'était pour rire, ces essais nucléaires au Pakistan en 1999?

Si vous consultez mon livre *Horoscope 99*, vous lirez que «Jupiter en Bélier n'annonce pas la paix dans le monde». Il y est également écrit: «Jupiter en Bélier est un initiateur; il symbolise le soldat et l'arme nécessaire pour se défendre contre l'ennemi. [...] Ce qui ne semblait se produire que dans les films risque aussi de se passer chez nous.» Fin avril, c'est arrivé chez nous au Canada, en Alberta. Mais il n'y a pas de quoi faire les manchettes pendant un mois. J'ai aussi écrit l'année dernière que le mouvement nazi serait en progression en Europe. N'a-t-on pas essayé de faire un nettoyage ethnique au Kosovo? Je disais d'ailleurs qu'il y avait dans le ciel astral des symboles de l'armée qui se voyait dans l'obligation d'intervenir, de donner un coup de main. Quant au désarmement, j'écrivais: «La Première Guerre mondiale a débuté sous Jupiter en Poissons en 1914, mais elle a fait rage par la suite sous Jupiter en Bélier et en Taureau. La guerre de 1939 a commencé sous les influences de Jupiter et de Saturne en Bélier, puis ces deux planètes sont entrées en Taureau et l'état de guerre s'est alors cristallisé jusqu'en 1945. C'est le genre d'histoire qu'il ne faut pas répéter.» Malheureusement, l'histoire s'est répétée et pas très loin d'où elle avait commencé en 1939. Au moment de la rédaction de ces lignes, à la fin avril 1999, les conflits semblent se répandre autour de la Yougoslavie malgré la présence de puissances militaires alliées qui tentent de la stopper.

En l'an 2000, sous l'influence de Jupiter en Taureau du 15 février à la fin de juin, les guerres qu'on n'aura pas réussi à stopper prendront une forme plus solide; les opposants s'organiseront mieux, les plans seront plus précis, plus explosifs et plus meurtriers. Si cette pagaille est à la mode, sous l'influence de Jupiter en Gémeaux dès le début de juillet 2000, le commerce de la guerre sera lucratif sur la planète et extraordinairement payant pour les fabricants d'armes.

LES AFFAIRES

Jupiter en Taureau est généralement économe; par exemple, une entreprise qui affiche d'énormes profits décide quand même de congédier une bonne partie de ses employés même si elle en a besoin parce que les patrons et les propriétaires veulent à tout prix de plus grosses primes. Tout ça se fait au détriment d'une clientèle qui n'a pas d'autre choix que d'attendre son tour pour être servie, tout ça pour créer des dépressions aux employés qui restent parce qu'ils seront surchargés.

Jupiter sera en Taureau de la mi-février à la fin de juin, présage de compressions dans les compagnies d'assurances, les banques, dans des chaînes d'alimentation, dans de grands magasins de vêtements et dans bon nombre de pharmacies où vous attendrez encore plus longtemps si vous avez une ordonnance. Quand Jupiter en Taureau est mal vécu, la peur du manque d'argent ou l'insécurité financière deviennent un sujet de conversation quotidien.

LE VEAU D'OR

Jupiter en Taureau a aussi la manie d'adorer le veau d'or, ce qui laisse supposer la naissance de nouvelles sectes et religions et, à travers celles-ci, toutes les raisons sont bonnes pour s'enrichir sur le dos d'autrui. La morale est en chute, le respect est en baisse et la non-culpabilité en hausse. Étant donné que Jupiter en Taureau tend à augmenter la peur de la pauvreté, on se mariera par intérêt ou parce qu'on croit que celui avec qui on ira vivre nous protégera de la misère. Loto-Québec n'a pas fini d'inventer des jeux où on ne gagne que rarement. La mode du casino et des « gratteux » est née ; elle grandit, elle prend de plus en plus de force, elle envahit et fait perdre la tête même à des gens qui s'étaient juré de ne jamais tomber dans le panneau.

LES FAISEURS DE MIRACLES ET LES FAUX PROPHÈTES

La science nous dit qu'elle n'a pas réponse à tout ; la médecine fait des progrès, mais elle ne nous promet pas l'immortalité ; nos cellules vieillissent et nous aussi. Des maladies sont encore incurables. Face à la douleur de ceux qui souffrent de maladies dégénératives contre lesquelles la médecine ne peut lutter si ce n'est qu'offrir un soulagement temporaire, des gens veulent un miracle ; ils ont la foi, mais ils accordent aussi foi à des soi-disant guérisseurs, à des prêcheurs en qui ils veulent voir une réincarnation de Jésus ou d'un saint. Mais il faut payer à l'entrée pour le voir et l'entendre. Si, après avoir reçu la bénédiction de ce pasteur ou gourou, vous n'êtes pas guéri, des naïfs se feront dire que c'est à cause de leurs doutes qu'ils restent malades. On utilisera la Bible à toutes les sauces, on fera d'autres fausses interprétations, lesquelles rapporteront au prédicateur, à ce personnage qui se fera nommer Envoyé de Dieu. Même si vous êtes croyant, Dieu ne vous empêche pas d'être intelligent et sélectif. Et quand Jésus a dit que Dieu nourrit les oiseaux du ciel, bien des gens sont tombés dans le panneau. Peut-être a-t-on oublié d'ajouter que ces oiseaux passent des journées entières, du lever au coucher du soleil, à chasser pour se nourrir. Si vous êtes comme un oiseau du ciel, vous travaillez, ce qui revient à dire que vous devez gagner votre pain à la sueur de votre front.

LA CRISE D'IDENTITÉ

Le Québec est une province extrêmement religieuse même si les gens ne vont pas tous à l'église ; toutefois, l'individualisme gagne du terrain, le chacun pour soi est plus à la mode que jamais. Comme chrétien, on démolit assez facilement son voisin. Et combien de fois ai-je entendu de bons catholiques dire que les Juifs possèdent tout. En fait, les Juifs respectent leurs traditions, mais ce qu'il y a de plus exemplaire, c'est l'aide qu'ils s'apportent les uns aux autres et c'est surtout cela que les bons catholiques envient. Qu'est-ce qu'on attend pour en faire autant?

En l'an 2000, l'influence de Jupiter en Taureau présage un Québec en crise de foi religieuse; on se cherche une identité, laquelle n'est pas uniquement une question de langue; au début des années 1950, le Québec est devenu une terre d'accueil pour les étrangers, et, avec les nouveaux venus, les églises se sont multipliées. Bon nombre de gens se sont sentis dilués par les diversités culturelles et religieuses. Puis, nous avons vécu durant les 50 dernières années une évolution si rapide... D'abord, nous avons cessé de croire le prêtre qui ne cessait de répéter qu'au nom de Dieu, il fallait faire des enfants. L'avènement de la pilule contraceptive l'a emporté. On a consommé de la viande le vendredi, on a cessé de faire carême, on a fait l'amour avant le mariage, on a divorcé, les femmes avaient la nécessité de gagner le pain de leurs enfants, ce qui a donné un grand coup à la tradition familiale québécoise. En somme, on s'est conformé aux nouvelles exigences de la société et c'est maintenant, en l'an 2000, qu'on s'interroge tant sur nos croyances que sur le gaspillage écologique.

LA PSEUDO-SPIRITUALITÉ ET LA PIEUSE PSYCHOLOGIE

Beaucoup de gens tombent dans le panneau de la pseudo-spiritualité. On prie, mais c'est pour gagner à la loterie; on aime bien son prochain, mais à la condition qu'il ne nous dérange pas; on est généreux, mais pas trop: on sait très bien que la « charité bien ordonnée commence par soi-même ». Cette phrase est devenue la seule vérité pour une foule de psychothérapeutes et une conviction pour une masse de gens.

À PARTIR DE LA GARDERIE, TOUT LE MONDE SUR UN PIED D'ÉGALITÉ

Tout a commencé lors de cette supposée libération des années 1970 et 1980; les nouveaux parents étaient préoccupés à faire carrière pour s'acheter une maison et deux voitures; nous sommes devenus compétitifs et, par nécessité, ce fut une grosse vague garderie. À cette époque, le couple avait le droit de choisir. Puis, ce genre d'éducation hors foyer a connu une telle popularité que 30 ans plus tard, pour être à la mode, voilà que le gouvernement oblige les parents à y inscrire leurs enfants, même si plusieurs préféreraient que leurs petits passent leur tendre enfance avec eux. Jusqu'où sommes-nous libres? Sur quel terrain avons-nous gagné?

De la mi-février à la fin de juin, sous l'influence de Jupiter en Taureau, une lutte d'idées et d'idéologies est à prévoir. Des philosophes montent à l'assaut, il faut que ça change. Les couteaux voleront bas; d'un côté, il y a ceux qui croient en un monde meilleur et, de l'autre, ceux qui n'y croient pas. Un monde meilleur ne peut venir que si, individuellement, nous devenons meilleurs. On ne peut être meilleur ni en s'isolant ni en faisant semblant que, parce qu'on ne manque de rien, tout va pour le mieux. Une petite guerre entre diverses écoles de psychologie peut naître. Les uns continuent de prôner le je-me-moi; les autres enseigneront l'échange avec autrui comme outil de progression personnelle; d'autres encore mêleront Dieu et psychologie comme quelques docteurs en psychologie le font aux États-Unis. Le danger, c'est l'extrémisme de chacun. L'inforoute nous ouvre à tous les pays du monde, à une foule de connaissances. Pourquoi devrions-nous, en l'an 2000, nous enfermer dans un carcan de croyances? Sous l'influence de Jupiter en Taureau, gardez l'esprit ouvert. Ne laissez personne vous envoûter et vous faire croire qu'avec lui, vous connaîtrez une vie paradisiaque; ne laissez personne vous montrer à penser ou penser à votre place. Jupiter en Taureau veut toucher pour croire, il veut des certitudes alors que ça n'existe pas.

JUPITER EN GÉMEAUX

Jupiter sera en Gémeaux du début d'août jusqu'à la fin de novembre en opposition à Pluton en Sagittaire. Pendant que Jupiter en Gémeaux se dit qu'il en connaît long, Pluton en Sagittaire ose clamer qu'il sait tout, ce qui peut déclencher une guerre ouverte entre le rationnel, la déraison, le spirituel, la psychologie, la psychanalyse, la psychiatrie et la magie. Ce sera la grande sortie des hommes ou des femmes de sciences; après le Viagra qui réunit les couples en panne, après le Ritalin et autres drogues qui calment les parents impatients quand leurs enfants cessent de grouiller, nous aurons peut-être le médicament « Intelligentsia plus » pour tous les jeunes qui n'apprennent pas assez vite. On minimisera certainement les effets secondaires.

Jupiter en Gémeaux accordera la permission à des gens très imaginatifs, diplômés et bons commerçants, de vous offrir des thérapies vous garantissant un soi-disant équilibre parfait. Jupiter en Gémeaux est une représentation symbolique des entreprises pharmaceutiques et des moyens énormes dont elles disposent pour vous faire avaler des comprimés.

Jupiter en Taureau a voulu nous aveugler sur la politique, la religion, notre économie, nos impôts, nos taxes, sans compter les promesses faites par les gouvernements de trouver du travail aux sans-emploi. Bref, une fois le passage de Jupiter en Taureau qui a voulu nous faire avaler à peu près n'importe quoi vient Jupiter en Gémeaux qui réfléchit et sélectionne; ce qui n'enlève rien à la fonction du cœur. Durant la première partie de l'année, Jupiter aura séjourné dans un signe de Vénus qui est souvent passif. Jupiter en Gémeaux dans un signe de Mercure est grouillant. Il multiplie les idées et vous dit de choisir lucidement, de faire la différence entre les gens qui ont la parole facile mais qui, au fond, ne disent rien de bien important et ceux qui ont véritablement beaucoup à vous apprendre. Jupiter en Taureau aura eu pour effet de donner de la force à ceux qui ont le pouvoir de détruire. Jupiter en Gémeaux ne veut plus d'eux. Jupiter sera en Gémeaux de juillet 2000 à juillet 2001 : nous avons 12 mois de réflexion et d'action.

LES PROFESSEURS SANS DIPLÔME

Le Gémeaux symbolise les professeurs. Bien des gens s'imposeront pour vous enseigner ce à quoi ils croient. Quel que soit votre signe, cette position de Jupiter nous fait tous réagir et si nous ne trouvons pas immédiatement les réponses à nos questions existentielles, nous nous interrogeons. Mais en tout temps, vous devrez être vigilant. Des verbo-moteurs extrêmement agiles, l'œil profond et l'air savant, connaîtront une popularité comparable à celle de la méthode Montignac 1999. On ressassera de vieilles idées, on y ajoutera un ou deux ingrédients, et vous aurez là une recette infaillible du genre bien élever ses enfants, rééduquer ses parents, comment se sauver de ses obligations sans se sentir coupable, sans oublier de nombreuses publications qui vous démontreront que vous pouvez faire fortune rien qu'en y pensant ou comment gagner à la loterie.

Sous l'influence de Jupiter en Gémeaux se multiplieront les ouvrages traitant de l'amour et de la communication entre un homme et une femme, entre deux hommes ou deux femmes. Tout ce qui peut se produire en double ou que nous pouvons créer en double sera à la mode. Nous avons deux jambes, deux bras, deux yeux, deux narines, deux oreilles : le double, la dualité, la complémentarité seront des sujets amplement exploités. Le Gémeaux est le signe où on apprend à compter ; qui aura l'audace de publier un livre ne contenant que des chiffres chanceux que vous serez censé comprendre ?

QUAND JUPITER EN GÉMEAUX EST MATÉRIALISTE ET MESQUIN

Ne nous leurrons pas, Jupiter en Gémeaux est matérialiste ; le Gémeaux est le signe du commerce et un signe double ; si, en 1999, il fut souvent question de la division entre les riches et les pauvres, celle-ci risque de s'accentuer. Si, au départ, vous êtes égoïste, égocentrique et peut-être bien narcissique, Jupiter en Gémeaux vous gonflera de votre peur d'y perdre : si vous êtes fortuné, c'est tout juste si vous ne vous coucherez pas sur vos lingots d'or. Si toutefois vous ne possédez rien, vous voudrez l'argent des riches. Aucune de ces attitudes n'est saine.

Ceux qui ne donnent jamais rien, qui gardent tout pour eux sont généralement ennuyeux et quand vous leur parlez, ils vous surveillent ; ils se préparent à vous dire non au cas où vous leur demanderiez quelque chose. Ceux qui n'ont rien vous tiennent de grands discours sur le partage des richesses ou se plaignent de leur sort ; ils sont aussi ennuyeux que les premiers. Pourquoi quelqu'un qui a travaillé à la sueur de son front, qui a fait des économies donnerait-il son argent ? Peut-on refuser à un enfant de riche d'avoir beaucoup d'argent ? En soi, ce n'est pas mal d'hériter. Et quel fauché n'a pas rêvé d'avoir une tante ou un oncle riche qui lui léguerait sa fortune?

LA JEUNESSE

Jupiter en Gémeaux est un symbole de jeunesse; il est la représentation symbolique de vos enfants qui entament leur vingtaine; si vous leur avez enseigné que ce monde est injuste et que ce sont toujours les mêmes qui ont tout, qu'ils soient au cégep ou qu'ils débutent à l'université, ils seront gonflés de frustrations et dérangeront en manifestant plus bruyamment que jamais on ne l'a fait dans le passé au Québec. Jupiter en Gémeaux est aussi un symbole d'éducation secondaire, là où il faut sérieusement étudier la grammaire et la base des mathématiques; mais Jupiter est en face de Pluton et bien qu'un nouvel enseignement soit nécessaire à leur formation, bien qu'on leur donne beaucoup, comme ils n'ont pas pris l'habitude d'apprendre quand ils étaient petits, ils feront les cent coups afin de faire savoir aux enseignants que ceux-ci en demandent trop.

LES ÉTUDIANTS EN MÉDECINE

Nous avons aussi une jeunesse étudiante sérieuse et douée. Ils sont admis en médecine; ils savent déjà que si le gouvernement ne change pas les restrictions et les règles imposées, il limitera à la fois leur pratique et leur compte en banque. Ils seront sur la place publique et contesteront ce qui les attend. S'ils choisissent cette profession pour soigner, ils ne veulent pas être lésés.

À PEINE 30 ANS

Ils ont maintenant à peine 30 ans et c'est sur eux qu'il faut compter pour refaire le Québec. Ils sont à la fois modérateurs et motivateurs. Les gens de ma génération, les *baby-boomers*, se retirent partiellement de la scène. Ils cèdent la place aux guerriers. Une alliance entre la cinquantaine et la trentaine se créera. L'audace et l'expérience s'allieront, les buts étant les réformes politiques et économiques. Jupiter en Gémeaux stimule ceux qui ont l'esprit d'entreprise et qui connaissent les jeux politiques et financiers. Ces dernières années, des politiciens «démodés» ont fait des tas de promesses qu'ils n'ont pu tenir. Leurs organisations sont devenues plus complexes, le coût de la vie a grimpé en même temps que le chômage. Pour bien des gens, ce fut la dégringolade jusqu'à l'aide sociale. Additionnons à cela l'accroissement du décrochage scolaire et nous voici en face d'un défi à relever. Jupiter en Gémeaux va se pencher sur ces précédentes questions; il ne fait pas que penser, il agit.

DES DIVISIONS D'ENTREPRISES ET DES FUSIONS

À partir de juillet 2000, Jupiter sera en Gémeaux. Nous serons sans doute surpris en apprenant que de grosses entreprises larguent certaines de leurs acquisitions. Le fardeau financier est trop lourd, le désordre est grand, on a atteint un point où plus personne ne contrôle et avant de perdre, on vend. Il s'agira le plus souvent de compagnies de communications devenues si grosses qu'on ne s'y retrouve plus. À côté des multinationales, des PME se créent; elles auront planifié la progression, l'expansion, les coûts, etc. Les frontières sont abolies grâce à l'inforoute. On fera le tour de la planète, on aura des clients partout dans le monde, et sans jamais quitter son bureau. Il y aura d'autres fusions, plus particulièrement chez les entreprises qui fabriquent les voitures, les camions, les avions, les trains. Les diverses compagnies de téléphonie se feront une lutte impitoyable.

Jupiter en Gémeaux fabrique des créateurs-vendeurs d'idées, de produits et de services. En 1999, on a retiré la publicité d'une bière à cause du message sexiste qu'elle véhiculait. En l'an 2000, la censure n'a pas fini de nous surprendre sauf que sous l'influence de Jupiter en Gémeaux, la riposte ne manquera pas d'intérêt: on voudra un retour plus clair à la liberté d'expression.

LA MULTIPLICATION DES STATIONS DE RADIO ET DE TÉLÉVISION

Chacun veut sa part du marché et c'est bien normal. N'est-ce pas ainsi que la demande se crée et que roule l'économie? N'y a-t-il pas suffisamment de pharmacies pour nous prouver que la compétition par la multiplicité est payante? La radio et la télévision sont deux médias qui répondent à une demande de plus en plus forte. Nous avons de nombreux canaux spécialisés; le trophée va aux Américains. En l'an 2000, surtout à partir de juillet, davantage de permis seront accordés afin de multiplier les informations nationales et internationales en français. Vu Jupiter en Gémeaux, il faut encore multiplier par deux et une fois de plus par deux les stations de radio et de télévision. La technologie se développera davantage et ouvrira d'autres avenues. Ainsi, ceux qui commercent leur carrière à la télévision ou à la radio seront en plus grand nombre qu'ils ne le sont déjà. Les vendeurs internautes verront aussi leur clientèle s'accroître. L'informatique offrira des systèmes plus sophistiqués que tout ce que nous avons connu jusqu'à présent.

JUPITER EN GÉMEAUX ET LE MAGASINAGE

En 1999, on a parlé d'épiceries où nous allions nous servir, empaqueter nous-mêmes et payer sans l'intervention de tout autre personnel. La marchandise sera pesée, elle sera étiquetée et sans doute munie d'un système d'alarme pour vous empêcher de partir de votre marché d'alimentation si vous tentez une fraude. Cette expérience californienne n'est pas concluante. Par contre, on y réfléchit. En fait, ce que les Américains disent des épiceries sans employé ou presque, c'est qu'ils ont les mêmes prix mais que, en plus, ils font tout eux-mêmes. Ils sortent donc épuisés du marché d'alimentation, surtout quand ils ont une grosse famille à nourrir. Je crains que ce mal ne se répande, que cette expérience ne devienne un fléau. Entre juillet 2000 et juillet 2001, ceux qui ont la charge d'inventer des moyens de faire faire des économies aux géants de l'alimentation réussiront à infiltrer leurs machines. Mais les Québécois ont ceci en commun: ils recherchent le contact humain, alors gagneront-ils contre les géants?

Il ne nous reste plus qu'à souhaiter que ce système soit rejeté par la population. J'aime bien faire un petit brin de jasette avec les caissières, elles sont généralement très aimables et puis qu'adviendra-t-il d'elles? Je dis « elles » parce que les employés à la caisse sont en majorité des femmes. Si jamais ce « servez-vous jusqu'au bout » fonctionnait, bien d'autres magasins à grande surface finiraient par adopter ce robot que vous actionnerez vous-même.

Malheureusement, Jupiter en Gémeaux me laisse croire que ça fonctionnera. Comme les banques l'ont fait, petit à petit, on nous imposera ce genre de distributrice sans âme, on nous enlèvera dix minutes ou une heure de contact humain.

Jupiter en Gémeaux est un voyeur; les caméras se multiplieront et veilleront sur vous nuit et jour, à la fois pour protéger le citoyen et l'entreprise contre les malfaiteurs qui, eux, craignent de moins en moins notre corps policier qui, à son tour, au moindre faux pas, se retrouve au banc des accusés. Dans certains États américains, vous êtes filmé sur la route et une amende vous est postée si vous commettez une infraction; quelques grandes villes du Canada adopteront ce système à la fin de l'an 2000.

SOUS L'INFLUENCE DE SATURNE EN TAUREAU

Jusqu'à la mi-août, Saturne est en Taureau; on s'accroche encore à l'ancien, une majorité de gens préféreraient que nous retournions aux années 50, 60, 70 ou 80, mais ils ne veulent surtout pas recommencer les années 90. Je regrette de vous annoncer qu'il n'y a pas de retour. Le passé fut une expérience, le présent est déjà là, le futur aussi. Sous Saturne en Taureau, plusieurs ne veulent pas en savoir plus, ce qu'ils connaissent leur suffit. Saturne en Taureau ne signifie pas un recul, mais il devient pour trop de gens stagnation et paresse intellectuelle. On laisse les autres penser à sa place. On fait confiance, on préfère croire que celui qui parle a raison plutôt que de réfléchir aux stupidités qu'il vient de dire. D'un autre côté, intérieurement, la colère mijote, on n'a juste pas envie de se battre sauf que, chaque jour, on se débat pour en rester là.

NOTRE POLITIQUE, NOS POLITICIENS ET DE L'ESPOIR

Saturne atteindra le Gémeaux le 11 août 2000 où il est bien positionné; ce Saturne pousse sur les masses, les fait réfléchir; les individus les plus rapides reprendront leurs livres, leurs études; on aura le courage d'aller de l'avant. La fuite en arrière n'est pas possible et ne l'a jamais été. Le modernisme est né au début du siècle dernier, puis il s'est accéléré entre 1940 et 1950; pour survivre, il est nécessaire de s'adapter à ce monde à « pitons ».

Sous l'influence de Saturne en Gémeaux, les esprits deviendront plus sélectifs, les contribuables s'opposeront aux bêtises et aux discours vides de quelques politiciens en place. La population se fait plus exigeante; elle veut des phrases complètes avec un sens précis et non plus des mots gonflés d'émotivité dans un discours qui ne rime à rien. Elle ne se contente plus de promesses, elle veut une action précise. Les moyens de pression seront non orthodoxes, la contestation ne sera plus spontanée mais plutôt astucieuse et stratégique.

À partir d'août, on peut s'attendre à de nombreux changements sociaux et politiques, et principalement en ce qui concerne le monde du travail et la valorisation de l'humain lorsqu'il est productif et qu'il gagne de l'argent qu'il peut ensuite dépenser. Par ailleurs, n'est-ce pas la seule façon de faire rouler l'économie?

Saturne en Gémeaux ne voudra plus entendre parler de la préservation de notre espèce par l'inertie. Saturne en Gémeaux rajeunit la politique et les politiciens; les idées nouvelles, innovatrices prendront forme. Les partis politiques qui sont accrochés aux mêmes idées depuis 30 ans devront transformer leur programme s'ils veulent survivre. L'éducation elle-même prendra son tournant; les enfants iront à l'école pour apprendre. Le retour aux études pour les adultes prêts à se recycler ou à recommencer là où ils avaient laissé des années auparavant sera favorisé et peut-être bien obligatoire dans certains cas.

Saturne demeure deux ans et demi dans le même signe; à son entrée, il balbutie ses promesses et, avec les mois qui passent, il s'active et réalise. Saturne en Gémeaux signifie l'esprit qui s'affine et, comme chaque planète lourde qui ne touche pas qu'une seule personne, Saturne atteint la population, et principalement la nôtre.

LE QUÉBEC

Le Québec est symbolisé par le signe du Cancer; Saturne en Gémeaux, douzième signe du Cancer, augure deux années et demi de préparation où les masses seront dynamisées, aspireront sérieusement à une meilleure qualité de vie et non plus au contentement béat, et encore moins à l'acceptation de jeux politiques douteux. Saturne en Gémeaux est intelligent, rationnel, curieux, plus intellectuel; il aspire au savoir et à la vérité. Saturne en Gémeaux, c'est aussi notre ouverture officielle sur le monde et une augmentation de nos transactions partout sur la planète laquelle s'est d'ailleurs drôlement rétrécie depuis l'avènement des communications informatiques et satellites. Le Québec sera plus commerçant.

L'AGRICULTURE

Sous Jupiter et Saturne en Taureau (surtout durant les mois d'avril, de mai et de juin), l'agriculture et l'élevage sont au centre de l'actualité; il y aura de la bisbille entre les fermiers et les gouvernements en place. Sous Saturne et Jupiter en Gémeaux à partir de juillet, le gouvernement voudra régler le problème en se sauvant de la réalité économique que subissent les agriculteurs et les fermiers; ces derniers n'accepteront pas ce qu'on leur propose et les débats risquent de traîner en longueur. Conséquence: les prix de leurs produits augmenteront tant pour les consommateurs que pour les acheteurs étrangers. Les compressions dans ce secteur seront une sérieuse atteinte à notre budget quand l'hiver sera venu.

Par ailleurs, à partir de juillet, les fermiers devront de moins en moins compter sur les coffres de l'État; ils pourront davantage s'associer et développer leurs propres affaires ensemble pour le meilleur de chacun même si, au départ, la situation apparaît catastrophique. En août, de grosses entreprises étrangères achèteront cultures et bétails. On rentabilisera là où on en « avait arraché » depuis quelques années.

LES ARMES

Lors de ces meurtres, blessures ou attentats qui eurent lieu dans les écoles en 1999, celle de Littletown, au Colorado, fut la plus médiatisée; on a alors beaucoup discouru sur les armes. Les Américains ont parlé de nouvelles mesures de protection. Laissez-moi douter de l'issue; les nouvelles règles sont et seront à peine plus efficaces et, en l'an 2000, on assistera à quelques reprises à des crimes du même genre. Dans mon livre *Horoscope 99*, les planètes donnaient des indices de révolte et des coups de feu non seulement dans les écoles américaines mais également chez nous. Ce qui eut lieu.

LA PHARMACOLOGIE ET LES RECHERCHES

Jupiter en Gémeaux symbolise le commerce; il représente aussi les vitamines, les plantes médicinales, les médicaments prescrits. En l'an 2000, tout ce qui protège et soigne les poumons et les bronches sera en demande parce qu'on risque d'avoir une augmentation des maladies respiratoires, surtout à partir de juillet 2000. Du même coup, vu Jupiter en Gémeaux face à Pluton en Sagittaire, la pollution va bon train mais, en plus, elle risque d'infiltrer des plantes qui proviennent de l'étranger. Si les empoisonnements ne sont pas mortels, il y aura des dommages. Il en résultera donc scandale, puis indignation du consommateur, et il est fort possible qu'on oblige certains fabricants à rembourser les clients ou à les compenser pour le tort qu'on leur a causé. Les centres de recherche en pharmacologie ont intérêt à expérimenter leurs produits cent fois plutôt qu'une. Avis au pharmacien distrait qui ne remet pas au client le médicament prescrit par le médecin. Cette erreur peut lui coûter cher!

EN RÉSUMÉ

Les six premiers mois de l'an 2000 sont sous l'influence de Jupiter en Taureau, ce qui est une bonne nouvelle car il n'y aura pas de guerre au Québec; par contre, ça continuera à sauter dans plusieurs autres coins du globe. Ce dont on ne se rend pas compte, c'est que ces éternuements à l'autre bout de la planète nous affectent; chez nous, la mélancolie et l'anxiété sont comme des maladies virales.

On se plaint de l'hiver trop long et de l'été trop court. Sous Jupiter en Taureau, cette première moitié d'année se passe comme si nous étions engourdis; on rêve beaucoup, mais on agit peu. Par contre, lorsqu'un drame surviendra, il y aura surexcitation et parfois panique dans la population. À noter que Jupiter en Taureau laisse supposer des tremblements de terre, mais surtout des éboulements plus importants que ceux que nous avons connus. Toutefois, ils ne ressembleront en rien aux désastres qu'a vécus le Mexique, par exemple.

Dans l'ensemble, en l'an 2000, nous ne serons pas exemptés de crimes de toutes sortes; il y aura des femmes battues, des amants tués, des enfants abandonnés, des animaux maltraités; des gens riches et célèbres décéderont; de temps à autre, nos routes seront paralysées à cause de graves accidents, tel un train qui entre en collision avec un camion ou un camion qui frappe plusieurs voitures; sous Jupiter en Gémeaux, les vents changeront rapidement, et les petits avions seront évidemment plus sujets aux écrasements que les gros.

Dans la seconde moitié de l'année, sous l'influence de Jupiter en Gémeaux, la réflexion aura assez duré; ce sera le moment de passer à l'action. Pour nous, il s'agit d'une étape commerciale importante. Il ne faudrait cependant pas vendre toutes nos richesses naturelles aux Américains qui sont représentés par le signe du Gémeaux, c'est-à-dire qu'ils achètent... mais à rabais seulement. Le ciel de l'an 2000 présage l'entrée de nombreux capitaux étrangers ainsi que des installations d'entreprises qui feront de l'embauche. Sous Jupiter en Gémeaux, il devrait y avoir moins de chômage, mais sans doute y aura-t-il en même temps plus de gens à retourner sur les bancs d'école. Puisque le Gémeaux représente le monde médical, attendons-nous encore à de la bisbille dans les hôpitaux. Une fois de plus, on modifiera le système; il n'est cependant pas près de se simplifier ni pour les médecins ni pour leurs patients. Avant que la nouvelle génération de politiciens s'installe et transforme cette énorme machine gouvernementale, d'autres erreurs seront commises et beaucoup d'argent sera gaspillé.

Jupiter en Gémeaux ne garde pas les secrets; il est le messager, celui qui répète, qui rapporte les nouvelles. Jupiter symbolise les fonds publics et le Gémeaux, la dénonciation de quelques corrompus qui fraudent et dépensent honteusement l'argent de la population. Entre juillet 2000 et juillet 2001, il y aura plusieurs démissions ministérielles fort surprenantes; l'air du Québec se purifie, et commence ainsi une autre ère.

BÉLIER

21 mars au 20 avril

À MA MÈRE, QUI FILE VERS SES QUATRE-VINGT-SIX BERGES. QUELLE FEMME ÉTONNANTE, QUE D'HUMOUR ET QUE D'AMOUR! «JE NE SUIS PAS VIEILLE, ME DIT-ELLE PARFOIS, J'AI SIMPLEMENT PRIS DE L'ÂGE.»

À MADAME MADELEINE DUMESNIL, UN BÉLIER QUI N'AIME PAS SON ÂGE. MALGRÉ NOS VINGT-SEPT ANS DE DIFFÉRENCE, NOUS SOMMES TELLES DES COPINES À L'ADOLESCENCE.

ET À CES AUTRES BÉLIER, SI FASCINANTS ET SI ÉNERGIQUES: GINETTE MÉNARD, RÉAL BÉLANGER, LOUISE BARRIÈRE, BENJAMINE HÉBERT, JOHANNE AMOS, JACQUES DE KONINCK, FÉLIX BOURQUE, SUSIE BAILLARGEON, LÉO GENDRON, GILBERT CÉRAT, LOUIS DE BELLEVAL, DIANE MAINVILLE, JACQUES FABI, GILLES MORISSETTE ET CHRISTOPHER-LEE DONALSON.

Avez-vous profité du passage de Jupiter en Bélier en 1999? Vous êtes-vous taillé une place au soleil? Ou avez-vous perdu votre année à rêver, à vouloir l'impossible? Jupiter a certainement fait son devoir: s'il a propulsé les uns vers l'avant et pour le meilleur, il a obligé les inconséquents à se voir tels qu'ils sont et à payer leur dû.

Jusqu'au 14 février 2000, Jupiter est en Bélier; par la suite, il est en Taureau; le 1er juillet 2000, Jupiter est en Gémeaux et y restera jusqu'en juillet 2001. Jupiter sera en Bélier, en Taureau et en Gémeaux. En d'autres mots, il traversera les premier, deuxième et troisième signes; il s'agit là d'un mouvement d'accélération, de précipitation et, pour un Bélier, cela signifie un coup de tête, ce qui peut apporter la fortune pour les uns, mais la faillite pour d'autres.

La partie dangereuse se passera particulièrement lors du passage de Jupiter en Taureau alors qu'il traverse le deuxième signe du vôtre, ce qui symbolise l'argent: celui qu'il est possible de gagner quand on garde toute sa raison lors de ses négociations, ou celui qui n'est qu'un rêve.

Il n'y a pas que le Bélier qui vit dans la crainte du lendemain. Pour plusieurs signes du zodiaque, la loterie est un mal: elle est devenue une obsession et presque une raison de vivre quand on n'a pas le cœur à l'ouvrage. Le Bélier, c'est la tête et il est à la tête du zodiaque; par conséquent, il aspire à être le premier, le numéro un, celui qui s'assoit en avant, qui passe devant les autres; en somme, il y a mille et une façons d'arriver premier et de se faire remarquer. Par les temps qui courent, vous êtes nombreux à vouloir la richesse, le numéro de loterie qui vous apportera un pseudo-bonheur. Promesses, promesses... et sans doute croyez-vous dur comme fer que si vous possédiez une fortune, vous donneriez à autrui pour les soulager de leur misère. Malheureusement, la plupart des Bélier obsédés par l'appât du gain facile imaginent que s'ils sont riches, ils seront enfin les premiers dans le cœur de ceux qui reçoivent. Si vous appartenez à cette catégorie, le ciel 2000 vous suggère de vous arrêter un instant et de vous demander: « Qui suis-je pour moi-même avant de vouloir être quelqu'un pour autrui? » Heureusement que la majorité des Bélier sont des gens d'action; ils sont nés de Mars et apprécient les prix et les honneurs lorsque ceux-ci sont les fruits de leurs efforts.

Les planètes lourdes vous ont déjà beaucoup transformés; certains ont acquis maturité, sagesse et extrême bonté envers leur prochain, même celui qui le contrarie. D'autres s'entêtent et refusent le changement, ils poursuivent encore des chimères. Quand un Bélier est sur la voie de l'impossible, il s'y accroche et n'en démord pas; quand, pendant 10 ans, il pose la même question tout en sachant à l'avance que la réponse sera négative, n'est-ce pas se torturer? Et ce guerrier n'est-il pas plutôt un masochiste? Sa souffrance donne-t-elle un sens à sa vie?

Mars du Bélier a tendance à tout prendre au sérieux et, en l'an 2000, la moitié d'entre vous figera dans le pire des scénarios qui ne se produira pas. Divers médias ont exploité votre peur ces deux dernières années. On vous a annoncé combien de jours il vous restait (à vivre...) d'ici l'an 2000? La musique et le ton des annonceurs au sujet du nouveau millénaire se sont faits graves, alarmants et presque aliénants. Il faudra sortir de cet état si vous désirez trouver votre équilibre et votre qualité de vie; autrement, vous soignerez votre déprime qui sera légère chez les uns, sévère chez les autres.

Nous avons le Bélier qui est loin d'être un agneau immolé. Il est bien armé, sa planète Mars est rouge vif. Il a conservé son flair, son sens des affaires, son instinct de survie, sa débrouillardise et son côté chevaleresque. Ces dernières tendances seront décuplées au cours de l'an 2000. Sa réussite lui vient de son agressivité positive, de son audace et de sa confiance en lui. La moitié des Bélier changeront d'orientation; ils s'engageront dans une nouvelle carrière, lanceront une entreprise, prendront des risques, mais leur enthousiasme est tel qu'ils réussiront là où ils se sont engagés.

LA PLUS BELLE HISTOIRE DE BÉLIER

À mi-chemin entre 80 et 90 ans (elle déteste que je dévoile son âge), maman est toujours aussi communicatrice. Elle n'a rien perdu de son sens de l'humour et possède un brin de cynisme. En tant que marsienne, elle est toujours occupée. Elle fait de la gymnastique et de la danse aérobique tous les jours, dîne régulièrement avec des amis, fait de la marche en montagne; elle adore la musique, la lecture, les repas gastronomiques et les réunions de famille où ça cause et ça rit.

Elle bouffe pour deux, mais elle est si active qu'elle brûle toutes ses calories, elle est mince comme une jeune fille. En somme, elle a une tonne d'activités agréables qui lui permettent de garder le contact avec le monde des vivants; de temps à autre, elle me dit: «Je préfère la compagnie des jeunes.» (Cela comprend ses enfants, dont certains s'approchent de leur retraite, ses petits-enfants et ses arrière-petits-enfants, les gendres, les belles-filles et tous leurs amis.) Maman me dit que les vieux ne parlent que de leurs inévitables «bobos»: plus ils en causent, plus ils ont mal. Avec sa mentalité de Bélier, signe où le Soleil est exalté, elle trouve qu'il y a encore tout à découvrir, à apprendre.

Ma mère, c'est mon héroïne et le Bélier le plus drôle que je connaisse. Je vous assure que lorsqu'elle demande quelque chose, il vaut mieux lui répondre. Elle a ses opinions et ses convictions. Il me faudrait au moins deux cents pages pour vous raconter son histoire peu banale. La plupart d'entre nous ont tendance à oublier que nos parents ont eu un passé; pourtant, sans le passé de tous les gens âgés, nous ne serions pas là où nous en sommes. Bien sûr, ma mère n'est pas parfaite, mais mon héroïne n'a pas besoin de ce genre de médailles; elle a déjà gagné plusieurs guerres et traversé de nombreuses épreuves. En tant que Bélier, marsienne, elle ne se plaint jamais, elle ne dit pas non plus «pauvre jeunesse». La sienne ne fut pas facile, mais elle s'est débrouillée. Elle et papa ont travaillé très fort parce que maman tenait à envoyer tous ses enfants à l'école privée, à l'université. Nous habitions un quartier ouvrier où la majorité de la jeunesse se retrouvait à 15 ou 16 ans sur le marché du travail, à peine scolarisée, sans diplôme, ce qui annonçait une vie routinière et dure. Elle voulait mieux pour nous. Je vous avoue avoir été mise au défi à plusieurs reprises dans ma jeunesse, ce qui est typique d'un Bélier qui se respecte.

Ma mère Bélier, c'est une fonceuse et Dieu merci qu'il en fut ainsi! S'il n'était pas interdit de pleurer, nous étions constamment stimulés à nous retrousser les manches et à faire un effort de plus pour nous prendre en main quand, par exemple, nous n'avions pas obtenu des notes d'excellence. Comme bien des mamans, quand les enfants atteignent un objectif, l'honneur leur revient. Il n'y eut aucun abus de pouvoir, chacun de nous était libre de ses choix, et les conséquences nous appartenaient. Elle a travaillé jusqu'à 65 ans; elle disait souvent: «Quand je serai vieille, je ne veux dépendre de personne.» Et elle vit en femme indépendante. Comme la plupart des Bélier, elle s'est préoccupée de ses finances, elle a amassé de l'argent, elle l'a fait fructifier. Elle ne possède pas une fortune, mais elle en a assez pour bien vivre grâce à ses efforts personnels. Dans cette société, c'est votre compte en banque qui vous permet de garder votre liberté et de vous offrir quelques plaisirs. Si vous êtes pauvre, vous ne sortez jamais, vous déprimez, vous dépendez du gouvernement ou des membres de votre famille, et dans ces conditions, un Bélier se sent incomplet et malheureux.

UNE AUTRE BELLE HISTOIRE DE BÉLIER

Quelle belle histoire que celle de Céline Dion! Elle avait 16 ans la première fois que je l'ai rencontrée. Ici et là, au fil des ans, je la croisais dans les studios de radio ou de télévision. Le temps a passé, elle est devenue une grande vedette; en 1976, j'entrais dans le milieu artistique et, depuis ce temps, j'ai fait beaucoup de cartes du ciel d'artistes qui sont aujourd'hui des célébrités. Mais revenons à Céline Dion. Il y a quatre ans, il était 9 h du matin, j'avais encore les yeux gonflés de sommeil. Céline Dion était en studio pour une entrevue; elle était belle et bien éveillée, elle. La station de radio était pleine à craquer de toutes sortes de gens que je ne connaissais pas. René était là, droit, sérieux, silencieux; il était debout à côté de moi, nous étions de l'autre côté de la vitre, il m'a poliment saluée comme il l'a toujours fait dans le passé. Tout le monde écoutait et buvait les paroles de Céline, qui faisait la promotion d'un spectacle et d'un disque.

Il y a quatre ans, on s'en souvient, Céline était déjà en orbite autour du monde, la planète entière savait qui elle était. J'étais bien tranquille dans mon coin, émue et impressionnée non pas par son vedettariat, mais par sa grandeur d'âme, par son magnétisme et par cette lumière qui émanait d'elle et qui traversait les murs et les vitres épaisses d'un studio. Une fois l'entrevue terminée, elle sort du studio et se tourne directement vers moi; elle m'appelle par mon nom en me disant: «Viens, on va faire une photo.» Avec ma tête de 9 h du matin, j'étais sous le choc. Elle ne m'avait pas oubliée comme tant d'autres; elle n'avait pas changé, elle avait toujours la même candeur, la même chaleur, la même bonté et la même simplicité que lorsqu'elle avait 16 ans.

Céline Dion est un Bélier, premier signe du zodiaque, signe où le Soleil est exalté. Céline Dion est la première, elle est la parfaite démonstration de la puissance du Bélier. Elle est la force marsienne créative et généreuse. Je ne l'ai plus revue depuis ce temps; je fais comme vous, je suis sa carrière et j'écoute ses disques.

Je pourrais vous raconter beaucoup d'autres belles histoires de Bélier, des numéros un. Certains sont en politique, en mathématique, en informatique, en publicité; d'autres sont médecins, dentistes, écrivains, compositeurs, cinéastes, comédiens, chanteurs, animateurs, vendeurs, professeurs, gens d'affaires, avocats, etc. Qu'importe leur métier, quand ils sont quelque part, les vrais y sont dans la totalité de leur être et ils sont extraordinaires. Ils sont vivants et, à leur contact, ce qui sommeillait en vous se réanime. Symboliquement, le Bélier est la vie qui s'éveille et qui hurle sa faim et sa soif d'aimer et d'être aimé. Comment ne pas l'entendre? Comment l'ignorer? Comment lui dire non? Son cri d'amour est sauvage et exotique.

LE VILAIN BÉLIER

Je ne puis passer sous silence qu'il y a le Bélier sans espoir. Son feu est destructeur. Celui-ci ne supporte pas la compétition; quand il perd, c'est la faute d'un autre, il se sent persécuté. Il est mauvais perdant; il essaie de tout avoir gratuitement et ne reconnaît jamais ce qu'on fait pour lui. Il est mesquin, égoïste, égocentrique, narcissique et persuadé que le reste du monde doit s'agenouiller parce qu'il est là. Ce marsien prend et vous fait même sentir, après vous avoir dépouillé, qu'il vous a fait une faveur. Régi par la tête, l'angoisse et la peur tant de l'instant présent que du lendemain sont ses compagnes. Ce feu qui devait réchauffer autrui le consume, le détruit. Né de Mars, représentation symbolique de l'énergie et de la résistance physique, quand il retourne celles-ci contre lui, on ne trouve pas plus malade que lui... même quand son médecin lui dit qu'il n'a rien.

BÉLIER ASCENDANT BÉLIER

Jusqu'au 14 février, Jupiter est en Bélier sur votre signe et ascendant; puis, il passe en Taureau dans le deuxième signe de votre ascendant et y reste jusqu'au dernier jour de juin; par la suite et jusqu'à la fin de l'an 2000, il est en Gémeaux dans le troisième signe de votre ascendant. La traversée rapide de Jupiter dans ces trois maisons astrologiques est comparable à un édifice: sous Jupiter en Bélier, il est question du désir de le construire, de l'organisation de son financement et de l'embauche des collaborateurs et des ouvriers; sous Jupiter en Taureau, il s'agit de surveiller les coûts, de faire un maximum d'économie, de veiller à ce que le budget ne soit jamais dépassé, car Jupiter en Taureau suit la construction et la solidification de l'édifice de très près; puis, sous Jupiter en Gémeaux, il est question de le louer ou de le vendre et d'en tirer un maximum de profits.

En tant que Bélier/Bélier, vous avez tout mis en marche en 1999, vous avez transformé votre façon de gagner votre vie, vous avez changé de carrière, vous êtes peut-être retourné aux études ou vous avez obtenu une promotion. En l'an 2000, sous Jupiter en Taureau, vous touchez le but, vos profits augmentent; sous Jupiter en Gémeaux, vous élargissez votre champ d'expériences. Jupiter porte les uns à exagérer et les autres à réfléchir sagement. Il peut provoquer une enflure de l'ego; on se croit alors indispensable et invincible et, en conséquence, imprudent. Jupiter bien vécu rend l'individu conscient et responsable vis-à-vis d'autrui; il devient alors le professeur heureux et fier d'être dépassé par son élève. En l'an 2000, vous vivrez une accélération de tout ce que vous êtes; si vous portez un masque, si vous n'êtes pas authentique, la vie se charge de le faire tomber et vous perdrez ceux que vous prétendiez être vos amis. Si vous n'êtes pas honnête, si vous trichez, si vous volez, la justice se charge de votre cas.

Il est possible que Jupiter en Taureau vous rende si prudent que vous n'osez plus faire quoi que ce soit; vous traverserez alors une zone de turbulences avec la peur aux tripes. Par contre, le 1er juillet, Jupiter sera en Gémeaux et, à partir du 10 août, il sera en Saturne dans le troisième signe du vôtre, signe positif: les événements seront tels que vous vaincrez vos craintes. Pendant cette période, les plus sauvages sortiront de leur cachette et retourneront à une vie en société, à un mouvement de collaboration. Ne perdez pas de vue que Pluton est encore en Sagittaire en aspect favorable à votre signe; aussi, quand une épreuve ou un obstacle se présente, si vous fouillez en vous, vous trouvez la réponse et la solution au problème de l'heure, vos rêves sont révélateurs. Sous les influences d'Uranus et de Neptune en Verseau, si vous vous séparez de vos ennemis ou de faux amis, ceux-ci sont rapidement remplacés par du vrai monde.

BÉLIER ASCENDANT TAUREAU

Vous avez eu amplement le temps de réfléchir à ce que vous deviez faire en 1999; votre méditation et ce recul vous ont permis de voir où vous en étiez et quelles étaient les limites que vous pouviez encore dépasser. Vous êtes nombreux à émerger d'une pseudo-retraite avec des idées à appliquer, un programme chargé pour les douze prochains mois; vous y donner vous promet le succès et beaucoup plus d'argent qu'en 1999. Il ne s'agit pas ici de gagner à la loterie; si cela se produit, c'est tant mieux. Il est plutôt question d'un travail pour lequel vous vous êtes passionné, un but que vous avez poursuivi avec acharnement; vous toucherez des points, vous aurez votre trophée. Peut-être avez-vous soigné un parent, un ami ou un enfant en 1999, vous n'avez plus à vous en préoccuper ou beaucoup moins; vous l'avez aidé, vous l'avez sauvé et il est temps de placer votre énergie sur vous-même, de vous mettre à courir derrière votre rêve afin de le concrétiser. Si vous avez chassé de votre vie ceux qui n'aimaient ni n'approuvaient ce en quoi vous croyiez, vous vous êtes libéré. Il vous a fallu du courage pour congédier des gens que vous connaissiez parfois depuis 10 ou 15 ans; par contre, au cours de l'an 2000, comme le vide ne reste jamais vide, vous rencontrerez des personnes prêtes à vous appuyer dans vos démarches et qui peuvent même vous aider financièrement afin de vous rendre le chemin plus facile.

Saturne est en Taureau jusqu'au 10 août; il vous conseille de ne jamais vous opposer à des gens dont vous ne connaissez pas la force. Cet aspect sous votre ciel laisse supposer que, parmi vous, certains n'auront qu'un travail temporaire, mais il faut tenir le coup; après le 10 août, sous l'influence de Saturne en Gémeaux, vous pourriez obtenir un emploi permanent ou en trouver un correspondant à vos compétences avec un salaire plus que décent. Si vous œuvrez dans le monde du multimédia, en communications informatiques, vous aurez une chance inouïe de faire votre marque.

En fin d'août et en septembre, méfiez-vous de vos dépenses irréfléchies, d'achats faits sur un coup de tête. Une planification est nécessaire pour vous éviter tout embarras financier futur. Inutile d'ajouter à cela vos dettes. Durant les six derniers mois, une affaire de famille ou de voisinage peut devenir harcelante si vous y mettez trop d'énergie. Si telle est la situation, il faudra vous résigner et continuer à fréquenter ces parents avec lesquels vous n'avez plus rien à partager, à accepter d'être dérangé par un voisin, ou vous déménagez. Si vous menez une bataille juridique, si vous avez des droits à faire valoir, si vous faites une réclamation, le ciel prévoit un règlement qui ne sera peut-être pas la somme demandée, mais elle sera fort acceptable.

BÉLIER ASCENDANT GÉMEAUX

De la mi-février à la fin de juin, ne laissez pas les gens vous obliger à régler leurs problèmes à leur place. Vous rencontrerez quelques petits malins. Ne prêtez plus d'argent à un éternel emprunteur, ne vous êtes-vous pas rendu compte qu'il n'essaie jamais d'en sortir? Durant ces mois, Saturne et Jupiter sont en Taureau dans le douzième signe de votre ascendant, ce qui laisse présager une période extrêmement créative; vous serez inspiré, que vous soyez en affaires ou que vous exploitiez un art, et vous saurez ce qu'il faut faire pour vous dépasser. Durant ce temps, éloignez-vous des amis ou des parents qui ne croient pas en vous. Ne perdez ni votre temps ni votre énergie avec ces gens. Vous avez un objectif et il est important de le poursuivre, de ne pas vous laisser distraire.

Entre le 13 février et le 24 mars, si vous faites beaucoup de route, soyez extrêmement prudent. Durant le mois d'avril, vous devrez sans doute modifier votre régime alimentaire, mieux vous nourrir afin de protéger votre organisme contre l'épuisement. Du 3 mai au 16 juin, vous aurez des réactions promptes, et parfois dans des moments où il serait préférable de rester calme. Durant le mois de juillet, vous vivrez une situation familiale lourde; pour un parent, il s'agit parfois d'accepter le choix que fait un enfant ou de l'aider à sortir d'un pétrin dans lequel il s'est mis les pieds. Les scénarios complexes sur la famille sont trop nombreux pour tous les décrire ici. À partir du début de juillet, Jupiter entre en Gémeaux sur votre ascendant: côté affaires et profession, il y aura un important changement positif, de la chance dans vos démarches, et souvent dans celles qui vous faisaient d'abord très peur. Au mois d'août, si vous avez travaillé à un projet, si vous avez fait des demandes d'emploi, vous pourriez enfin recevoir la réponse tant attendue.

Jusqu'à la fin de l'année, Jupiter demeure en Gémeaux sur votre ascendant; Jupiter n'aime pas la routine, il pense et agit rapidement. Il vous pousse à vous affirmer davantage. Certains d'entre vous donneront du temps à une œuvre ou s'engageront dans un mouvement social dont ils prendront rapidement la tête. Du 11 août au 16 octobre, Saturne est en Gémeaux et n'occasionne que bien peu de retard; il donne une grande agilité d'esprit. Comme il traversera alors votre ascendant, Saturne fait de vous un chef ou vous découvrez que vous avez du talent pour mener. Pluton est encore en Sagittaire dans le septième signe de votre ascendant, ce qui laisse supposer quelques difficultés sur le plan amoureux; les uns deviennent amoureux trop vite; d'autres, au contraire, sont si soupçonneux et si craintifs qu'ils éloignent d'eux les meilleures personnes au monde. Mais il se peut que, depuis longtemps, vous soyez malheureux dans votre vie de couple; c'est surtout à partir de juillet que vous trouverez le courage de quitter cette relation qui ne vous apporte plus rien.

BÉLIER ASCENDANT CANCER

Vous êtes un double signe cardinal et tellement hyperactif que lorsque vous commencez un projet, vous ne savez plus comment vous arrêter. Vous êtes très ambitieux. Derrière votre beau sourire se cache une main de fer qui n'est pas toujours dans un gant de velours. Vous serrez fort lorsque vous êtes contrarié. Mais, en l'an 2000, vous serez plus habile à décompresser, à vous reposer, à lâcher prise, et peut-être oserez-vous partir à l'autre bout du monde juste pour voir comment ça se passe ailleurs et parce qu'il est temps de vous éloigner de ce qui vous a tenu si occupé ces quatre dernières années. Sur le plan professionnel, si vous occupez déjà un poste important, ce qui est fréquent sous ce signe et ascendant, à la mi-février, on vous proposera d'aller plus haut, de grimper dans la hiérarchie. Devant vos nouvelles responsabilités, vous serez philosophe, vous ne vous y accrocherez pas comme un désespéré. Vos années d'expérience vous ont appris à vous distancer de problèmes qui ne sont pas toujours les vôtres. Vous ne portez plus le monde sur vos épaules ; vous savez déléguer parce que vous êtes parfaitement conscient que vous ne pouvez tout faire. Une fois bien installé à votre nouveau poste, l'œil ouvert, l'esprit en alerte, vous chasserez ces jaloux qui, de temps à autre, essaieront de vous faire faire un faux pas dans l'espoir de vous déloger. Ils n'y parviendront pas.

Si vous avez utilisé votre force contre vous, si vous avez passé votre temps à servir et à vous culpabiliser en vous répétant que vous pourriez en faire plus ou si vous êtes resté inerte et n'avez réalisé aucun rêve, lorsque Jupiter entrera en Gémeaux en juillet, la vie se chargera de vous secouer de votre torpeur. Jupiter positionné dans le douzième signe de votre ascendant vous ouvrira les yeux sur votre réalité, sur ce que vous vous êtes caché à vous-même et qu'il faut maintenant régler. Pour d'autres, Jupiter en Gémeaux à partir de juillet signifie qu'ils devront soigner un parent, un ami ou un partenaire, ce qui leur permettra de se rendre compte de leur propre fragilité et de la qualité de vie qu'ils se sont offerte jusqu'ici.

Durant le mois d'août, si vous avez l'intention de faire un achat dont les paiements seront à long terme, qu'il s'agisse d'une maison, d'une voiture, d'un avion, d'un terrain ou d'un cheval, avant de signer quoi que ce soit, demandez à un expert d'étudier avec vous toutes les clauses qui vous lient au contrat. Le ciel donne des indices où, par empressement, vous pourriez payer trop cher pour ce qu'on vous offre. Informez-vous adéquatement et vous éviterez une perte.

Novembre et décembre sont deux mois où vos relations sentimentales peuvent être tendues. Quelques dialogues avec l'amoureux seront nécessaires afin de comprendre ce que l'un et l'autre sont devenus. Un couple est une entité active ; les joies, les épreuves, les malchances et les chances ont transformé chacun et le moment est venu de se reconnaître différents avant que l'union soit dans un état de non-retour.

BÉLIER ASCENDANT LION

Rien de vraiment tranquille dans la famille. Peut-être vos enfants vieillissent-ils et ont-ils l'âge de quitter le nid sans que toutefois vous soyez prêt à cette idée... mais le serez-vous jamais? Si telle est la situation, il faudra bien l'accepter plutôt que de vous morfondre. Si vous avez l'âge et si vous êtes émotivement prêt à concevoir, si vous êtes amoureux, il y a toutes les chances du monde que vous y alliez pour un premier ou pour un second enfant. Attention, certains parmi vous se laisseront persuader de vouloir un enfant; pour ces derniers, la paternité ou la maternité sera difficile à vivre. L'époque où l'on faisait des enfants parce que le curé le voulait est révolue. Une autre possibilité s'offre pour quelques couples: l'adoption d'un enfant. Quelques Bélier/Lion seront pris dans un conflit familial dont ils auront bien du mal à s'extirper. La raison leur dit de s'éloigner, mais le cœur leur supplie de rester. S'il y a une dispute familiale, elle se réglera, mais sans doute pas avant juillet.

Si vous avez des parents âgés, attendez-vous à devoir vous rendre auprès d'eux plus souvent; le vieillissement entraîne souvent une moindre résistance et la défaillance d'un organe. On a beau vouloir que nos proches soient immortels... la médecine n'a pas encore trouvé le secret de notre immortalité. En ce qui concerne votre carrière, le ciel prévoit une série de changements; si les uns sont désirés, d'autres surviennent comme un cheveu sur la soupe et obligent les congédiés à chercher un autre emploi; vers la moitié ou la fin de juin, ces derniers trouveront un meilleur travail que celui qu'ils avaient. Dans l'ensemble, c'est une année *rock'n'roll*. Vos amours seront tumultueuses, pas d'ennui: de gros coups de passion, une querelle, un coup de sang, une rupture et hop! on se tombe à nouveau dans les bras l'un de l'autre. Avec autant d'action, il sera nécessaire que vous preniez soin de vous. Vous êtes prié de changer votre alimentation, au moins jusqu'en juillet; de toute manière, en quelques mois, vous aurez pris l'habitude de vous nourrir plus sainement et vous pourrez ainsi préserver vos énergies ou les récupérer dès qu'elles faiblissent.

Vous êtes un double signe de feu et si les flammes baissent de temps à autre, il suffit d'un souffle pour qu'aussitôt vous redeveniez flamboyant. Vous aurez très envie de déménager, de changer de décor, de vivre dans une autre maison, un autre appartement, un autre quartier, une autre ville; certains partiront même pour l'étranger parce que leur profession l'exige. Pour terminer, vous ne passerez pas à côté de la peur de manquer d'argent; non seulement est-ce une mode, mais des publicités, des entreprise de placements et des banques vous font miroiter une retraite dorée; on n'est pas sans vous rappeler qu'il est nécessaire d'épargner pour être sauvé. Le gros bon sens le dit. Aussi, si vous ne gagnez votre vie que modestement, subir cette pression finit par créer une oppression. Si vous vivez dans le confort, cette fois, vous craignez qu'on ne vous exploite. Votre double signe de feu vous fait voir le meilleur et le pire. Ne tirez pas au sort et choisissez de vivre en optimiste.

BÉLIER ASCENDANT VIERGE

C'est surtout à partir de la mi-février que vous serez mieux dans votre peau, plus fort et, cette fois, bien déterminé à aller là où le cœur vous le dit. Vous avez déjà procédé à d'importants changements personnels l'an dernier. Dans certains cas, vous n'avez pas eu le choix; dans d'autres, vous avez résolument pris une autre voie d'accès pour vous réaliser. Jusqu'à la mi-février, Jupiter est encore en Bélier dans le huitième signe de votre ascendant: vous parachevez ce que vous avez entrepris depuis un an, vous mettez un point final à une situation familiale conflictuelle. Du 15 février au 30 juin, Jupiter est en Taureau dans le neuvième signe de votre ascendant; cette position de Jupiter présage un voyage, un déménagement, un retour aux études ou un changement d'emploi, ou encore une promotion avec un salaire confortable. Durant cette dernière période, sur le plan personnel, vous vous affirmerez; vous serez extrêmement intuitif et avant de prendre quelque décision que ce soit, vous aurez des indices qui, en toutes circonstances, vous aideront à choisir ce qui paie le plus, ce qui vous rend le plus heureux.

De juillet jusqu'à la fin de l'année, Jupiter est en Gémeaux dans le dixième signe de votre ascendant; un autre bond côté carrière et quelques mois pour lancer votre propre affaire ou commerce; dans certains cas, il s'agira de prendre une demi-retraite vous permettant de vous initier à une autre profession. Sous l'influence de Jupiter en Gémeaux, il est possible que vos grands enfants optent pour des études que vous-même n'auriez jamais entreprises; vos objections n'auront aucun poids et si vous ne leur faites pas confiance, ce sera une interminable dispute. Si vos enfants ont l'âge de fonder une famille, peut-être deviendrez-vous un grand-papa ou une grand-maman. Si vous êtes jeune et amoureux, vous fonderez votre propre foyer avec un premier et parfois un second enfant.

Février, mars et avril seront les mois les plus déterminants; les occasions de vous tailler une place au soleil seront juste devant vous. Il y a de nombreux artistes sous ce signe et ascendant: musiciens, écrivains, comédiens, etc., et l'an 2000 les propulse vers le succès. Leurs efforts sont enfin récompensés. Ils ne seront pas sans traverser des périodes d'insécurité. Si vous vous identifiez à l'artiste, ne paniquez pas dès que vous subissez un changement, et dites-vous que c'est pour aller plus haut et plus loin. Si vous êtes en pleine création, vos idées hors du commun se décupleront, de quoi étonner et épater. À la fin du mois de mai, mais surtout du début juin à la mi-juin, il y aura de nombreuses discussions entre votre amoureux et vous; ce sera tantôt au sujet de l'éducation et des vacances des enfants, tantôt au sujet du budget et des dépenses nécessaires ou non. L'essentiel est de ne rien dramatiser afin qu'un banal argument ne devienne pas une querelle; aussi passagère celle-ci soit-elle, il vaut mieux l'éviter; ce n'est pas toujours facile de se parler calmement et sans agressivité, il est préférable d'en faire l'effort pour maintenir la paix au foyer.

BÉLIER ASCENDANT BALANCE

Vous êtes né avec le signe opposé qui est également votre complémentaire. Vous avez peut-être changé d'orientation de carrière en 1999, la moitié d'entre vous a obtenu d'excellents résultats, l'autre moitié s'en mord encore les pouces. Vivre avec le signe d'en face signifie que pendant longtemps, le natif joue contre ses intérêts. Ses choix sont guidés par autrui, il est sous l'influence de ceux qui l'entourent sans même qu'il en soit conscient. Mais une fois éveillé, il réagit et transforme la situation comme il le souhaitait au plus profond de lui-même. À partir de la mi-février, sous l'influence de Jupiter et Saturne en Taureau, deux planètes positionnées dans le huitième signe de son ascendant lui font voir sa réalité ; dès l'instant où il ouvre les yeux, il procède à un changement qu'il choisit délibérément. Plusieurs retourneront à une profession qu'ils ont abandonnée parce que là où ils avaient pris un engagement, il est bien évident que le soleil n'y brille pas plus et que les nuages sont de plus en plus lourds ; en somme, ils n'ont pas eu le succès tant espéré. Malgré la peur de se voir interdire la rentrée dans l'entreprise qu'ils ont volontairement quittée, ils seront bien accueillis. Il est possible qu'on les fasse patienter soit jusqu'en mai, sinon jusqu'en juillet ; qu'importe le temps qu'il faudra, l'important pour le Bélier est de se trouver là où il est à l'aise, là où il peut progresser tout en aidant son prochain.

Pour le Bélier/Balance, secourir et faire en sorte qu'après son intervention la vie soit plus agréable pour son prochain n'est pas une notion ou un vague idéal, mais une nécessité intérieure. En juillet et jusqu'à la fin de l'année, Jupiter sera dans le neuvième signe de votre ascendant et il en sera de même pour Saturne du 11 août au 15 octobre ; ces aspects célestes augurent une chance inouïe, et ce, dans divers secteurs de votre vie. Le travail se fait plus simple, plus facile, parfois en double, et le revenu suit la même courbe ascendante. Si vous faites de l'exportation, vos produits ou vos services seront populaires, très en demande.

Si, par exemple, vous vivez seul depuis plusieurs années, vous ferez une rencontre hors de l'ordinaire, ce sera l'amour à vue, l'attraction mutuelle. Si vous êtes en union libre, il sera question de la légaliser et si vous êtes jeune et amoureux, si vous avez l'âge de fonder un foyer, votre partenaire et vous n'aurez pas à vous acharner pour faire un premier enfant. Vous êtes en zone astrale fertile. Cette période prédispose aussi un grand nombre de divorcés à croiser au hasard d'une sortie spéciale ou d'un voyage celui qui sera leur second conjoint officiel. À partir de juillet, sous l'influence de Jupiter en Gémeaux, vous êtes plus chanceux dans les jeux de hasard même si, en général, vous ne croyez pas à ce genre de chance, et vous pourriez gagner un voyage en participant à un concours.

BÉLIER ASCENDANT SCORPION

Les mois qui vous attendent concernent plus particulièrement votre union, vos associations, vos amis et ces gens en qui vous avez confiance. Quelques événements décevants vous pousseront à faire le tri et vous donnerez congé à ceux qui, depuis déjà longtemps, vous prennent beaucoup sans rien donner en retour, pas même un service. Il suffira d'une situation plutôt banale pour que vous compreniez à quel point on vous a exploité. Si vous n'êtes pas heureux dans votre vie de couple, vous prendrez votre courage à deux mains et vous direz adieu à la tristesse. Après avoir rompu, avant même que l'année soit terminée, vous aurez déjà croisé votre idéal ; ce sera l'amour à vue, vous aurez même l'impression d'avoir toujours connu cette personne. Si vous êtes seul depuis plusieurs années, même si vous ne cherchez plus l'amour et que vous avez cessé de l'espérer, il s'offrira de manière à ce que vous ne puissiez le refuser.

Dans le domaine des affaires, si vous travaillez en association, il y aura un nouveau partage ou votre associé et vous déciderez de poursuivre chacun de votre côté. De janvier jusqu'à la mi-février, vous aurez parfois la sensation que rien n'avance, de perdre votre temps et d'avoir tous les problèmes du monde sur vos épaules. Vous êtes né d'un double signe de Mars ; après un mois et demi de réflexion, vous réagirez comme il se doit et ferez tout ce qui se doit pour récupérer vos droits, pour les faire valoir, et vous chasserez du même coup les parasites. De la fin de mars et durant le mois d'avril, vous mettrez de l'ordre dans votre comptabilité ; pour certains, le moment est idéal pour choisir un nouveau partenaire ou pour établir de nouvelles règles dans l'entreprise qu'ils exploitent. Vous devrez surveiller votre alimentation de près et vous nourrir à des heures plus régulières ; le moindre écart vous affaiblit au point où vous penserez que vous faites un *burnout* alors qu'en fait il ne s'agira que d'un déclin de votre énergie physique.

À la mi-juin et jusqu'à la fin de juillet, vous serez plus souvent à la maison ; vous transformerez le décor de façon qu'il ressemble à ce que vous devenez : plus audacieux, plus affirmatif. Du début d'août et jusqu'à la mi-septembre, c'est une période extraordinaire et créative ; tous les efforts faits depuis janvier rapportent maintenant leurs fruits. Rien n'étant parfait, du 19 septembre au 4 novembre, un parent âgé et malade pourrait vous réclamer constamment ; par amour et par affection, vous lui donnerez votre temps et mettrez de côté quelques activités. Du 5 novembre jusqu'à la fin de l'année, sans négliger votre devoir, vous serez plus attentif à vous-même. Sans vous culpabiliser, vous vous accorderez des journées de détente et sans doute magasinerez-vous comme vous ne l'avez plus fait depuis plusieurs mois. Vous faites peau neuve, et cela doit se voir.

BÉLIER ASCENDANT SAGITTAIRE

Vous êtes un double signe de feu ; né de Mars et de Jupiter, vous êtes un débrouillard souriant, un optimiste généreux et un jouisseur. Depuis les années cinquante, le secteur de l'entreprise demande aux gens de se spécialiser alors que vous n'avez jamais cessé de vous intéresser à tout. C'est maintenant en l'an 2000 que vos multiples expériences vous servent. Par exemple, une entreprise ferme ses portes ou procède à des compressions budgétaires. En moins de deux, vous frappez à la porte d'à côté pour un emploi que vous avez occupé dans le passé où justement vos services sont requis. Non seulement respecterez-vous votre plan budgétaire et paierez-vous vos comptes plus vite, mais en plus vous aurez les moyens de vous offrir du luxe parce que vous gagnerez plus d'argent.

Je ne vous annonce pas une année de repos ; au contraire, l'action ne manquera pas, mais il y aura satisfaction personnelle, professionnelle et financière. Avec toutes ces dépenses d'énergie, il sera essentiel de vous alimenter sainement chaque jour que Dieu vous donne. Si vous vous nourrissez mal, si vous sautez fréquemment des repas, votre estomac se plaindra ; vous vous fabriquerez un ulcère ou vous aurez des maux de ventre. Il vous suffit de vous arrêter quand vous avez faim, de vous asseoir calmement devant un bon repas. Faites des haltes, reprenez votre souffle et appréciez d'avoir autant de résistance physique. De janvier à la mi-février, vous vivrez une histoire de famille troublante : vous subissez des critiques non méritées ou on entache votre réputation. Vous mettrez fin à la fréquentation de parents jaloux et envieux. Vous consacrerez vos énergies à votre travail et vous établirez de belles relations avec ceux qui vous entourent.

De mai à la fin de juillet, vos enfants vous préoccupent, surtout s'il y a querelle à travers laquelle vous entrevoyez une rupture de votre couple. Si telle est la situation, vous ne serez pas seul longtemps ; en début d'août, une rencontre vous donne tous les courages et le goût d'agir ; c'est un peu comme si vous redécouvriez que vous aviez droit au bonheur. Du début d'août jusqu'au 17 septembre, vous avez de la chance dans divers secteurs de votre vie. D'abord, vous cessez de lutter contre ce que vous ne pouvez changer vous-même ; puis, la vie s'organise pour vous rendre ce qui vous est dû, en tout et partout. Si vous vous êtes taillé une place au soleil, du 18 septembre au 4 novembre, vous prendrez les bouchées doubles pour conserver vos acquis et vous passerez à un échelon plus élevé là où vous travaillez. Du 5 novembre à la fin de l'année, vous vous apercevrez que de nombreux amis sont là dès l'instant où vous leur signalez que vous avez besoin d'eux. Si vous êtes à votre compte, grâce à des appuis aussi étranges que spontanés, durant les deux derniers mois de l'année, votre chiffre d'affaires augmentera considérablement.

BÉLIER ASCENDANT CAPRICORNE

Vous voudrez tout moderniser, tout changer autour de vous en commençant par votre appartement ou votre maison. Vous décorerez différentes pièces ; le plus urgent sera la transformation de votre cuisine, vous aurez la sensation qu'ainsi vous vous nourrirez mieux. Vous avez un vif désir et un besoin de sociabiliser, de recevoir ; votre temps d'isolement est terminé, vous revenez à la vie avec et parmi les autres. Vous vous ferez de nouveaux amis, vous reverrez les anciens. Si vous êtes amoureux, si vous n'avez pas encore d'enfant, à partir de la mi-février, il sera sérieusement question de fonder un foyer. Si vous êtes seul, célibataire, vous ferez une rencontre qui changera votre destin et, en moins de deux, vous partagerez votre vie avec votre idéal, une personne qui ne semblait exister que dans vos rêves et, pourtant, la voilà réelle et porteuse de bonheur et d'amour. Si vous avez un talent artistique que vous n'avez que peu développé, les circonstances ne s'y prêtant pas, par un heureux hasard, grâce à des gens d'influence, vous aurez enfin l'occasion de réussir là où vous le souhaitiez bien des années auparavant.

En juillet, certains retourneront aux études et termineront un cours qu'ils avaient dû abandonner vu les nécessités de la vie. D'autres trouveront l'emploi qui éventuellement leur permettront de grimper dans la hiérarchie d'une entreprise pour laquelle ils voulaient travailler depuis belle lurette. À partir de la mi-août, il sera essentiel de modifier votre régime alimentaire, de vous assurer d'avoir tous les minéraux, toutes les vitamines, toutes les protéines, etc., afin d'être en forme pour les années de réalisation à venir. Du 17 juin jusqu'à la fin de juillet, il est possible que la situation soit tendue à la maison ; quand votre partenaire veut une chose, vous voulez le contraire, comme s'il fallait absolument qu'il ait tort et que vous ayez raison. Ce jeu de pouvoir est aussi agaçant pour l'un que pour l'autre. Si vous avez de grands enfants qui ont l'âge de vous répondre et si vous vous êtes autoritaire, les arguments entre eux et vous pourraient prendre une telle ampleur que même le mois d'août serait difficile à passer.

Si votre travail vous met en relation directe avec le public de la mi-septembre jusqu'au 4 novembre, en tant que vendeur, vous serez débordé mais vous gagnerez beaucoup plus d'argent que les deux dernières années. Du 5 novembre jusqu'à la fin de l'an 2000, vous vivrez plusieurs remous professionnels, surtout si, en début d'année, vous avez obtenu un autre emploi ou une promotion ; sans doute faudra-t-il éloigner les envieux et faire taire les mauvaises langues. Ne dramatisez pas cette prévision : c'est en discutant calmement que vous rétablirez la situation et que vous ferez tourner les événements en votre faveur.

BÉLIER ASCENDANT VERSEAU

Vous êtes né d'un signe de feu et d'air ; il est difficile de trouver plus explosif, surtout en ce moment avec Uranus et Neptune sur votre ascendant. Avec Uranus sur votre maison un, vous avez de l'audace ou vous laissez votre nervosité et les peurs des autres vous faire faire crise de nerfs après crise de nerfs. Neptune sur votre maison un porte certains d'entre vous à rêver leur vie, tandis que d'autres utilisent leur imagination positivement et se réinventent constamment. L'an 2000 laisse présager divers changements dans votre vie : un déménagement, l'achat d'une propriété ou la vente de celle que vous possédez, ou encore vous rénoverez chaque pièce dans un style nouveau, différent et fort original. Vous aurez l'impression de vous éveiller après un très long sommeil surtout si, en 1999, vous avez aussi hésité à agir que vous ne l'aviez fait en 1998 ; ces deux années d'hibernation vous ont suffisamment reposé ou isolé à la fois de ce que vous êtes au plus profond de vous-même et des autres.

Si vous faites partie de ces gens qui prendront leur retraite, vous retournerez aux études, celles que vous aviez toujours rêvé de faire. Si vous avez un travail qui ne vous plaît pas, vous ferez des démarches et vous trouverez selon vos compétences et le salaire que vous pensez valoir. Si vous débutez, vous gravirez rapidement les échelons; si vous venez de terminer vos études, vous serez repêché par plus d'une entreprises et vous pourrez ainsi décider où vous voulez faire carrière. Si vous êtes amoureux, jeune et sans enfant, en plus d'avoir un énorme besoin de vous stabiliser, plus que jamais le mot «famille» résonne en vous comme si l'alarme avait sonné. Si vous êtes célibataire, à partir de la mi-février, vous vous rendrez plus disponible; sans doute aurez-vous enfin guéri une peine d'amour et serez-vous prêt pour le grand et le véritable engagement, celui qui se vit d'une manière réciproque et presque à vue. Il est possible que vous hésitiez jusqu'en juillet mais, à partir de là, vous serez capable de parler de votre attachement et de votre désir de partager la vie et les rêves de votre partenaire.

Il faudra surveiller votre alimentation; vous courez sans cesse et les repas pris à la sauvette risquent d'être incomplets. Pour vous éviter des brûlures d'estomac ou des états de faiblesse, demandez quelques conseils à votre naturopathe. Durant le mois d'août et jusqu'à la mi-septembre, soyez plus prudent au volant; vous sortirez davantage et le bonheur, s'il vous rend euphorique, peut aussi vous créer quelques distractions: même un petit accrochage serait un stress de trop. Chaque fois que vous serez sur la route, songez aux autres conducteurs qui ne sont peut-être pas aussi de bonne humeur que vous ne l'êtes. Lorsque vous aurez des rendez-vous, partez un peu plus tôt: vous serez moins nerveux et vous conduirez avec plus d'attention.

BÉLIER ASCENDANT POISSONS

C'est à peine si vous vous rendez compte que vous jouez souvent deux rôles opposés: pendant un temps, vous vous identifiez au sauveur; à d'autres périodes, vous demandez à autrui de vous sauver parce que cette fois, vous êtes une victime. En principe, en 1998, vous aviez une chance de prouver qui vous étiez et ce que vous pouviez faire et, en 1999, vous auriez dû progresser à pas de géant. Si certains d'entre vous ont pris le chemin qui mène au succès, d'autres se sont distancés du reste du monde et même de leur famille. Sous votre signe et ascendant, la vie a souvent de mauvaises surprises contre lesquelles vous devez lutter. Vous êtes né de Mars et de Neptune; pendant que le premier agit, l'autre bâtit des châteaux en Espagne. Ne vous faut-il pas un lot d'expériences malheureuses pour devenir sage? Depuis le mois de juin 1999, vous avez pris d'importantes décisions concernant votre carrière et vous vous êtes sérieusement mis à l'œuvre. Vous avez commencé à voir la lumière au bout du tunnel. Une fois sorti, vous vous êtes aperçu que le chemin qui reste à parcourir est long, mais la route est large et dégagée. Aussi, en l'an 2000, vous poursuivrez votre objectif avec vigueur, avec plus de discipline que jamais vous n'avez eue. Vous ne laisserez personne vous mettre les bâtons dans les roues, et ceux qui sont décourageants seront mis à la porte et de votre maison et de votre entreprise, ce qui est d'ailleurs préférable car vous avez horreur de recevoir un ordre et vous aimez bien en donner.

À partir de la mi-août, même si la période est passée, vous songerez à déménager et plusieurs décideront d'aller habiter une autre ville, plus rarement un autre pays. Si vous habitez à la campagne, vous aurez un irrésistible besoin de venir à la ville et si vous êtes un citadin, vous serez attiré par la campagne.

En ce qui concerne l'amour, si vous avez une vie de couple et que la routine s'est installée, elle devient tout simplement insupportable. Vous n'avez fait aucune promesse à qui que ce soit, mais vous fréquentez avec une certaine assiduité deux partenaires qui, par un concours de circonstances, apprendront que vous courez deux cœurs à la fois... sans doute vivrez-vous simultanément deux ruptures. Il y a aussi des esprits qui optent pour la simplicité dans une relation amoureuse; ils n'aiment pas les jeux de cache-cache et souhaitent ardemment partager leur vie avec une seule personne. Mars, avril, août et septembre sont les mois les plus propices pour une rencontre avec l'idéal, et il n'est pas impossible que vous l'ayez connu au cours de 1999 durant une période où vous vous disiez que c'était trop beau pour être vrai. Vous avez traversé la zone de l'ambivalence et, cette fois, vous êtes prêt parce que vous avez découvert que dans l'amour, il y a le respect des choix et des libertés de chacun.

JANVIER

TRAVAIL. Que vous soyez à votre compte ou employé, vous avez de la difficulté à dire non à ceux qui vous demandent de faire des heures supplémentaires ou de rendre un petit service, ou encore de terminer plus tard parce que le client est pressé. Il est vrai que faire de l'argent, c'est rassurant; mais il est aussi possible que, parmi vous, de nombreux Bélier ne touchent pas un sou de plus, car l'entreprise ne paie pas le service qu'on lui rend. Elle vous oblige et elle vous laisse entendre que si vous refusez, vous êtes remplaçable. Jusqu'au 19, le climat est tendu, les autorités abusent de leur pouvoir. Vous y survivrez, mais ce ne sera pas dans la joie.

SANS TRAVAIL. Si vous êtes sans emploi depuis plusieurs mois, l'état de panique vous envahit; si vous ne réagissez pas, vous aurez l'impression que vous ne trouverez jamais quoi que ce soit. Attention, certains d'entre vous, chaque jour, découvrent une meilleure raison pour rester à la maison et pour contester le système en place! Jupiter est encore en Bélier; cela a pour effet d'alimenter votre colère et de vous faire crier qu'il n'y a pas de justice. Ce début de siècle vous suggère d'avoir du cœur au ventre et l'humilité de recommencer s'il le faut.

AMOUR. Si vous avez un partenaire, si vous vivez avec quelqu'un qui vous aime, il fera tout en son pouvoir pour vous soutenir et pour vous encourager, mais il ne peut constamment vous tenir la main et encore moins régler vos problèmes personnels, pas plus qu'il ne peut lire dans vos pensées. En tant que célibataire, vous ferez une rencontre; vous êtes cependant si inquisiteur que vous découragez votre flirt. Ne posez pas tant de questions, laissez le temps tisser cette nouvelle relation; au fur et à mesure que les semaines passeront, plus vous vous connaîtrez, plus il se confiera, et vous finirez par presque tout savoir de lui.

FAMILLE. Noël puis le jour de l'An, si ce n'est que nous sommes entrés en l'an 2000, ça ne fait pas beaucoup de différence avec les fêtes précédentes. Vos relations familiales en sont toujours au même point: il y a les parents avec qui vous vous entendez, et les autres avec lesquels vous n'avez rien en commun. En tant que parent, en ce qui concerne vos enfants, vous êtes autoritaire dans des moments où vous devriez être souple et trop souple alors qu'il faudrait plus de discipline.

SANTÉ. Si vous exercez un sport d'hiver et de vitesse, soyez très prudent. Si votre vie n'est pas menacée, un accident peut survenir; vos jambes et vos genoux sont symboliquement vulnérables et cassants. Il y a également ceux qui doivent surveiller leur santé mentale. Ils se laissent aller, ils dépriment et, avant de toucher le fond, il faut demander de l'aide. Si vous avez eu une série de déceptions, si le corps résiste, l'esprit s'épuise à chercher des solutions ou à tourner en rond. Mettez votre orgueil de côté et voyez votre médecin.

RÊVES ET MAL À L'ÂME. Lorsqu'on devient adulte, on se rend compte que des événements pénibles, inévitables, nous ont empêché de réaliser certains rêves et idéaux. Compilez vos expériences, faites votre bilan et tirez une conclusion sur ce que vous pouvez encore faire et sur ce qui sera à tout jamais une désillusion. Je ne connais personne qui soit parfaitement heureux. Mais on ne résisterait pas tant si on n'avait jamais eu plaisirs et satisfactions.

FÉVRIER

TRAVAIL. Si vous étiez irrité en janvier en raison de problèmes dans le secteur professionnel, il est possible que vous le soyez encore et que rien ne se règle ; du moins n'y a-t-il pas de vraie solution avant le 13, date où votre caractère marsien et défensif reprend le dessus. Si vous travaillez dans le domaine de la comptabilité, vous serez débordé : une nouvelle technologie est expérimentée et une grave erreur commise par un collègue ne sera guère facile à rectifier. Si vous êtes en relations publiques, si, chaque jour, votre métier vous oblige à rencontrer de nouvelles gens et à leur vendre un produit, une idée, un service, si vous êtes un négociateur, si vous avez des associés dans votre entreprise, les communications ont tendance à se brouiller. Bien des gens sont susceptibles, ce mois-ci, le Soleil est en exil. Comme vous êtes prompt de nature et plus ou moins patient, pour ménager clients et collaborateurs, prenez de grandes respirations et pratiquez la tolérance.

SANS TRAVAIL. Partons du fait que vous avez des tripes, que vous êtes volontaire mais sans emploi. En ce mois, c'est un peu comme si le ciel lançait des éclairs de génie droit sur vous. Vous avez une nature de chef, vous supportez généralement très mal d'avoir un patron, aussi vous songerez sérieusement à lancer une affaire à partir de vos expériences et de vos compétences. C'est ainsi que, parmi vous, de nouveaux riches naissent.

AMOUR. Jusqu'au 18, Vénus est en Capricorne et, durant ces jours, vous passez par divers états émotionnels allant de l'insécurité à la peur de perdre l'amoureux. De là, vous vous mettez en colère, vous boudez et vous appelez ça une trêve. Vénus en Capricorne déforme vos perceptions : l'autre ne ressemble plus à ce que vous avez connu, mais pourquoi ne serait-ce que lui qui aurait changé ? Il est à souhaiter que vous ayez la sagesse de vous arrêter pour discuter des derniers événements qui vous ont tant fâché. Et si vous êtes célibataire, vous attendrez le 19, avec Vénus en Verseau, pour accepter un nouvel ami. Il y a parmi vous des célibataires plus conquérants que sentimentaux, et certains tomberont dans le piège amoureux qu'ils tendent.

FAMILLE. Si votre famille est reconstituée, il est possible que les enfants de l'un ou de l'autre fassent du chantage afin de soutirer attentions, faveurs et bénéfices hors du commun. Si vous vivez une telle situation et que vous ne savez que faire, demandez conseil à un thérapeute spécialisé en relations familiales. Si un parent s'impose et vous dit quoi faire concernant les tensions que vous avez avec votre partenaire, s'il n'est pas qualifié en affaires matrimoniales, rendez-vous service et mettez-le à la porte.

SANTÉ. À partir du 19, vous retrouvez votre énergie marsienne et vous déclarez que vous êtes en forme. Avant cette date, protégez vos orteils et si vous achetez de nouvelles chaussures, ne lésinez pas sur le prix ; le confort est souvent plus cher. Ne vous blessez pas aux pieds ou même aux chevilles en acceptant de porter des souliers trop étroits ou trop larges.

RÊVES ET MAL À L'ÂME. Si, chaque matin, vous vous levez énervé et excité, à midi, vous êtes impatient et à la moindre contrariété, vous trépignez d'impatience. Pour votre propre bien, vous laissez sortir la vapeur, mais vos proches sont à plaindre.

MARS

TRAVAIL. Jusqu'au 13, on ne peut se passer de vous ; on vous demande conseil, vous donnez plus qu'il n'en faut et vous offrez des solutions efficaces à des problèmes qui semblaient s'éterniser dans l'entreprise en cours. On se fie sur votre rapidité d'exécution. Pendant que vous courez dans tous les sens pour satisfaire à la demande du patron et des clients, vous vous oubliez ; si les profits sont plus élevés qu'à l'accoutumée, vos dépenses sont à la hausse. En fin de compte, votre dévouement ne rapporte que si vous l'évaluez selon la satisfaction personnelle que vous en retirez ; financièrement, ce n'est pas payant. Le 14, avec l'entrée de Vénus en Poissons qui sera conjoint à Mercure dans ce signe, douzième signe du vôtre, peu à peu et peut-être jusqu'à la fin du mois attendra-t-on toujours autant de votre part ; cependant, vous n'en pouvez plus et vous savez parfaitement qu'on est en train de vous exploiter. En affaires, la preuve a été faite à plusieurs reprises, il n'y a pas d'amis. Négociez vos services, ne les donnez pas.

SANS TRAVAIL. Le ciel présage un emploi à temps partiel ou vous ferez du remplacement ; il n'y a qu'à en faire la demande. Il vous est conseillé d'accepter ce genre d'offre parce qu'à la fin de la première semaine d'avril, ce qui ne devait pas durer peut devenir un emploi permanent. Si vous ne faites aucun effort et que vous voulez avoir de l'argent sans devoir travailler, vous manquez d'enthousiasme, vous êtes découragé et décourageant pour vos proches.

AMOUR. Si vous n'avez pas choisi votre célibat, si vous avez subi une rupture il y a un mois ou un an, la solitude vous fait bouillir intérieurement. Vous vous sentez rejeté et vous restez aveugle aux signaux de ceux à qui vous plaisez. Même si vous êtes heureux dans votre couple, il est possible que votre partenaire soit dans l'obligation d'aller travailler dans une autre ville ou dans un autre pays, surtout s'il est Lion ou Sagittaire. Vous accepterez sa décision, mais sans vous en réjouir. Ceux qui restent, ceux dont la vie amoureuse n'est plus qu'une habitude se renfrognent et ne parlent à personne, pas même à leur meilleur ami, à tel point qu'ils sont mal dans leur peau.

FAMILLE. C'est gênant d'avouer que sa famille est envahissante et trop demandante. Parmi vous, des Bélier étouffent sous le poids de leurs responsabilités. Si telle est la situation, le 28, sous la pression du carré de Lune, vous pourriez mettre un terme à ce genre d'abus. Évitez de prêter de l'argent à un parent qui ne rembourse jamais et qui revient sans cesse à la charge. Le 14 ou le 23, vous trouverez le courage de dire non au quémandeur.

SANTÉ. Deux tendances : trop manger ou suivre un régime si sévère que vous vous affaiblissez. D'autres ont tellement peur d'être malades qu'à la moindre douleur, ils courent chez leur médecin ; durant les quelques jours qui précèdent leur rendez-vous, ils élaborent les pires scénarios. Cela ne révèle-t-il pas un besoin d'attention ?

RÊVES ET MAL À L'ÂME. Si vous souffrez de persécution, si vous pensez être jugé partout où vous passez, si vous soupçonnez vos amis de ne vous fréquenter que par intérêt, la méfiance, naturelle à tout homme, est ici exagérée et doit être analysée pour qu'on puisse vous soigner.

AVRIL

TRAVAIL. Jupiter, Saturne et Mars sont en Taureau dans le deuxième signe du vôtre ; la position de ces planètes représente les possessions matérielles et, plus particulièrement, l'argent. C'est généralement en travaillant qu'on amasse son pécule. Une promotion sera agrémentée d'une augmentation de salaire et si vous ne changez pas votre style de vie, vous pourrez faire des épargnes ; il n'y a que peu d'autres moyens pour vous assurer un avenir confortable. Si vous êtes à votre compte, vous songerez à vendre votre entreprise et, à l'aide d'une annonce dès le début d'avril, à la fin du mois ou au début du prochain, vous aurez une offre sérieuse, fort convenable. Si vous entrez sur le marché du travail, vous arrivez à point, au bon endroit et bien rémunéré.

SANS TRAVAIL. Si les trois planètes en Taureau favorisent le travailleur acharné et ambitieux, les rares Bélier paresseux ou anti-marsiens veulent une oreille pour leurs lamentations, mais les gens occupés à gagner leur vie n'ont pas de temps à leur donner. En ce début de siècle, l'inaction n'a rien d'admirable. Les contemplatifs fauchés et sans cesse à la remorque d'autrui seront embarrassants au point d'être largués même par ces vieux amis qui ont réussi, à force de travail, à se tailler une place au soleil.

AMOUR. Vénus entre dans votre signe le 7. Vous avez alors non pas un certain charme mais un charme certain. Les conquérants peuvent abuser de leur pouvoir de séduction, et si jamais vous êtes satisfait d'une conquête d'un jour, d'une semaine ou d'un mois, sans doute ne possédez-vous pas l'assurance que vous manifestez. C'est au cours de ce mois que vous réfléchirez à votre capacité ou non à partager une vie à deux. Il est essentiel d'être honnête envers vous. Si vous êtes amoureux, jeune, sans enfant, la famille est au centre des discussions. Si vous êtes un célibataire persuadé d'avoir droit à l'amour, si vous êtes prêt à donner et à recevoir, une rencontre changera non seulement votre statut de célibataire, mais par un heureux concours de circonstances, votre profession.

FAMILLE. Si vous avez l'âge d'être grand-père ou grand-mère, un de vos enfants peut vous surprendre ; la nouvelle d'un petit enfant est bien accueillie par les uns et mal reçue par d'autres. Peut-être êtes-vous le futur parent qui pensait ne jamais l'être ? Si vos grands jouent déjà aux adultes, la méthode dictatoriale n'a aucun effet sur eux ; la souplesse et la compréhension sont bien mieux.

SANTÉ. Si vous avez eu des problèmes de santé, vous remontez rapidement la pente ; votre convalescence est beaucoup plus courte que votre médecin ne l'anticipait. Si vous avez songé à modifier votre régime alimentaire sans toutefois y avoir procédé, il est temps de vous soumettre à cette nouvelle discipline. Il est urgent de vous rapprocher de la nature.

RÊVES ET MAL À L'ÂME. Si vous êtes mélancolique et que vous vous apercevez que le mauvais nuage a pris des proportions gigantesques, voyez votre médecin ; s'il vous conseille de suivre une thérapie, pour votre bien-être, pliez-vous à sa recommandation. Cessez de vous cacher de vos frustrations en simulant le bonheur ou en vous contentant de miettes ou de parcelles de plaisir. Même si vous avez dépassé l'âge de réaliser certains rêves, il est toujours temps de vous en inventer de nouveaux.

MAI

TRAVAIL. Avec, dans le ciel, Saturne, Jupiter, Vénus, Mercure et le Soleil dans le deuxième signe du vôtre, les 14 premières journées du mois seront bien remplies. Les congés seront rares. Si vous avez l'intention de lancer votre propre affaire, le temps s'y prête et c'est également favorable si vous êtes à la recherche d'un associé. Si vous faites déjà commerce avec l'étranger, vous établirez des règles solides entre les client et vous, et les contrats seront fermes. Si, par exemple, vous poursuivez une entreprise pour non-respect d'une entente ou parce que vous avez été lésé dans vos droits, il y a présage d'un règlement ou de pourparlers qui vont dans le sens de vos intérêts.

SANS TRAVAIL. Si vous êtes à la recherche d'un emploi, il vous est fortement conseillé de faire vos demandes dès le début du mois; vous trouverez plus vite que vous ne l'imaginez. Si vous faites partie de ceux qui ont été obligés de prendre une retraite anticipée, il est possible qu'on réclame à nouveau vos services.

AMOUR. Entre le 15 et le 26, zone de tension dans votre couple. Et peut-être ne vous êtes-vous pas rendu compte que vous tenez l'autre pour acquis? La situation inverse peut également se poser; votre partenaire vous réclame sans cesse de l'attention, mais il ne vous donne rien en échange. Si vous vous sentez davantage perçu comme un objet plutôt que comme une personne, vous ferez une crise, de quoi alerter l'amoureux de l'urgence de la situation.

FAMILLE. Si vos enfants sont de jeunes adolescents, à partir du 15, il est possible qu'ils réclament plus que vous ne pouvez leur donner. En réponse à votre refus, il faut vous attendre à subir leur colère, reflet de leur frustration. Peu nombreux sont les parents capables de tout donner à leurs enfants, surtout quand ceux-ci ont 10, 12, 14 ans; quand ils regardent leurs parents, ils ne peuvent encore évaluer les efforts que ces derniers font pour gagner de l'argent; ils croient ou veulent croire que les dollars poussent sur les arbres. Il est important que vous restiez calme et compréhensif au moment de cette transition de l'enfance à l'âge adulte, du monde magique à celui des réalités pures et dures; ces transformations physiques et psychiques ne sont pas plus faciles à vivre pour eux que pour vous. Si vous êtes jeune et sans enfant, si vous êtes heureux en amour, dès l'instant où vous décidez de fonder un foyer, le moment est venu de vivre votre maternité ou votre paternité.

SANTÉ. Avec autant de planètes dans votre signe, tous les excès vous guettent; les uns s'engagent dans un régime extrêmement sévère, quasi punitif, et mettent leur santé en danger. D'autres, au contraire, se laissent aller à toutes sortes d'aliments que leur organisme n'apprécie guère. Si vous vous nourrissez à la mode américaine, si vous consommez du gras et, pis encore, du sucre raffiné, si vous vous sentez morose, triste, dépressif, dites-vous que cette alimentation sans doute trop chimifiée influe directement sur toutes vos cellules, même celles du cerveau qui réagit toujours à ce dont on le nourrit. Si vous en doutez, consultez un naturopathe.

RÊVES ET MAL À L'ÂME. Si vous avez un mal à l'âme qui ne semble pas guérir, examinez d'abord votre alimentation. Certains ouvrages, que vous trouverez facilement en librairie, traitent du sujet avec beaucoup de précision.

JUIN

TRAVAIL. Avec Vénus et Mars en Gémeaux, planètes qui se situent dans le troisième signe du vôtre, jusqu'au 16, il est possible que vous donniez trop d'importance aux opinions d'autrui et ce n'est pas parce qu'ils sont affirmatifs qu'ils ont absolument raison. Sur le plan professionnel, vous tentez d'en faire toujours plus, votre zèle pourrait ne pas être apprécié comme vous l'espérez. Toutes les vérités, selon vous, ne sont pas nécessairement bonnes à dire. Mieux vaut garder certaines impressions pour vous. Les personnes concernées se sentiraient offensées d'avoir tort devant vous. Si vous restez discret sans être invisible, si vous accomplissez vos tâches comme on vous l'a demandé, vous ne courez aucun risque. Les vendeurs d'idées, les informaticiens, ceux qui travaillent dans un domaine de relations publiques seront débordés de travail. Les clients s'empressent d'acheter ce qu'ils ont à offrir.

SANS TRAVAIL. Vous n'êtes pas né pour l'inaction. Vous appartenez à un signe de feu cardinal; même si vous savez méditer, vous devez agir et faire votre part pour la communauté dont vous faites partie. Votre équilibre mental, émotionnel, psychique et physique en dépend. Si vous vous êtes réinventé professionnellement au cours des deux derniers mois, même si les développements ne sont pas aussi rapides que vous le souhaiteriez, même si l'argent se fait encore rare, tenez bon, n'abandonnez pas. Si vous faites partie de ceux qui perdent leur emploi, vous devez savoir faire la différence entre une défaite et un renoncement. Quand une entreprise ferme ses portes, ce n'est pas votre échec; vous subissez plutôt celui de l'entreprise et, en bon signe de Mars, retroussez vos manches, vous avez de l'énergie à revendre.

AMOUR. Si votre partenaire est en mauvaise santé, si vous devez être là pour l'assister et pour le soutenir dans sa maladie, n'endossez surtout pas son mal. Il n'est pas facile de prendre une distance quand on aime; on voudrait souffrir à la place de l'autre parce qu'on s'imagine qu'on serait plus fort, plus résistant. On ne peut que préserver le bonheur et le précieux temps qui passe pendant que le couple existe encore. Vous n'allez pas tous vivre ce qui est décrit précédemment. Concernant l'amour, ce ciel est capricieux et certains d'entre vous analyseront les comportements de leur partenaire alors qu'il serait plus sage de ressentir. Souvent, ce qui n'est pas expliqué et ce qui est non jugé dans un couple se transforme pour ensuite redevenir une relation saine.

FAMILLE. Si le mois dernier concernait les jeunes adolescents, juin se rattache à vos enfants qui ont atteint l'âge adulte et qui peuvent, comme vous dans le passé, vivre une déception soit dans leur vie professionnelle, soit dans leur vie sentimentale. Vous pouvez simplement être là, écouter et les aider à exprimer leurs propres solutions. Si vous êtes un parent protecteur, petits, moyens et grands enfants vous feront sentir leur oppression; sans parfois pouvoir l'exprimer clairement, on vous demande de prendre une distance.

SANTÉ. À partir du 17, sous l'influence de Mars en Cancer, si les uns ont des rages de sucre, d'autres ont des crises de sel, ou les deux dans la même heure. C'est un peu comme si l'organisme oscillait sous la force des pressions que vous subissez. Il vous suffit d'en prendre conscience pour vous éviter ces excès.

RÊVES ET MAL À L'ÂME. À la fin du mois, vous êtes fatigué et émotivement plus fragile. Si vous faites partie de ces Bélier qui ont l'impression de n'en faire jamais assez, prenez un recul et demandez-vous pourquoi vous ressentez tant de culpabilité.

JUILLET

TRAVAIL. C'est la période des vacances; si toutefois vous êtes au travail à cause de ceux qui ont pris congé, vous devez donner un coup de main et travailler de plus longues heures. Il est possible que les horaires de certains soient changés ou que d'autres soient mutés dans une autre ville. Si votre travail vous oblige à être constamment sur la route pour rencontrer les clients, vous augmenterez considérablement vos profits et vous élargirez votre territoire commercial, surtout à partir du milieu du mois.

SANS TRAVAIL. Si vous êtes en congé payé durant ce mois de juillet, vous êtes les bienheureux. Si cependant vous êtes sans emploi avec un revenu minimum, l'état de survie commence à peser sérieusement et affecte tant vos humeurs que vos relations familiales. Il y a des périodes où il faut se démener comme un diable dans l'eau bénite et si vous en êtes là, continuez votre recherche d'emploi. Ce n'est pas parce que c'est l'été que tout s'arrête; au contraire, en ce moment, il y a beaucoup à faire et à refaire.

AMOUR. Jusqu'au 14 pèse encore sur certains d'entre vous le spectre d'un partenaire malade et dont ils doivent prendre soin tant par amour que par compassion. En tant que célibataire, vous vous êtes peut-être inventé tellement d'interdits qu'à chacune de vos rencontres, vous avez l'excuse parfaite pour fuir le possible engagement. Le 14, sous l'influence de Vénus en Lion dans le cinquième signe du vôtre, quelques barrières de méfiance tomberont et vous serez plus réceptif à l'amour partagé.

FAMILLE. Plusieurs aspects touchent le désir d'être parent ou l'importance d'être un bon parent. Des papas ou des mamans Bélier protègent encore tant leurs enfants que ceux-ci ne peuvent rien décider. Quand vous adoptez une telle attitude, quand vos enfants ont l'âge de faire des choix — et cela commence tôt dans la vie —, c'est un peu comme si vous leur disiez qu'ils étaient des incapables. Le juste milieu, c'est pour chaque parent la partie la plus difficile à trouver. Réflexion et observation avant action et réaction vous le feront découvrir.

SANTÉ. Si vous vous nourrissez bien, si vous dormez suffisamment, vous ne serez pas malade et peut-être faut-il ajouter quelques suppléments à votre alimentation. Ce qu'on trouve dans nos assiettes, les légumes et les fruits, après qu'ils ont passé par des processus chimiques, ne sont plus, selon quelques savants et biologistes, aussi gardiens de notre santé qu'ils l'étaient jadis. Il y a une nette différence entre écouter les besoins de votre corps ou subir des goûts que des publicités vous imposent.

RÊVES ET MAL À L'ÂME. Nous faisons tous le rêve du grand amour, d'une famille parfaite, nous souhaitons tous que nos enfants n'aient jamais de problèmes, nous voulons tous avoir une santé sans faille et avoir un bon gagne-pain; réussir dans toutes ces directions à la fois est un travail monstre. Mûrir et bien vivre, c'est accepter les réalités, parfois même décevantes, et sans cesse garder à l'esprit qu'il y a toujours moyen d'améliorer sa condition de vie, et ce, quel que soit son âge.

AOÛT

TRAVAIL. Quand il s'agit d'une adaptation à de nouvelles conditions de travail, la transition s'accomplit plus aisément ce mois-ci. S'il est question de lutter pour faire valoir vos droits, pour faire respecter un contrat de travail, vous êtes plus persuasif, vous contrôlez les situations qui se présentent les unes après les autres; vous trouvez des solutions simples à des problèmes que vous auriez trouvés insolubles le mois dernier. Le ciel est favorable aux ententes commerciales, aux échanges de services, à de nouveaux contrats ou au redémarrage d'une entreprise qui a peut-être trop dormi en juillet. À partir du 6, il faudra toutefois éviter d'écouter les commérages; vous en mêler ne vous apporterait que des problèmes, peu sérieux mais dont personne n'a vraiment besoin.

SANS TRAVAIL. Si vous êtes persuadé que les gouvernements vous doivent tout ou beaucoup plus, vous serez déçu. Le 11, avec l'entrée de Saturne en Gémeaux, il sera nécessaire de vous déployer dans cette société dont les structures se modifient peu à peu. La survie économique de toute une population, d'un pays, d'une province, d'une ville ou d'un village ne dépend pas uniquement de quelques personnes, mais du désir et de la volonté de chaque individu de faire sa part.

AMOUR. Si vous avez rencontré l'amour le mois dernier, il est normal que vous vous posiez des questions avant d'aller plus loin. Entre le 6 et le 16, vous serez porté à trouver à votre nouvelle flamme quelques défauts, et si vous crevez un nuage de pluie avant même de bien connaître cette personne, vous aurez éteint toutes vos chances d'une relation sentimentale. Si vous avez une vie de couple depuis plusieurs années, sans trop vous en rendre compte, vous vous opposez aux décisions et aux initiatives de l'amoureux comme s'il vous fallait avoir tout pouvoir. Respecter les besoins de l'autre n'est ni une menace ni une abdication; vous n'en êtes pas moins quelqu'un d'unique, vous n'êtes pas moins fort, votre personnalité est intacte, votre consentement n'est pas de la mollesse ; faire plaisir, donner, c'est vous permettre de recevoir. Ne passez pas à côté de cette chance.

FAMILLE. C'est un mois plus tranquille sur le plan familial comme si les problèmes qu'on avait eus avec des jeunes ou des adolescents s'estompaient ou, comme par magie, disparaissaient entièrement. Si telle est la situation, c'est sans nul doute qu'il vous a fallu faire un grand exercice de patience. Il s'agira cette fois d'aider un ami qui vit une profonde détresse, simplement en le recevant chez vous et en l'écoutant. Vous ne pouvez sauver quelqu'un d'une peine morale, il doit trouver lui-même sa nouvelle source de joie.

SANTÉ. Si vous faites un sport comme l'escalade, le parachutisme, la bicyclette, en fait pour tout ce qui roule, ce qui monte et redescend automatiquement, redoublez de prudence. Ne prenez pas le risque de vous fracturer un membre.

RÊVES ET MAL À L'ÂME. Pour certains, la surexcitation remplace la déprime. Si vous adhérez facilement à des mouvements de masse, si vous avez tendance à faire confiance rapidement, pensez-y deux fois avant de vous engager dans une cause ou un culte. Ce n'est pas parce que tous crient hourra ! qu'ils ont raison. En 1939, bien des gens n'ont pas vu l'enfer dans lequel Hitler les entraînait.

SEPTEMBRE

TRAVAIL. Entre la douceur et la rigueur : c'est ainsi que vous fonctionnerez tout au long du mois. Votre sens du détail sera affilé ; par contre, vous saurez laisser tomber ce qui n'a vraiment aucune importance. Si vous êtes créateur, vous aurez des idées géniales mais également la volonté de les exécuter. C'est ce qui vous distingue de beaucoup de gens qui, tout autant que vous, ont le sens de l'innovation. Vous allez de l'avant plus rapidement que n'importe qui sur le zodiaque.

SANS TRAVAIL. Si vous êtes sans emploi et si vous en cherchez un, le ciel est encore très favorable. Il est possible que vous n'obteniez pas exactement ce que vous désirez mais, sous peu, on vous accordera le poste que vous avez demandé. Aussi vaut-il mieux consentir à moins plutôt que de ne rien avoir.

AMOUR. Jusqu'au 24, Vénus est en face de votre signe ; c'est l'amour qui vous lance un appel, c'est l'amoureux qui a besoin de votre affection, de votre attention ; il vous signale que l'échange est important et que vous ne devez pas laisser filer le temps sans lui accorder votre tendresse. Il est possible que votre partenaire choisisse une activité ou trouve un emploi qui demandera à votre couple un effort en raison des réajustements d'horaire nécessaires. Si vous êtes célibataire, la rencontre avec votre idéal changera votre destin ; avez-vous mis votre méfiance de côté ? Êtes-vous prêt à délaisser votre célibat ? Dans tout partage, il y a un prix à payer, ne serait-ce que dire à l'autre où vous allez.

FAMILLE. Les parents dans la cinquantaine doivent se faire à l'idée que leur rôle est terminé ou qu'il achève ; lorsque les enfants sont partis, il faut désormais faire confiance à leur jugement. Après tout, n'avez-vous pas préfacé l'histoire de cette autre vie qui est celle d'un enfant ? Qu'avez-vous donné pour message ? Que leur avez-vous transmis ? Si vous êtes à la fin ou au début de la quarantaine, si vos enfants sont des adolescents, sans doute l'un d'eux manifestera-t-il le désir d'exprimer un talent artistique. Même si vous n'êtes pas né vous-même artiste, pourquoi considéreriez-vous ce choix comme étant hors norme ? En tant que parent de très jeunes enfants, vous vivrez un mois intéressant ; comme si vos petits vous aidaient à vous redécouvrir, ils sont vos stimulants, votre poussée pour un avenir meilleur.

SANTÉ. Votre énergie est bonne. Il faudrait faire exprès pour être malade. Votre pire ennemi est l'isolement. Si vous vous coupez du monde extérieur, si vous cessez de tisser des liens avec autrui, vous aurez un sentiment d'inutilité. Sous votre signe, non seulement y a-t-il un besoin de communication mais également une nécessité. Pour vous sentir vivant, il vous faut fréquenter des gens qui vivent et participent. Votre santé en dépend. Plus vous donnez de vous-même, plus vous êtes énergique. Le vide ne reste jamais vide.

RÊVES ET MAL À L'ÂME. Quel que soit votre âge, si vous avez un rêve d'artiste, qu'il s'agisse de jouer d'un instrument de musique, de peindre, de chanter, de jouer, suivez votre aspiration. Explorez, expérimentez parce que telle est votre nature.

OCTOBRE

TRAVAIL. Avec Mars en Vierge jusqu'à la fin du mois, vous vous sentirez obligé de faire plus qu'on ne vous demande. Vous serez incapable de refuser de rendre service alors que vous êtes vous-même débordé. Si vous utilisez de l'outillage pour votre travail, assurez-vous que tout soit bien en ordre. Si vous êtes fréquemment et durant de longues heures sur la route, si jamais votre voiture avait quelque défectuosité mécanique, faites-la réparer. Certains parmi vous devront suivre un cours leur permettant de s'adapter à une nouvelle technologie ou parce que c'est le seul moyen d'obtenir une promotion.

SANS TRAVAIL. Si, par exemple, vous avez pris votre retraite ou que vous avez perdu votre emploi, si vous êtes en bonne santé, vous ne resterez pas inactif jusqu'à la fin du mois. Un contrat à court terme vous sera offert, lequel deviendra un emploi à temps plein si vous l'acceptez. Si vous ne possédez pas une formation officielle, quel que soit votre âge, vous aurez envie de retourner sur les bancs d'école. Suivez votre inspiration. La science démontre qu'il n'y a pas de déclin intellectuel, ni à 60 ans ni même à 70 ans pour celui qui demeure curieux. Si vous avez entre

30 ans et 50 ans, vous n'avez vraiment aucune raison de vous refuser ces connaissances que vous aimeriez acquérir.

AMOUR. Dans son ensemble, le ciel et ses symboles n'ont rien de très romantique. Tout semble axer sur le monde de la production et de la sécurité matérielle. Si l'argent est une obsession et s'il est votre seule conversation, les beaux sentiments sont assurément au fond d'un tiroir. Si vous vivez en couple, n'attendez pas que l'amoureux vous fasse une scène pour vous apercevoir que vous ne vivez pas seul. En tant que célibataire, à partir du 20, vous donnerez enfin l'impression d'être disponible.

FAMILLE. Comme tout bon parent, bien que les enfants soient des adultes ou de grands enfants, vous ne vous défaites pas de votre rôle de protecteur. Certains jours, vous serez plus inquiet qu'eux au sujet de leur avenir, de leurs choix personnels et professionnels. Et si jamais l'un des vôtres se révolte contre votre autorité, peut-être essaie-t-il simplement de vous dire de lui faire confiance. En tant que signe de Mars, vous avez tendance à contrôler toutes les situations, mais vient ce jour où vous devez ouvrir largement les yeux et vous apercevoir que vos petits ont grandi, que leurs désirs, leurs rêves et leurs ambitions sont différents des vôtres.

SANTÉ. Vous inventer un régime alimentaire trop restrictif ou écouter les conseils d'une personne qui n'a aucune compétence dans le domaine de l'alimentation peut devenir une menace pour votre santé ou, pis encore, aggraver un mal. Au moindre soupçon, abstenez-vous de suivre une ordonnance qui, selon votre petit doigt, n'a pas de sens.

RÊVES ET MAL À L'ÂME. Nuits blanches en ce mois. Vous vous posez des questions pour lesquelles vous n'avez aucune réponse. Il s'agit en fait d'une période de réflexions. Il faut simplement vous calmer et ne pas laisser l'angoisse vous torturer. Si vous avez les yeux ouverts pendant que les autres dorment, profitez-en pour imaginer que la vie vous offre ce qu'il y a de plus beau.

NOVEMBRE

TRAVAIL. À partir du 14, Vénus est en Capricorne ; Mars, la planète qui régit votre signe, est en Balance et, malheureusement, cet aspect n'est pas très harmonieux. Sans vous en rendre compte, vous donnerez des ordres qui seront aussitôt contestés ou vous en recevrez de collègues qui n'ont aucun pouvoir officiel sur vous. Le ciel de novembre est semblable à une course contre la montre. Vous êtes dans un monde compétitif et plus dur qu'à l'accoutumée ; c'est, du moins, la perception ou la sensation que vous en avez. N'interprétez pas les aspects durs comme s'il s'agissait d'une catastrophe ; il n'est pas question de perte, mais plutôt d'une lutte où vous devez vous affirmer avec plus d'aplomb que vous ne le faites ordinairement sans toutefois devenir agressif.

SANS TRAVAIL. Si vous n'avez pas choisi le chômage en cet avant-dernier mois de l'année, juste à l'idée de voir les fêtes se rapprocher, vous angoissez. Offrir des cadeaux quand on n'a pas d'argent, c'est bien embêtant.

AMOUR. Quand vous faites le procès de votre partenaire en l'accusant de son manque d'attention envers vous, n'est-ce pas un transfert de vos frustrations? Et si, à cause de votre ascendant, vous êtes celui à qui on a toujours quelque chose à reprocher, bref, si vous êtes le bourreau ou la victime dans votre couple, vu Mars en face de votre signe, le risque de voir la situation s'amplifier est grand. Si tel est votre cas, une réflexion est nécessaire ainsi que l'avis d'un professionnel. Si vous êtes récemment tombé amoureux, il est normal que vous vous questionniez. Une fois l'étape de l'envoûtement passée, la réalité de l'engagement pourrait vous effrayer.

FAMILLE. Dès le milieu du mois, si pour les uns il s'agit de faire la paix avec un membre de la famille, d'autres se séparent d'un parent et décident qu'ils ne les visiteront pas lors des fêtes prochaines. De toute manière, si chaque fois que vous voyez certains des membres de votre famille, vous vous sentez épuisé et déprimé, sans doute est-ce sage de vous éloigner; si vous avez fait le maximum pour avoir la paix et que vous ne l'avez jamais eue, il est probablement inutile d'essayer encore.

SANTÉ. Si vous avez déjà des problèmes avec vos os, ceux-ci sont encore plus vulnérables; pour éviter une cassure, marchez plus lentement, ne montez qu'une marche à la fois. Si vous exercez un sport de vitesse, par exemple à bord d'un véhicule, ou si vous faites de la course à pied, n'allez pas au-delà de vos limites, il y a risque d'accident.

RÊVES ET MAL À L'ÂME. Jupiter est rétrograde; bien qu'il soit en bon aspect avec votre signe, vos espoirs sont facilement minés; il vous suffit d'écouter vos vieilles angoisses pour qu'aussitôt la vie ne vous paraisse plus aussi intéressante. Si toutefois vous appliquez le processus inverse, si vous vous souvenez du meilleur, vous vous sentirez mieux, vous aurez plus d'énergie physique pour vous réaliser et pour lutter contre vos difficultés.

DÉCEMBRE

TRAVAIL. En ce début de mois, vous avez du mal à vous concentrer. Le climat est tendu du côté professionnel. La compétition est féroce. Lorsque vous négociez, on ne vous écoute pas; votre interlocuteur a fait ses règles et n'est pas intéressé aux vôtres. Mais ne vous en faites pas, dès le 9, avec l'entrée de Vénus en Verseau, le vent tourne. Les refus se transforment en consentement. Les transactions se feront à un train d'enfer. Si vous menez une lutte pour faire valoir vos droits, vous aurez enfin raison. Et s'il s'agit d'une demande de compensation financière pour un tort qu'on vous a causé, la somme n'est peut-être pas aussi grosse que celle que vous demandiez, mais elle sera raisonnable et acceptable.

SANS TRAVAIL. Si vous ne travaillez pas par choix et si vous êtes en santé, vous ferez du bénévolat. Vous donnerez votre temps à une des nombreuses causes humanitaires. Si vous êtes financièrement à l'aise, dès le début du mois, vous choisirez de partir en voyage pour quelques semaines. Si vous avez une activité artistique, un intérêt culturel spécifique, vous vous y adonnerez avec plus de passion; certains se découvriront un talent particulier; par exemple, des Bélier qui ont toujours eu envie d'apprendre un instrument de musique s'inscriront à un cours même aussi près des fêtes de Noël.

AMOUR. Après quelques semaines d'insécurité, d'incertitudes et de questionnements, votre nouvelle relation prend une autre forme, un rythme différent; votre partenaire et vous serez plus ouverts; vous cesserez de craindre ce qu'il pense de vous et vous serez plus confiant. Si votre vie de couple a quelques années et si vous êtes heureux, vous chercherez par divers moyens à faire plaisir à l'autre, et l'amoureux en fera autant. En tant que célibataire, si vous sortez, si vous joignez des groupes de gens seuls, parmi eux se trouvera une personne différente, justement celle que vous ne cherchiez plus.

FAMILLE. S'il y a eu une rupture, si vous avez cessé de voir certains membres de votre famille; si vous organisez des fêtes pour Noël, leurs chaises ne resteront pas vides: elles seront occupées par des amis. Par ailleurs, pour ce Noël 2000, même dans les familles où tout est au mieux, des amis qui n'ont personne à voir seront les bienvenus chez vous. En tant que parent, si vous avez eu des difficultés avec vos enfants, elles se sont aplanies en novembre et, en ce mois de décembre, vous avez trouvé ensemble une heureuse solution pour vous, vos grands et vos moins grands. Les petits attendent la venue du père Noël et ses cadeaux. Sans doute se sentent-ils bien sous votre protection. Vous jouerez davantage avec eux et peut-être redécouvrirez-vous le plaisir de vous amuser comme un enfant.

SANTÉ. Quand le moral est bon, vous êtes en forme et si vous avez des malaises, ils sont supportables, ils ne vous empêchent pas de sortir, de sociabiliser; dans l'action, vous les oubliez. N'avez-vous pas remarqué que les gens en bonne santé sont le plus souvent ceux qui échangent avec leur prochain?

RÊVES ET MAL À L'ÂME. Le ciel est clair, les nuages sont légers. Vous exprimez clairement vos désirs et on se fait un plaisir d'y acquiescer. Décembre, c'est la redécouverte de soi, de vous, de vos forces. À moins que vous ne refusiez une vie saine et heureuse...

TAUREAU

21 avril au 20 mai

À CES VÉNUSIENS QUE J'APPRÉCIE POUR LEUR CALME ET LEUR MANIÈRE DE VOUS DÉMONTRER QUE RIEN N'EST IMPOSSIBLE À CELUI QUI CROIT. À CES SIGNES DE TERRE, DES GENS PRATIQUES, SENSIBLES ET ATTENTIFS AU BIEN-ÊTRE DE CEUX QU'ILS AIMENT. À CES SIGNES FIXES, FIDÈLES ET RESPONSABLES DE CEUX QU'ILS APPRIVOISENT.

MERCI À JEAN-MARC BRUNET POUR SES GÉNÉREUX CONSEILS. À MAGALIE RUIZ, UN PRINTEMPS QUI DURE DOUZE MOIS, ET À TOUS MES AMIS TAUREAU, SOUVENT DES GENS D'AFFAIRES MAIS TOUJOURS DES POÈTES SOURIANTS: ALAIN BOURQUE, JEAN-LOUIS VARY, JACKIE LEPAGE, JULIE GARNEAU, VÉRONIQUE TOUPIN, DANIELLE DOYON, DENIS GOYETTE, PIERRE ST-ANDRÉ, MICHEL MILLARD, MICHEL BARETTE, MARC GÉLINAS, JEAN-CLAUDE GÉLINAS, MONIQUE COUTU, CATHYA ATTAR, JEAN-GUY FAUCHER, DOCTEUR AU GRAND CŒUR, GILLES RAYMOND, YVES LUSSIER, GASTON L'HEUREUX, TOM LAPOINTE, ET À MON FRÈRE NORMAND, QUE J'APPELLE MON ANGE GARDIEN.

C'est l'année du Taureau. Mais que va-t-il donc se passer? Vénus régit votre signe; la planète verte retrouvera-t-elle enfin sa véritable couleur? Si je vous rencontrais tous, sans doute que la majorité des Taureau me diraient que l'an 2000 ne peut être pire que 1999. Cette dernière fut une année de réflexion, de recul; vous aviez l'obligation de repenser votre orientation de carrière, de vous engager socialement, de changer vos habitudes alimentaires, de sortir de votre torpeur, de vous soigner si vous étiez malade, de chasser les gens vampirisants, les parasites, de mettre de l'ordre dans votre vie sentimentale. En fait, vous aviez tout ou presque à modifier, à transformer. En 1999, vous étiez un mutant, un être en devenir. Vos périodes d'angoisse les plus graves eurent lieu durant les cinq premiers mois de 1999 ; elles étaient comme des clignotants vous signifiant de ralentir ; vous étiez semblable à un voyageur qui s'engage sur une route qu'il n'a jamais prise, il y avait des panneaux de signalisation qui illustraient une pente abrupte, une courbe dangereuse, un détour nécessaire, etc. Souffrances morales, pertes financières, parfois les deux étaient des occasions de vous redécouvrir et de vous refaire.

JUPITER EN TAUREAU

À partir de la mi-février, Jupiter est en Taureau et y restera jusqu'à la fin de juin 2000. Jupiter grossit tout. Il a pour effet de vous faire voir la vie en couleurs ou, au contraire, au pire. Si vous adoptez l'optimisme qui est le propre de Jupiter, vous prendrez de l'expansion là où vous êtes déjà engagé. Côté professionnel, vous pourriez obtenir une promotion ou le poste que vous désirez depuis longtemps. Le Taureau est un bon négociateur ; Jupiter vous accompagne et si vous êtes en commerce ou avez l'intention de lancer une affaire, vous aurez des coups de chance, des rentrées d'argent hors de l'ordinaire ; vos clients seront de bons acheteurs, de bons payeurs et, satisfaits, ils recommanderont vos services et vos produits à d'autres. Ainsi, durant plusieurs mois, vous afficherez une augmentation substantielle de vos profits.

En tant que bon vivant, heureux d'être utile, fortuné et non coupable de l'être, sous l'influence de Jupiter, vous ressentirez un profond besoin de redonner une part de vos gains ou d'aider d'autres gens à passer à travers des problèmes semblables à ceux que vous avez vécus. Jupiter fait de vous un gagnant et s'attend à un retour d'ascenseur ; il vous invite à accorder des faveurs à autrui, qu'importe leurs formes. L'essentiel est d'avoir la sagesse de Jupiter ainsi que son sens de la justice. Jupiter vous demande d'enseigner ce que vous savez et ce qui vous a permis d'apprécier la vie et ses bontés.

Toutefois, si vous vivez mal l'influence de Jupiter en Taureau, vous aurez la vie dure de la mi-février à la fin de juin. Si vous vous plaignez constamment plutôt que de voir le bien et le beau, vous êtes déprimé et ceux qui vous entourent ne savent plus quoi vous dire ni quoi faire pour vous arracher un sourire. Dès que de bons samaritains tentent de vous aider, vous les soupçonnez de vouloir vous exploiter. Attention, ces personnes peuvent se lasser de parler pour rien ! Quand Jupiter est mal vécu, le mental se complaît dans l'échec, l'esprit se délecte de ses misères (qui n'en a pas eu ?), votre seule conversation concerne vos problèmes de santé et d'argent et jamais vous ne dites que vous pourriez en sortir ; au contraire, c'est l'impasse et c'est la faute des autres. Jupiter mal vécu est égoïste, économe à l'excès, profiteur et de temps à autre malhonnête. Personne n'a choisi de vivre dans l'épreuve, le malheur et la pauvreté ; nul n'est tenu d'en rester là. La vie a parfois des mauvaises surprises en réserve. Pourtant, malgré des douleurs physiques ou morales, malgré de graves chocs, des tas de gens en sortent et souvent plus forts qu'avant.

Si, jusqu'à présent, d'un Jupiter en Taureau à un autre, soit en 12 ans, c'est toujours gris ou noir, en l'an 2000, il n'est pas trop tard pour transformer vos pensées et pour passer du négatif au positif. Jupiter est un penseur, un analytique et si vous souffrez moralement, prenez la résolution d'en sortir ; s'il le faut, consultez un psychothérapeute.

JUPITER EN GÉMEAUX

À partir du 1er juillet, Jupiter est en Gémeaux dans le deuxième signe du vôtre et y restera jusqu'en juillet 2001. Tout étant continuité, vous récolterez en double ce que vous avez semé. Si vous êtes un travailleur acharné, si vous avez lancé une affaire, si vous visez l'exportation, vous vendrez vos produits à l'étranger, vous prendrez souvent l'avion pour négocier et vous aurez aussi l'occasion de faire des échanges de services qui satisferont toutes les parties engagées. Vous serez nombreux à retourner sur les bancs d'école, vous terminerez des cours, ceux qui vous empêchaient d'avoir de l'avancement. Il est possible qu'il s'agisse simplement de suivre un cours de perfectionnement de quelques semaines afin de vous initier à une nouvelle technologie qu'adopte l'entreprise pour laquelle vous travaillez. Si vous achetez une maison, un terrain, un bâtiment dans le but de faire des placements express, achetez pour revendre, vous ferez une petite fortune. Si vos moyens financiers sont acceptables, vous pourriez en plus gagner à la loterie, comme si l'argent attirait l'argent.

JUPITER EN GÉMEAUX SOUS SON ANGLE DUR

Rien n'étant parfait, Jupiter en Gémeaux, s'il est présage d'argent, annonce à certains d'entre vous un héritage, ce qui inévitablement ne survient qu'à la suite d'un décès. Un membre de votre famille peut avoir de graves problèmes de santé ; vous aurez beau vous dévouer, lui donner tout votre temps dans l'espoir de le sauver et ne pas y réussir. Vous n'êtes pas Dieu et vos parents ne sont peut-être plus très jeunes. L'inévitable mort peut survenir. Jupiter en Gémeaux vous portera à expliquer l'événement, mais il n'y a pas de réponse ; après la vie, il y a encore la vie qui prend une autre forme ; la vie dans l'invisible est une énergie que vous, en tant que signe de terre, avez bien du mal à accepter. Vous êtes né d'un signe de terre, et la terre doit toucher pour croire. Jupiter en Gémeaux vous invite à une extrême prudence sur la route. Du 1er août au 4 novembre, il y a ici et là d'étranges aspects et principalement pour ce qui roule. Si vous avez l'habitude de conduire vite, protégez-vous ainsi qu'autrui : ralentissez.

SATURNE EN GÉMEAUX

Du 11 août au 16 octobre, Saturne est en Gémeaux et est comme Jupiter dans le deuxième signe du vôtre ; bien que son influence soit différente, l'action ne manquera pas ; les changements se succéderont les uns aux autres. En fait, il s'agit là d'une suite logique à ce qui fut précédemment entrepris. Vous pourriez vivre un déblocage émotionnel hors de l'ordinaire. Ce que vous vous étiez refusé de voir vous tombe dessus très clairement ; par exemple, vous ne pourrez plus vous cacher derrière un mariage à l'intérieur duquel vous n'êtes pas heureux, c'est comme si vous ne pouviez plus vivre avec vos mensonges. Saturne en Gémeaux est tout de même un stimulant ; il vous demande de ne plus vous restreindre à ce que vous connaissez ; il est temps d'aller plus loin sur le chemin de la connaissance.

Saturne en Gémeaux vous somme de revoir vos valeurs, vos croyances, d'élargir votre horizon intellectuel. Ce qui vous paraissait stable ne l'est plus. Si, par exemple, vous habitez au même endroit depuis longtemps, vous aurez soudainement envie de changer de décor, de vivre dans un autre environnement ou de reprendre contact avec des personnes dont vous n'avez plus eu de nouvelles depuis fort longtemps.

URANUS ET NEPTUNE EN VERSEAU

Ces deux planètes sont dans le dixième signe du vôtre ; Saturne en Taureau fera en janvier un aspect dur à Uranus en Verseau ; vous aurez une foule d'hésitations et une impression quasi constante de vous tromper dans vos choix même les plus simples. Par exemple, à l'épicerie, entre deux produits identiques mais ne portant pas la même étiquette, vous reviendrez en vous disant que vous avez sûrement pris le moins bon. Au fond, ce que cet aspect vous dit, c'est de chercher en vous le pourquoi de votre manque d'assurance. Du 14 février au 4 avril, Jupiter fait un aspect dur à Uranus. Les mauvais aspects ne sont pas nécessairement l'annonce d'une catastrophe ; il s'agit symboliquement d'une tension entre deux planètes et que vous vivez à l'intérieur de vous. Jupiter en carré avec Uranus vous conseille de surveiller vos finances de près ; si vous investissez, avant vos transactions, faites une sérieuse analyse.

Entre le 14 février et le 4 avril, il est possible que vous soyez déçu de l'attitude d'un ami quand vous découvrirez qu'il ne vous fréquentait que pour vous soutirer de l'argent, du temps et des services. Du début mai jusqu'au 10 juin, Jupiter et Saturne en Taureau en conjonction font un aspect difficile à Uranus en Verseau ; il s'agit en fait d'un phénomène de société où personne ne fait confiance à personne et qui peut naturellement affecter beaucoup de Taureau. S'il y a souvent des raisons de se méfier, il y a des circonstances où cette méfiance est nuisible aux relations amicales et professionnelles. Le temps vous suggère de faire la part des choses, de trouver le juste milieu. En principe, si vous êtes tenace comme un Taureau doit l'être, vous passerez à travers cette zone de turbulences et d'instabilité politique et économique. Par ailleurs, certains d'entre vous profiteront de la panique générale pour se dépasser.

PLUTON EN SAGITTAIRE

Pluton est encore dans le huitième signe du vôtre et y restera jusqu'en janvier 2008. Vécu positivement, il vous pousse à la recherche, à vous dépasser dans le domaine où vous êtes engagé. Pluton n'est pas un tendre; il vous défie constamment, il vous tient sur le qui-vive. Il ne vous permet pas de relâchement; à la moindre distraction, il vous fait perdre pied. Si, par exemple, vous êtes un «calculateur», quelqu'un qui ne peut rendre service sans le faire payer très cher, Pluton vous éprouve et vous rejouera encore de mauvais tours si vous n'apprenez pas à vous défaire de ce «je prends plus que je ne donne, mais on ne s'en rend pas compte». Quelque part dans ce monde, il y a un comptable qui n'est pas visible, mais rien ne l'empêche de savoir ce qui vous revient, ce qui ne vous appartient pas et ce que vous devez. Pluton en Sagittaire vous transmet un autre message important: ne jouez pas à la victime et soyez responsable de vos actes.

TAUREAU ASCENDANT BÉLIER

Vous êtes à la fois un signe fixe et un signe cardinal, un mélange de terre et de feu, vous possédez deux paires de cornes. Si le Taureau est physiquement puissant, le Bélier, de son côté, est rapide et agile. Vous n'avez généralement pas la langue dans votre poche, vous dites ce que vous pensez et vous êtes sans ménagement quand, selon vous, on dit des bêtises. En l'an 2000, vous vous sentirez fort, vous serez sûr de vous à un point tel que vous pourriez écraser des personnes juste pour asseoir votre pouvoir. Est-ce bien courageux de faire mal à plus petit que soi ? Les occasions de blesser, moralement, ne manqueront pas. Vous avez toujours votre conscience, il ne vous reste qu'à l'écouter quand elle vous souffle d'être gentil. Ne perdez pas de vue que les dictateurs finissent tous par chuter. Si vous avez atteint un certain sommet de carrière, vous vous donnerez un autre objectif, vous désirerez élargir votre royaume. Si vous avez amassé une fortune et que vous la voulez encore plus grosse, vous songerez à investir, à prendre de l'expansion ; avant de signer le moindre chèque, prenez des garanties, informez-vous sur ces gens avec lesquels vous négociez. Tout le monde le sait, l'argent ne pousse pas dans les arbres.

Si vous avez travaillé fort, vous méritez ce que vous possédez et vous n'avez pas à le perdre. Au risque de me répéter, soyez prudent en affaires. À partir de juillet, Jupiter sera dans le troisième signe de votre ascendant ; si vous n'avez pas pris de vacances depuis plusieurs années, vous partirez et vous irez aussi loin que votre rêve vous y porte. Si vous êtes en commerce au détail, vous devrez surveiller quelques nouveaux clients qui ne seront peut-être pas tout à fait honnêtes. Le soir, lorsque vous fermerez boutique, n'oubliez pas votre système d'alarme : juillet, août, septembre et octobre sont plus risqués pour le vol. Le même avis s'applique à votre maison.

Durant le mois d'août, en tant que parent, si vous êtes très autoritaire, vos grands répliqueront. Il vous faudra leur donner une bonne raison d'obéir à vos ordres. S'ils sont des petits, en août, ne les laissez pas sans surveillance près d'une piscine, d'un lac ou de tout autre cours d'eau ; ne leur permettez pas non plus des jeux dangereux et cachez vos outils. Entre le 17 juin et la fin de juillet, si vous pensez qu'un aliment peut manquer de fraîcheur, écoutez votre instinct, ne le consommez pas. Aussi, assurez-vous que vos viandes sont bien cuites. Le ciel de juin et de juillet présage quelques microbes pouvant se glisser dans votre assiette ; prenez vos précautions. En tant que célibataire, si vous êtes seul depuis plusieurs années, peut-être avez-vous même cessé de croire en l'amour ; alors que vous avez maintenant entièrement accepté votre célibat et que vous y trouvez un certain confort, une personne hors de l'ordinaire, capable de communiquer ses sentiments tout autant que ses idées, vous surprendra, vous intriguera, vous attirera physiquement et intellectuellement. Vous aurez beau résister, vous finirez par flancher et par vous attacher à cet être qui semble sortir d'une boîte à surprises. Si votre couple s'est enlisé dans ses habitudes, vous serez le premier à proposer des changements, des activités communes. Si vos enfants sont élevés, au cours d'un tête-à-tête, vous suggérerez un déménagement que l'autre acceptera spontanément.

TAUREAU ASCENDANT TAUREAU

Vous êtes un double signe de Vénus, vous avez une incalculable capacité d'aimer. Si vous êtes en amour depuis plusieurs années, il est possible que votre partenaire tombe malade, mais vous serez là pour le soutenir, pour l'aider à combattre sa maladie et c'est ensemble que vous gagnerez cette bataille. En tant que célibataire, dites adieu à votre solitude. Il y aura une rencontre hors de l'ordinaire avec quelqu'un qui vous retournera votre amour, ce que vous n'aviez peut-être jamais connu. À partir de la mi-février, Jupiter sera dans votre maison un ou ascendant; si vous n'avez pas réussi en 1999, en l'an 2000 vous agirez efficacement, prudemment et avec méthode. Jupiter sera accompagné de Saturne jusqu'à la fin de juin; durant ces mois, si vous êtes en commerce, vous augmenterez vos profits, vous ferez de nouvelles acquisitions, vous transigerez avec les puissants, et vos profits seront plus intéressants que ceux des années 1998 et 1999. Ce qui fut investi à des fins de placements vous rapporte des sommes d'argent qui dépassent ce que vous espériez. Dès l'instant où vous avez une propriété à vendre ou à acheter, vous trouvez à votre prix.

Si vous ne déménagez pas, si vous restez dans votre maison ou votre appartement, vous transformerez toutes les pièces; vous avez besoin de vous extérioriser, de refaire ce qui vous entoure, de manière que votre environnement quotidien ressemble à ce que vous devenez et non plus à qui vous étiez. À partir du début de juillet, Jupiter entre en Gémeaux dans le deuxième signe de votre ascendant; vous partirez en voyage, vous vous sentirez une âme d'explorateur et si vous en avez les moyens, vous irez visiter des lieux exotiques qui vous fascinent depuis longtemps. Avec cette position de Jupiter, il peut y avoir le décès d'un parent et, par la suite, des difficultés entre des membres de la famille au sujet du partage de l'héritage. Si une telle situation se présente, elle peut durer une année complète avant que la distribution des biens soit réglée. Pour ne rien vous cacher, le ciel révèle une énorme tension entre Saturne en Taureau et Uranus Verseau jusqu'à la fin de juin 2000. Uranus dans le dixième signe de votre ascendant sème souvent la pagaille dans la famille, comme si ce qu'on s'était caché les uns aux autres devait être exposé, exprimé ou provoquer une explosion. Même dans les meilleures familles, il y a parfois un parent qui abuse des autres; sous ce ciel, la tolérance des victimes est à zéro, mais peut-être est-ce la leçon que le manipulateur a besoin d'apprendre!

Saturne et Uranus vous avisent de ne pas aller au-delà de vos limites physiques ; reconnaissez ces moments où il est nécessaire de vous arrêter pour retrouver votre énergie. Un mal de dos accompagné de douleurs à l'estomac seront un sérieux avertissement. De la mi-févier jusqu'au 4 avril, Jupiter fait un aspect dur à Neptune. La position de ces planètes vous avise de ne pas faire confiance au premier venu dans les questions d'affaires. Ce sera pour beaucoup de Taureau/Taureau l'occasion de faire le tri parmi les amis ; certains ne sont pas dignes que vous les appeliez « mon ami ». Jupiter et Neptune sont en carré : vous aurez à défendre un ami contre des gens dont il ne s'est pas suffisamment méfié et qui sont sur le point de lui faire perdre biens et réputation qu'il a gagnés à force de travail. Vous serez son héros, son sauveur. Les bénédictions vous viendront en temps et lieu.

TAUREAU ASCENDANT GÉMEAUX

Vous êtes né avec le Soleil en maison douze, ce qui vous fait parfois espérer un miracle, mais vous oubliez trop souvent que le ciel ne vous aide que si vous vous aidez vous-même. Vous êtes un signe de terre, un vénusien ; votre ascendant est une signe d'air, un mercurien. Votre première mission en tant que Taureau est d'agir, vous êtes dans le « faire » ; votre ascendant Gémeaux vous porte à réfléchir, à multiplier les idées. Lorsque les deux signes sont harmonisés, après la réflexion suit l'action. Si Mercure et Vénus reçoivent des mauvais aspects d'autres planètes dans votre thème natal, malheureusement en l'an 2000, ce sera la confusion ; les émotions et la raison ne se comprennent plus et sont en voie de dissociation. Si c'est votre cas, si vous vous sentez mal à l'aise et incapable de trouver votre place, une aide psychothérapeutique sera nécessaire, le temps de reprendre votre équilibre. Votre vie sentimentale est généralement capitale ; sans l'amour, vous vous sentez perdu. Si jamais votre relation a subi une usure ou si vous n'avez jamais été heureux avec votre partenaire, si vous avez adopté une attitude de soumission et qu'il n'y a jamais eu de compensation pour votre dévouement envers l'autre, sans en avoir soufflé mot à qui que ce soit, vous vous sentez prêt à reprendre le contrôle de vous-même, de votre vie. Si vous vivez ce genre de situation, le réveil est brutal ; par contre, l'avenir en liberté sera meilleur que votre prison, aussi dorée soit-elle.

Dès le début de juillet, s'il y a eu séparation, de nombreux heureux événements, des hasards étranges, angéliques ou divins, vous placent sur votre véritable voie. Il y a aussi parmi vous des Taureau/Gémeaux qui ont réussi à faire valoir leur talent ou leur force Vénus/Mercure : ce sont souvent des artistes et des gens d'affaires ou, du moins, des travailleurs qui ont trouvé un sens profond à leur vie. Taureau/Gémeaux vécu positivement vous donne une ouverture d'esprit hors du commun. Il s'agit là d'un contact entre le ciel et la terre, entre Dieu et l'univers à travers une création ou un travail ayant des répercussions à l'échelle planétaire ; cet individu bien né est parfaitement conscient que ce qu'il fait de bien sera transmis aux uns et aux autres et que lorsque vient la distribution des bénédictions, il aura sa part.

En l'an 2000, surtout à partir de juillet, le donnant recevra des cadeaux qu'il n'a jamais demandés ni même souhaités. On dit toujours que la roue tourne, et elle tournera dans le sens des intérêts du bon et généreux Taureau/Gémeaux. Si vous vous êtes lancé dans l'entreprise en 1998, 1999 ne vous a pas donné beaucoup de temps libres; il a fallu passer à travers quelques obstacles, mais vous y êtes arrivé et, en l'an 2000, vous encaisserez vos vrais profits. Si vous êtes célibataire depuis quelques années, il est possible que vous mainteniez votre distance, que vous préserviez votre solitude que vous commencez à apprivoiser. Cependant, à partir de juillet, vous laisserez tomber vos résistances parce que vous serez en face d'une personne qui vous ressemble sur bien des points et avec laquelle vous n'en finirez plus de discuter; vous serez aussi curieux l'un que l'autre et vous aurez de multiples expériences à échanger. Les jours, les semaines, les mois passeront. Avant que l'an 2000 soit terminé, vous vous apercevrez que vous êtes amoureux... et l'autre aussi.

TAUREAU ASCENDANT CANCER

Vous êtes généralement discret, vous savez intuitivement où est votre place, vous n'empiétez pas sur le territoire d'autrui à la fois par sympathie et par respect. On ne trouve pas meilleure oreille; on sait qu'on peut se confier à vous, que jamais vous ne divulguerez les secrets qu'on vous confie. Ces belles qualités se retournent parfois contre vous. Les âmes en peine se libèrent et déchargent leurs problèmes sur vos épaules. Pour utiliser une expression bien de chez nous, «vous avez le dos large». En 1999, vous étiez nombreux à avoir des douleurs au dos et aux genoux; celles de vos proches et de vos amis sont maintenant trop lourdes à supporter. Dès le début de l'an 2000, vous constatez qu'il est nécessaire de retourner ces problèmes aux envoyeurs; de toute manière, ils ne vous ont jamais appartenu. Vous ne serez pas moins bon, vous serez simplement plus juste envers vous-même et lentement, au fil des mois, vos malaises disparaîtront. Vous aurez l'impression de vivre dans un nouveau corps, vous vous sentirez léger, énergique et vous n'aurez plus mal ici et là.

Vous êtes travaillant de nature; les heures supplémentaires ainsi que les changements de poste ou d'horaire ne vous font pas peur. Même s'ils ne sont pas toujours agréables, vous vous adaptez, vous avez le sens du devoir, vous êtes responsable de vous et très souvent un pourvoyeur inégalable; vous êtes généreux envers ceux que vous aimez, c'est la famille d'abord. Vous n'êtes toutefois pas apprécié comme vous le devriez, mais tout ça change en l'an 2000. Vous raconterez enfin ce que vous attendez, ce que vous désirez de l'autre, on vous comprendra. En l'an 2000, et surtout à partir de la mi-février, vous exprimerez vos besoins, ce que certains n'ont jamais fait; les natifs qui ont présentement entre 35 et 55 ans rompront le silence et oseront dire ce qu'ils pensent et ce qu'ils veulent. Taureau/Cancer sait qu'il y a des conséquences à son affirmation, mais cette lucidité acquise au prix d'énormes efforts, il ne la perdra plus : se sentir fort, ça fait du bien.

À partir de juillet, Jupiter entre en Gémeaux et y restera jusqu'en juillet 2001 dans le douzième signe de son ascendant ; il s'agit d'une zone de réflexion, de remises en question, de décisions réfléchies. Du 11 août au 16 octobre, Saturne fait un séjour en Gémeaux, période où vous devrez faire attention à votre santé, changer votre mode de vie, votre alimentation. Mais attention à vos relations : certaines gens vous grugent ; calmement, posément, vous effacerez leur nom de votre liste d'invitation. Vous devenez sélectif. Sur le plan professionnel, vous n'avez rien à craindre si vous occupez le même emploi depuis longtemps. Si vous faites partie de ceux qui prennent leur retraite, vous n'aurez que le temps de vous retourner et, rapidement, vous serez engagé dans une cause ou vous jouerez un rôle important dans votre communauté. Quelques-uns seront rappelés au travail à temps partiel et feront plus d'argent que lorsqu'ils étaient permanents. En tant que célibataire, c'est au début de l'an 2000 que vous ferez une rencontre, mais vous ne vous lierez amoureusement que lentement, vous ferez durer les fréquentations jusqu'en juillet 2001. Au cours de ces mois, vous prendrez de temps à autre un recul afin de vous assurer que vous êtes véritablement en train de faire un choix.

TAUREAU ASCENDANT LION

Vous avez rarement la vie facile parce que, pour la majorité, l'enfance s'est déroulée au sein d'une famille dysfonctionnelle. Si, en 1999, vous avez suivi vos aspirations profondes, vous avez découvert votre idéal ou vous vous êtes professionnellement engagé dans un domaine hors de l'ordinaire, vous choisissez souvent une carrière qui est davantage un défi et une grande aventure plutôt qu'une assurance-salaire. Si vous êtes ce Taureau/Lion qui avait jusqu'à présent refusé d'être aimé, vous avez flanché en 1999, vous avez accepté d'être quelqu'un de spécial, unique en son genre et digne d'amour. Ça n'a pas été une année reposante : il vous a fallu couper des ponts avec certains parents, vous avez mis de côté des gens qui se disaient vos amis. Au travers de ces décisions, la famille et la profession, il y avait l'amour, cet amour dont vous aviez tellement peur. En l'an 2000, vous savez qu'il est vôtre. C'est la vie à deux avec de moins en moins de doutes et de plus en plus de certitudes. Si vous êtes jeune et sans enfant, il en sera sérieusement question ; s'il s'agit d'un premier pour les uns, ce sera le second pour d'autres.

Certains sont appelés à travailler dans une autre ville ou un autre pays ; si vous êtes de ceux-là, vous n'avez rien à craindre, les événements sont tels que votre partenaire est déjà prêt à vous suivre. L'inverse peut aussi se produire : l'amoureux a eu une offre qu'il ne veut pas décliner ; vous acceptez de l'accompagner dans son périple. L'an 2000 présage de nouveaux amis, des occasions professionnelles hors du commun. Sous votre signe et ascendant, il y a de nombreux artistes. L'art se pratique n'importe où ou presque. Il peut déménager et quand il le fait, il se renouvelle, se développe différemment, plus original qu'avant. Le dépaysement est une inspiration, un nouveau souffle créateur. Vous pouvez vous attendre à divers rebondissements et à des succès retentissants qui ne sont pas soudains bien qu'ils apparaissent ainsi à ceux qui ne connaissent rien à votre cheminement. Vous méritez vos médailles.

L'an 2000 peut conduire certains d'entre vous à l'étranger; alors qu'ils croient partir pour quelques semaines, le voyage se prolonge et peut durer toute une année. L'aspect départ apparaît clairement en juillet 2000. Pour vous, puissant double signe fixe, association entre Vénus et le Soleil: c'est tout ou rien. Période creuse et stagnation sont terminées; il y a, au contraire, un mouvement ascendant et un recommencement vous conduisant vers un autre sommet parmi les multiples autres que peut atteindre un individu. Changer de vie, déménager, avoir du succès, faire de l'argent, être heureux, fonder une famille, tomber amoureux ou recouvrer la santé après une longue maladie, qu'importe là où le destin vous porte, qu'importe le but atteint, visé et en voie de s'accomplir, pour ne rien vous cacher, c'est inquiétant. Même le bonheur est troublant quand on pensait ne jamais y goûter. Après en avoir autant rêvé, après tant d'années à le désirer! Rien n'est parfait. Cependant, si un parent est sérieusement malade, son hospitalisation ou sa mort vous fera abondamment pleurer, mais cette triste nouvelle vous fera comprendre ce côté éphémère de notre passage sur terre et l'importance du rôle qu'on y joue.

TAUREAU ASCENDANT VIERGE

Attachez votre ceinture, c'est l'heure du grand décollage dans le domaine où vous vous êtes investi ces cinq dernières années. Vous êtes un double signe de terre, un être patient; si vous êtes hyper-sensible, vous êtes tout à la fois extrêmement logique. Si vous êtes à votre compte, si vous avez lancé une affaire, si, en 1998 et en 1999, vous avez lutté malgré des mois où vous y perdiez et aviez l'impression de régresser, en l'an 2000, vos efforts rapportent financièrement et plus que vous ne l'imaginiez au début. Si vous œuvrez dans le domaine des communications, une expansion sera quasi affolante. Si, jusqu'à présent, vous n'aviez qu'un personnel réduit, vous ferez de l'embauche; seul, vous ne pouvez plus satisfaire la demande tant il y a de clients. Certains devront même déménager leur commerce pour pouvoir agrandir. Ces derniers ne perdront pas la tête: le budget est bien étudié et il n'y aura aucune dépense inutile. En tant que double signe de terre, vous êtes généralement économe ou, du moins, prudent avec vos avoirs. Si vous faites des échanges commerciaux avec l'étranger, des développements particuliers, une association, des investissements, tout ça vous prendra par surprise et il est dans votre intérêt de réagir prestement.

De juillet 2000 à juillet 2001, Jupiter est en Gémeaux dans le dixième signe de votre ascendant. Durant cette période, vous ne pourrez plus hésiter : les gens d'affaires que vous rencontrerez seront exigeants, sérieux, empressés d'en arriver à des conclusions ou de développer le marché commercial sur lequel vous avez mis tellement de temps et d'énergie. Jupiter en Gémeaux est aussi le deuxième signe du vôtre : ne signez rien sans obtenir de conseil juridique ou de bénédiction de votre comptable. Entre juillet 2000 et juillet 2001, à quelques reprises, ce sera tantôt Jupiter, tantôt Saturne, tantôt ces deux planètes qui feront une opposition exacte à Pluton en Sagittaire. Les symboles sont multiples, positifs et négatifs. En ce qui vous concerne, il s'agit de l'axe des maisons quatre et dix, celles du père et de la mère, du succès social et de la famille. Le ciel laisse supposer que si, d'un côté, la famille vous réclame, de l'autre, vos affaires qui progressent rapidement vous prennent à peu près tout votre temps.

Si, par exemple, vous êtes au début d'une carrière, si vous avez des enfants, après avoir consacré la majeure partie de votre énergie au travail, il n'en reste que bien peu pour vos enfants qui, à leur manière et selon leur âge, contestent votre absence. Si votre mère ou votre père est âgé, l'un d'eux peut tomber malade et vous êtes celui sur qui on compte pour s'en occuper alors que vous avez déjà mille préoccupations professionnelles. S'il y a un décès et qu'il est question de partage entre frères et sœurs, attendez-vous à ce que le testament soit contesté ou malhonnêtement interprété. Si vous n'avez aucun système d'alarme ni à la maison ni au commerce, vous courez le risque d'être volé. À la maison, si un trouble électrique survient et si vous n'êtes pas un expert-électricien, faites-le réparer, n'attendez pas qu'un feu se déclare. Vous pouvez enrayer les problèmes matériels en y étant attentif.

TAUREAU ASCENDANT BALANCE

Né d'un double signe de Vénus, vous êtes l'image du jouisseur ; Vénus aime le luxe et pour se l'offrir, il faut gagner beaucoup d'argent. Vénus se gâte, se fait plaisir, profite de tous les bons moments. En tant que double signe vénusien, si les uns sont paresseux à l'excès, d'autres sont infatigables. Vous pouvez vous contenter de vivre pour épater la galerie ou pour travailler très fort afin d'être reconnu pour vos accomplissements. Qui que vous soyez, quoi que vous fassiez, vous possédez un puissant magnétisme. Jusqu'en juillet, Jupiter est en Taureau et tourne autour de votre Soleil ; il est aussi dans le huitième signe de votre ascendant. Ce ciel présage de multiples transformations, surtout si vous êtes un chef, un patron ou à votre compte. Jupiter a généralement le goût, le désir et la volonté d'agir sur les événements afin de faire progresser ce qui est en cours. Il vous faudra toutefois être prudent lors de nouveaux investissements. Si vous doutez d'un collaborateur ou d'un associé, étant intuitif de nature, avant de lui confier vos finances, faites une enquête sérieuse sur le rôle qu'il a joué dans d'autres entreprises. Peut-être découvrirez-vous que vous avez eu raison d'être sur vos gardes.

Vu votre double signe vénusien et la position de Jupiter, vous êtes susceptible de traverser une crise de couple, une remise en question ; marié ou en union libre depuis longtemps, un peu las et coincé dans vos habitudes, silencieux mais désireux de trouver le bonheur et l'amour, votre souhait de rencontrer la bonne personne peut se réaliser plus vite que vous ne l'imaginez. Si vous êtes célibataire depuis belle lurette, si vous vous êtes replié sur vous-même depuis plusieurs années, c'est surtout à partir de juillet que vous émergez, que vous redevenez réceptif tel un authentique vénusien ; un bel être attirera votre attention, il vous séduira et c'est ainsi que commencera une autre tranche de vie. Plusieurs se remarieront en l'an 2000 même si, présentement, ils secouent la tête et se jurent de ne plus jamais dire « Oui, je le veux ». De juillet 2000 à juillet 2001, Jupiter est en Gémeaux dans le neuvième signe de votre ascendant : sagesse, curiosité intellectuelle, études, voyages, engagement social et défenseur de l'opprimé, de la veuve et de l'orphelin.

Si vous n'avez jamais pu obtenir le diplôme qui vous aurait permis de pratiquer un métier qui vous attire depuis toujours, vous aurez enfin le courage de vous inscrire à ces cours et vous irez jusqu'au bout de votre rêve. S'il s'agit pour vous d'une deuxième, d'une troisième ou même d'une quatrième union et que votre partenaire et vous avez des enfants de vos *ex*, des aspects célestes laissent supposer que des problèmes de famille reconstituée peuvent survenir. Ce genre de situation n'est jamais drôle et vous aurez besoin de tout votre courage pour aider le ou les enfants déchirés par une séparation. Même si, physiquement, ils ne manquent de rien, même si vous aimez les enfants de votre partenaire, même si votre partenaire aime les vôtres, que les enfants sont petits ou presque grands, accepter que papa et maman aient cessé de s'aimer pour ensuite divorcer est une blessure qui ne cicatrise pas du jour au lendemain. Si vous ne savez que faire pour que la paix revienne à la maison, n'hésitez pas à consulter un thérapeute spécialisé en relations familiales.

TAUREAU ASCENDANT SCORPION

Vous êtes né avec votre signe opposé, vous pouvez choisir de vivre dans la joie ou dans l'angoisse. Vous êtes un double signe fixe, un signe de terre et d'eau. La terre est-elle simplement bien arrosée ou est-elle inondée jusqu'à l'infertilité ? Vénus qui vous régit ressent-il, perçoit-il ce qui ne se voit pas à l'œil nu ? Votre double signe fixe vous fait-il vivre dans l'insécurité, l'immobilité et la stagnation ? Êtes-vous dans l'attente qu'un miracle règle vos problèmes ? Jusqu'à la fin de juin, Jupiter est en Taureau dans le septième signe de votre ascendant ; c'est au cours de ces mois que vous verrez clairement votre cheminement sentimental. Si, par exemple, vous avez accepté une union et que vous n'avez jamais été heureux, si vous êtes tout simplement rentré dans les rangs pour faire comme tout le monde, vous aurez le courage de quitter cette vie de couple qui, plutôt que de vous faire grandir, vous détruit petit à petit. Si toutefois vous êtes seul depuis longtemps, si vous n'avez pas perdu espoir, si vous croyez encore que l'on puisse vivre heureux à deux, ce jour où vous pensez vous être libéré de toute attente, par hasard, vous serez en face de votre complément; vous vous reconnaîtrez l'un et l'autre; après quelques heures de conversation, vous aurez l'impression de vous connaître depuis des siècles.

Si vous êtes amoureux et si vous n'avez pas d'enfant, vous ne songerez plus à fonder une famille; vous avez suffisamment réfléchi sur le sujet, c'est pour vous le temps d'agir. Sous l'influence de Jupiter en face de votre signe jusqu'à la fin de juin, si vous avez le sens des affaires, si vous avez travaillé à un projet, si vous vous êtes passionnément investi, vous récolterez les fruits de vos labeurs. La réussite attire souvent de ces gens qui veulent abuser des profits d'autrui; vous devrez rester prudent si on vous fait une offre d'association et s'il est question de fusionner votre entreprise avec une autre. Avant de donner votre accord final, faites mille fois le tour de la question. Il est important que vous ne perdiez en aucun temps le contrôle de cette affaire sur laquelle vous avez mis du temps, de l'argent et de l'énergie. À partir de juillet 2000 jusqu'en juillet 2001, Jupiter est en Gémeaux dans le huitième signe de votre ascendant; cela laisse supposer une série de transformations; si les unes sont voulues, d'autres ne le sont vraiment pas.

La mort d'un parent bien-aimé, âgé et malade peut survenir. Bien que vous sachiez que la faucheuse passerait, l'âme souffre de ce départ et le cœur se serre. À la suite d'un décès, il sera question de partage; il est possible que le testament soit embrouillé et que vous ayez besoin d'aide afin qu'on vous remette ce qui vous revient. Si vous avez fait plus d'argent au passage de Jupiter en Taureau, sous celui du Gémeaux, vous doublez votre mise. Entre juillet 2000 et juillet 2001, plusieurs entreprendront un périple professionnel hors de l'ordinaire. Ils se lanceront un défi; les témoins riront au début, mais ils seront encore là pour applaudir votre succès. Sous Jupiter en Gémeaux, vos valeurs se modifient; vous éloignerez aussi des gens que vous connaissez mais qui, vous le savez maintenant, n'ont jamais aimé votre réussite. Si vous devez défendre vos droits, si le recours d'un avocat est nécessaire, vous l'emporterez: l'ennemi paiera la facture et réparation sera faite.

TAUREAU ASCENDANT SAGITTAIRE

Vous êtes né de Vénus et de Jupiter, deux planètes qui orchestrent fort bien leur succès. Vénus et Jupiter savent recevoir et lorsqu'ils ne peuvent plus tenir quoi que ce soit tant ils ont les bras pleins, ils donnent. Le vide ne reste jamais vide, et vous avez cette conscience sans jamais devoir réfléchir à ce principe. Il vous est tout naturel. Vous êtes généralement travaillant; en principe, votre Soleil est dans le sixième signe de votre ascendant: vous êtes infatigable ou presque. Instinctivement, vous savez quand il faut vous arrêter; vous avez cette merveilleuse capacité de récupérer vos énergies; il vous suffit d'avoir une bonne nuit de sommeil et ça y est, vous êtes en forme! En l'an 2000, Jupiter en Taureau jusqu'à la fin de juin est tout près de votre Soleil. Si Jupiter est un bon élève, il devient un excellent professeur quand il a de l'expérience.

Si, par exemple, vous occupez le même emploi depuis des décennies, il est possible que vous deviez transmettre vos connaissances à ceux qui vous succéderont. Si votre travail vous fait voyager, vous déferez et referez régulièrement vos valises. Si vous êtes un travailleur autonome, l'an 2000 présage une importante expansion, de l'embauche et une comptabilité plus complexe; qu'importe, au bout du compte, vous aurez fait des profits nettement supérieurs à ceux de 1999 et de 1998. Si vous faites partie de ceux qui cherchent un emploi, vous serez chanceux: vous aurez le don d'arriver à la bonne place et vous obtiendrez un poste selon vos compétences. De plus, vous développerez plus qu'une relation d'employé-patron, il s'agira d'une complicité ainsi que d'une amitié. En tant que célibataire, durant la première moitié de l'année, vous pourriez rencontrer l'amour de votre vie dans votre milieu professionnel. Vous aurez des fréquentations prudentes. Pour garder votre distance, vous discuterez d'affaires, puis, d'un rendez-vous à un autre, les conversations glisseront vers quelque chose de plus intime. Et tout naturellement, l'autre et vous reconnaîtrez que vous allez bien ensemble.

De juillet 2000 à juillet 2001, Jupiter sera en Gémeaux dans le septième signe de votre ascendant, ce qui présage une grande diversification des événements. Si vous sentez que vous devez vous séparer de quelqu'un pour qui vous n'avez ni sentiments ni attirance sexuelle, vous rendrez la séparation officielle et sans possibilité de retour. Si vous possédez une entreprise qui roule à pleine vapeur, méfiez-vous de personnes qui promettent de l'or par association. Certains parmi vous aiment aveuglément leur partenaire, mais lui, de son côté, voit plus ses intérêts financiers que le bonheur de vivre à deux. Jupiter en Gémeaux vous ouvre les yeux tant sur votre réalité amoureuse que sur vos avoirs. Votre vision est périphérique. Rien ne vous échappe; les détails et l'ensemble de votre situation vous apparaissent et c'est comme si vous regardiez à travers une lunette grossissante. Donc, il est impossible de passer à côté de vos réalités. Sous Jupiter en Gémeaux, ne vous laissez pas intimider par ces parents qui semblent tout savoir sur vous. Jupiter en Gémeaux est généreux à votre endroit: il vous suffit de saisir les bonnes occasions et de fuir celles dont vous n'avez rien à retirer.

TAUREAU ASCENDANT CAPRICORNE

De la mi-février à la fin de juin, Jupiter est en Taureau autour de votre Soleil dans le cinquième signe de votre ascendant; cette position par rapport à votre thème est favorable, la chance vous attend à chaque détour; vous trouvez un bon emploi quand vous cherchez; on vous accorde une promotion, celle que vous espériez justement en secret. Jupiter en Taureau symbolise la personne qui vous attire comme un aimant et qu'au début de la relation vous appelez un flirt; elle est si différente de vous qu'elle vous étourdit. Effectivement, elle brasse. Ses remarques, qui ne sont pas dites sur un ton agressif, sont provocantes et vous portent à remettre en question valeurs et croyances. Son idéal vous paraîtra irréaliste, hors d'atteinte, vous penserez qu'elle rêve de l'impossible. Vous êtes un double signe de terre; la terre est pratique, elle veut croire que tout est fait pour durer. D'une manière étrange, votre flirt vous démontrera clairement que votre prudence, votre désir de préserver ce qui est ainsi que tous les blocages que vous créez dès que vous avez l'occasion de changer découlent de votre peur de l'avenir.

Jupiter ainsi positionné dans le cinquième signe de votre ascendant vous invite à la fantaisie, à un brin de folie, à cesser de faire des calculs qui finissent toujours par donner des résultats qui ne ressemblent nullement à ce que vous aviez comptabilisé. L'amour peut tout changer et ce n'est plus un rêve mais une probabilité. Il faudra lâcher votre garde-à-vous, être ouvert, spontané et constater que les limites ne viennent que de vous. Une fois amoureusement engagé, si vous êtes jeune, sans enfant, vous donnerez la vie par amour de la vie et non plus parce qu'il faut faire comme les autres. Quel que soit votre métier, votre talent, vous pouvez espérer un tournant de carrière; vous êtes à l'heure de l'exploration d'un autre de vos potentiels dans le domaine des affaires ou le monde de l'art. Sous Jupiter en Taureau, si vous avez des faiblesses physiques, il est urgent d'y voir, d'avoir un examen médical complet.

De juillet 2000 à juillet 2001, Jupiter est en Gémeaux dans le sixième signe de votre ascendant et, ici, des mises en garde s'imposent. Je ne vous annonce rien de nouveau quand j'écris que la santé, c'est important. Si vous n'avez pas fait attention à vous, si vous avez cru pouvoir consommer n'importe quoi, persuadé que c'était sans conséquence, le temps a fait son œuvre et ceux qui se sont crus audessus de certaines règles alimentaires ressentiront l'usure du corps. Ces jouisseurs déraisonnables se demanderont pourquoi ils sont si fatigués. Jupiter en Gémeaux multiplie les rhumes, les bronchites; il distribue des maux de ventre ou une nervosité qui résulte des abus des 12 dernières années. Si vous vous reconnaissez comme étant un Taureau/Capricorne invincible et à l'abri de tous les maux, dès l'instant où vous vous apercevrez que vous avez moins de résistance, adoptez un régime sain, des activités qui vous décompressent et qui sont tout aussi agréables à exercer. Jupiter en Gémeaux met l'accent sur le travail et l'argent qu'il rapporte; si votre vie se résume à «métro-boulot-dodo» et au fait d'économiser pour vos vieux jours, révisez cette conviction avant qu'il y ait arrêt obligatoire. Sous Jupiter en Gémeaux, éloignez-vous des intrigues et des commérages au travail.

TAUREAU ASCENDANT VERSEAU

Avec Uranus et Neptune sur votre ascendant, non seulement êtes-vous une boîte à surprises pour les gens qui vous entourent, mais la vie elle-même qui vous en réserve quelques-unes. Vous êtes une naissance étrange, une association entre Vénus et Uranus. Vénus s'attache et Uranus veut rester libre. Il y a donc en vous un profond besoin d'attachement; l'amour pour votre famille est omniprésent. D'un autre côté, dès l'instant où vous avez l'impression d'être attaché, vous brisez le lien, vous cassez vos chaînes. Vous êtes l'amour fidèle, l'amour pour toujours et, en même temps, celui qui trompe la personne qu'il aime. Si, par exemple, vous êtes marié, même si ça ne va pas entre votre partenaire et vous, le divorce est hors de question. Si votre partenaire demandait la séparation, vous souffririez terriblement. Vous êtes un être coloré, le plus insaisissable des Taureau; un jour, vous fonctionnez par la logique et le lendemain, vous suivez le fil de vos intuitions spontanées. Vénus est lent, Uranus est rapide. Vénus et Uranus, qui mènent votre vie, adorent être reconnus; ces deux planètes vous soufflent de ne jamais passer inaperçu. Vous avez besoin d'amour et de reconnaissance publique.

De la mi-février à la fin de juin, Jupiter est en Taureau et tourne autour de votre Soleil dans le quatrième signe de votre ascendant; durant cette période, vos enfants, surtout s'ils sont adultes, prendront des décisions qui ne feront pas votre bonheur et qui iront à l'encontre de vos désirs et recommandations. N'avez-vous pas vous-même été un adolescent inquiétant pour vos parents? Pour maintenir l'équilibre familial, vous leur donnerez du temps. Si un de vos parents est âgé, la maladie de l'un d'eux vous surprendra jusqu'à la panique. Dans une telle situation, vous n'hésiterez pas et, s'il le faut, vous prendrez congé pour être auprès de lui pour le soutenir dans l'épreuve. Sous Jupiter en Taureau, si vous ne déménagez pas, vous changerez tout ou presque dans la maison, ce qui occasionnera de grosses dépenses. Vous êtes aussi très habile quand il s'agit d'acquérir un terrain, une propriété; vous négociez jusqu'au moment où vous obtenez le prix que vous vous étiez fixé; quand il s'agit d'acheter et pour ce qui est de vendre, vous êtes chanceux: vous avez un don particulier pour faire valoir ce que vous offrez et vous faites des profits.

De juillet 2000 à juillet 2001, Jupiter est en Gémeaux dans le cinquième signe de votre ascendant. Si vous êtes travailleur autonome, les contrats seront nombreux et vous demanderez un tas d'avantages supplémentaires; si vous n'êtes pas lucide en ce qui concerne le budget global de l'entreprise qui réclame vos services, si vous refusez les compromis, vous risquez de tout perdre. Lors de ce long passage de Jupiter en Gémeaux, ne lancez pas une affaire avec des amis; ces derniers voient en vous une machine à sous, il suffit que l'un d'eux soit un comptable gourmand pour que votre propre compte en banque voie rouge. Il vaut mieux attendre le mois d'août 2001 pour concrétiser ce projet. Si toutefois vous l'avez mis en marche sous Jupiter en Taureau, il vous suffit de vérifier régulièrement vos chiffres pour vous assurer qu'aucun abus ne soit commis. Si votre enfant a l'âge de conduire votre voiture et s'il aime la vitesse, de juillet 2000 à juillet 2001, ne lui prêtez pas ou accompagnez-le et obligez-le à respecter le Code de la route.

TAUREAU ASCENDANT POISSONS

De la mi-février à la fin de juin, Jupiter est en Taureau dans le troisième signe de votre ascendant, ce qui fait de vous un excellent commerçant et un très bon communicateur. Durant ce passage, vous serez nombreux à retourner aux études ou à terminer un cours afin de vous donner une chance de plus d'avoir de l'avancement. Si vous avez un talent artistique, vous le travaillerez davantage; si pour certains le ciel est la limite, pour vous, c'est la perfection qui vous lance constamment des appels et avec eux l'autocritique. Vous avez beau donner le maximum, vous finissez pas dire que vous auriez pu faire mieux. Si vous faites des affaires avec l'étranger, les échanges de bons services, les ventes et les achats compteront plusieurs chiffres, représentation de profits bien mérités. En aucun temps, vous ne divulguerez vos secrets, vos stratégies; il y a des envieux tout autour, quelques paresseux qui veulent devenir riches sans en faire l'effort. Il est dans votre intérêt de garder vos projets sous silence afin que personne ne s'en empare.

Sous l'influence de Jupiter en Taureau, si vous avez des frères et des sœurs, advenant le décès d'une tante ou d'un oncle fortuné, il est possible qu'il y ait de la bisbille; le testament manque de clarté et de précision. Vous devrez aussi être plus attentif à votre solde en banque et à vos placements. Sous votre ciel, des erreurs peuvent se glisser et vous mettre dans l'embarras. Il est essentiel de veiller de près sur vos avoirs. Jupiter en Taureau, dans votre cas, symbolise la paperasse, vos comptes personnels qu'il faut payer à temps; si on vous doit de l'argent, faites-vous rembourser. Après tout, c'est le vôtre. Si votre travail vous oblige à faire de la route, vous ne serez pas souvent à la maison. Si vous avez des amis à l'étranger, l'un d'eux peut vous annoncer qu'il arrive, qu'il déménage... chez vous. Est-ce vraiment ce que vous voulez? Si vous n'avez pas l'intention d'héberger qui que ce soit, parlez-en. Certains parmi vous décideront d'aller vivre sous d'autres cieux, dans un autre pays afin de mieux gagner leur vie.

De juillet 2000 à juillet 2001, Jupiter est en Gémeaux dans le quatrième signe de votre ascendant. Les uns achèteront leur première maison; d'autres, leur seconde. Durant ce long passage de Jupiter en Gémeaux, si vous êtes le gardien d'un parent en raison de sa maladie, si vous avez une grosse famille, il est possible qu'un frère ou une sœur conteste ou critique votre manière de soigner ce parent; au fond, il a peur que vous héritiez des biens familiaux. Si vous possédez un commerce, lors du passage de Jupiter en Gémeaux, redoublez de prudence: un système d'alarme serait nécessaire pour chasser les voleurs de nuit. Si vous quittez votre maison plusieurs semaines, le même avis s'impose. En l'an 2000, votre digestion sera plus lente à cause de votre nervosité; vos peurs les plus anciennes referont trop souvent surface et sans préavis. Entre juillet 2000 et juillet 2001, si vos enfants ont l'âge de voler de leurs propres ailes, inutile de les retenir. Ne les rendez pas coupables de vouloir s'affirmer sans vous. S'il y a des parents heureux qui ont des enfants sains, d'autres ont des problèmes. Ces derniers auront besoin d'une aide professionnelle non seulement pour leurs enfants, mais également pour eux.

JANVIER

TRAVAIL. Si vous occupez le même emploi depuis longtemps, il est possible que vos tâches soient diversifiées ou que certains d'entre vous soient initiés à une nouvelle technologie ; pour d'autres, il s'agira d'un cours nécessaire leur permettant de s'adapter aux nouvelles demandes et exigences de l'entreprise. Durant les deux premières semaines du mois, dès la rentrée après le congé du jour de l'An, si vous êtes à l'emploi d'un de nos gouvernements, il est possible qu'il y ait de la contestation chez les employés ; que vous le vouliez ou non, vous serez mêlé de près au chaos dont naturellement vous sortirez. Essayez de rester calme malgré le désordre qui, de toute façon, est temporaire. Les secteurs les plus représentés par ce ciel de janvier sont les écoles, du primaire à l'université, ainsi que les cliniques et les hôpitaux.

SANS TRAVAIL. Si vous avez cherché en vain du travail, vous avez moins de moral et, malheureusement, si vous vous laissez glisser dans la déprime, vous aurez alors de plus en plus de mal à en sortir. Poursuivez vos démarches ; à la fin du mois, dès le 25, vous pourriez enfin recevoir une réponse positive. Si vous appartenez au groupe de gens révoltés contre le système, si vous vous êtes trouvé mille excuses pour ne rien faire, vous aurez de la difficulté à payer vos comptes ; de plus, quelques symboles célestes supposent des compressions budgétaires : la manne gouvernementale se fera moins généreuse. Pour survivre, vous devrez réveiller votre détermination et votre volonté.

AMOUR. Il y a dans la vie de chacun des périodes de questions qui restent sans réponse. Si vous avez fait une rencontre il y a quelques mois, vous êtes sur le point de vous engager et vous avez peur. Vous voudriez savoir ce que l'avenir vous attend avec votre partenaire, et à un point tel que vous négligez le moment présent. Si vous êtes ce Taureau qui ne cesse de voir un clairvoyant après un autre dans l'espoir qu'on vous dise ce que vous voulez entendre, d'abord vous êtes assurément un être malheureux et dites-vous que votre futur vous appartient. Vous seul devez décider si oui ou non vous poursuivez cette relation. Fiez-vous à votre jugement et à votre intuition.

FAMILLE. Dans le ciel, Saturne en Taureau fait un aspect dur à Uranus en Verseau ; un parent tombe malade et vous paniquez. Ce genre de réaction n'apporte rien de bon et, pis encore, vous ne faites qu'ajouter au mal dont souffre ce membre de votre famille. Si vous vivez dans une famille reconstituée, il y aura quelques problèmes à régler ; ne perdez pas de vue que ce n'est pas simple pour des enfants de composer avec un nouveau parent de chaque côté.

SANTÉ. Sous votre signe, votre vitalité dépend quasi essentiellement de votre moral. Vous pouvez sombrer dans vos peines et vous souvenir des pires événements, les raconter à qui veut bien les entendre et anticiper le futur pendant que le ciel vous tombe sur la tête. Si vous voulez rester en forme, regardez ce qui est beau autour de vous. Comptabilisez vos chances plutôt que vos malheurs.

RÊVES ET MAL À L'ÂME. Un rêve devient réalité à condition d'y croire et d'agir. Des obstacles? Il y en aura toujours. Rien n'est parfait sur cette terre; par contre, vous trouverez une grande satisfaction à travers vos petits et grands accomplissements.

FÉVRIER

TRAVAIL. À partir de la mi-février, Jupiter entre dans votre signe et Saturne s'y trouve aussi. Jupiter vous suggère d'aller de l'avant; à chacun de vos pas, après chaque effort, vous encaissez, vous y gagnez et souvent plus que vous n'espériez. Saturne vous permet de rester prudent lors de vos transactions; vous ne prendrez aucune décision sur un coup de tête; au contraire, chacune sera mûrement réfléchie et rien ne sera laissé au hasard. Si vous aviez l'intention de lancer une affaire, rencontrez les gens susceptibles de vous aider ou de vous financer tout de suite après le passage de la nouvelle lune du 6. Si vous faites commerce avec l'étranger, un retard vous mettra hors de vous et vous empêchera de voir la vraie solution. Gardez votre sang-froid; ainsi, vous trouverez une solution efficace et un règlement plus rapide à ce qui est en cours. La colère peut vous souffler des mots regrettables, ce qui n'est pas recommandé en tant que négociateur.

SANS TRAVAIL. Si vous avez choisi d'être à la maison, de ne pas entrer dans les rangs des travailleurs, sous l'influence de Mars en Bélier à partir du 13, vous ne serez guère patient. Il est à souhaiter que vos activités soient agréables et, surtout, qu'elles vous permettent de garder le contact avec le reste du monde. Si toutefois vous n'avez pas voulu cette situation de sans-emploi, sous l'influence de Mars en Bélier, plutôt que de chercher et de faire des demandes d'emploi calmement, à peine l'entrevue sera passée que tout de suite vous bouillonnerez en vous répétant qu'on n'a certainement pas apprécié votre curriculum vitæ. Lorsque vous offrez vos services, ayez l'assurance d'un vendeur; une attitude de victime vous maintiendrait dans un état plus vulnérable.

AMOUR. Si l'amour a fait son nid depuis environ un an, si vous vivez maintenant avec votre partenaire et qu'il fait soleil dès que vous êtes ensemble, si vous n'avez pas d'enfant, dès le début du mois, l'autre et vous conviendrez qu'il est temps de fonder votre famille. Le ciel laisse entrevoir un voyage pour votre partenaire; après une sérieuse discussion, non seulement l'aiderez-vous à faire sa valise, mais vous ferez aussi la vôtre. En tant que célibataire, le ciel est favorable à une rencontre, celle que vous espériez depuis longtemps.

FAMILLE. Un des vôtres est malade et vous lui donnerez des soins, du temps et de l'affection. Même si vous êtes bouleversé par sa maladie, vous vous dévouerez comme peu de gens peuvent le faire. Si vos enfants sont adultes, vous êtes conscient qu'ils sont désormais responsables de leurs actes. Si votre amour n'est pas le moindrement altéré, cette distance entre eux et vous est saine pour tout le monde. Si vous avez des jeunes sportifs à la maison, enseignez-leur la prudence et si vous pressentez que l'un d'eux est sur le point de se mettre en danger, ayez la sagesse de limiter son activité, surtout si vous savez du plus profond de vos tripes que jamais il ne sera sage durant le passage de sa jeunesse à son adolescence.

SANTÉ. Signe de terre, la terre résiste. Mais elle est semblable à ce qui se produit sur le plan écologique; elle se pollue subtilement, lentement mais immanquablement; en tant qu'humain, vos toxines obstruent vos pensées; entreprenez une désintoxication, épurez votre alimentation et cessez de croire que vous digérez tout. À partir du milieu du mois, vous avez tendance à faire des réactions allergènes; une irritation cutanée vous sert aussi d'avertissement. Tout étant lié dans l'organisme et à vous entêter à vous nourrir d'aliments peu nutritifs, en fin de mois, un sérieux mal de dos vous oblige à réfléchir à tout ça.

RÊVES ET MAL À L'ÂME. Février est le mois le plus propice à des transformations familiales et professionnelles. Vous n'êtes pas exempt de tourments. Cependant, dites-vous que cette souffrance de l'âme est propre à chacun. Imaginer la lumière en soi, la vouloir, c'est la créer pour ensuite la trouver.

MARS

TRAVAIL. Jupiter travaille pour vous. Vu Saturne en Taureau, vous ne faites rien à l'aveuglette. Votre insécurité professionnelle n'est pas évidente, elle est surtout inutile. Vous avez un esprit de lutte, vous êtes compétitif mais, surtout, vous découvrez que des gens sur qui vous avez pu compter dans le passé ont changé et qu'ils ne sont plus fiables. Si vous ne l'avez pas encore découvert, au milieu du mois, un collègue que vous pensiez bien connaître et en qui vous aviez confiance ternit soudainement votre réputation. Il s'agira d'une bavure sans importance en soi, seulement choquante. De toute manière, on ne peut vous enlever ni votre expérience ni vos réussites. Sans devenir excessivement méfiant, vous serez sur vos gardes, vous surveillerez vos intérêts de plus près pour finalement mieux réussir tout ce que vous entreprenez.

SANS TRAVAIL. Vous pouvez tourner sur vous-même, vous étourdir, faire mille projets sans en commencer aucun. Ou vous passez à l'acte et vous préparez les bases d'une affaire en laquelle vous croyez. Si vous parlez à quelqu'un qui a fait de l'argent, il vous dira qu'il a d'abord eu une idée, ensuite, il l'a élaborée. Ce mois vous suggère d'explorer vos diverses possibilités commerciales ; si vous êtes sans emploi et si jamais vous désirez devenir travailleur autonome, sachez à l'avance que votre succès ne dépendra que de vous. Si vous êtes à contrat, le téléphone sonnera dès la deuxième semaine du mois : vous aurez plusieurs offres. Si vous êtes enlisé dans le non-faire, dans la passivité, à partir du 13, vous trouverez le temps lourd et long.

AMOUR. Que votre partenaire ou vous soyez artiste, sans doute serez-vous séparé de lui pendant quelques semaines ; l'art pratiqué oblige à des déplacements à long terme. Si la moitié des Taureau ne se sent pas menacée par cette séparation temporaire, l'autre moitié y voit des signes néfastes. Les pessimistes se rendent à peine compte qu'ils détruisent l'amour. En tant que célibataire, à partir du 13, des planètes orchestrent une rencontre ; elle peut se produire lors d'un voyage, dans un aéroport, un avion, un train ou même un taxi, en somme, tout ce qui conduit au loin coopère à réunir ceux qui se cherchent.

FAMILLE. S'il y a une dispute entre les membres d'une même famille, c'est surtout à cause de l'argent ou l'un envie les finances de l'autre et l'accuse même d'être chanceux. Si une telle situation se produit, éloignez-vous du trouble-fête et s'il y a un partage d'héritage et que vous ne vous sentez pas la force de régler seul cette affaire, demandez à un professionnel de réclamer ce qui vous revient de droit. À partir du 23, si vos enfants sont grouillants, leur demander de se tenir tranquille serait d'exiger l'impossible. Armez-vous de patience et de tolérance.

SANTÉ. Votre foie fait des siennes surtout à la fin du mois, au moment où vous faites le maximum pour contrôler votre colère. Pour prévenir ce genre de malaise, il vous suffit de changer votre alimentation et, du même coup, vous serez plus calme.

RÊVES ET MAL À L'ÂME. Télécopies, Internet, téléphone, etc. Le modernisme a ses commodités, mais si vous vous isolez loin des autres, vous dépérirez. Il y a un remède : vous joindre à un groupe ayant des activités et des goûts semblables aux vôtres.

AVRIL

TRAVAIL. Mars, Saturne et Jupiter sont dans votre signe ; il s'agit là d'une combinaison aussi dynamisante que prudente et stratégique, sans oublier que ces planètes amplifient votre ambition et votre gourmandise financière. Si vous avez le sens de l'entreprise, si vous êtes en affaires, vous serez en relation avec des gens influents qui vous aideront, tant dans leur intérêt que dans le vôtre, à progresser plus rapidement que jamais vous ne l'avez fait auparavant. Si ce ciel est favorable à une expansion, il rend certains d'entre vous contestataires et en colère alors que la diplomatie, à long terme, exerce une force qui conduit, avec plus de lenteur faut-il en convenir, à une prospérité durable. Votre avenir vous appartient; le ciel astral fait des pressions dont le but ultime est votre réussite.

SANS TRAVAIL. Vous appartenez peut-être à la catégorie des gens qui croient encore que seule une intervention gouvernementale peut vous sortir d'une situation où vous vous sentez en état de chute. Au risque de me répéter, la manne diminue et le temps vous somme d'user de votre imagination et de vos expériences pour récupérer ce que vous avez perdu en travaillant plus fort. Il n'y a pas de vie sans difficultés; si vous ne vous êtes pas préparé en 1999 à votre renouveau, il faut commencer maintenant, ce mois-ci, à vous mettre à l'œuvre. Si vous cherchez un emploi, sortez de votre peur et foncez: vous trouverez selon vos qualifications et vos conditions.

AMOUR. Si vous avez une vie de couple agréable, n'allez surtout rien y changer parce qu'un flirt vous fait douter de ce que vous vivez. Pour la majorité, les beaux sentiments sont bien loin de ses préoccupations: l'argent, la survie économique ou les profits ont priorité. Que vous possédiez beaucoup ou peu, que vous ayez du succès ou que vous atteigniez un point de chute, s'il y a de l'amour dans votre vie, il ne faut pas le laisser filer. L'amour est une énergie positive; il est toujours constructif. L'amour est aussi une joie qui sauvegarde votre optimisme. Il comporte à certains moments un élément étrange, la volonté de poursuivre une relation et, surtout, de ne pas la laisser sombrer dans la routine.

FAMILLE. En tant que parent, vos enfants ont besoin de votre attention. Vous avez vos problèmes, mais ils n'en sont pas responsables. Il est urgent que vous fassiez la différence entre vos besoins et les leurs. Si toutefois vous êtes un parent extrêmement autoritaire, celui qui n'écoute pas ce que son enfant lui envoie comme message sera confronté et, surpris, il réagira par la colère. Ce ciel laisse présager une jeunesse qui aimerait bien qu'on la considère comme faisant partie de la famille et de la société.

SANTÉ. Vous avez une bonne résistance physique, mais des Taureau souffrent; leurs articulations ont perdu leur souplesse et sont devenues douloureuses. Ces derniers doivent se demander ce qui les arrête, ce qui bloque leur mouvement. Cela résulte souvent d'un blocage émotionnel et, sans doute, d'une part d'hérédité. Il y a quand même parmi vous des gens en très bonne santé. Leur moral est bon, ils sont heureux et confiants en la vie et en leur avenir.

RÊVES ET MAL À L'ÂME. Quelques-uns de nos rêves ne se réalisent que tard dans la vie et c'est parce qu'on se sent prêt à les vivre, parce qu'on a l'âge et la sagesse d'apprécier ce qui nous est donné; en faisant taire les peurs, on trouve la force de se réaliser.

MAI

TRAVAIL. Dans le sillon céleste jusqu'au 14, cinq planètes sont dans votre signe. Celles-ci accentuent tout ce que vous êtes, et, en tant que signe de terre, vous vous identifiez à ce que vous faites : la terre agit, la terre s'accomplit, la terre fertilise et produit. Votre personnalité est détonnante, vous prenez beaucoup de place, toute la place. Lorsque vous croyez à des idées, à des produits ou à des services, les acheteurs sont nombreux ; vous faites de l'argent et vous vous sentez de plus en plus en sécurité. Si vous investissez dans l'immobilier, lors de vos achats, vous négociez tant que vous n'avez pas obtenu votre prix.

SANS TRAVAIL. Si la plupart des Taureau sont chanceux, certains se complaisent dans un Vénus paresseux ou envahi par la peur qui paralyse l'action. Vous êtes un signe fixe et si vous refusez de travailler, vous êtes de plus en plus déconnecté de la vie sociale, seul. Plus vous vous isolerez en vous trouvant mille raisons pour ne pas chercher un emploi, moins vous aurez de courage. Si vous vous êtes changé en statue de sel ou presque, si vous êtes devenu dépendant d'autrui émotionnellement et économiquement, un bon vent passe en ce mois ; vous aurez l'occasion de reprendre votre forme originale, sautez sur votre chance de vous refaire un nom et une carrière.

AMOUR. Si vous êtes célibataire et que vous n'avez plus envie de l'être, regardez les yeux doux qu'on vous fait. Ce ne sont pas les choix qui manquent. Il est possible qu'il y ait entre votre futur grand amour et vous une grande différence d'âge. Si vous la craignez au départ, laissez le temps l'apprivoiser et vous apprendre que les battements de cœur de l'un et de l'autre sont au même rythme. Si vous avez vécu des tensions amoureuses le mois dernier, vous avez maintenant l'occasion de les calmer ; vous aurez une bonne conversation et, par la suite, il y aura un rapprochement important.

FAMILLE. Si vous êtes jeune adulte, amoureux, sans enfant et si vous désirez la visite de la cigogne, faites votre vœu, il se réalisera. À partir du milieu du mois, s'il y a déjà de la bisbille entre certains membres de votre famille et vous, à regret, pour ne plus être émotionnellement grugé, vous prendrez votre distance pour mieux réfléchir à ce qui a pu provoquer cette crise.

SANTÉ. Si vous êtes en bonne santé, remerciez d'abord le ciel, puis continuez de faire attention à vous. Si vous êtes gourmand et que vous faites des excès, il en résulte des maux d'estomac ou un foie qui crie au secours. Si vous manquez de souffle, peut-être est-ce parce que vous manquez d'exercice.

RÊVES ET MAL À L'ÂME. Tout comme les idées noires, l'état de bien-être et la joie se cultivent. Vous êtes libre de bien ou de mal penser. Personne d'autre que vous ne peut intervenir sur vos projections mentales. Vous pouvez vous faire du cinéma en couleurs douces et nuancées ou ne voir qu'en noir et blanc. Certains accueillent un événement favorable en disant que c'est un miracle, tandis que d'autres ne voient en toute chose qu'une suite logique comme s'ils avaient eux-mêmes tout décidé. Les heureux hasards existent; dans la vie de quelques personnes, il peut y avoir une révélation, par exemple une rencontre qui semble tomber du ciel et nous mettre sur notre chemin de vie.

JUIN

TRAVAIL. Cette fois, c'est la diversité de vos tâches, leur multiplication, un peu comme si tous vos talents étaient réquisitionnés. Vous offrez le meilleur de vous dans la profession où vous avez choisi de vous réaliser. Les petits travaux, aussi humbles soient-ils, sont bien faits et votre salaire, même s'il n'est pas mirobolant, vous fait vivre. Vous êtes peut-être un bon serviteur si vous n'êtes pas patron mais, en tant qu'employé modèle, juin sera l'occasion de vous faire remarquer davantage pour votre fidélité et pour votre loyauté envers l'entreprise. Si votre travail vous oblige à sillonner les routes en voiture ou en camion, soyez plus prudent; même si vous êtes pressé, ne faites pas de vitesse, cela pourrait vous coûter cher. Côté professionnel, il est important de ne pas répéter les secrets qu'on vous confie; sinon, vos commérages se retourneront contre vous.

SANS TRAVAIL. Jupiter et Saturne sont conjoints dans votre signe et collaborent à votre équilibre. Vous aurez plus d'assurance lorsque vous chercherez du travail. Si vous faites plusieurs demandes, il est possible que vous receviez plus d'une réponse. Choisissez l'emploi qui vous permettra de vous rapprocher de votre idéal.

AMOUR. En tant que célibataire, le ciel vous porte à devenir amoureux d'un être apparemment vrai. Surveillez son langage gestuel; de plus, il exagère quand il raconte ses succès ou ses défaites. Il sera assez facilement identifiable: à plusieurs reprises, il vous dira qu'il n'est pas responsable de ce qui lui est arrivé quand les événements tournaient mal. Méfiez-vous des irresponsables qui vous tournent autour; ils ont reconnu votre sensibilité et votre générosité. Si vous avez une union qui dure depuis plusieurs années, si l'amour survit à travers les épreuves et les obstacles, en ce mois, un échange de confidences spéciales vous rapprochera de l'amoureux; vous entamez tous deux un nouveau cycle où chacun laisse tomber ce qui lui restait de son masque.

FAMILLE. En ce mois, un frère ou une sœur se mêle de ce qui ne le regarde pas. On vous donne des conseils que vous n'avez pas besoin de recevoir. Vous êtes adulte et vous ne devez en aucun temps accepter d'être dominé. Même dans les meilleures familles, il existe des parents qui feraient n'importe quoi pour se sentir en pouvoir tant leur vie est vide de sens. Il est possible qu'un voisin soit désagréable; une chicane de clôture risque de s'envenimer si vous ne trouvez pas de compromis dès le début de l'argument.

SANTÉ. Nerveux, vous avez sans cesse besoin d'action. Dès l'instant où vous pourriez vous reposer, vous vous trouvez une activité à faire ou quelqu'un à qui vous pouvez rendre service. Le soir, vous avez plus de difficulté à dormir; aussitôt au lit, la machine à penser entre en état d'hyperactivité, ce qui est encore plus fréquent chez les Taureau qui n'ont pas de partenaire et personne à qui parler.

RÊVES ET MAL À L'ÂME. Avec le Nœud Nord en Cancer, une réflexion sur la vie familiale s'impose d'elle-même à votre esprit. Quel est mon rôle? Ai-je donné le maximum? Ai-je été bon pour mon partenaire, pour mes enfants? Si vous regardez les bontés que vous avez eues pour vos proches, vous vous sentirez mieux et plus serein parce que plus juste envers vous.

JUILLET

TRAVAIL. Jupiter entre en Gémeaux dans le deuxième signe du vôtre; il parle surtout d'argent, de commerce, d'entreprise; sa langue n'est pas celle du romantisme, mais plutôt celle du calcul, du budget, des projets à élaborer, d'une expansion qu'on veut prendre, d'une association dont il faut discuter, d'un voyage d'affaires afin de s'établir à l'étranger; pour les grands travaillants et travailleurs, il s'agira souvent d'accepter un second emploi pour arrondir les fins de mois ou parce qu'ils ressentent l'urgence de faire des économies pour leurs vieux jours. Il y a même des Taureau qui, à 20 ans, pensent à leur abri financier lorsque l'heure de leur retraite aura sonné. La majorité aura du mal à prendre des vacances; il y a du travail, des contrats qui paient bien et qu'on ne veut surtout pas rater.

SANS TRAVAIL. Si vous êtes sans emploi, si vous ne cherchez pas, il est normal que rien ne se produise. Si votre Vénus fige dans l'inaction, vous n'êtes certainement pas le plus heureux Taureau qui soit. À partir de maintenant et jusqu'en juillet 2001, vous êtes sous l'influence de Jupiter en Gémeaux qui a horreur de ceux qui se soustraient à leurs responsabilités. Jupiter en Gémeaux n'est pas généreux; il ne donne un salaire qu'à celui qui en mérite un. Par contre, Jupiter en Gémeaux, c'est le petit commerce qui devient grand.

AMOUR. À partir du 14, sous l'influence de Vénus en Lion, vous pourriez vous sentir plus possessif, plus jaloux. Si votre partenaire regarde quelqu'un d'autre, vous imaginez le pire. L'inverse peut aussi se produire et vous serez celui qui subit un amoureux qui se donne beaucoup de liberté quand il n'est pas carrément libertin. Mais il est aussi possible que votre insécurité affective vous fasse dire des mots regrettables; vous provoquez l'autre parce qu'inconsciemment, vous désirez une preuve de son amour. Une attitude agressive peut devenir irritante et mettre votre vie de couple en danger.

FAMILLE. Ce mois est important en ce qui concerne vos enfants; Mars et Mercure en Cancer poussent des Taureau à exagérer leur protection ou, au contraire, si un enfant a un problème, comme le Taureau ne sait comment s'y prendre, il fait comme si ça n'existait pas. Le surprotecteur prive un enfant de sa liberté et de son sens de l'initiative ; celui qui fait l'autruche ou se détourne d'un enfant qui crie au secours sera secoué quand il apprendra que son enfant a fait une bêtise ou a commis un acte illégal.

SANTÉ. Vos os ne sont pas protégés sous ce ciel ; aussi faut-il prendre les moyens qui s'imposent pour bien nourrir le squelette qui, en fait, supporte le corps, très complexe en raison de ses organes, de son système nerveux, de ses veines et de sa circulation sanguine, etc. Surtout durant les deux premières semaines du mois, refusez tout aliment qui ne serait pas frais. Votre estomac n'est pas de fer et vous n'êtes pas entièrement immunisé contre les microbes.

RÊVES ET MAL À L'ÂME. Si vous êtes un être créatif, le ciel vous invite à suivre vos inspirations et à passer à l'action. Si vous êtes un méditatif, au sortir de vos prières ou d'une de vos méditations, le ciel pourrait vous relier à votre véritable mission.

AOÛT

TRAVAIL. À partir du 11 de ce mois jusqu'au 16 octobre, Saturne est en Gémeaux ; Jupiter est aussi dans ce signe et y restera jusqu'en juillet 2001. Durant cette période, vous aurez l'occasion d'observer l'effet Saturne en Gémeaux ; en principe, vous devriez vous sentir plus léger et plus fort dans le secteur où vous êtes engagé. Si vous faites de l'angoisse, si vous craignez sans cesse de perdre votre emploi, vous quitterez cet état. Non seulement serez-vous rassuré sur votre talent mais, de plus, vous aurez une offre d'un compétiteur ou vous obtiendrez une promotion, ou encore vous vous engagerez dans une nouvelle carrière vers laquelle vous vous sentez appelé depuis longtemps. Le ciel propose à l'entrepreneur d'aller commercialement plus loin. Il y a toutes les chances du monde pour qu'il double ce qu'il possède. Saturne en Gémeaux, c'est pour vous l'expérience acquise et un talent reconnu ; désormais, vous n'avez plus à en douter.

SANS TRAVAIL. Des Taureau font une foule de démarches afin d'obtenir un emploi ; ils trouveront, mais il est possible qu'ils doivent accepter un travail bien en deçà de leurs compétences ; ce ne sera que pour bien peu de temps. Vous vous trouverez en fait à la bonne place et vous serez là quand on aura besoin de vous à ce poste pour lequel vous aviez postulé. Attention, nos gouvernements vont davantage resserrer les cordons de la bourse ! Si vous êtes apte au travail, il est urgent que vous retrouviez votre courage et que vous vous retroussiez les manches.

AMOUR. Si vous avez vécu une tempête amoureuse le mois dernier, elle se calme : vous êtes plus confiant en vous-même et en votre partenaire. Entre le 7 et le 18, ou vous demanderez des explications, ou votre amoureux voudra savoir clairement si oui ou non vous êtes engagé envers lui et si vous avez vraiment l'intention de cheminer avec lui. En tant que célibataire, il y a toutes les chances du monde pour que vous rencontriez une belle et bonne personne ; entre le 7 et le 18, vous serez si méfiant que vous pourriez faire fuir vos prétendants.

FAMILLE. En tant que parent, si vos enfants sont des adultes, certains deviendront des grands-parents pour la première ou pour la dixième fois. Ce mois laisse présager la maladie pour un de vos proches et tout semble indiquer qu'il s'agit de quelqu'un plus jeune que vous, ce qui sera d'autant plus surprenant et traumatisant. Il y a parmi vous des Taureau plus âgés. Que vous ayez 50 ou 60 ans, ce n'est jamais facile de vivre le deuil de son concepteur.

SANTÉ. Si vous avez des engourdissements, consultez un médecin et passez un examen médical complet, surtout si, dans votre famille, votre père ou votre mère a souffert de malaises cardiaques. En ce mois, vous avez tendance à vous nourrir de manière irrégulière, ce qui peut occasionner des brûlures d'estomac et, pis encore, des ulcères.

RÊVES ET MAL À L'ÂME. Vous aurez des hauts et des bas ; tantôt vous serez sur la vague, tantôt vous aurez l'impression de vous noyer dans vos émotions. La vie nous ballotte tous un jour ou l'autre et quand ça dure tout un mois, on a l'impression qu'on n'en sortira jamais. Gardez la tête hors de l'eau et regardez les choses telles qu'elles sont. La peine et la joie se côtoient.

SEPTEMBRE

TRAVAIL. Jusqu'au 17, il ne faut précipiter aucune décision financière. Si vous hésitez devant une offre, prenez un recul, vous êtes suffisamment intuitif pour savoir ce qui est dans votre intérêt. À un emploi régulier, si vous revoyez sans cesse les mêmes visages, il peut y avoir agressivité entre collègues : ne vous en mêlez pas. Si on vous demande d'accomplir une tâche et que vous n'en avez pas la compétence, ayez la sagesse de refuser. Ne vous montrez pas plus fort que vous ne l'êtes. Reconnaissez vos limites. Être vous-même est votre meilleur atout et personne ne pourra vous reprocher votre authenticité. Même si votre emploi est assuré, même si vous êtes bien traité, protégé, vous aurez tendance à vous plaindre. Si vous vous compariez à ceux qui n'ont aucune sécurité, peut-être concluriez-vous que vous êtes chanceux.

SANS TRAVAIL. Si vous êtes à contrat, vous serez fort inquiet quand l'un se terminera et qu'un autre que vous étiez sûr d'obtenir est reporté à plus tard. Dans un tel cas, ce sera temporairement inquiétant côté financier. Mais vous ne devrez pas vous arrêter ; il faudra encore pourchasser des entreprises. À la toute fin du mois, l'une d'elles peut vous offrir un emploi à temps plein.

AMOUR. Côté cœur, il n'y a pas de tempête à l'horizon à moins que vous ne cherchiez la dispute ; dans un tel cas, vous l'aurez. Si vous êtes célibataire, c'est principalement à travers le travail que vous ferez une rencontre. Un collègue peut vous présenter un ami ou en allant dîner, vous vous trouvez face à face avec celui avec qui vous vivrez pendant de longues années. Si, par exemple, vous prenez vos vacances en ce mois, votre vie amoureuse peut changer du tout au tout dans un aéroport, un avion ou sur ce territoire étranger où vous allez vous reposer.

FAMILLE. Si vous avez de jeunes enfants, jusqu'au 17 sous l'influence de Mars en Lion, ils sont plus énergiques et très curieux; ainsi, ils peuvent commettre des imprudences. Surveillez-les davantage et si vos plus grands font de la bicyclette, du patin, de la planche à roulettes, faites-leur porter leur casque; les aspects chute et jeunesse sont fortement représentés sous ce ciel de septembre. En tant que parent, il vous faudra une patience d'ange. S'il y a eu un conflit au sujet d'un héritage familial et qu'il n'y a pas encore d'entente, si vous tenez à votre part du gâteau et si vous êtes convaincu qu'elle vous revient, vous devrez passer à travers une foule de procédures avant de faire la preuve officielle qu'une somme d'argent ou certains biens vous appartiennent.

SANTÉ. Du 18 à la fin du mois, Mars est en Vierge et fait un aspect difficile à Pluton; attention de ne pas commettre d'abus de table! Si vous êtes d'une nature gourmande, vous devrez déployer votre volonté pour vous restreindre à votre régime. Si vous avez des problèmes physiques et que vous vous soignez seul, vous pourriez faire un mauvais diagnostic et ajouter au mal dont vous souffrez déjà. Consultez votre médecin et votre naturopathe; ainsi, vous aurez une médication adéquate et une alimentation qui sera aussi un remède pour ce dont vous souffrez.

RÊVES ET MAL À L'ÂME. Sous les influences célestes actuelles, vos derniers rêves impossibles s'évanouissent; vous mettez fin à une longue période d'attente et de déceptions et vous voyez clairement comment être heureux pour ce que vous êtes, pour ce que vous faites. La barre est moins haute, mais elle est accessible. En procédant lentement à atteindre un objectif après l'autre, en bout de ligne, vous toucherez votre but ou votre idéal premier.

OCTOBRE

TRAVAIL. Sous l'influence de Mars en Vierge, vous êtes extrêmement dévoué côté professionnel. Bien qu'inquiet de temps à autre, vu Mercure en Scorpion et Vénus également dans ce signe jusqu'au 19, ce n'est pas aussi évident qu'à l'accoutumée et vous réussissez à garder votre sang-froid même quand tous les événements sont susceptibles de vous le faire perdre. Vous voyez clairement où sont vos intérêts, qui sont vos alliés. Si vous travaillez pour une très grosse entreprise, il est possible qu'il y ait des congédiements; on procède à des compressions budgétaires, mais vous n'avez rien à craindre car votre emploi est assuré. Vos tâches seront modifiées, mais sans que ce soit catastrophique. De toute façon, faites confiance au temps, les éléments célestes vous sont favorables. Je ne vous prédis pas la facilité mais des plans décidés par les autorités, hors de votre contrôle, dont vous faites partie parce qu'on sait que vous êtes tenace et efficace.

SANS TRAVAIL. Si vous n'avez pas d'emploi, si vous sortez de l'université ou du cégep, diplôme en main, vous ferez de nombreuses démarches. Ne laissez pas le découragement vous envahir, dites-vous que quelque part, au fil de vos rencontres, une entreprise a besoin de vos services et un employeur aime votre personnalité. Si vous êtes retraité et si vous avez la santé, de l'énergie, vous apporterez votre aide à votre communauté, vous vous engagerez dans une œuvre ; par ailleurs, dès le début de votre adhésion, vous vous trouverez avec des responsabilités importantes et valorisantes. Vous aurez là une bonne raison de vivre encore cent ans.

AMOUR. Sous l'influence de Vénus en Scorpion puis en Sagittaire, la tâche de soutenir le moral de votre partenaire est entièrement vôtre. Quand vous aimez, vous croyez aussi en l'autre, vous le stimulez et vous réussissez à lui enlever ces barrières qu'il imagine qu'il a devant lui et qui diminuent son estime de lui-même. Vous la ranimerez, vous l'aiderez à prendre son envol. Ce Vénus en Scorpion est plutôt tranchant ; si votre union a perdu sa raison d'être et que vous avez tout fait pour que l'amour subsiste mais sans succès, il est possible que vous entamiez un processus de négociation en vue d'une séparation temporaire. En tant que célibataire, si vous êtes encore seul, n'est-ce pas parce que vous mettez des conditions dès les premiers rendez-vous galants ? Une telle attitude dénote une grande méfiance et laisse supposer que vous faites bien des calculs, comme si le cœur ne pouvait pas penser par lui-même.

FAMILLE. Vous vous éloignerez temporairement de certains membres de votre famille ; vous avez besoin de vous retrouver seul, hors de l'influence qu'exercent sur vous certains parents.

SANTÉ. Chez certains d'entre vous, la thyroïde se déséquilibre et occasionne ainsi divers maux dans le corps, entre autres une fatigue qu'on ne réussit pas à surmonter. Il serait bien de subir un examen sanguin ; une enflure au niveau de la gorge vous sert aussi d'avertissement. Mercure en Scorpion en aspect difficile à Uranus vous suggère de vous méfier des courants d'air.

RÊVES ET MAL À L'ÂME. Quand l'impatience vous gagnera, demandez-vous ce que vous y gagnerez sinon qu'un gros mal de tête ou des brûlures d'estomac.

NOVEMBRE

TRAVAIL. Si vous avez un emploi régulier, on vous demandera au cours du mois de travailler plus d'heures, d'accomplir des tâches différentes et, de temps à autre, vous remplacerez un absent. Vous serez également dans l'impossibilité de dire non à ces demandes. Si vous êtes à contrat, vous ne manquerez pas de travail non plus. Si vous travaillez à votre compte, les commandes seront plus nombreuses. En commerce, vous trouverez un moyen d'attirer une nouvelle clientèle. Si, en début de l'an 2000, vous avez pris votre tournant de carrière, novembre vous propulse vers un autre sommet.

SANS TRAVAIL. À partir du 5, il vous sera facile de trouver un emploi si vous en faites la demande, principalement dans tout domaine qui vous met en contact direct avec le public. Si, par exemple, vous êtes infirmier et si, pour toutes sortes de raisons, vous n'êtes pas appelé, restez près de votre téléphone : dès le début du mois, vous retournerez au travail et selon les conditions que vous exigez.

AMOUR. À partir du 14, attention : vous devenez plus autoritaire envers votre partenaire comme si, tout à coup, vous preniez le contrôle de la maison, du budget, des sorties, ce qui ne plaira guère à l'amoureux qui aime bien lui aussi avoir droit de parole ! Une telle attitude dénote le plus souvent de l'insécurité ou la peur d'être quitté, alors qu'il n'y a rien de tel dans votre horizon. Si, jusqu'à présent, vous avez toujours pris toutes les responsabilités, si vous êtes fatigué, dites-le à l'amoureux sans vous fâcher et vous serez surpris de voir à quel point il comprend vite.

FAMILLE. En tant que chef de famille, la responsabilité vous semble plus lourde ; mettez votre orgueil de côté et demandez de l'aide : vous serez surpris des réponses. Des amis ou des parents vous proposeront de vous donner un coup de main, de prendre votre relève pour quelques jours afin que vous récupériez. Vers la fin du mois, on vous parlera des fêtes de Noël et il est possible qu'on ne s'entende pas sur l'organisation, sur les tâches de chacun. Si vous êtes trop occupé pour penser à Noël et au jour de l'An, laissez passer le temps, laissez les parents se calmer sur le sujet et pensez à votre propre famille et à vous d'abord.

SANTÉ. Du 14 à la fin du mois, attention à vos reins ! Ne prenez pas de froid et évitez les aliments qui les surchargent. Saturne est en Taureau dans votre signe, ce qui porte certains d'entre vous à des maux de dos. Si jamais vous devez soulever des poids lourds, demandez de l'aide.

RÊVES ET MAL À L'ÂME. Il y a toutes sortes de questions matérielles qui vous reviennent en tête et peut-être oubliez-vous de faire confiance à l'invisible. Il faut se déployer, faire le maximum et se dire que tout ce qu'on fait de bien nous revient, et se rappeler ce « cause à effet » qui est toujours en action. Il est important de faire de l'argent, puisqu'il en faut pour se nourrir, pour se loger, etc., mais il est tout aussi essentiel d'avoir l'esprit et l'âme en paix, ce qui garantit un équilibre et une vie émotionnellement agréable.

DÉCEMBRE

TRAVAIL. Si vous travaillez avec le public, il n'est pas surprenant que les clients soient plus impatients ; nous sommes en l'an 2000, à la veille officielle du

XXIe siècle, mais il semble que le respect d'autrui n'ait pas fait un grand pas. Ça ne sera pas toujours facile de garder le sourire avec ces gens qui en veulent plus que ce pour quoi ils paient. Durant la première semaine, vous serez témoin de scènes hors de l'ordinaire dans votre milieu de travail : des collègues réclament des avantages qui sont pour l'employeur impossibles à accorder. Le 11, cette tension se modérera après qu'on aura raisonné ces employés qui exigent ce qui ne leur revient pas, du moins pour l'instant. Si vous le pouvez, restez en dehors de ces conflits qui ne rendent personne heureux et qui, de toute manière, ne font avancer aucune cause.

SANS TRAVAIL. Si vous êtes sans emploi, en ce mois, tel le plus gros cadeau de Noël jamais reçu, un ami d'un ami vous permettra une ouverture professionnelle dont vous rêvez depuis parfois plusieurs années. Il y a aussi parmi vous des Taureau qui, depuis le début de l'année, ont refusé des offres d'emploi pour des raisons aussi diverses qu'il y a de Taureau ; si vous leur posez la question, plusieurs vous répondront que c'était parce que le salaire qu'ils auraient eu valait moins que leur chèque de chômage ou que celui de l'aide sociale. Il faut parfois avoir le courage de recommencer en bas de l'échelle ou l'humilité de consentir à des tâches de service ; le travail, quel qu'il soit, est l'occasion d'échanger, d'apprendre, de sociabiliser mais également de se donner la chance de progresser car où qu'on soit, il y a toujours moyen de faire mieux et plus.

AMOUR. Durant la semaine du 11, vous aurez l'impression que votre partenaire et vous vivez chacun sur votre planète. Vous discuterez à propos de tout et de rien. Symboliquement, il y a des tensions dans le ciel et il est facile de vous y laisser prendre. Si vous vous aimez, redites-le, vous rassurerez l'autre ; il répondra à votre message en vous redonnant cette affection que vous lui dispensez. En tant que célibataire, il y a un danger que vous vous empressiez d'entrer de plain-pied dans une relation après une ou deux rencontres. Vous pourriez vous y blesser, le ciel laisse supposer que vous ne vous fiez qu'aux apparences, surtout à partir du 9 ; un beau parleur ou un dépendant affectif peut s'accrocher à un point tel qu'il vous rendra responsable de son bonheur ; cela ne ressemble guère à un échange. Vous êtes né de Vénus et il vous arrive de vous valoriser par le sauvetage d'une âme troublée. Le véritable amour peut aussi surgir, il vous est toutefois nécessaire d'être sélectif.

FAMILLE. En ce dernier mois de l'année où généralement les familles se réunissent, il est possible que, cette fois, des parents ne s'en fassent pas une joie mais un devoir. Si jamais il en est ainsi, le plaisir et l'harmonie seront absents. Par ailleurs, pour la fête de Noël, Mars est en Scorpion en face de votre signe et touche directement le premier décan, il peut même l'affecter ; les deux autres décans sont touchés, mais ils sont plus en mesure de s'éloigner s'ils savent que la fête n'aura rien d'une réjouissance. Il y a bien sûr des Taureau qui vivent dans de bonnes familles ; ceux-ci doivent l'apprécier et peut-être faire observer aux autres que tous n'ont pas cette chance.

SANTÉ. Nous avons tous nos petits malaises, aucun corps n'est parfait, mais si nous faisons de nos maux le centre de notre vie, ils deviennent souvent plus gros que ce que votre médecin lui-même vous en a dit. Plus le mois avance, plus ceux qui ont tendance à attirer l'attention d'autrui en parlant de leurs maladies et malaises s'affaiblissent physiquement, moralement et psychiquement. Garder le moral vient à la fois de vos facultés intellectuelles, de vos pensées et de votre désir d'aller mieux. Si vous avez traversé l'année en bonne santé, dites d'abord merci au ciel et continuez de prendre soin de vous. Si vous avez subi une grave maladie et que vous vous en êtes tiré, même si c'est le mois des fêtes, si on vous prescrit une diète, ne passez pas outre, cet avis s'adresse principalement à ceux qui ont des problèmes avec leur taux de sucre dans le sang.

RÊVES ET MAL À L'ÂME. Si vous êtes mal dans votre peau, dans votre âme, en ce dernier mois de l'année, prenez la décision de suivre une thérapie dès le commencement de l'an 2001 pour découvrir ce qui vous mine et que vous vous cachez à vous-même. Il y a des réalités pénibles, des épreuves mais, en tant que signe fixe (ou celui qui se change quand il l'a décidé), il n'en tient qu'à vous de prendre le « Taureau par les cornes » et de guérir vos maux d'âme afin de retrouver la joie de vivre qui est le point de départ ou la naissance de tout bon Vénusien.

♊ GÉMEAUX

21 mai au 20 juin

À CES COMMUNICATEURS HORS DE L'ORDINAIRE: ÉRIC NOLIN, MARC ARSENEAULT, JOSÉE CHARTRAND, PASCALE BOUCHARD, MICHEL ST-PIERRE, JOSÉE RICHARD, ROBERT G. HYNES, GILLES W. DEAULT, SYLVIE BERGERON, PAUL-HENRI GOULET, CLAUDE GRENIER, PIERRE GAUTHIER, ISABELLE COUTU, ET À MON FRÈRE ANDRÉ. SI ON LES PLAÇAIT TOUS DANS LA MÊME PIÈCE, ON SAURAIT CE QUI SE PASSE PARTOUT SUR LA PLANÈTE, ET EN UN TEMPS RECORD. CES MUTANTS SONT FASCINANTS ET D'UNE TELLE BONTÉ QU'ILS EN SONT EXTRAORDINAIRES.

Plus les mois ont passé en 1999, mieux vous vous sentiez. Et voici maintenant l'an 2000 qui sera plein de surprises de toutes sortes, surtout durant les six premiers mois où les bonnes nouvelles alterneront avec les mauvaises. Vous êtes un signe double; aussi, attendez-vous à tout vivre en double, vous aurez besoin de votre souffle jusqu'en juillet 2001. De la mi-février à la fin de juin, Jupiter est en Taureau dans le douzième signe du vôtre. Cette position jupitérienne vous plongera dans vos grandes réflexions sur l'existence, d'abord la vôtre. Vous êtes à l'heure de compiler vos expériences, de faire le tri parmi vos amis; vous rejetterez des croyances, vous vous apercevrez que ce qui avait de la valeur n'en a plus; vos intérêts sont ailleurs, vos désirs eux-mêmes vous sembleront soudainement très différents de ceux que vous aviez en 1999, en 1998. Si vous vous regardez 10 ans plus tôt, vous constatez que vous n'êtes plus cette personne que vous pensiez être le restant de vos jours.

VOTRE FACE-À-FACE AVEC PLUTON EN SAGITTAIRE

Les planètes lourdes ont toujours un puissant effet sur chacun de nous, mais Pluton nous transforme, nous moule, nous démoule et nous sculpte encore et encore selon ce que nous pensons et ressentons, la pensée n'étant jamais séparée de l'émotivité. Des événements heureux ou malheureux modifient nos vies et, pendant ce temps, Pluton fait son travail d'accumulateur ; il nous révèle nos secrets les plus profonds, il met au jour les intrigues que nous fabriquons pour nous-mêmes, qui joueront contre notre propre épanouissement jusqu'au moment où, par sa position dans le ciel, il rejettera ce qui est devenu insupportable. L'effet Pluton est lent, imperceptible ; il est semblable à un individu qui s'introduit par effraction dans notre maison. Il ne nous veut aucun mal, mais il nous fait peur parce qu'il nous oblige à une confrontation avec l'inconnu. En ce qui vous concerne, Pluton est en Sagittaire en face de votre signe : il vous invite à vous regarder tel que vous êtes, ou vous refusez ce que vous voyez dans votre miroir. En cas de dénégation de ce que vous êtes, le masque derrière lequel vous respirez s'épaissit dangereusement en vous coupant de plus en plus du monde et de ses réalités.

Pluton l'étrange est dans le septième signe du vôtre jusqu'en janvier 2008. Il vous fait face et vous permet de rattraper le temps perdu, surtout dans vos affaires de cœur. Il vous donne une chance de savoir une fois pour toutes qui vous êtes parce qu'il vous empêche de faire semblant d'être un autre. Chaque fois que vous essayez, un événement survient et fait en sorte que tout s'effondre autour de vous.

Si, par exemple, vous avez idéalisé votre amoureux, si vous l'avez vu tel que vous auriez voulu qu'il soit, celui-ci agit de manière à vous faire comprendre qu'il n'est pas une illusion mais une réalité ; vous n'êtes pas dans un rêve mais dans la vraie vie ; vous n'êtes pas un personnage jouant dans un film, vous êtes une vraie personne avec des qualités et des défauts, lesquels sont manifestés par les réactions du partenaire à votre endroit. Si vous vous êtes fait croire que vous étiez heureux avec votre conjoint et si votre sourire et votre rectitude n'étaient que des façades qui vous aidaient à préserver un pseudo-bonheur au foyer, au moment où vous vous y attendez le moins, une rencontre à la fois magnifique et apeurante en raison de son souffle vivant et authentique écrase cet édifice familial qui n'était que du carton. Advenant une rupture, vous vivez une profonde douleur, mais n'oubliez pas qu'elle vous tient lieu d'éveil. On ne peut faire semblant toute une vie.

Peut-être avez-vous fait le deuil d'un amour, d'une vie de couple ? Vous avez réappris à vivre seul, à vous aimer ; vous n'avez plus à demander à qui que ce soit de vous dire qui vous êtes, vous avez assez souffert pour le savoir et vous avez vécu un lent travail de récupération qui a sérieusement commencé en 1998. La cicatrisation complète est pour la fin de juin 2000. Cela ne vous interdit pas dès le début de l'année de croiser un doux regard et de vous interroger quand une relation veut naître. Vous avez appris à sélectionner, vous êtes un être logique, un penseur et, cette fois, vous avez mis votre émotivité à contribution. La raison et l'émotion sont officiellement mariées. Vous pouvez donc aimer sans être ni naïf ni méfiant. Vous pouvez vous laisser aimer sans vous sentir coupable, sans avoir la sensation de devoir payer pour ce que vous recevez. L'échange se fait naturellement. Vous attendrez juillet 2000 pour vous prononcer, pour déclamer votre amour, votre affection et, parfois, votre désir de vivre avec un autre.

Lorsque Pluton est vécu négativement, vous contrôlez des gens que vous connaissez, généralement des individus fragiles et en crise existentielle ; ils vous font confiance et ne s'aperçoivent pas que vous êtes affamé et assoiffé de pouvoir. En tant que Gémeaux, si vous vivez dans l'enfer de Pluton, vous n'y allez pas seul, vous vous arrangez pour que vos victimes vous accompagnent. Si vous êtes tourmenté et magnétique et si, de plus, vous vous appuyez sur des connaissances théoriques pour diriger la vie d'autrui, vous jouez avec leur destin ; quand ils se seront séparés de vous, ce qui surviendra au cours de l'an 2000, vous serez seul, face à face avec les démons de Pluton. Pluton réclame toujours son dû. Quand vous vous faites ange, la vie sur terre a un air céleste. Quand vous êtes un démoniaque manipulateur, des situations orchestrées à la fois par vos pensées et ce que vous avez réellement provoqué vous brûlent les ailes.

JUPITER EN GÉMEAUX

À partir de juillet 2000 jusqu'en juillet 2001, Jupiter est en Gémeaux et, pendant 12 mois, il tournera autour de votre Soleil. Saturne sera aussi en Gémeaux du 11 août au 16 octobre 2000. Durant cette période, Jupiter et Saturne seront comme des jumeaux non identiques mais tout de même inséparables, ce qui est de bon augure. Jupiter est en exil en Gémeaux, il présage un manque de sagesse de la part des masses, mais en tant que Gémeaux, cette position de Jupiter augmente votre potentiel, vos talents, vos dons et vous permet de vous découvrir une nouvelle vocation, un rôle social ou de réaliser votre plus cher désir. Lors du court passage de Saturne, vous en aurez la confirmation. Si Jupiter vous fait prendre de l'expansion, il peut aussi faire grossir ceux qui ont déjà tendance à prendre du poids. Jupiter veut tout en plus grand, en plus gros, il a du mal à voir ses limites ; s'il dynamise, il vous porte aussi à exagérer ; attention au manque de prudence en affaires ou à une surestimation de vos forces !

Même si Jupiter symbolise une protection, trop travailler, par exemple, finit par user votre système nerveux. Vous pouvez résister sous Jupiter en Gémeaux, mais étant donné qu'il n'y restera pas indéfiniment, vous paierez la facture pour ce qui est de mauvaise santé. Il vaut mieux y penser tout de suite, car rien n'est sans conséquence. Dans l'ensemble, de juillet 2000 à juillet 2001, vous serez plus chanceux et si vous êtes heureux, les événements favorables doubleront votre joie. Si vous avez été marié, si vous êtes divorcé depuis plusieurs années, Jupiter dans votre signe est annonciateur de remariage. Si vous êtes seul, ce sera la rencontre ultime.

JUPITER EN GÉMEAUX FACE À PLUTON EN SAGITTAIRE

En l'an 2000, durant les mois de juillet, d'août, de septembre, d'octobre et jusqu'au 21 novembre, Jupiter est en face de Pluton ; ne décidez rien à la hâte. Au cours de cette période, vous pourriez tout avoir ou tout perdre ; cela dépend de vous, de votre attitude, de votre audace et de votre prudence. Durant ces mois, si vos enfants sont des adolescents qui veulent devenir trop vite des adultes alors qu'ils ne sont pas réellement prêts, vous serez plus agacé et plus inquiet, ils changent rapidement et vous avez vous-même à peine le temps de vous y faire.

Jupiter face à Pluton, c'est parfois l'épreuve de la foi, croire ou ne plus croire en Dieu. Des misères vous sont tombées dessus et vous ne voyez pas d'issue ; vous avez beau prier, vous n'avez pas l'impression d'être entendu, personne ne répond, rien ne change, votre solitude est immense ; vous avez beau crier au secours, vous n'entendez plus que l'écho de votre voix. Jupiter face à Pluton vous ramène à votre cellule, à votre origine, mais quelle est-elle ? Pendant que Pluton vous enfonce dans vos doutes, Jupiter, dont le rayonnement est 10 fois plus gros que le Soleil et qui, symboliquement, tourne autour de votre signe, vous ravive. Par exemple, se place sur votre route une personne capable de vous rassurer, de vous redonner confiance en vous, en vos talents, en votre potentiel ; ça peut être un ami qui surgit après quelques années d'absence : il est là comme autrefois, vous écoute et, grâce à sa présence, vous vous sentez revivre. Lentement, de vous-même, vous levez le voile qui vous recouvrait, qui vous empêchait de voir les beautés de votre monde ainsi que le rôle que vous y jouez ou devez jouer. Si Jupiter face à Pluton donne des chocs, ceux-ci vous éveillent à votre vraie nature. Il ressemble aussi à un radar assez spécial, il vous indique le chemin de votre maison, celle où on vous attend. Jupiter face à Pluton déclenche des situations visant à vous faire savoir clairement quelles sont vos responsabilités et quelles sont celles qui ne sont pas les vôtres.

Après de nombreuses années d'observations et de compilations, j'ai remarqué que les gens nés avec Jupiter face à Pluton savaient dans leur tendre jeunesse ce qu'ils devaient accomplir pour se réaliser. En l'an 2000, en tant que Gémeaux, vous traversez une zone assez particulière ; si, durant un certain temps, vous vous sentez en état de choc, dites-vous que la lumière vous attend, qu'un courant nouveau vous traverse. Il vous branche sur votre réalité. Il vous soustrait aux influences extérieures ; si on ne peut rien pour vous, vous pouvez tout pour vous.

NEPTUNE ET URANUS EN VERSEAU

Ces deux planètes sont encore dans le neuvième signe du vôtre ; si, dans votre thème natal, votre maison neuf est bien occupée, dites-vous que vous avez une plus grande ouverture intellectuelle, un immense besoin d'apprendre et de comprendre. Vous êtes aussi plus attiré que jamais par l'étranger et certains ont des affaires à y conclure. Pour la majorité, que votre maison neuf soit occupée ou non, Neptune et

Uranus en Verseau symbolisent la philosophie ou des changements subtils de votre mentalité, de vos valeurs, de vos croyances; vous n'avez plus les mêmes amis, vous rencontrez des gens qui partagent vos nouveaux intérêts et qui veulent aussi vivre bien au-delà des apparences. Ces transformations profondes de votre être ont commencé en janvier 1996; il s'agissait d'abord du réveil, d'un état d'alerte sur le qui suis-je. Mais tout ça se poursuivra à bon rythme jusqu'en 2011. Au cours de ces années, votre objectif se modifiera, vous serez plus créatif, bien que beaucoup plus sensible qu'auparavant; malgré les vagues de Neptune et les tornades d'Uranus, vous ne perdez pas la tête, la logique n'y perd rien. Voilà des années où vous avez beaucoup à gagner sur les plans personnel et professionnel parce qu'il est essentiel de savoir qui l'on est et d'y trouver un confort pour soi. Comme vous êtes bien dans votre peau, vous acceptez plus aisément ceux qui ne vous ressemblent pas. Le respect des différences s'installe et, avec lui, vous devenez pour tous ceux que vous fréquentez un meilleur collaborateur.

GÉMEAUX ASCENDANT BÉLIER

En l'an 2000, Jupiter traverse le Bélier, le Taureau et le Gémeaux. Il s'agit d'une progression, d'une affirmation rapide de ce que vous êtes, d'une meilleure estime de vous qui débouchent sur une carrière ou un retour à une profession abandonnée par un manque de motivation ou de courage. L'année 1998 fut une année de transition, de questions qui furent sans réponse ou de portes défoncées, ouvertes mais dont parfois vous vous êtes aussitôt détourné. L'an 2000 est votre année du retour, des retrouvailles avec soi, avec ceux qui vous aiment et que vous aimez. De la mi-février à la fin de juin, Jupiter sera en Taureau dans le deuxième signe de votre ascendant. Quelques rares Gémeaux/Bélier n'ont aucun problème financier; d'autres se sont persuadés qu'ils pouvaient se contenter de peu depuis quelques années; en l'an 2000, ils se rendent compte qu'ils n'ont pas choisi ce qu'ils vivent et ils s'éveillent à leur réalité, à leur moi, à leurs talents, à leurs potentiels et à leurs possibilités. Ces derniers passeront à l'action; ils sont prêts à tout bousculer sur leur passage et, s'il le faut, si la situation le commande, ils sont de retour avec des idées nouvelles mais aussi des stratégies commerciales qui ont mûri sans qu'ils s'en rendent compte.

Sous l'influence de Jupiter en Taureau, certains ont des parents qui vieillissent et qui sont malades; parmi vous, des Gémeaux/Bélier seront en deuil. Cette étape n'est jamais facile à vivre, qu'on soit orphelin à 10 ans ou à 50 ans, la douleur reste cuisante. Cependant, avoir eu la chance de bien connaître ses parents aide à accepter la mort plus aisément que lorsque cette perte survient quand on est encore jeune. Sous Jupiter en Taureau, si vous vivez en ville, vous aurez une folle envie d'expérimenter la vie à la campagne et si vous n'avez jamais été citadin d'une grande ville, pendant quelques mois, ou plus rarement des années, vous irez vivre dans le béton et le ciment. Si vous en avez les moyens, vous partirez pour une grande expédition à l'autre bout du monde; ce besoin de vous éloigner, c'est pour mieux réfléchir aux décisions que vous prendrez sous l'influence de Jupiter en Gémeaux.

De juillet 2000 à juillet 2001, Jupiter est en Gémeaux dans le troisième signe de votre ascendant; il s'agit maintenant d'une véritable révélation, d'un pressentiment soudain qui peut surgir en vous n'importe quel jour, à n'importe quelle heure et où que vous soyez dans le monde; vous savez quel est votre rôle social, vous savez ce qu'il y a de bien à faire pour vous-même et pour autrui et vous reconnaissez vos limites. Sous l'influence de Jupiter en Gémeaux, qui sera près de votre Soleil pendant 12 mois, vos talents doivent s'exprimer, vos projets se concrétiseront; il vous suffit de vous atteler à la tâche et, comme par magie, elle sera plus facile que ce que vous anticipiez. Vous pouvez vous fermer à vos possibilités, refuser d'agir, vous contenter d'en parler sans lever le petit doigt en espérant que quelqu'un fasse tout à votre place. Si telle est votre pensée, vous serez déçu. Vous aurez passé 12 mois à rêver en couleurs au bout desquels il n'y aura rien ; si vous semez du vent, vous récolterez du vent et ce vent de Jupiter, planète qui irradie 10 fois plus que le Soleil, vous fera vivre le plus grand désastre, et vous aurez participé par votre inaction à votre propre autodestruction. L'an 2000 vous fait signe d'avancer, l'immobilisme serait un gaspillage.

GÉMEAUX ASCENDANT TAUREAU

Jupiter est en Bélier dans le douzième signe de votre ascendant jusqu'à la mi-février ; c'est pour plusieurs d'entre vous la fin de cette période de préparation qui a peut-être duré toute une année ; il fallait réfléchir avant de redémarrer ; à partir de la mi-février, Jupiter est en Taureau et traversera votre ascendant ou maison un jusqu'à la fin de juin. Cette position de Jupiter/Taureau vous facilite la vie. Tout indique que vous prendrez plus de place ou au moins votre place d'abord au sein de votre famille, ensuite dans la communauté dont vous faites partie et où vous jouerez un rôle plus évident. Jupiter sera en Gémeaux de juillet 2000 à juillet 2001. Dès cette période, divers événements vous signaleront qu'il est temps de prendre des initiatives qui donneront des résultats positifs. Jupiter est toujours généreux envers les gens qui font le maximum. Toutefois, il ne récompense jamais ceux qui ne font rien de leurs dons.

Vous êtes né de Mercure et de Vénus ; vous avez souvent un talent artistique et des aptitudes d'homme ou de femme d'affaires. Vos créations, si vous le voulez, peuvent être commercialisées et rentables dès le milieu de l'an 2000 avec, par la suite, une progression fort intéressante. Durant la première moitié de l'année, sous l'influence de Jupiter en Taureau, ce dernier étant un signe vénusien, vous mettrez de l'ordre dans votre vie amoureuse. S'il y a eu quelques malentendus, vous aurez enfin cette explication que vous désiriez tant et que votre partenaire ne voulait pas entendre dès que vous faisiez une tentative. Vos doutes disparaîtront et la réalité vous apparaîtra plus facile à vivre ; quand ça ne va pas et qu'on se parle, il y a une possibilité de faire virer le vent pour qu'il soit favorable à la navigation. L'amour a ce quelque chose de magique et d'inexplicable, mais il suffit parfois de bien peu pour qu'aussitôt la relation se complique. S'il y a eu des tensions, vous aurez la chance de les faire disparaître.

Si toutefois vous êtes célibataire, Jupiter en Taureau éveille à nouveau votre désir de partage et vous rencontrerez une personne charmante mais, dès les premières sorties, vous vous mettrez à craindre l'engagement. Ne rompez pas sous l'effet de la peur, donnez-vous du temps pour mieux connaître l'autre. Il n'est pas non plus exclu que cette personne fasse de son mieux pour vous effrayer. Si elle vous met à l'épreuve, c'est parce qu'elle a eu, elle aussi, son lot de déceptions. En tant que Gémeaux, vous êtes persuadé qu'il faut se parler pour se comprendre; votre ascendant Taureau vous suggère d'être réceptif, ce qui signifie aussi être vulnérable. La sensibilité n'a jamais interdit la logique, et vice versa. Vous pouvez toujours attendre que Jupiter soit en Gémeaux pour accepter un lien affectif. De juillet 2000 à juillet 2001, vous serez sous l'influence de Jupiter en Gémeaux qui sera alors dans le deuxième signe de votre ascendant; c'est là une zone matérielle, financière, commerciale. Pendant quelques mois, vous ferez grimper votre chiffre d'affaires. Avis: si vous ne faites rien, si vous attendez que tout vous arrive tout cru dans le bec, vous êtes dans l'illusion la plus totale. Si vous passez l'an 2000 à espérer que quelque chose arrivera et sans trop savoir ce que voulez voir arriver, 2001 sera là... et vous serez au même point. Profitez du passage de Jupiter en Taureau et en Gémeaux pour agir.

GÉMEAUX ASCENDANT GÉMEAUX

Jusqu'à la mi-février, la vie semble être continuité; rien ne vient réellement vous troubler, vous avez même l'impression, surtout si confort il y a, qu'il en sera ainsi pour toujours. Jupiter sera en Taureau de la mi-février à la fin de juin et risque de bousculer vos certitudes. Il peut s'agir d'un événement troublant ou d'une série de contrariétés, et rien de tout cela n'était à votre agenda. Vous apprendrez la vérité au sujet d'une personne en qui vous aviez confiance et qui, finalement, n'a fait que mentir ou travestir la vérité pendant des années pour se donner de l'importance et, du même coup, pour exercer un contrôle sur vous et sur votre famille. En tant que Gémeaux/Gémeaux, vous avez été préoccupé à bâtir une carrière, à la solidifier et vous n'avez pas vu les manipulations qu'on a exercées sur vous. Durant la première moitié de l'année, si tout est clair, il reste à accepter d'avoir été dupé et chasser le ou les vilains; c'est encore plus difficile à faire quand on a été trahi par un ou des parents. Vous êtes généralement attaché à votre famille, à vos frères et à vos sœurs; l'épreuve peut venir du fait que l'un d'eux doive lutter contre un mal vous rappelant votre propre vulnérabilité.

D'un côté, Jupiter en Taureau vous envoie quelques épreuves en l'an 2000; d'un autre côté, il approfondit votre réflexion. Ce à quoi vous avez attaché de la valeur, principalement l'argent, en a moins à vos yeux; vos croyances se transforment; si, jusqu'à présent, votre bien-être matériel avait priorité, vous vous apercevez que la paix intérieure ainsi que les heureux échanges avec son prochain, son voisin sont aussi importants que les relations que vous avez eues avec vos propres parents. Vous avez de nombreuses connaissances, mais peu d'intimité avec la plupart des gens et l'an 2000 vous propose de vous rapprocher. Vous êtes né de Mercure/Mercure et vous pensez, si vous êtes magnifiquement intelligent, que certains d'entre vous n'agissent que par intérêt. Gémeaux/Gémeaux est un très bon commerçant et si vous avez trompé quelques clients, vous avez une leçon à apprendre: la vie et quelques mauvaises surprises se chargent de vous la donner.

Si vous faites le bilan des quatre dernières années, si votre temps s'est déroulé de calcul en calcul, que s'est-il passé au-delà du travail? N'avez-vous pas comblé un vide affectif? De juillet 2000 à juillet 2001, Jupiter est en Gémeaux; il sera proche de votre Soleil et à la fois sur votre ascendant. Vous serez alors prêt à passer à l'action, à vous changer et parfois à tout transformer dans votre vie. Vous ne larguerez pas vos obligations, mais vous adopterez une autre attitude vis-à-vis d'elles. Vous ne jugerez plus les gens sur ce que d'autres ont dit d'eux. Vous vérifierez vous-même. En résumé, l'an 2000 prévoit des clarifications dans divers secteurs de votre vie: amour, nouvel ordre familial; en tant que parent, vous réévaluerez l'éducation ainsi que l'affection que vous donnez à vos enfants; si vous ne changez pas d'emploi, vous donnerez un autre sens à votre travail. Vous serez capable de déceler vos malaises émotionnels et d'en parler ensuite aux personnes concernées. Vous abattrez le mur des apparences et des illusions, vous vivrez votre réalité et non plus celle qu'on vous a imposée à votre insu.

GÉMEAUX ASCENDANT CANCER

Vous êtes né de Mercure, le raisonneur, et de la Lune, l'imaginative. Il s'agit d'une belle alliance, mais qui se fait souvent dualité jusqu'à la quarantaine. Quand Mercure veut jouer au dur, la Lune flanche, s'émeut pour finalement se donner sans compter. Votre Soleil est généralement positionné en maison douze: vous êtes un ouvreur de portes qui ne tient pas vraiment à se faire remarquer. Dans le domaine où vous vous engagez, vous innovez mais il est rare que vous affirmiez que sans vous, cette affaire n'aurait jamais vu le jour. Vous êtes marqué par l'humilité et le service à autrui. Après avoir autant semé, vous vous dites que cette fois la récolte vous appartient. Encore une lutte à mener jusqu'à la mi-février. C'est tantôt pour faire approuver un projet, tantôt pour le réaliser. La période d'obstacles majeurs s'achève. De la mi-février à la fin de juin, Jupiter est dans le onzième signe du vôtre; si vous avez embrassé une carrière dans le monde des communications, véritable fourmilière de cette fin de siècle, vous emportez vos médailles, vous acquérez un statut officiel en tant que patron ou employé permanent ou vous obtenez enfin ce poste tant désiré et pour lequel vous avez fait de multiples démarches.

Si vous œuvrez dans le domaine du multimédia, c'est la lumière au bout du tunnel. Jusqu'à la fin de juin, les rebondissements positifs se multiplient. Par exemple, vous recevez des appuis de gens que vous avez vous-même aidés dans le passé et qui ont maintenant un poste de pouvoir. Le hasard vous mettra fréquemment en contact avec de vieux amis; si certains réapparaissent pour rester, d'autres seront carrément expulsés de votre vie. Vous verrez clair en vous et autour de vous. Si quelqu'un fait la moindre tentative pour vous tromper, vous voler, vous exploiter, vous le verrez immédiatement et il ne pourra rien contre vous. La logique, l'intuition et la sensibilité sont à égalité. Si, durant la première moitié de l'année, vous reprenez votre pouvoir, si vous faites croître celui que vous possédez, à partir de juillet 2000 et jusqu'en juillet 2001, vous ne devrez en aucun moment perdre la moindre parcelle de prudence.

Du 17 septembre au 4 novembre, si un contrat de travail vous est proposé, le ciel vous suggère de demander conseil auprès de votre avocat ou d'un expert-conseil dans le domaine qui vous concerne. Si vous achetez un produit, lisez attentivement la garantie, surtout s'il s'agit d'un véhicule. Pour tout article domestique qui demande de gros paiements, n'y allez pas à l'aveuglette et, là encore, demandez un avis ou lisez dans les moindres détails tout ce qui est écrit, plus particulièrement ce qui est en très petits caractères. De juillet 2000 à juillet 2001, Jupiter en Gémeaux est proche de votre signe et il est tout à la fois dans le douzième signe de votre ascendant, maison où on le dit exalté. Il occupe une position confortable. Il ne s'agit pas ici de chance dans les jeux de hasard mais si cela se produit et que vous gagnez des millions, ce sera extraordinaire : non seulement pourrez-vous vous offrir sécurité et luxe, mais il est certain que vous ferez quelques heureux. L'astrologie a aussi un langage traduisant vos rapports avec Dieu et en l'an 2000, ils sont excellents. Vos prières sont entendues.

GÉMEAUX ASCENDANT LION

Jusqu'à la mi-février, Jupiter achève son passage en Bélier dans le neuvième signe de votre ascendant. Si vous faites le bilan de ce qui s'est passé en 1999, sans doute pouvez-vous vous compter parmi les plus chanceux. En principe, Jupiter en Bélier a été et est encore favorable à l'expansion de vos projets et même à leur multiplication. De la mi-février à la fin de juin, Jupiter est en Taureau dans le dixième signe de votre ascendant : il traverse alors une zone importante concernant votre orientation professionnelle et votre vie familiale. Pour certains, cela représente fonder un foyer ; pour d'autres, c'est malheureusement l'évidence de l'âge de leurs propres parents qu'ils doivent constater ainsi que leur déclin physique ; ces deux possibilités peuvent aussi se produire en même temps. Soyons honnêtes, nous naissons, puis nous nous accomplissons et un jour, nous ferons face à notre mort. La plupart du temps, la maladie précède la mort et ce ciel de l'an 2000 présage qu'un être pourrait mener ce genre de lutte. Vous êtes généralement attaché à votre père, à votre mère, à vos tantes : vous vous ferez un devoir d'aider quelqu'un que vous aimez et qui souffre. Vous ferez tout ce qui est en votre pouvoir pour adoucir sa peine et vous y réussirez.

Jupiter en Taureau symbolise, selon votre ascendant Lion, ceux qui vous entourent et qui ne rajeuniront pas. Il ne s'agit pas ici d'une carte du ciel personnelle, mais vous serez aussi très nombreux à ne pas subir cette épreuve. En ce qui regarde votre carrière, si vous avez derrière vous un grand bout de chemin de fait, il est possible que vous entrevoyiez une autre sortie, une autre profession ; une porte s'ouvre, l'occasion de révéler un talent vous est donnée et vous la saisirez. Si vous vous êtes récemment engagé dans un travail, vous progresserez et plus rapidement que vous ne l'imaginez en ce début d'année. Vous vous engagerez plus à fond dans votre communauté, vous prendrez un parti, parfois même politique, et vous pousserez la machine de manière à vous protéger et à voir à ce que le monde environnant bénéficie d'une meilleure qualité de vie. Lorsque vous défendez une cause, vous vous passionnez, vous êtes déterminé, volontaire et astucieux.

De juillet 2000 à juillet 2001, Jupiter sera en Gémeaux aux alentours de votre Soleil et dans le onzième signe du vôtre. Nous sommes alors dans un monde de communications élargies. Si, jusqu'ici, vous aviez l'impression de vivre à l'étroit, même si vous n'avez fait que quelques pas durant les mois précédents, vous ouvrez maintenant les valves et les limites cessent d'exister ; il y a vous, votre idéal et ceux qui vous appuient dans cette croisade. Avec Jupiter en Gémeaux se placeront sur votre route des gens qui croiront en vous, en vos potentiels, en vos propositions et qui vous aideront à accéder à des postes plus honorifiques ; certains d'entre vous auront un pouvoir décisionnel important. Gémeaux/Lion n'est pas né pour l'isolement ; il y a ici une alliance entre Mercure et le Soleil, entre l'intelligence et l'action. De juillet 2000 à juillet 2001, plus rien n'est impossible à moins que vous ne figiez dans un confort qui, de toute façon, vous ennuie.

GÉMEAUX ASCENDANT VIERGE

Vous êtes un double signe de Mercure, l'être qui pense ; plus il vieillit, plus il devient sage sans toutefois devenir vieux. Vous êtes un observateur, un curieux ; vous adorez discuter, mais vous détestez la dispute à moins qu'il n'y ait dans votre ciel de bien vilains aspects qui viennent contredire ce double Mercure. Vous avez un défaut : vous ne pouvez garder un secret. Après tout, vous êtes symbole total du messager des dieux ; vous répétez tout ce qui se passe puisque, de toute manière, rien ne devrait rester caché. Avec de bons aspects, vous ne supportez pas le mensonge. En 1999, vous avez certainement procédé à plusieurs transformations dans votre vie ; un déménagement a pu modifier votre façon de vivre ou votre partenaire a pris une décision qui, par la suite, est retombée sur vous et il vous a fallu composer avec celle-ci ; ou vous avez adopté une autre mentalité, d'autres valeurs ; ou encore, vous avez rencontré des gens très différents de tous ceux que vous avez connus avant. Si vous faites le bilan, malgré quelques soucis, vous vous en êtes bien sorti et vous constatez que vous êtes plus sage et plus calme que jamais.

De la mi-février à la fin de juin, Jupiter sera en Taureau dans le neuvième signe de votre ascendant ; il présage du bon temps, un voyage, une exploration dans un pays qui vous attire depuis longtemps, qui vous fascine. En tant que célibataire, Jupiter en Taureau éveille les feux de l'amour ; votre magnétisme est plus puissant, vous véhiculez votre désir de partage sans vous en rendre compte et quelqu'un le saisira au vol. Ainsi commencera pour vous un autre chapitre de votre livre d'amour. Si vous avez vécu une séparation cruelle il y a une ou deux années, vous pourrez enfin vivre un échange, celui qui, pensiez-vous, n'existait que dans votre esprit. Si vous avez un travail qui vous plaît, il y a continuité, mais vous pouvez quand même vous attendre à des modifications de vos tâches entre février et juin.

Puis, Jupiter entre en Gémeaux dans le dixième signe de votre ascendant et y restera de juillet 2000 à juillet 2001. S'il est présage de plusieurs bonnes nouvelles, telle une promotion, il est malheureusement annonciateur de quelques problèmes familiaux ou de maladie pour un de vos proches. Vous êtes plus sensible que vous ne le paraissez et sous l'influence de Jupiter en Gémeaux, vous essaierez de cacher vos peines, vos contrariétés alors que vous êtes habituellement capable d'en parler. Votre double nature de Mercure vous déconseille fortement l'introversion. Elle vous créerait toutes sortes de petits désordres organiques, ce que vous pouvez vous éviter en vous confiant à un ami ou à un thérapeute. Si vous êtes dans la mi-trentaine et amoureux, si vous n'avez pas d'enfant, vous ferez probablement tout ce qu'il y a en votre pouvoir pour avoir un bébé. En tant qu'homme, vous convaincrez votre conjointe. En tant que femme, vous vous sentez prête pour cette responsabilité. Si vous approchez de votre retraite, c'est entre juillet 2000 et juillet 2001 que vous prendrez position sur le sujet. Vous vous y préparez de manière à pouvoir agir différemment, sur le plan social, pendant les 20 prochaines années.

GÉMEAUX ASCENDANT BALANCE

Double signe d'air et alliance entre Mercure et Vénus. Le premier est rapide, le second croit au miracle et il arrive que Vénus attende l'illumination ou un signal céleste pour agir. Il y a de nombreux artistes Gémeaux/Balance, des avocats aussi ; en fait, quelle que soit votre profession, vous mettez toujours la barre haute. Jupiter en Taureau, de la mi-février à la fin de juin, vous pousse vers de nouveaux horizons, une autre exploration professionnelle. Pour certains, il s'agit d'un nouveau départ ; pour d'autres, c'est la réalisation d'un projet sur lequel ils travaillent depuis fort longtemps. S'il y a eu stagnation, elle n'est plus. La réflexion a assez duré, le moment est venu de passer à l'action. Puisque Jupiter se trouve dans un signe vénusien, vous aurez à changer quelques habitudes que votre amoureux et vous avez prises, car la menace d'une séparation pèse sur plus d'un Gémeaux/Balance. Ou on se transforme d'un côté comme de l'autre, ou on se quitte. Quel couple n'a pas eu son lot d'épreuves ? C'est malheureusement à votre tour d'y faire face. Il y a des situations où il n'est guère facile de rester calme ; pourtant, dès que vous verrez l'orage sentimental approcher, si vous aimez l'autre, vous devrez comprendre ce qui se produit ; par la suite, vous entamerez vos négociations.

De la mi-février à la fin de juin, Jupiter dans le huitième signe de votre ascendant présage une dispute au sujet d'argent, surtout s'il y a eu décès d'un parent qui a laissé soit une fortune, soit presque rien. Certaines gens peuvent se battre indéfiniment pour un souvenir, alors que les vrais sont ceux qu'on porte en soi et dans sa mémoire. Jupiter en Taureau vous suggère d'être extrêmement prudent avec de l'outillage ; conduisez calmement et jamais quand vous savez que vous êtes très fatigué. Un accident, un accrochage, aussi banal soit-il, crée un traumatisme qui s'inscrit dans nos cellules et qui, un jour, nous est renvoyé à travers des maux dont on ne repère pas l'origine. Jupiter en Taureau peut aussi vous rendre riche, même si c'est plus rare ; par exemple, une fortune soudaine gagnée à la loterie ou votre entreprise devient instantanément florissante.

Pour quelques Gémeaux/Balance, c'est la fin des études et le moment d'entrer dans le monde de la compétition : ça aussi, c'est un énorme changement de vie et un grand stress, sauf que nous passons à travers sans trop de dégâts. De juillet 2000 à juillet 2001, Jupiter est en Gémeaux ; il sera aux alentours de votre Soleil et est aussi dans le neuvième signe de votre ascendant, ce qui est de bon augure. Ce qui a été entrepris il y a deux et trois ans donne enfin les résultats escomptés. Jupiter en Gémeaux favorise une expansion commerciale si déjà vous faites affaire avec d'autres pays. Si vous êtes séparé ou divorcé depuis plusieurs années, la position de Jupiter prévoit une autre union et la légalisation d'un second mariage, même quand on vit avec l'amoureux depuis plusieurs années. En tant que parent, Jupiter en Gémeaux est aussi une représentation symbolique d'un ou de vos enfants dont vous pourriez être fier ; il a un succès dont tout le monde parle, vous le premier. Et s'il ne s'agit que d'accepter de les voir voler de vos propres ailes, c'est héroïque et vous vous féliciterez de la confiance que vous leur faites.

GÉMEAUX ASCENDANT SCORPION

Vous êtes un phénomène assez particulier, puisque vous êtes né de Mercure, de Mars et de Pluton. Mercure pose des questions, Mars combat pendant que Pluton pose de nouvelles questions alors même que vous aviez trouvé quelques réponses aux raisons de votre existence. Il arrive que cet ascendant vous rende masochiste : vous vous torturez les méninges en voulant savoir à l'avance ce qui se passera demain. Ou vous essayez de deviner quelqu'un qui vous dit à peu près tout de lui. N'est-ce pas pousser l'enquête trop loin ? De la mi-février à la fin de juin, Jupiter est en Taureau dans le septième signe de votre ascendant, position astrale importante puisqu'il s'agit d'une transformation de vie sentimentale. Si vous êtes amoureux, si jusqu'à présent vous êtes resté prudent telle une personne qui attend une preuve d'amour tangible alors qu'elle sait du plus profond de son âme qu'elle a été faite, après des réflexions mêlées à des peurs, vous vous élancerez officiellement dans la grande aventure qu'est la vie partagée au quotidien.

En tant que célibataire, si vous êtes réceptif à l'amour, il sera au rendez-vous. Durant cette première moitié de l'année, si vous êtes marié ou en union libre avec quelqu'un que vous aimez depuis plusieurs années, vous ne serez pas au-dessus d'une tentation; attention, si vous êtes heureux, n'allez pas gâcher votre bonheur à cause d'une aventure passagère! Vous y serez fortement enclin. En ce qui concerne votre travail, il est possible que vous ayez un nouveau patron ou collègue. Sous l'influence de Jupiter en Taureau, il peut y avoir compétition et affrontement qui ne vous apporteront rien de bon sinon que ruiner le climat professionnel. De juillet 2000 à juillet 2001, Jupiter sera en Gémeaux dans le huitième signe de votre ascendant et autour de votre Soleil; il occupe une zone de votre thème natal, ce qui signifie une multitude de transformations dont certaines seront la suite logique de vos décisions prises six mois plus tôt. Si, par exemple, vous avez semé la zizanie, ce sera la guerre avec ces gens envers lesquels vous avez été intolérant. Si toutefois vous avez cultivé la paix et l'harmonie, il n'y aura aucune division mais plutôt une union plus étroite avec ceux qui vous entourent.

Durant 12 mois sous l'influence de Jupiter dans votre signe, si vous ne vous êtes pas débarrassé de votre esprit critique et de vos jugements trop faciles, ce sera à votre tour de subir quelques revers, leçons qu'il ne faudrait plus jamais oublier. Si un de vos parents est âgé, s'il a été malade, il est possible qu'entre juillet 2000 et juillet 2001 vous soyez souvent appelé à son chevet. Jupiter en Gémeaux dans le huitième signe du vôtre est souvent présage du décès d'un membre de la famille, souvent une tante ou un oncle. Il s'ensuit une dispute au sujet d'un héritage même quand ce parent ne laisse au fond que des souvenirs de valeur sentimentale. Jupiter en Gémeaux peut aussi faire de vous un saint ou presque. Certains trouveront leur véritable vocation et sauront exactement quelle est leur mission, leur idéal; ils s'élanceront sur la voie qui mène à leur succès et qui apporte cette satisfaction personnelle qu'ils ont tant cherchée. Sous ce ciel, entre juillet 2000 et juillet 2001, vos prières font écho et sont entendues quand votre but est noble, quand vous ne cherchez que la glorification et la confirmation d'un ego souffrant d'enflure démesurée.

GÉMEAUX ASCENDANT SAGITTAIRE

Vous êtes né avec l'opposé de votre signe et, en ces temps, il est dynamisant. Sans doute avez-vous réalisé quelques rêves en 1999, un nouveau travail, ou peut-être avez-vous eu une promotion. Certains sont déménagés, d'autres sont tombés amoureux, bref, 1999 vous a permis de reprendre ce que vous aviez peut-être perdu en partie ou en totalité en 1998. Vous n'êtes généralement pas quelqu'un qu'on décourage facilement. Vous avez vos périodes d'inquiétude comme tout le monde; cependant, votre ascendant de feu par quelques tours du destin vous donne constamment la chance de vous refaire, de vous parfaire, de vous dépasser. Quand il y a arrêt, il ne dure pas longtemps. Vous êtes un actif. Une mauvaise nouvelle vous fait l'effet d'une douche d'eau glacée, mais elle ne vous paralyse jamais indéfiniment. De la mi-février à la fin de juin, Jupiter est en Taureau dans le sixième signe de votre ascendant, maison astrologique qui concerne principalement votre travail et votre santé. Il présage d'heureuses transformations dans ce qui est en cours ; vous ajouterez une autre étoile sur votre carnet de devoirs, vous aurez une réussite méritée.

De la mi-février à la fin de juin, tout ce que vous accomplirez vous rapportera même si, au moment où vous faites un geste ou prenez une décision, vous avez d'abord l'impression que c'est pour presque rien ou vous ne retirez que peu de bénéfices en comparaison avec ce que vous avez déjà eu. Imaginez que vous semez et, comme par magie, vous assistez à une croissance rapide ; grâce à un petit génie sorti d'on ne sait où, vos semences contiennent un gène étrange et vous triplez votre récolte. Il y aura des occasions de progresser, à vous de les saisir au vol. De juillet 2000 à juillet 2001, Jupiter est en Gémeaux dans le septième signe de votre ascendant et, de temps à autre, il fera face à Pluton en Sagittaire qui se trouve automatiquement sur votre ascendant. S'il ne le touche pas, il est quand même très près. Un aspect astral vous procurant plus que les mois précédents ne vous a rien apporté, ou vous jouez malhonnêtement et tout explose.

Jupiter en Gémeaux et Pluton en Sagittaire vous interdisent la tricherie, le mensonge, les mauvais jeux de mots, la fréquentation de gens dont la douteuse réputation a sa raison d'être ; en somme, Jupiter face à Pluton ne tolère aucune fausseté. Si vous n'êtes pas généreux, si vous ne vivez que pour vous, un événement vous obligera à ouvrir les yeux sur le tort que vous faites d'abord à vous-même, ensuite aux autres. Si, au contraire, vous êtes un donnant, la roue de la vie tourne et c'est à votre tour de recevoir les bénédictions du ciel. Sous l'influence de Jupiter en Gémeaux, si vous n'avez pas encore trouvé votre orientation, si vous la cherchez, par un concours de circonstances hors de l'ordinaire, à travers parfois des inconnus, vous connaîtrez le chemin sur lequel vous devez vous engager pour vous réaliser. En tant que célibataire, au cours de l'an 2000, n'allez pas croire que vous êtes un oublié ; bien au contraire, vous serez populaire. Si des Gémeaux/Sagittaire ont le cœur noble et ne mesurent pas l'amour qu'ils donnent, d'autres ne cessent de calculer : ils n'oublient jamais de tout inscrire dans leurs colonnes de crédits et de débits, mais omettent aisément de comptabiliser ce qu'on fait pour eux. Au cours de la prochaine année, il faut être juste, car c'est la loi de Jupiter/Pluton.

GÉMEAUX ASCENDANT CAPRICORNE

Vous êtes né de Mercure et de Saturne ; l'intelligence est vive, la réflexion est profonde. Le Soleil est dans le sixième signe de votre ascendant : vos énergies sont concentrées sur le service à autrui, sur le travail et c'est parfois jusqu'au sacrifice de soi. Quand vous négligez votre santé, elle lâche. Votre système nerveux est fragile bien que la plupart du temps, vous donniez une impression de force. De la mi-février à la fin de juin, Jupiter est en Taureau dans le cinquième signe de votre ascendant: toutes vos qualités seront accentuées. Vous aurez le sens de l'action, vous prendrez des initiatives et, matériellement, vous ne prendrez aucun risque tant votre sens du calcul sera précis. Si vous êtes célibataire, Jupiter en Taureau fait les présentations, mais ne vous invite nullement à déménager avec quelqu'un que vous ne connaissez pas suffisamment. C'est l'amour qui habite la porte d'à côté et, si possible, jusqu'en juillet 2001. Si vous êtes jeune, amoureux, si vous n'avez pas encore d'enfant, sous Jupiter en Taureau, vous songerez sérieusement à fonder un foyer. Jupiter en Taureau est pour vous un symbole de fertilité.

Si toutefois vous ne vous nourrissez que détresses et mauvais souvenirs, Jupiter en Taureau en profitera pour vous les faire revivre comme si ça se passait aujourd'hui. Ne perdez pas de vue que Pluton est en Sagittaire dans le douzième signe de votre ascendant: il met votre foi à l'épreuve; si un jour vous doutez, le lendemain vous êtes un croyant en croisade. Si vous n'êtes pas prudent, vous pourriez vous trouver sous l'emprise d'un charlatan. Demeurez sélectif, ayez l'esprit en alerte, ne soyez pas la proie des vendeurs de miracles. Les miracles s'accomplissent, ils ne s'achètent pas. De juillet 2000 à juillet 2001, Jupiter est en Gémeaux dans le sixième signe de votre ascendant et aux alentours de votre Soleil. Le temps est venu de prendre soin de votre santé, si vous ne le faites pas, qui le fera? Le foie et les intestins sont plus sensibles; pour vous préserver de tout mal, peut-être serait-il nécessaire de consulter un naturopathe. Si, par exemple, vous entreprenez un régime amaigrissant, ne le faites pas seul, consultez d'abord votre médecin.

Jupiter est une planète bénéfique, mais elle est capricieuse: si vous ne faites pas le bien, Jupiter vous le fait savoir par des événements contrariants. Si vous êtes mesquin, ne vous étonnez pas qu'on ait la même attitude envers vous. Si vous donnez votre maximum, vous recevez votre dû et même un peu plus. Si vous faites partie de ceux qui se cherchent un emploi ou qui retournent sur le marché du travail, vous n'aurez pas cent démarches à faire, vous trouverez l'emploi correspondant à vos compétences. Si déjà vous songez à déménager dans une autre ville, vous passerez à l'action; si vous planifiez de vendre votre maison, vous aurez votre prix. Si vous êtes en commerce, vous développerez une stratégie commerciale qui aura du succès, vous augmenterez votre clientèle. Si vous avez l'intention de lancer une affaire, faites-le dès la mi-février et, à partir de juillet, vous verrez déjà vos revenus augmenter. Sous l'influence de Jupiter en Gémeaux, vous serez plus actif au sein de votre communauté et vous protégerez ceux qui se placent sous votre aile.

GÉMEAUX ASCENDANT VERSEAU

Vous êtes un double signe d'air et présentement, Uranus et Neptune sont sur votre ascendant, ce qui peut donner de la nervosité ou vous faire réagir dans des moments où il aurait été nettement préférable de rester calme. Par contre, ces deux planètes d'air vous inspirent; Neptune symbolise vos rêves qui vous servent de guide lorsque vous ne savez plus quelle route prendre pour accomplir votre chemin de vie, ou vous avez un ange gardien vous protégeant du pire et vous soutenant dans l'épreuve; il vous demande de croire, mais sans être aveugle pendant qu'il est en Verseau. Uranus a la manie de subitement vous désorganiser, il éprouve votre vitesse de réaction et votre droiture. Il ne s'agit plus de choisir entre le moindre mal, mais plutôt de décider ce qui sied le mieux à votre personnalité, à vos talents. Uranus et Neptune se déplacent lentement dans votre ascendant; Uranus sera en Verseau jusqu'en mars 2003 et Neptune y restera jusqu'en avril 2011. Pendant cette longue période, vous rencontrerez des gens différents, vous côtoierez riches et pauvres, idiots et génies; les contrastes seront frappants et vous aurez une leçon à apprendre de chacun.

Neptune et Uranus sur la maison un vous invitent à devenir plus écologiques et, si vous en avez le cœr, à vous mêler d'affaires sociales visant à prévenir les divers gaspillages qui se font sur cette planète. De la mi-février à la fin de juin, Jupiter est en Taureau dans le quatrième signe de votre ascendant; soit vous vendez, soit vous achetez, soit vous rénovez votre propriété de A à Z. Certains d'entre vous choisiront la campagne plutôt que la ville; pour d'autres, ce sera l'expérience de la ville après celle de la campagne. Cet aspect touche aussi vos enfants; sans doute cesserez-vous de leur demander d'être selon ce que vous pensez. Si vous êtes du type autoritaire, vous adoucirez le ton. Si vous êtes jeune, amoureux, sans enfant, votre partenaire et vous songerez sérieusement à fonder un foyer. Dans l'ensemble, l'an 2000 est symbole de fertilité: avis aux intéressés et à ceux qui ne le sont pas. Puis, de juillet 2000 à juillet 2001, Jupiter sera en Gémeaux dans le cinquième signe de votre ascendant, ce qui augmentera votre force solaire; si vous êtes déjà actif, vous devrez vous réserver des périodes de repos, car vous n'en finirez pas d'avoir toujours plus à faire. Si vous êtes en commerce, vous procéderez dès le début de l'année à de nouvelles stratégies commerciales; vous les penserez et, en juillet, vous serez prêt à les mettre en œuvre.

Pour la majorité, l'an 2000 présage prospérité, croissance, promotion; en fait, ce sur quoi vous avez travaillé durant les cinq dernières années vous offre une généreuse récolte. Si vous êtes un joueur, entre juillet 2000 et juillet 2001, vous serez beaucoup plus chanceux que les années précédentes. Cette période inclut également le grand amour, la rencontre avec une personne éclairée et vibrante. Jupiter a la manie de tout grossir. Pendant 12 mois, il sera proche de votre Soleil et dans une maison astrologique solaire; si vous avez tendance à prendre du poids, il sera essentiel de suivre un régime pour rester en forme. Si vous êtes égoïste, Jupiter le juste vous fera comprendre par des événements contrariants que si c'est correct de travailler pour soi, ne vivre que pour vous-même vous éloigne du bonheur et vous isole du reste du monde.

GÉMEAUX ASCENDANT POISSONS

Vous êtes né de Mercure et de Neptune. Pendant que Neptune pressent, Mercure veut comprendre tous les processus mentaux qui lui permettent d'aboutir à telle conclusion. Mercure dit : « J'ai vu et j'ai compris » tandis que Neptune doute de ce qu'il a vu et se demande ce qu'il y a à comprendre. Votre double signe double se fait parfois la guerre à lui-même. C'est souvent au milieu de la trentaine que vous avez vos réponses et que cessent alors vos hésitations. En 1999, vous avez sûrement eu plusieurs bonnes nouvelles, un autre emploi, un poste que vous désiriez, etc. De la mi-février à la fin de juin, Jupiter est en Taureau dans le troisième signe de votre ascendant ; si vous avez entrepris des études, il faudra les poursuivre ; certains décideront de prendre une orientation différente. Si, en tant qu'étudiant, vous avez fait des démarches en vue d'aller étudier à l'étranger, on vous l'accordera. Si vous êtes en commerce et que vous faites des affaires avec d'autres pays et villes, vous élargirez votre champ d'action et accumulerez des bénéfices fort intéressants. Vous aurez un énorme besoin de mouvement durant le passage de Jupiter en Taureau ; si vous êtes généralement stable, vous vous inscrirez à des activités sportives ; c'est un peu comme si vous sortiez de votre caverne et que vous retourniez vers le monde.

Sous ce signe et ascendant, il arrive que vous choisissiez de longues périodes de retraite où finalement vous perdez presque contact avec votre famille, vos amis, vos voisins ; vous êtes arrivé au bout de votre méditation et vous vous sentez poussé à être et à agir dans la communauté dont vous faites partie. Puis, Jupiter sera en Gémeaux de juillet 2000 à juillet 2001 dans le quatrième signe de votre ascendant. Cette position de Jupiter a plusieurs significations. D'abord, il s'agit d'un rapprochement familial ou de fonder un foyer si vous n'avez pas d'enfant, ou encore vous prendrez soin des enfants d'un membre de votre famille qui vit une période difficile. Il est possible que, durant ces mois, vous achetiez une maison, vous vendiez celle que vous possédez ou vous la rénoviez de la cave au grenier. Entre juillet 2000 et juillet 2001, si, par exemple, votre sous-sol n'est pas bien isolé, s'il n'est pas étanche, l'eau peut faire des dégâts ; aussi, à la moindre fuite, si votre tuyauterie fait défaut, n'attendez pas et faites faire les réparations qui s'imposent. Ne perdez pas de vue que Jupiter a la manie de grossir les événements, il leur donne une allure théâtrale. Jupiter met les choses pires qu'elles le sont. Conséquence, vous aurez tendance à dramatiser une remarque ou vous vous sentirez rejeté parce qu'on vous a fait une critique.

Si vous savez que vous êtes naïf, méfiez-vous des vendeurs d'illusions ; avant, par exemple, de consentir à un achat qui vous entraîne à des paiements à long terme, demandez de l'aide et faites-vous expliquer le document de A à Z. Vous vous éviterez ainsi bien des problèmes. Vous serez chanceux à partir de juillet, et peut-être dans les jeux de hasard. En principe, sous l'influence de Jupiter dans votre signe, vous ne devriez pas manquer d'argent ; si vous n'avez pas de travail, il vous suffira de demander pour qu'aussitôt vous soyez embauché. Vous devrez fuir les emprunteurs à moins que vous n'ayez la garantie d'être remboursé.

JANVIER

TRAVAIL. À partir du 4, Mars est en Poissons; c'est surtout entre le 11 et le 24 qu'il fait un aspect dur à Pluton lequel, à son tour, est en face de votre signe; durant ces jours, il devient plus facile de se disputer avec ses collègues, c'est un peu comme si vous ne supportiez pas l'autorité: elle vous choque ou vous agace. Entre le 11 et le 24, si vous êtes en période de négociations, écoutez ce qu'on a à vous offrir jusqu'au bout, ne répondez que lorsque vous possédez un maximum d'informations. Ces positions planétaires vous portent à des empressements qui nuiraient à vos affaires en cours. Si vous voyagez pour rencontrer vos clients, soyez très prudent sur les routes; ne conduisez pas en état de fatigue, un simple accrochage, c'est déjà un stress dont vous pouvez vous passer. Vous ne perdrez rien au cours de ce mois; il est cependant essentiel d'avoir les yeux ouverts sur vos intérêts et de ne faire confiance que si vous êtes absolument certain de l'honnêteté de la personne avec laquelle vous commercez.

SANS TRAVAIL. Si vous avez activement cherché un emploi et que vous n'en avez pas encore trouvé, sans doute aurez-vous des périodes où vous aurez la triste sensation et presque la conviction que vous n'êtes bon à rien. Ne glissez pas dans l'autodestruction et la déprime, ça fait très mauvaise impression chez un employeur. À partir du 20, sous l'influence de Mercure en Verseau, puis du Soleil, de Neptune et d'Uranus aussi dans ce signe, le ciel présage une belle ouverture pour ceux qui œuvrent dans le domaine des communications.

AMOUR. Vénus est en Sagittaire en face de votre signe, puis passe en Capricorne le 25 dans le huitième signe du vôtre. Jusqu'au 25 et, surtout, durant les deux premières semaines du mois, vous aurez besoin de vous entendre dire qu'on vous aime à la folie. Mais vous ne vous y prenez pas très bien: attirer l'attention en critiquant les façons de faire de l'amoureux ne le mettra pas de bonne humeur. Changez de tactique et optez pour le compliment. Si l'amoureux est le moindrement perspicace, il s'apercevra à quel point vous souffrez d'insécurité affective et si vous vous laissez prendre par ce Vénus en Sagittaire qui ébranle vos certitudes, ce sera pire sous Vénus en Capricorne. En tant que célibataire, Vénus en Sagittaire peut aussi vous présenter une personne fort intéressante; il vous est toutefois conseillé de vous avancer lentement, de prendre le temps de la connaître.

FAMILLE. Ne transposez pas vos frustrations professionnelles sur la famille, sur votre partenaire ou sur vos enfants. Ils n'ont pas besoin d'être au garde-à-vous quand vous entrez à la maison. Après tout, ils ne sont pas dans l'armée. Si un de vos enfants exerce un sport de vitesse du type casse-cou, surveillez-le de plus près et interdisez toute pirouette dangereuse. Si vos petits aiment votre savoir, ils ont avant tout besoin de votre affection.

SANTÉ. En ce mois, il y a des complexes qui présagent un rhume, une grippe qui n'en finit plus et si vous êtes terriblement stressé, une terrible toux que votre médecin qualifiera sans doute de bronchite. En ce mois, n'allez pas au-delà de vos forces ; voyez vos limites et couchez-vous plus tôt afin de ménager votre système nerveux.

RÊVES ET MAL À L'ÂME. Le ciel ne vous tombe pas sur la tête. Il éprouve votre patience et met votre tolérance à l'épreuve. Ouvrez votre esprit et votre cœur, il y a toujours plus grand que ce qu'on y voit. Si vous faites partie de ces gens qui prient le veau d'or ou le dieu loterie pour sortir d'un pétrin, demandez plutôt à Dieu et aux saints de vous placer sur la route d'un travail qui vous permettra de mettre plus de pain et de beurre sur la table.

FÉVRIER

TRAVAIL. Le 13, Mars entre en Bélier ; il vous dynamise jusqu'à l'ardeur mais, vu Mars sur les derniers degrés du Poissons, vous jugerez trop vite des situations ou vous vous sentirez incapable de prendre la moindre décision. Au milieu du mois, Jupiter s'installe en Taureau dans le douzième signe du vôtre, et Saturne s'y trouve aussi : il est important d'être minutieux, surtout si vous faites un travail de précision. Lors de tâches additionnelles, vous serez porté à rouspéter. Regardez où sont vos intérêts. Si vous travaillez dans un secteur où vous manipulez de l'argent, par exemple dans une banque, dans une caisse, etc., quand on vous paie, recomptez et quand vous êtes le payeur, faites-en autant. Si vous brassez des affaires, il y aura de l'opposition ; même le compétiteur vous fait la vie dure. Si vous restez calme lors de vos négociations, vous gagnerez tous les bénéfices que vous réclamez. Vous aurez du succès si vous ne perdez jamais le contrôle. Vous pouvez être ferme et souriant.

SANS TRAVAIL. Jusqu'à la fin de juin, acceptez un poste même s'il est en dessous de vos compétences. Dès le début de juillet, le vent tourne ; soudainement, il y aura pour vous une place au sommet ou, du moins, l'occasion de vous en tailler une. Si vous êtes en bonne santé et si vous refusez de travailler, à partir de maintenant et pour les six prochains mois, le temps sera long et l'état de pauvreté n'a rien d'une béatitude.

AMOUR. Jusqu'au 18, pendant que Vénus est en Capricorne dans le huitième signe du vôtre, si votre couple n'a pas plus d'une année ou deux, vous traverserez une phase de réajustements où chacun doit regarder l'autre en face et connaître sa place réelle. Si votre partenaire est malade, vous le soignerez mais n'allez surtout pas lui reprocher sa faiblesse. Face à la maladie, il arrive qu'un individu devienne agressif parce qu'il n'accepte pas la souffrance de l'autre et qu'il la craint. En fait, l'amoureux qui a mal vous tend la main pour que vous l'aidiez et si vous parlez franchement avec lui, vous saurez que cette personne ne voudrait surtout pas vous voir à sa place.

FAMILLE. Si vous avez des parents âgés et qui ont déjà eu plusieurs maux, ils sonnent encore une fois l'alerte et en bon enfant, vous volerez à leur secours. S'il s'agissait d'une maladie grave, en faire un drame ne ferait que vous affaiblir physiquement et moralement ; vous n'êtes ni coupable ni responsable du grand âge d'un membre de votre famille. Si vous formez une famille reconstituée, au milieu du mois, des explications s'imposent avec ceux qui font partie de cette cellule où un ou des enfants peuvent se sentir étrangers. Il faut leur parler selon leur âge. Évitez les grands discours avec les petits. Démontrez votre affection si vous pressentez que c'est ce dont on a besoin.

SANTÉ. Ce mois présage un rhume, une grippe qui n'en finit plus ; surtout si vous êtes stressé, attention à la toux qui peut dégénérer en bronchite. N'allez pas au-delà de vos forces. Couchez-vous plus tôt, ménagez votre système nerveux.

RÊVES ET MAL À L'ÂME. Nous avons tous de grands rêves ; certains sont réalisables, d'autres pas. À partir du milieu du mois, vous ferez le tri et vous composerez avec vos talents et vos dons réels, et non plus avec ceux que vous espéreriez posséder. Il s'agit pour vous d'un mûrissement nécessaire qui ne se fait pas uniquement dans la monde de la matière, mais également dans votre esprit. Vous cesserez aussi de fréquenter des gens qui, jusqu'à présent, ne vous ont apporté que du négatif.

MARS

TRAVAIL. Nous vivons dans un monde de mutants où tout est plus complexe qu'il y a 20 ans ou 30 ans. Nous ne retournerons plus en arrière ; il nous en reste de bons et de mauvais souvenirs, et tout un avenir que nous pouvons nourrir d'espoir à condition d'avoir du cœur au ventre. Il est une chose qu'on ne vous enlèvera jamais, c'est votre expérience et celle-ci est toujours utile même si vous avez changé souvent d'emploi. Vous serez tout simplement débordé et ce sera le désordre. L'entreprise peut déménager ou on vous affecte à une autre section, ou encore on embauche des nouveaux à qui vous devez enseigner la marche à suivre. Si vous êtes à votre compte, à contrat, vous recevrez des offres qu'il faudra scrupuleusement étudier. Si vous vendez un produit ou un service, exigez une avance ; ainsi, vous saurez si votre client est sérieux ou pas. Avant toute transaction, informez-vous du crédit et de la réputation de votre acheteur.

SANS TRAVAIL. Si votre ascendant est Taureau, Vierge, Capricorne, Cancer, Poissons ou Scorpion, si vous cherchez du travail à temps plein, faites vos démarches, la réponse ne se fera pas attendre. Si vous restez chez vous à vous croiser les doigts parce que vous en avez assez des refus, rien ne changera. Le courage se regagne quand on l'a perdu ; sachez que quoi qu'en pensent les autres, vous êtes quelqu'un et votre rôle en tant que travailleur et membre d'une communauté, aussi humble soit-il, est important.

AMOUR. En 1999, vous avez emménagé avec votre amoureux ? Si tel est votre cas, ce mois de mars jusqu'au 20 vous porte à tout remettre en question à la suite souvent d'une discussion qui n'était rien d'autre que de l'entêtement de part et d'autre. Si votre travail vous éloigne fréquemment de votre amoureux, vous serez pendu au téléphone plus souvent et pour peut-être la plus longue période que vous n'ayez vécue à distance de votre partenaire. En tant que célibataire, si vous aimez flirter, on vous fera les yeux doux ; cependant, les beaux sentiments sont teintés de doutes et de peurs ; il peut y avoir une attirance sexuelle, mais pas beaucoup plus. Ne confondez pas vos sensations avec vos émotions.

FAMILLE. En tant que parent, même quand les enfants sont des adultes, l'amour que vous avez pour eux ne s'éteint jamais ; les liens qui vous unissent sont indestructibles si ce n'est que pour quelques rares exceptions. En ce mois, tout présage qu'un de vos grands a besoin de se confier ou il est en situation financière difficile et vous demande de l'aide. Si, jusqu'à présent, vous avez fait confiance à votre progéniture parce qu'elle a toujours été honnête, vous donnerez votre appui sans hésiter. Si toutefois un de vos adolescents s'est mis dans le pétrin, a de mauvaises fréquentations, consomme drogues et alcool, demandez conseil à un thérapeute si vous avez décidé d'intervenir pour lui sauver la vie. Il y a pour ce genre de situation des techniques de sauvetage qu'il vaut mieux connaître si on ne veut pas se noyer dans la douleur de l'enfant souffrant.

SANTÉ. Pour nous, gens du Québec, le mois de mars fait chuter nos énergies et vous ne faites pas exception, surtout pas cette année. Si vous ne faites pas attention à vous, si vous mangez mal, divers petits maux sonneront l'alerte. Si les bronches demeurent vulnérables, l'estomac l'est aussi.

RÊVES ET MAL À L'ÂME. Éloignez-vous d'une personne qui n'a que des problèmes et qui vous répète sans cesse à quel point la vie est dure pour elle. N'embarquez pas dans sa galère. Elle vous ferait ramer à sa place, surtout pendant les jours de grande tempête. Vous pouvez compatir, donner un petit coup de pouce. Mais si on vous tourmente et que vous vous sentez manipulé, son sauvetage n'est plus de votre ressort. Quelques planètes donnent à certains d'entre vous un puissant désir de contrôler. N'est-ce pas là un manque de confiance en vous ?

AVRIL

TRAVAIL. Il y a dans le ciel astral des planètes qu'on peut comparer à des voisins qui ne s'entendent pas alors que vous êtes juste au milieu d'eux. Le climat social est tendu et vous en ressentez les effets. Par conséquent, à votre travail, la compétition se joue serrée et si les couteaux volent bas, c'est dans votre direction.

Probablement que vous n'avez rien fait pour déranger, que vous n'avez nui à personne et même que vous avez été aimable, compréhensif, serviable et tolérant. Mais rien n'y fait. Certains moments sont inexplicables et vous pourriez subir les sautes d'humeur d'un collègue qui, de son côté, traverse une zone grise dans sa vie personnelle. Vous savez ce que vous avez à faire : continuez de vous appliquer et restez au dehors quand une dispute éclate, surtout si les faits qui l'ont provoquée ne vous concernent pas directement. L'orage va passer comme tous ceux que vous avez vécus précédemment.

SANS TRAVAIL. Si vous n'avez pas choisi le chômage ou même l'aide sociale, sous ce ciel, vous êtes encore plus porté à vous dévaloriser. Il faut alors immédiatement échapper à cet état émotionnel, c'est une trappe qui fait terriblement souffrir sa proie. Reprenez votre courage. D'abord, faites le bilan de vos expériences et de vos talents et, s'il le faut, réorientez-vous professionnellement. En tant que Gémeaux, l'inaction est un poison vif. De plus, vous êtes le signe du mouvement et du commerce par excellence. Reconsidérez vos possibilités et si c'est nécessaire, recommencez au bas de l'échelle ; vous la grimperez plus vite que la première fois parce que vous connaissez maintenant la technique.

AMOUR. Vous ne pouvez déclarer que vous êtes fait pour vivre sans amour. Quand vous le faites, vous vous mentez à vous-même. Vous êtes le troisième signe du zodiaque ; vous êtes un enfant et ce dernier ne se développe pas harmonieusement hors de l'amour, hors du fait d'aimer et d'être aimé. En tant qu'adulte logique et raisonnable dont le mental devient plus complexe en vieillissant, vous pouvez vous raconter des histoires. Mais elles ne seront toujours que des histoires à faire peur. En tant que célibataire, les rencontres seront nombreuses ; cependant, si vous pouvez apprécier chacune d'elles, vous ne pouvez tomber amoureux avec chacune. Soyez honnête envers vous. Si votre couple se porte bien, dites merci au ciel et aux saints pour avoir échappé à une solitude qui, de toute manière, n'est pas faite pour vous.

FAMILLE. Vous êtes bien parmi les vôtres, mais tous n'ont pas cette chance. Si, de ce côté, il y a entente, vous verrez votre parenté plus souvent au cours de ce mois. Cela vous rassurera ; vous prendrez conscience que vous êtes grandement favorisé et peut-être aiderez-vous un ami qui vit des relations houleuses avec les siens ? Le ciel présage qu'il est possible qu'une triste nouvelle vous parvienne : un autre de vos amis vit un deuil ou assiste à la souffrance d'un de ses parents.

SANTÉ. Si vous vous nourrissez bien, si vous faites de l'exercice, si vous dormez suffisamment, vous n'avez rien à craindre. Si la santé a flanché, vous vous en remettez et plus vite que votre médecin ne le croyait.

RÊVES ET MAL À L'ÂME. Ne succombez pas au mal de l'an 2000 qui consiste à chercher une recette magique afin de faire disparaître tous ses problèmes. Tant que nous serons dans une peau d'homme, habitants de la planète Terre, nous vivrons avec des déséquilibres et des épreuves, les nôtres et celles des autres qu'on essaie souvent de soulager pour se soustraire soi-même à ses propres craintes. De cette personne qui souffre devant nous, ne disons-nous pas que ça aurait pu être nous?

MAI

TRAVAIL. À partir du 3 avec Mars dans votre signe, vous écarterez les lambins, vous ne serez guère tolérant envers ceux qui ne pensent ni ne travaillent aussi vite que vous. Le symbole de cette planète Mars est l'agressivité, celle que l'on projette mais également celle qui peut se retourner contre vous, vu Pluton en face du Gémeaux. En tant que créateur ou entrepreneur, au milieu du mois, vous recevrez d'excellentes nouvelles; il est possible que quelques artistes aillent se produire à l'étranger ou que des gens d'affaires élargissent leur territoire. Si vous avez changé d'emploi en début d'année ou en fin de 1999, votre ancien employeur peut vous rappeler; il vient de se rendre compte que vous étiez indispensable. Et si le cœur vous dit d'y revenir, vous avez alors un énorme pouvoir de négociation.

SANS TRAVAIL. Il serait étonnant que vous restiez sans emploi si vous avez cherché ou si vous faites des demandes ce mois-ci. En principe, le ciel indique que vous serez à la bonne place et au bon moment; il suffit d'un peu de bonne volonté, de quelques déplacements, et le cosmos fait le reste. Si, pour faire de l'argent, vous êtes tenté par un commerce de type illégal, vous n'avez pas de chance: vous serez pris la main dans le sac et bien plus démuni qu'auparavant.

AMOUR. Il est normal de douter tantôt de soi, tantôt de l'autre; cela fait partie de l'intelligence. C'est comme la foi: quand on est aveugle et sans canne blanche, on se cogne le nez un peu partout. On n'a pas la bonne technique et ce qu'on ne comprend pas nous surprend; après, on se demande pourquoi aucune prière n'est entendue. Il vous faudra ressentir ce que l'amoureux a à vous dire. Il parle en paraboles parce qu'il est incapable de décrire ce qu'il ressent; vous êtes vous aussi dans cet état. L'un de vous doit faire les premiers pas. Vous êtes probablement le mieux placé pour entamer une conversation sur ces faits et réactions de l'amoureux qui vous troublent. Commencez pas le commencement et tout doucement, et tout ira bien. Il y a des gens qui brisent leur union parce qu'ils concluent que c'est intolérable. Et quand vous leur demandez ce qui était difficile, ils n'ont rien à répondre. N'entrez pas dans les statistiques des gens malheureux quand le bonheur est juste à côté.

FAMILLE. Il ne faut pas se leurrer, rien n'est jamais parfait dans une famille; il est rare qu'il n'y en ait pas un qui fasse de l'ombre au point où plus personne ne se voit plus tel qu'il est et tels que sont les autres. Si l'un des vôtres a un problème de drogue ou d'alcool, ne l'abandonnez pas; demandez-vous comment vous pouvez vous y prendre pour qu'il cesse de s'intoxiquer. Des organismes peuvent vous indiquer la voie à suivre. Rien n'est impossible à la famille qui s'unit pour aider un de ses membres à sortir de sa détresse. Si vous échouez en ce mois, ça ne veut pas dire qu'il en sera toujours ainsi. Si vos enfants sont des adolescents en crise d'identité, ce ne sont pas vos longues explications qui auront de l'effet, mais votre écoute et votre affection.

SANTÉ. En ce mois, il est facile d'attraper froid, un courant d'air suffit pour que vous soyez enrhumé. Pour vous prémunir de ces petits microbes, nourrissez-vous bien et prenez des suppléments alimentaires. En tant que Gémeaux, les bronches et parfois les poumons sont plus perméables et sensibles aux virus.

RÊVES ET MAL À L'ÂME. Il s'agit en grande partie d'une année Gémeaux, plus spécifiquement de juillet 2000 à juillet 2001. Elle n'exclut pas l'importance des mois précédents, puisqu'il s'agit alors de vous positionner, de trouver votre véritable identité et votre authenticité. En ce mois de mai, n'écoutez pas les gens qui vous disent quoi faire ni ces moralisateurs qui n'ont jamais donné le bon exemple. Ils pulluleront autour de vous. Éloignez-vous-en, vous n'avez besoin de personne pour réfléchir et pour savoir ce qui est le mieux pour vous.

JUIN

TRAVAIL. Mars file maintenant sur le dernier décan; il a pour effet de vous pousser à vous affirmer dans votre secteur professionnel, mais il ne vous suggère en aucun temps de tasser désagréablement vos collègues. À partir du milieu du mois, ce qui vous relie au symbole de la compétition prédomine. Plusieurs petits changements sont en cours et avec de la patience, ceux-ci vous conduisent à une promotion ou à un poste que vous reluquez depuis vos débuts dans l'entreprise en cours. Si vous êtes vendeur, surtout si vous offrez produits et services pour la maison, vos clients ne résisteront pas et vous afficherez des profits supérieurs à ceux des mois précédents. Si vous êtes continuellement sur la route, soyez prudent: une trop grande assurance diminue votre prudence.

SANS TRAVAIL. Si vous avez fait des démarches, il est possible que l'emploi offert ne soit au départ qu'à temps partiel. Si vous n'êtes plus sur le marché du travail depuis bien des années, quelques jours seulement vous permettront de vous réadapter au monde des travailleurs. Ne dit-on pas que lentement l'oiseau fait son nid? Si vous travaillez à la maison et que les contrats ont été plutôt rares depuis le mois de mars, préparez-vous à recevoir des appels et des commandes payantes.

AMOUR. La semaine du 12, jours qui précèdent la pleine lune du 16, vous argumenterez à propos de tout et de rien; un meuble que l'amoureux déplace sans vous en parler vous choque? Au fond, l'obstination n'a-t-elle pas pour but de cacher ce qui vous déplaît vraiment et que vous craignez de dire par peur d'être rejeté? En tant que célibataire, vous aurez une attirance pour quelqu'un. Les apparences sont trompeuses; aussi, avant de vous donner corps et âme, un temps de fréquentations pour mieux connaître cette belle personne serait préférable. Si des aspects signifient aux uns qu'ils sont devant un être magnifique, ils le sauront assez tôt; pour d'autres, ce ne sera qu'une aventure passagère et si vous ne voyez qu'en superficie, vous le saurez trop tard et vous vous en voudrez de n'avoir pas perçu la réalité, tant la vôtre que celle de votre flirt.

FAMILLE. Ce sera bientôt les vacances de vos enfants; il faudra donc réorganiser votre temps, surtout si vous travaillez. S'il existe de bons liens entre grands-parents et petits-enfants, il est possible que, cette année, ces derniers renouent avec leurs racines. C'est surtout vers la fin du mois que cette décision sera prise. Il y a aussi le Gémeaux possessif qui interdit tout ou presque, et qui s'appuie sur son conjoint pour être approuvé et confirmé dans son attitude autoritaire. Si vous faites partie des restrictifs, un changement s'opère en vous; sans totalement relâcher votre surveillance, vous décidez de faire confiance à votre progéniture.

SANTÉ. Le ciel présage de petits troubles d'estomac, une digestion capricieuse parce que vous n'exprimez pas vos frustrations. Il vous suffira d'une saine alimentation pour qu'aussitôt vos maux disparaissent. Si vous n'écoutez pas les signaux que votre corps vous lance, vous irez d'un médicament à l'autre sans grand succès. Quelques planètes indiquent que le sucre vous empoisonne.

RÊVES ET MAL À L'ÂME. Si vous rêvez d'être riche depuis longtemps et que votre compte en banque est toujours au même montant, ne devriez-vous pas vous concentrer sur le travail ou sur une possibilité commerciale tangible? Il n'est pas interdit d'acheter des billets de loterie; cependant, attendre d'un tirage à un autre, c'est subir d'une manière négative l'influence de Jupiter et de Saturne en Taureau, deux planètes qui vous lancent une invitation à réaliser, à faire, à agir.

JUILLET

TRAVAIL. Jupiter entre dans votre signe et fait le meilleur aspect qui soit à Neptune; si vous êtes un idéaliste, surprises et bonnes nouvelles se succéderont à un rythme rapide. Il y a présage du but qu'on atteint, d'une réussite plus grosse que ce qu'on avait imaginé. Cet aspect Jupiter/Neptune laisse supposer que des amis vous appuient et certains d'entre eux occupent une position de pouvoir dont vous bénéficierez. Si vous vous êtes lancé en affaires, vous ferez enfin cet argent et ces profits que vous méritez. Vous entrez en zone de croissance, conséquence directe de vos efforts. Jupiter qui entre dans votre signe est significatif de chance, mais c'est parce que vous l'avez d'abord bien travaillée.

SANS TRAVAIL. Si Jupiter fait un trigone à Neptune et présage le meilleur, il ne donne rien quand on ne fait rien. À l'inverse d'être stimulant, si vous vous êtes laissé aller au non-vouloir, au refus de faire votre part pour gagner votre vie, cet aspect Jupiter/Neptune augmente votre rêve de l'impossible luxe. Du même coup, il accentue la paresse, ce qui en général n'est pas le propre d'un Gémeaux. Si vous êtes enlisé, drainé, vidé par des échecs répétitifs, faites-vous aider et retrouvez votre véritable nature qui est de vivre, d'expérimenter et de faire partie du monde. C'est par le biais de son travail que se tissent des liens et que se crée une vie en société.

AMOUR. Si vous êtes jeune, amoureux, responsable et sans enfant, il sera sérieusement question de fonder un foyer. Votre partenaire est sans doute déjà aussi prêt que vous. Si votre couple a de l'âge, votre partenaire et vous ferez diversion et, pour certains, il s'agira d'une première, car ils partiront en voyage; il n'est pas question d'aller dans la ville voisine mais plutôt dans un pays qui fascine le couple depuis longtemps. En tant que célibataire, le ciel ne veut pas que vous restiez seul. Au moment où vous ne vous en attendiez pas, vous rencontrerez une personne belle, intéressante, intelligente, délicate, etc. Ce changement de route peut se faire lors d'une visite à un musée, à une galerie d'art ou à l'entracte d'un spectacle. Il ne s'agira pas d'un lieu où vous avez l'habitude de vous rendre.

FAMILLE. Votre famille s'élargit; pour les uns, il s'agit de la venue d'un enfant; d'autres accueillent les enfants des autres. Vous êtes entré en zone où vous ressentez que votre monde est trop limité et qu'il est temps de faire de nouvelles expériences. Des Gémeaux rencontreront une personne ayant des enfants d'un mariage précédent et s'engageront plus à fond dans leur famille reconstituée. Certains sont célibataires et n'ont jamais eu de relation suivie avec des petits, mais la vie fait en sorte que, plus nombreux que dans les autres signes cette année, ils se retrouvent en tant que père ou mère substitut et ils adoreront leur rôle.

SANTÉ. À partir du 14, si vous avez des problèmes avec votre circulation sanguine, ne négligez pas un malaise que vous n'avez jamais auparavant ressenti. La santé est souvent une question de discipline alimentaire personnelle, conformez-vous à un régime sain.

RÊVES ET MAL À L'ÂME. En ce mois, si vous êtes déprimé, demandez l'aide d'un psychologue ou d'un psychothérapeute. Parlez-en d'abord à votre médecin. Le ciel présage un nouveau départ dans divers secteurs de votre vie; donnez-vous la chance de prendre ce tournant.

AOÛT

TRAVAIL. À partir du 11, non seulement Jupiter est-il dans votre signe, mais Saturne y entre aussi jusqu'au 16 octobre; ces deux planètes proches l'une de l'autre laissent présager des occasions de faire mieux et plus, de progresser à un rythme accéléré. Ceux qui ne sont pas en vacances doivent s'attendre à devoir faire des heures supplémentaires, à remplacer les collègues absents; il est aussi possible que l'entreprise qui emploie vos services fusionne avec une autre. Vous n'y perdrez rien ; au contraire, étant donné votre disponibilité, vous pourriez être l'heureux élu qui dirigera une section de la compagnie. Ne soyez pas troublé par cette surprise ; réjouissez-vous et cessez d'imaginer que vous n'êtes pas à votre place. En tant qu'administrateur, vous grimpez les échelons, vous vous rapprochez du sommet.

SANS TRAVAIL. Depuis le début de juillet, nous sommes entrés en période d'activité commerciale ; il y a effervescence et possibilité de se créer un emploi ou d'en obtenir un plus facilement que jamais. Nous sommes au commencement de nouvelles PME et tout se déclenche sous votre signe. Vous pouvez donc en bénéficier les premiers ou rester à la remorque d'autrui. Si vous avez la santé, vous avez l'essentiel. Sous l'influence de Mars en Lion, vous avez une énergie positive, vous êtes un bâtisseur ; mettez-vous au travail et de grâce, n'essayez pas de devenir président si vous n'en avez pas la formation ! Sous ce ciel, si vous commencez au bas de l'échelle, d'abord il n'y a rien d'humiliant à cela, ensuite dites-vous que vous possédez la force de vous propulser vers le haut à une vitesse folle.

AMOUR. Même très occupé, vous ne négligerez pas votre amoureux ; si vous êtes ensemble depuis plusieurs années, vous savez qu'il vous a appuyé même dans les pires moments et vous serez reconnaissant. Il y a parmi vous des machos et des féministes ; en somme, en tant qu'extrémiste, vous avez toujours été contre l'autre sexe. Attention, en ce mois, vous rencontrerez celui qui vous répondra ce que vous avez besoin d'entendre ! La soumission est terminée. Vous passez à un moment où vous prenez conscience des mots respect et égalité.

FAMILLE. L'aspect symbolique concernant les enfants des autres est encore plus présent que le mois dernier. Il y a d'abord eu la phase d'acceptation, puis celle qui consiste à aimer cet enfant, cet inconnu qui vous fait aveuglément confiance et qui s'attache de plus en plus à vos pas. En ce qui concerne vos propres enfants qui sont maintenant de grands adolescents ou même des adultes, ils ont besoin de vous et, surtout, de votre précieux temps.

SANTÉ. L'avis du mois précédent concernant votre circulation sanguine demeure. Si jamais vous avez eu des malaises et que vous avez fait comme si de rien n'était, n'attendez plus, sinon vous risquez d'avoir un problème plus sérieux. Autre avis : si vous avez une aventure sexuelle, protégez-vous ; vous n'êtes pas à l'abri des MTS même si, jusqu'ici, rien n'est arrivé malgré les risques que vous avez pris. Si vous travaillez comme un fou alors que, en raison de votre âge, vous devriez vous reposer de temps à autre, n'attendez pas l'épuisement pour ralentir.

RÊVES ET MAL À L'ÂME. Le Nœud Nord est en Cancer dans le deuxième signe du vôtre ; il vous parle de vos regrets concernant une famille que parfois vous n'avez pas eue, de vos peines par rapport à un ou à des enfants, ou votre mal à l'âme est directement relié à vos propres parents. Ce Nœud vous enseigne de ne pas en rester là. Si la souffrance est tolérable, elle n'est ni joie ni progression. Pour grandir, pour se départir de son égoïsme, le ciel et la vie passent des messages qu'on met souvent du temps à décoder.

SEPTEMBRE

TRAVAIL. Vous continuerez de filer à vive allure, le succès fait sourire; chaque jour ou presque, vous y gagnez un peu plus; vous êtes plus tenace que vous n'en avez l'air. Vous faites des détours: proches, amis et collègues se demandent souvent où vous allez. Vous seul le savez. Né de Mercure, si ce n'est pas complexe, ce n'est pas intéressant et si vous ne poursuivez pas deux buts à la fois, vous n'êtes pas motivé. Un vrai Gémeaux est un spécimen fascinant. Les chemins qu'il emprunte sont surprenants. Ce n'est pas que vous voulez épater: d'après vous, la route qui mène au sommet ne peut être intéressante que si les paysages qui la longent sont changeants. Zone très créative pour l'artiste et payante. Soyez prudent avec votre argent à partir du 17: certaines personnes peu scrupuleuses tenteront de vous utiliser pour lancer leur affaire. Occupez-vous de la vôtre et si vous êtes millionnaire, peut-être pourriez-vous risquer quelques dollars.

SANS TRAVAIL. Si vous ne travaillez pas parce que vous êtes persuadé que les autres doivent subvenir à vos besoins même si vous êtes en santé, vous rencontrerez de l'opposition, surtout à partir du 18; une personne qui vous apprécie, qui vous aime beaucoup aura le courage de vous dire qu'il est temps de vous prendre en main. On ne vous laisse pas tomber, on ne vous abandonne pas, votre ami vous tiendra la main quand vous aurez décidé de vous relever.

AMOUR. La beauté de l'amour se dévoilera à vous. Tout commence par une romance ou un autre de vos emballements. Sans doute résisterez-vous à l'affection qu'on vous offre, surtout si vous avez vécu plusieurs déceptions; lentement, un attachement se créera. Il y aura une attirance physique, mais c'est beaucoup plus qui s'est produit à votre insu; à quelques reprises, vous aurez l'impression qu'on vous torpille le cœur tant votre refus sera puissant. Mais quand l'amour se fraie un chemin, toute lutte devient inutile; la paix devient inévitable. Vous pourrez identifier l'autre par son attrait pour l'art ou parce que cette personne est artiste. Si votre couple a vécu sous tension, vous redécouvrirez que le cœur a une raison indépendante de votre logique.

FAMILLE. Si votre famille est reconstituée, en ce début de mois, plusieurs ajustements sont nécessaires avant qu'un nouvel ordre s'installe. Les périodes chaotiques ne sont jamais agréables à traverser, c'est comme la pluie qui n'en finit plus de tomber. Puis, à partir du 7, les nuages se dispersent, le beau temps et les rayons de soleil se rapprochent. Mais il y a toujours eu des familles qui ont refusé l'harmonie; si vous vivez à l'intérieur d'une telle cellule, vous songerez sérieusement à la quitter. Votre sérénité est prioritaire.

SANTÉ. Si vous n'avez pas soigné vos problèmes digestifs, si vous vous êtes contenté d'un soulagement temporaire de vos brûlures d'estomac, cette fois c'est l'intestin qui donne un signal d'alerte. Pourquoi vous feriez-vous souffrir?

RÊVES ET MAL À L'ÂME. Vous n'êtes évidemment plus la personne que vos amis ont connue. La première partie de l'an 2000 vous a transformé. Jupiter et Saturne en Gémeaux vous aident à approfondir votre nouveau moi qui, désormais, sait qu'il n'est pas seul.

OCTOBRE

TRAVAIL. Il y aura probablement restructuration de l'entreprise; vous passerez à travers une série de modifications, les unes aussi surprenantes que les autres et qui ne vous apparaîtront pas nécessairement logiques. Mais il faut laisser le temps passer, surtout ce mois; ne faites pas de vagues, ne rouspétez pas et n'imaginez pas le pire qui ne se produira pas. La vie ne vient pas qu'avec des surprises agréables. Certaines le sont moins; par contre, vous demeurez à votre emploi et c'est un point important, puisqu'il s'agit de votre gagne-pain, de vos économies et parfois de la sécurité économique d'une famille. Si vous travaillez à temps partiel, soyez encore patient; en novembre, un travail à temps plein vous fera sans doute un clin d'œil.

SANS TRAVAIL. Si vous n'avez pas choisi le manque de travail, si un congédiement vous a surpris, véritable douche d'eau glacée, la déprime s'infiltre et si vous lui faites de la place, si vous ne repoussez pas ces idées négatives, votre énergie et votre courage seront en perte de vitesse. Si vous subissez une telle épreuve, retroussez vos manches avant de ne plus avoir la force de le faire et allez frapper aux portes d'entreprises qui ont besoin de vos compétences. Vous serez surpris du résultat et vous rendrez grâce au ciel pour cette chance ou cette bénédiction qu'on peut facilement nommer emploi en l'an 2000.

AMOUR. En ce mois, Vénus est en Scorpion et passera ensuite en Sagittaire; ces planètes vous poussent à vous inquiéter au sujet de votre vie sentimentale. Vous affichez une assurance que vous ne possédez pas et que, d'ailleurs, aucun de nous ne possède face à son conjoint. Qui n'a pas un jour pensé qu'il pouvait être quitté, qu'il était mal aimé? Qui n'a pas ses doutes sur ses propres sentiments amoureux? Si celui qui vous accompagne sur le chemin de l'amour n'est pas parfait, peut-être pourriez-vous aussi réfléchir au sujet de vos lacunes, de vos manques et de vos imperfections. Si les vôtres sont acceptables, qu'en est-il de celles de l'autre? Si vous ne pouvez rien cacher et que vous sentez qu'il faut avouer ou confesser vos peurs et vos insécurités, il en est de même pour votre partenaire. En octobre, on se parle, on clarifie calmement l'engagement que chacun a pris face à l'autre et, ainsi, le partage est plus harmonieux et plus doux dans le quotidien.

FAMILLE. Il arrive qu'on déplaise à un parent sans même s'en rendre compte, on l'a cru moins susceptible qu'il ne l'est en réalité. Vous ne serez pas sans noter qu'un changement d'attitude se produit et si vous ne faites pas la guerre à qui que ce soit, ayez la sagesse de poser la question : « Que vous ai-je fait pour tant vous déplaire ? » Il est possible que vos enfants vous trouvent envahissants, inquisiteurs, contrôlants et que l'un d'eux vous manifeste une agressivité que vous ne lui connaissiez pas. N'attendez pas que le fruit soit pourri : profitez-en pendant qu'il est mûr pour une discussion et ne haussez pas le ton parce qu'on ne vous répond pas ce que vous auriez voulu entendre. Un enfant troublé, ça se remarque à moins que vous n'ayez conclu qu'il vous empêche de vivre votre vie. Le ciel donne des indices d'un Gémeaux contrarié côté familial, mais la sagesse vous dit de prévenir.

SANTÉ. Les tensions épuisent votre système nerveux ; la nouveauté d'un travail, même si vous êtes emballé, a un effet semblable qui, sans être destructeur, vous signale de vous reposer dès que vous en avez l'occasion. L'estomac demeure vulnérable : alimentez-vous sainement.

RÊVES ET MAL À L'ÂME. Si vous faites face à un tas de déceptions, c'est plus difficile de garder le moral ; la joie disparaît et l'angoisse s'installe subtilement, insidieusement. La conscience et la réflexion sont votre garde-fou et votre sauve-qui-peut. Quand une épreuve survient, elle est tellement faite sur mesure que si vous le voulez, vous en sortez. Ce mois-ci, certains d'entre vous sont appelés à aider un ami qui traverse une crise existentielle et ils seront à la hauteur de la situation.

NOVEMBRE

TRAVAIL. C'est le retour à la normale ou presque. Votre horaire sera légèrement moins chargé et vous ne serez pas aussi troublé mentalement ; d'autres petits changements vous seront imposés, mais en ce mois, vous ne les subissez pas, vous les prenez comme ils viennent. Au cours des deux mois précédents, vous avez constaté que vous avez vécu des événements semblables et vous êtes passé au travers. En cet an 2000, vu votre expérience et malgré votre fatigue, vous êtes conscient que vous avez plus de force et de détermination ; une qualité s'est ajoutée à ces deux dernières, vous êtes devenu sélectif. Si vous avez un talent artistique et que vous avez travaillé d'arrache-pied à votre œuvre, les bonnes nouvelles seront cette fois semblables à une pluie tant attendue après qu'on a vécu des semaines et des semaines de sécheresse.

SANS TRAVAIL. Le ciel est invitant ; une porte s'ouvre, vous pouvez de nouveau exercer un métier ou réintégrer un milieu de travail que vous connaissez bien. Les astres y inclinent ; la condition pour obtenir un emploi : la démarche. Si vous restez à la maison à attendre que le téléphone sonne, rien ne se passe. Certains d'entre vous se prépareront à un retour aux études afin de parfaire leur formation pour être admissibles à une promotion et à une augmentation de salaire.

AMOUR. Si vous vivez le grand amour ou les beaux sentiments partagés, vous possédez un trésor qu'on peut envier. Il est alors important de fermer la porte à toute personne pouvant semer le doute dans votre vie de couple. Il existe des gens qui ne supportent pas le bonheur des autres. Ils sont reconnaissables parce qu'ils ont généralement choisi la solitude et, chose remarquable, ils ne cessent de critiquer la moindre faute ou la plus petite erreur même quand elle est commise par quelqu'un qu'ils ne connaissent pas. Ils se complaisent souvent à commenter les mauvaises nouvelles.

FAMILLE. Vous êtes sous l'influence du Soleil en Scorpion, puis de celle du Sagittaire à partir du 22. Ce n'est pas vraiment le temps du rapprochement entre les membres d'une même famille si ce n'est que lorsque l'un d'eux tombe malade ; dans un cas d'urgence, chacun veut sauver celui qui souffre et finalement se marche sur les pieds parce que tous y vont de leurs recommandations. En tant que parent, vous n'abandonnez pas vos enfants ; cependant, vous vous posez des questions sur votre rôle. « Suis-je suffisamment bon pour eux ? » « Ne puis-je faire plus ? » Vous faites facilement de la culpabilité et vos enfants le savent. La plupart du temps, ils vous devinent plus que vous ne pouvez l'imaginer et c'est pourquoi ils sont si habiles à vous faire dire oui quand vous avez envie de dire non.

SANTÉ. Si vous avez un problème avec votre système osseux, principalement si vous souffrez d'arthrite ou d'un autre malaise qui y serait directement relié, consultez un naturopathe ; pour être certain d'être bien guidé, demandez-lui qui il a aidé. Pourquoi ne parleriez-vous pas avec cette personne qui s'en tire grâce à ses conseils ? Par les temps qui courent, il y a de nombreux vendeurs de traitements sans garantie. Si votre naturopathe est honnête, il s'organisera pour que vous parliez à la personne qu'il a aidée même s'il n'a pu la guérir complètement. Jusqu'à présent, aucune science médicale n'a la parfaite cure, mais quelques chercheurs sérieux ont des recettes plus efficaces que d'autres.

RÊVES ET MAL À L'ÂME. Le doute, le manque d'estime de soi qui vous précipite dans la déprime, la peur, la tristesse et même les pensées négatives sont douloureux pour l'âme. On dit que la nature a peur du vide ; cependant, être rempli du pire n'est pas constructif. Le sacré est l'amour de la vie et tout commence par le respect de soi et des autres. Méfiez-vous des prêcheurs qui vous demandent de croire aveuglément en eux. Ils viendront vers vous et, en échange de quelques dollars, ils promettront de sauver votre âme. Permettez-moi de douter de ce genre de négociation.

DÉCEMBRE

TRAVAIL. Ce mois est plutôt agréable pour le travailleur ; les heures supplémentaires ne l'effraient pas. Il y voit un avantage : plus d'argent et, en conséquence, comme il s'agit du temps des achats de cadeaux pour Noël, il ne se sent pas brimé.

Si votre emploi vous met en relation directe avec le public à partir du 9, vous serez débordé ; si vous avez votre propre entreprise, vos profits, résultant de votre acharnement, vous prouvent que vous aviez raison de faire confiance à votre bonne étoile. Bien que nous soyons à l'approche des fêtes, par le biais de certaines de vos relations commerciales, vous agrandirez votre territoire et conclurez des ententes avantageuses pour l'autre et pour vous. Il est possible qu'une entreprise se dispute avec une autre et que vous ramassiez ce qui aurait pu se gaspiller. Votre véritable croissance économique ne fait que commencer, le meilleur est à venir !

SANS TRAVAIL. Sous cette influence jusqu'en juillet 2001, vous aurez de multiples occasions de trouver l'emploi idéal ou de vous lancer en commerce, ou encore de monter une affaire qui deviendrait rapidement prospère. Ne refusez pas les chances qui s'offrent à vous ; la prospérité appartient à celui qui la veut et qui fait les efforts qui s'imposent pour l'obtenir. Si vous êtes en santé, sans emploi, sortez de votre coquille, le monde est grand, il y a tout à explorer et à expérimenter.

AMOUR. Si vous êtes encore célibataire, rien n'est perdu. Ce sera plus sûrement à l'occasion d'une fête que vous rencontrerez cette personne que, jusqu'à présent, vous n'avez vue que dans vos rêves. Ne repoussez pas les invitations. Et ne soyez pas inquiet si vous n'avez pas le coup de foudre. Sous votre signe, s'il y a un emballement lorsqu'une personne vous plaît, vous ne vous engagez pas sans avoir vérifié la vision globale qu'a votre flirt sur la vie elle-même. Si toutefois vous êtes amoureux depuis plusieurs mois, il est possible que vous profitiez de Noël pour proposer un engagement officiel.

FAMILLE. Les familles reconstituées sont nombreuses et c'est souvent en ce mois que des problèmes surgissent quand il est question de garde partagée. Si vous tenez à la paix durant la semaine de Noël, plus spécifiquement à partir du 23, il faut beaucoup de tolérance, de compromis et de compréhension soit pour laisser vos propres enfants chez votre *ex*, soit pour accepter ceux de votre *nouveau partenaire* qui, de son côté, mène peut-être une lutte avec son *ex*. Ces situations sont fréquentes depuis déjà plusieurs années. Aussi, si vous êtes amoureux et si vous n'avez pas d'enfant, il est sérieusement question d'un bébé pour 2001. Trois signes dont vous comme tête d'affiche sont plus interpellés par la paternité ou la maternité ; le ciel astral présage que de nombreux Gémeaux ont terminé la conception ; ceux-ci profiteront de Noël pour en faire l'heureuse annonce à leur famille.

SANTÉ. Décembre. Un mois pour les réceptions, les buffets où on se gave, endroits par excellence pour faire monter son taux de cholestérol, de sucre, etc. Si vous n'êtes pas raisonnable, ce qui sera difficile à faire sous les présents aspects, vous en paierez la facture et si votre santé est déjà fragile, vous passerez Noël sur le dos. Un bon conseil : n'abusez pas des bonnes choses en ce douzième mois de l'an 2000.

RÊVES ET MAL À L'ÂME. Si de nombreux Gémeaux ont réalisé des rêves, d'autres commencent. La prochaine année présage encore des transformations intérieures profondes; on ne touche pas l'invisible, mais on peut ressentir plus grand que soi, il se nomme Dieu. Depuis six mois, vous avez mieux compris là où vous pouvez intervenir et là où il faut laisser le temps et les cieux agir pour vous. L'astrologie parle des divinités qui sont des symboles, lesquels vous relient à votre réalité. Ce dont l'astrologie ne parle que rarement, c'est de Dieu au-dessus de tout système. Ce qui représente la part la plus élevée de ce qu'il est possible d'expliquer de l'âme humaine est la planète Neptune; en ce qui vous concerne, elle est positionnée de manière à vous faire comprendre votre rôle ou votre mission. Que vous exerciez un métier en toute humilité, que vous soyez une vedette aux yeux d'autrui, que vous soyez riche ou pauvre, Jupiter en Gémeaux et Neptune en Verseau vous invitent à intervenir, à vous engager, à donner votre temps ou de l'argent à la communauté dont vous faites partie; en somme, l'essentiel est de faire votre part pour que nous vivions tous dans un monde meilleur. De juillet 2000 à juillet 2001, Jupiter traverse votre signe et n'y reviendra que dans 12 ans, et c'est à chacun notre tour d'apprendre le vrai sens du mot «justice» tant pour soi que pour les autres.

♋ CANCER

21 juin au 20 juillet

À MES TRÈS PRÉCIEUSES AMIES, MADAME ODETTE RUIZ ET NANCY COUET: DES FEMMES SENSIBLES, ORIGINALES, LOGIQUES, SPONTANÉES, AIMANTES ET GÉNÉREUSES. DANS CENT ANS, CETTE LISTE DE QUALITÉS S'ALLONGERA ENCORE.

AU DOCTEUR GÉRARD BERNARD, QUI TRAITE SI BIEN MA CAPRICIEUSE THYROÏDE. SOUS SES SOINS, AVEC TANT DE BONTÉ, PEUT-ÊTRE RÉUSSIRA-T-IL À LA RÉÉDUQUER.

À JANIE HÉBERT, MA PETITE NIÈCE MAINTENANT JEUNE FILLE; ELLE EST DOUCE, BELLE, INTELLIGENTE ET UNE SOIE RARE.

Régi par la Lune, vous êtes branché sur vos émotions; celles-ci vous connectent à ceux qui vous entourent et il vous est impossible d'être indifférent à qui que ce soit. Vous avez beau vous dire que vous vous protégez pour ne pas être émotionnellement blessé quand un événement troublant survient, vous avez beau essayer de vous convaincre de ne pas donner d'importance aux paroles désagréables d'un tel puisque vous le connaissez à peine et qu'il ne sait rien de vous, malgré toute votre belle logique et votre rationalisation, vous vous troublez corps et âme. Vous êtes vulnérable, votre meilleur bouclier, c'est la fuite par le rêve, et si ce dernier est en quelque sorte votre survie, il est aussi à l'origine de toutes les créations. Vos douleurs et vos peines sont autant d'inspirations que vos moments de joie. Par exemple, toute rupture sentimentale est souffrance, mais elle est aussi rédemption ou recommencement. Régi par la Lune qui est tantôt croissante, tantôt décroissante, plus que tous les autres signes, symboliquement et astrologiquement, vous vivez ses fluctuations et, chaque instant, vous réagissez aux aspects qui se font, se défont et se refont avec les autres planètes. Votre sensibilité n'enlève rien à votre logique ni à votre capacité d'organiser et de synthétiser. Quand vous croyez à la cause que vous défendez, vous y mettez toute votre énergie physique, mentale, émotionnelle et psychique. Vous n'êtes pas un être séparé de vous-même, vous êtes entier. Une chute de vitalité est souvent la conséquence directe d'une contrariété subie et non exprimée.

SOUS L'INFLUENCE DE JUPITER ET SATURNE EN TAUREAU

De la mi-février à la fin de juin, Jupiter est en Taureau. Saturne est aussi dans ce signe jusqu'au 10 août, puis Saturne fera un saut en Gémeaux jusqu'au 16 octobre et, de là, il revient en Taureau. Jupiter en Taureau est en bon aspect avec votre signe ; en principe, votre vie dans son ensemble est facilitée tant en affaires qu'en amour. Qui n'a pas une mauvaise surprise ici et là ? Advenant une épreuve, vous trouverez le courage de la surmonter, de plus, vous serez bien entouré. Tout au long du passage de Jupiter en Taureau, vous ferez de nouvelles connaissances qui, finalement, deviendront des amis ; ils seront issus d'un milieu très différent du vôtre. Que diriez-vous si vous étiez invité chez les riches et célèbres ? Et pourquoi pas vous ?

Jupiter en Taureau dans le onzième signe du vôtre est un symbole de surprises agréables, de cadeaux qu'on n'a même jamais espéré recevoir. Si, pour les uns, il s'agit d'un premier grand voyage en avion à l'autre bout du monde, pour d'autres, il est question de recommencer à voyager. Pour le Cancer qui veut un enfant, Jupiter en Taureau est un indice de fertilité. Ainsi positionné, Jupiter symbolise aussi les enfants des autres. Si, par exemple, vous êtes célibataire, vous pourriez rencontrer une personne dont vous tomberez follement amoureux et qui a de jeunes enfants. Il y a des joueurs dans tous les signes du zodiaque ; si vous en faites partie, sans doute serez-vous plus chanceux que l'an dernier et peut-être récupérerez-vous des sommes que vous avez jouées. Mais n'en faites surtout pas une obsession. Le travail est certainement votre meilleur pari. Sous Jupiter en Taureau, si vous êtes à la recherche d'un emploi, vous en trouverez un correspondant à vos compétences et vous aurez le salaire demandé.

Saturne en Taureau jusqu'au 10 août est aussi dans le onzième signe du vôtre où il occupe une place de maître. Vous vous défaites de vos vieilles croyances ; ce que vous aviez placé dans la colonne des valeurs essentielles est détrôné et occupe maintenant un rang secondaire. Saturne ainsi positionné vous apporte le sens du mot « liberté », la vôtre. Il fait taire vos jugements, vos critiques inutiles. Vous êtes de plus en plus juste envers vous et envers autrui. Mais attention, entre le 10 août et le 16 octobre, vos vieilles culpabilités peuvent refaire surface ; cela aurait pour conséquence de faire surgir des doutes dont vous pensiez vous être débarrassé. Et si, jusqu'à présent, vous vous êtes complu dans la critique, sous Saturne en Gémeaux, vous en rajouterez ; cependant, la réaction ne se fera pas attendre et vous jouerez alors contre vos intérêts. Cette période Saturne en Gémeaux laisse entrevoir des problèmes familiaux ou la maladie d'un parent bien-aimé. Sous Saturne en Gémeaux, vous aurez parfois la sensation de régresser, il n'en est rien ; réfléchissez avant toute nouvelle entreprise que vous désirez à long terme, qu'il soit question de lancer une affaire ou de vous marier, ou encore d'aller vivre en union libre avec quelqu'un que vous pensez aimer. Si toutefois vous associer est déjà un fait accompli, Saturne en Gémeaux vous suggère de dialoguer avec l'autre dès qu'un doute surgit ou dès l'instant où votre compagnon agit d'une manière déplaisante ; ne le gardez pas pour vous, dites-le-lui.

JUPITER EN GÉMEAUX

De juillet 2000 à juillet 2001, Jupiter est en Gémeaux dans le signe qui vous précède. S'il est en exil en Gémeaux, il est exalté dans votre douzième signe. Ce charabia astrologique ou la position de cette planète est la plus difficile à expliquer, mais voici en gros ce qu'il en est : vous serez souvent déchiré entre l'égoïsme et la générosité. Ce Jupiter peut faire de vous un gagnant ou une victime, un tricheur ou un justicier ; vous serez tenté de couler quelqu'un pour vous remonter, car l'occasion de vous hisser vers un nouveau sommet sera droit devant vous et si vous abusez, ça ne vous rapportera pas longtemps ; vous pouvez aussi être le sauveur qui sera récompensé pour son héroïsme. Jupiter en Gémeaux vous exhorte à vous préparer à émerger, à choisir une carrière, un métier ; choisissez-le non pas uniquement pour l'argent qu'il rapporte, mais aussi parce que vous savez qu'il convient à votre nature.

Jupiter en Gémeaux par rapport à votre signe est expiation, piété, religion, vision de Dieu. Il s'agit de vous débarrasser de vos pensées de haine et de vos rancunes à l'endroit de gens qui vous ont fait mal dans le passé. Il est aussi question de foi, et là, vous êtes sur un terrain glissant. Si, par exemple, vous traversez l'épreuve de la maladie ou si vous subissez une dure perte financière, vous serez nombreux à vous retourner vers un gourou, un pseudo-prophète ou un culte exotique à qui vous remettrez tout pouvoir. Attention, dans la douleur morale, vous êtes une proie facile pour les vendeurs de médailles sans valeur ! Si vous tombez dans la superstition ou la magie, comme aucun humain ne peut se gaver d'illusions jusqu'à la fin de ses jours, l'an prochain, sous l'influence de Jupiter dans votre signe, la vérité qui éclaterait vous ferait très mal à l'âme, à l'esprit et peut-être bien au corps. Jupiter en Gémeaux vous fait comprendre ce qui peut l'être et vous fait accepter ce qui ne peut s'expliquer.

Jupiter en Gémeaux vous met en garde contre des transactions non comptabilisées. Par exemple, vous roulez à un train d'enfer, vous faites la grosse vie et pourtant, votre déclaration de revenus indique que vous êtes presque au seuil de la pauvreté. La distorsion peut sauter aux yeux d'un vérificateur. Jupiter en Gémeaux fait le ménage et met de l'ordre partout. Si vous trompez votre amoureux et que vous pensez pouvoir le faire encore longtemps, erreur! Jupiter en Gémeaux est bavard et des témoins révéleront ce que vous aviez cru parfaitement caché ou, par un étrange concours de circonstances, votre partenaire l'apprendra. Vous ne pouvez rien cacher sous Jupiter en Gémeaux, ni l'argent malhonnêtement gagné ni l'amour illicite. Le Gémeaux est le messager des dieux, mais il est aussi la grande langue du zodiaque.

VOTRE SANTÉ

De juillet 2000 à juillet 2001, Jupiter est en Gémeaux et Pluton en Sagittaire, à maintes reprises, fera un aspect dur à Jupiter. Il faudra donc surveiller votre foie et, du même coup, il sera nécessaire à certains d'entre vous de changer leur manière de s'alimenter. Jupiter en Gémeaux fragilise aussi vos pieds et vos mains. Lorsque vous ferez des travaux manuels, protégez vos doigts et portez des gants si vous utilisez des produits toxiques. Vous serez un peu plus gauche ou distrait qu'à l'accoutumée. Si vous devez grimper dans une échelle, assurez-vous d'avoir solidement placé celle-ci; si vous tombiez, vous pourriez vous fouler une cheville ou vous blesser à un pied. Vous aurez moins d'équilibre physique et sans doute est-ce parce que vous avez mille pensées qui vous assaillent en même temps. Le Gémeaux est une représentation symbolique de la route. Tout le monde le sait, l'alcool au volant, c'est criminel et si vous festoyez un peu fort avec des amis, ne prenez pas votre voiture. Si vous conduisez généralement vite parce que vous avez peur d'être en retard, ralentissez : partir plus tôt est votre meilleure solution.

URANUS ET NEPTUNE EN VERSEAU

Uranus et Neptune sont encore en Verseau dans le huitième signe du vôtre et, de temps à autre, l'angoisse vous prendra aux tripes; la peur du lendemain, votre insécurité matérielle provoqueront des sautes d'humeur qui étonneront ceux qui vous observent. S'il est normal de se poser des questions et de vouloir la sécurité, l'obsession est un mal qui gruge. S'imaginer le pire détruit votre énergie physique et votre combativité. Entraînez-vous plutôt à l'optimisme et au réalisme; ainsi, vous vivrez en meilleure santé. Si toutefois vous possédez un réel talent de clairvoyance, les images qui vous projettent dans votre avenir et celui des autres seront beaucoup plus claires et considérablement plus définies qu'elles ne l'étaient en 1999.

CANCER ASCENDANT BÉLIER

Jusqu'à la mi-février, Jupiter file sur les derniers degrés du Bélier dans votre ascendant, ce qui présage d'abord la continuité de ce qui fut entrepris en 1999 avec toutefois une accélération de ce qui fut mis en marche. Il est à souhaiter que vous ayez profité du passage de Jupiter sur votre maison un pour prendre votre place, pour lancer une affaire ; en somme, quel que fut votre projet, en 1999, bien que le ciel n'ait pas fait tomber la manne sur vous, il vous invitait à prendre des décisions, à les maintenir et à travailler en direction de l'objectif. Jupiter n'assure le succès que si on s'y acharne. Vous êtes né double signe cardinal, vous êtes donc fait pour l'action. Pendant que le Cancer imagine et met lentement les choses en marche, votre ascendant agit comme quelqu'un qui, continuellement, vous pousse dans le dos et insiste pour que vous fassiez plus vite. Vous êtes en quelque sorte coincé entre la prudence du Cancer, l'audace et la témérité du Bélier. C'est avec la maturité que le lien entre ces deux signes réussit à trouver l'équilibre et le juste milieu.

De la mi-février à la fin de juin, Jupiter est en Taureau dans le deuxième signe de votre ascendant et, ici, il parle d'argent, de possessions, de profits, de votre croissance économique. Tout ou presque étant conséquence de ce qui fut accompli, si vous avez soigné vos intérêts, si vous avez donné le maximum en 1999, si vous avez travaillé d'arrache-pied, votre budget financier sera beaucoup plus intéressant parce que plus garni, et vous serez stimulé à poursuivre ce que vous avez entrepris. Puis, de juillet 2000 à juillet 2001, Jupiter est en Gémeaux dans le troisième signe de votre ascendant et le douzième signe du Cancer. Pendant 12 mois, si vous avez amassé une fortune, pour la garder puisque vous l'avez gagnée, vous devrez redoubler de prudence lors de vos transactions ; en principe, il y a présage d'une autre croissance commerciale ; cependant, les loups guettent et certaines personnes essaieront de vous soutirer une part de vos gains qu'elles ne méritent nullement. Une association vous sera proposée ; ne donnez votre consentement qu'après avoir longuement étudié les conditions et le crédit de cet éventuel partenaire et pourquoi pas une enquête sur ses précédentes réussites ? Assurez-vous d'avoir affaire à une personne honnête.

Si vous êtes à l'emploi d'une grande entreprise, sous l'influence de Jupiter en Gémeaux, de juillet 2000 à juillet 2001, les changements seront nombreux ; il y aura réorganisation et il est possible que vous alliez d'un poste à un autre. S'il n'est pas question de la perte de votre travail, ce ne sera pas de tout repos et, surtout, ne glissez pas dans la déprime : ces chambardements ne sont pas catastrophiques. Dites-vous qu'ils étaient nécessaires à la survie de la compagnie et sans doute fallait-il moderniser pour rester dans la course et faire face à la compétition. Sous Jupiter en Taureau, de la mi-février à la fin de juin, il est possible qu'il soit question d'héritage; cela suppose qu'il y a eu un décès. Rien ne me permet d'affirmer s'il s'agit de la mort d'un proche, d'un oncle ou d'une tante que vous connaissez à peine. Si, pour certains, tout se passe bien, pour d'autres, cet argent ou ces biens seront à l'origine d'une dispute entre des membres de la famille pouvant s'étirer jusque tard en l'an 2001. Ne gâchez pas votre vie pour des dollars sans lesquels vous avez auparavant bien vécu.

CANCER ASCENDANT TAUREAU

Vous êtes né de la Lune et de Vénus, deux luminaires compatibles. Vous aimez la paix, la douceur, les plaisirs de la vie; quand vous pouvez vous offrir du luxe, vous ne vous sentez pas coupable. Bien aspecté dans votre thème natal, vous êtes généreux; plus vous possédez, plus vous donnez et advenant une épreuve où tout semble perdu, un miracle se produit: vous êtes sauf grâce à un heureux concours de circonstances ou, si vous n'aviez plus d'argent, vous le récupérez et le plus souvent à la suite d'un événement que vous n'aviez absolument pas vu venir. Nés de la Lune et de Vénus, certains d'entre vous tombent carrément dans la passivité et 20 ans plus tard, ceux-ci n'ont rien à raconter, ils attendent l'impossible. Sous ce signe et ascendant, deux types opposés naissent: les joyeux optimistes et les grands mélancoliques. En l'an 2000, cette différence sera fortement marquée avec tout ce qui en découle. Jupiter sera en Taureau de la mi-février à la fin de juin sur votre ascendant. Il a un effet dynamisant, il stimule l'entrepreneur tout autant que l'artiste. Il vous permet de retrouver vos énergies physiques si celles-ci furent en déclin en 1999.

Jupiter en Taureau mettra sur votre route des personnes qui vous encourageront, qui croiront en vos projets et, du même coup, vous verrez clairement ces gens qui doivent sortir de votre vie puisqu'ils ne furent que des parasites et des envieux qui n'ont jamais voulu que vous soyez heureux, qui n'ont jamais aimé que vous réussissiez. Il est possible que le fait de vous séparer d'eux, alors qu'ils ont été si longtemps vos amis, soit un choc. Dites-vous que le vide ne reste jamais vide et, une fois l'orage passé, des gens positifs s'introduiront, ils auront à cœur de vous voir heureux, ils seront chaleureux. Jupiter en Taureau vous invite à prendre votre place ou à la reprendre. Si vous êtes sans emploi, vous trouverez plus facilement que vous ne l'imaginez et selon vos compétences. Si vous avez l'intention de lancer une affaire, faites-vous confiance; s'il le faut, démarrez-la dans votre sous-sol; votre magnétisme et votre détermination étant puissants, vous attirerez une clientèle, des acheteurs. Il vous suffira de faire trois petits pas pour qu'ensuite votre entreprise se développe à pleine vitesse. Si vous êtes déjà en affaires, vous adopterez une stratégie commerciale qui réussira au-delà de vos espoirs.

Puis, de juillet 2000 à juillet 2001, Jupiter est en Gémeaux dans le deuxième signe de votre ascendant ; il parle encore d'argent, d'accumulation, de profits, de croissance ; cependant, pour avoir tout ça, il faut avoir fait les efforts qui s'imposent. Les astres inclinent, mais ne déterminent pas. La voie est ouverte, le ciel vous invite à réaliser vos potentiels ; si vous restez chez vous à attendre qu'on vienne vous chercher ou qu'on fasse les choses à votre place, vous passerez à 2001 sans rien de plus. Un important avis s'impose sous Jupiter en Gémeaux : si vous lancez une entreprise avec vos frères ou vos sœurs, ou encore avec d'autres membres de votre famille, il est important de fixer les règles par écrit : qui fait quoi et combien. En tant que célibataire, Jupiter en Taureau vous annonce une rencontre avec votre destin amoureux. Si vous êtes déjà amoureux, si vous n'avez pas d'enfant, avec votre partenaire, vous sentez que le moment est venu de fonder un foyer et, pour certains, il sera question d'un deuxième enfant ou plus.

CANCER ASCENDANT GÉMEAUX

Durant la première partie de l'année, soit de la mi-février à la fin de juin, sous l'influence de Jupiter en Taureau, bien qu'il soit en bon aspect avec vous, il se trouve dans le douzième signe de votre ascendant : il faudra éviter l'éparpillement que vous pourriez étendre à divers secteurs de votre vie. Par exemple, un parent est malade, il n'y a rien de répréhensible à apporter votre aide, bien au contraire ; cependant, lui donner tout votre temps au détriment de votre propre santé, ce n'est pas sain. Vous avez un emploi, votre propre famille, si vous acceptez de rendre service aux uns et aux autres... au bout du compte, vous n'aurez plus de force et c'est vous qui aurez besoin d'être soigné. Ne soyez pas le sauveur de gens que vous ne pouvez sauver ou qui ne veulent pas être sauvés. Ne prenez pas toutes les responsabilités alors qu'il est normal de les partager. Plus que jamais, sous Jupiter en Taureau, il sera facile de vous culpabiliser ; ne tombez pas dans le panneau des manipulateurs. Vous êtes généralement lucide en ce qui concerne vos intérêts, mais il y a, dans la vie, des périodes où on est plus vulnérable et c'est alors qu'apparaissent les profiteurs. Surtout durant les six premiers mois de l'année, soyez vigilant, ne faites pas confiance à des beaux parleurs et à des vendeurs d'illusions. Quand ils frapperont à votre porte, ayez le courage de ne pas leur ouvrir.

Sous Jupiter en Taureau, vous serez aussi porté à vouloir qu'un miracle se produise et que vos manques soient comblés ; dans un tel cas, il est facile de vous en mettre plein la vue. On pourrait dramatiser votre situation et développer chez vous des besoins que vous n'avez même jamais eus. Méfiez-vous des thérapeutes « à gogo » et des gourous qui vous garantissent votre bonheur ici-bas et plus tard votre place au paradis. Ils sont reconnaissables aux coûts exorbitants de leurs services. Chacun notre tour, nous vivons des passages plus troublants que d'autres ; le temps ne vous signale-t-il pas de vous arrêter, de réfléchir, de méditer, de prier ? Nous avons tous des peines un jour ou l'autre, si quelqu'un peut vous soutenir, c'est très bien, mais aucune magie ne peut vous en guérir ; vous possédez le remède unique, celui qui convient à votre nature. Les blessures morales ne se guérissent que lentement et, en cette première moitié de l'année, il y aussi celles que l'on n'a jamais soignées qui peuvent réapparaître. Ne paniquez pas, la solution est en vous.

Puis, de juillet 2000 à juillet 2001, Jupiter est en Gémeaux sur votre ascendant ; si vous avez bien utilisé les mois précédents, c'est maintenant que vous obtenez des résultats positifs. Jupiter, c'est le courage de se reprendre après qu'on a chuté ; il est à la fois survie physique, psychique, psychologique et morale. Il vous signale de prendre votre élan afin de repartir avec plus d'expériences et plus de compétences que vous n'en aviez. Si vos affaires furent au ralenti, elles reprennent leur vitesse de croisière. Jupiter ainsi positionné sur votre maison un invite ceux qui ont le sens du commerce à créer leur propre entreprise et, pour votre protection, réduisez les associés au minimum. En ce qui concerne l'amour, en tant que célibataire, c'est surtout à partir de juillet que vous y serez plus réceptif et sans doute ferez-vous durer les fréquentations pendant une année avant d'annoncer que vous êtes profondément attaché.

CANCER ASCENDANT CANCER

Vous êtes né d'une double lune. Pourtant, vous avez les deux pieds sur terre. Vous êtes ordinairement pratique, excellent organisateur et quelqu'un qui sait planifier des lunes et des lunes à l'avance. Vous possédez un magnétisme extraordinaire ; si vous ne séduisez pas les foules, votre charme fait un effet-choc sur les gens qui vous entourent. Vous avez le don de leur faire sentir qu'ils sont en sécurité avec vous. Ce qui n'est pas toujours vrai. Séducteur, logique, articulé, généralement ambitieux, mémoire infaillible et intelligence vive : malgré ces belles qualités, vous êtes changeant et ceux qui vivent à vos côtés le savent très bien. Mal luné, on pourrait croire que vous abandonnez tout. Vous pouvez le faire, mais ce n'est que temporaire, ce n'était que l'état passager d'un caprice lunaire.

De la mi-février à la fin de juin, vous êtes sous l'influence de Jupiter en Taureau dans le onzième signe de votre signe et ascendant ou atmosphère uranienne. Durant ces mois, vous embrasserez une cause et, si vous en défendez une, vous serez plus évident que vous ne l'étiez, les circonstances s'y prêtent ; de plus, au cours des six dernières années, vous avez acquis une expérience qui fait de vous un maître dans le domaine où vous êtes engagé. Le sort humain vous a toujours préoccupé et vous pouvez maintenant agir favorablement pour votre communauté, vous connaissez par cœur chaque détour et quand il y a opposition, vous avez si bien fait vos devoirs que vous savez à l'avance ce qu'on dira et ce que vous pourrez répondre. Vous êtes tel un acteur qui connaît si bien son rôle qu'il le joue à la perfection sans que personne ne se rende compte qu'il pense à autre chose alors qu'il est en pleine réplique. C'est ce qui vous permet d'anticiper réponses et questions. Durant cette première moitié de l'année, vous vous découvrirez une audace que vous pensiez ne jamais avoir. Si vous êtes en affaires, vous ferez des profits qui vous surprendront vous-même, c'est comme si chacun s'était donné le mot pour acheter vos services ou vos produits. On vous réclame et c'est payant. Durant cette période, vous pourriez obtenir une promotion ou l'emploi que vous désiriez tant et au salaire demandé. Puis, de juillet 2000 à juillet 2001, Jupiter est en Gémeaux dans le douzième signe de votre ascendant; durant 12 mois, vous devrez être plus prudent afin de préserver vos acquis. Bien qu'entouré d'une foule de gens, malgré la présence de vos amis et leur soutien, vous serez parfois envahi d'un profond sentiment de solitude. À noter que plus on grimpe dans l'échelle sociale, moins il y a de gens en haut.

Cancer/Cancer, vous êtes familial. Vous voyez à ce que les vôtres soient en sécurité, ne manquent de rien et qu'ils soient heureux. Vous avez beau tout faire, il est possible qu'un de vos proches tombe malade ou que vous soyez troublé par l'attitude et les décisions que prend un de vos grands enfants. La famille parfaite n'existe pas, les parents parfaits non plus, et la progéniture hérite des défauts, des désirs, des faiblesses psychologiques, etc., qu'on porte en soi. Bien qu'on ait tout fait pour les cacher, le transfert s'est produit, il ne vous reste plus qu'à composer avec les événements, un à la fois, sans paniquer. Quand il s'agit de la maladie d'un aîné, le plus que l'on puisse faire est de lui donner de l'affection, de l'attention; vous ne pouvez pas lui donner la santé qu'il n'a plus, ni le rajeunir. L'épreuve n'est pas souhaitée ni souhaitable, mais il y a dans l'air des indices qu'elle survienne sans avertissement. Dites-vous que la nature vous a doté d'une force peu commune, d'une sensibilité et d'une intelligence que bien des gens envient.

CANCER ASCENDANT LION

Voici une année assez particulière et qui sera certainement plus occupée que les trois précédentes. De la mi-février à la fin de juin, Jupiter sera en Taureau dans le dixième signe de votre ascendant; Saturne sera aussi au rendez-vous jusqu'au 10 août, puis cette planète fera un saut en Gémeaux pour revenir en Taureau le 16 octobre. Vous êtes de la Lune et du Soleil, il n'y a que bien peu de gens passifs sous votre signe et ascendant. Ici, l'imagination et la fantaisie s'allient aux mots « faire » et « entreprendre ». Vous avez la capacité d'avoir un regard sur le monde et sur vous. Vous prenez soin de votre famille tout en prenant soin de vos intérêts. En l'an 2000, de la mi-février à la fin de juin, sous l'influence de Jupiter en Taureau, certains d'entre vous entreprennent une carrière, et la montée sera rapide; d'autres, qui ont déjà une solide expérience et des années de pratique, atteindront un nouveau sommet. Il est rare que votre énergie ne soit concentrée que sur l'amour et sur vos enfants, vous avez en général un grand sens des affaires. La symphonie astrale n'est pas parfaite, il y a de la cacophonie planétaire ici et là; soyez extrêmement prudent si vous lancez une affaire et si vous prenez un associé, assurez-vous de l'honnêteté de ce dernier. Vous ne vous investissez pas pour y perdre et vous pouvez y gagner beaucoup, il vous suffit d'être circonspect.

Je ne peux éviter de vous aviser sur ce qui vous relie à des parents, particulièrement s'ils sont âgés. Il est possible que vous traversiez une épreuve: la maladie d'un être bien-aimé. Personne ne peut donner l'immortalité à qui que ce soit. Bien que le cœur soit plein d'amour pour un père ou une mère, si l'usure du temps a fait son œuvre, vous ferez face à son départ définitif. L'acceptation de la mort ne se fait pas du jour au lendemain. Advenant un tel événement, malgré votre peine, vous continuerez dans la poursuite de votre objectif. Si toutefois vous êtes jeune, en amour, il ne s'agit pas ici d'une perte mais d'un gain, d'un bonheur, d'un enfant que vous accueillerez dans la joie. De juillet 2000 à juillet 2001, Jupiter sera en Gémeaux dans le onzième signe de votre ascendant, 12 mois de communications ou, du moins, extrêmement favorables à ceux qui œuvrent en informatique. Cet aspect inclut le monde de la publicité, des écrits tels que les livres, les journaux, les magazines; la parole est à vous si, par exemple, vous êtes conférencier.

Si vous travaillez dans un domaine médiatique, à la radio ou à la télévision, voilà venu le temps des contrats. Que vous soyez ingénieur, électricien, écrivain, mécanicien, qu'importe votre métier, sous l'influence de Jupiter en Gémeaux, vous êtes en phase inventive. C'est comme s'il vous fallait transformer les choses autour de vous et, surtout, les moderniser pour les adapter aux besoins du XXIe siècle. Ce onzième signe de votre ascendant qui abritera Jupiter pendant 12 mois est aussi représentatif des enfants des autres. Si vous avez une famille reconstituée, il est possible que vous deviez vous expliquer avec un des enfants de votre partenaire. Si des mésententes ont dégénéré en dispute, avant que ce soit la guerre, il faut rétablir l'harmonie ou il s'agit d'un ajustement entre enfants qui clament et réclament l'attention de chacun. Ce genre de situation n'est jamais simple mais, avec de la patience et de l'amour, il y a la possibilité de former un clan où chacun des membres a sa place.

CANCER ASCENDANT VIERGE

Il est malheureusement possible que d'ici la mi-février vous receviez une mauvaise nouvelle d'un parent gravement malade, ou vous apprendrez que l'un des vôtres vit des problèmes dans son couple; quelle que soit la peine qu'un membre de votre famille éprouve, vous serez là pour soutenir son moral et vous vous rendrez disponible dès qu'il en manifestera le désir. À partir de la mi-février jusqu'à la fin de juin, Jupiter est en Taureau dans le neuvième signe de votre ascendant. Je vous suggère fortement de prendre un billet de loterie durant ces mois dès le moment où la Lune entre en Taureau. Jupiter en Taureau présage des voyages et, si vous avez des parents à l'étranger, ils seront plus nombreux à vous rendre visite durant les six premiers mois de l'an 2000. Pour beaucoup de Cancer/Vierge, c'est un retour aux études ou une année de perfectionnement dans le domaine où ils sont engagés. Ce Jupiter en Taureau laisse entrevoir des profits grâce à la vente d'un terrain ou de votre propriété. Si, par exemple dans le passé, vous avez fait l'acquisition de tableaux, certains ont pris de la valeur et vous en tirerez plus d'argent que vous ne l'imaginez.

Il faudra surveiller votre foie : vous serez plus gourmand au passage de Jupiter en Taureau, vous sortirez davantage et vous aurez maintes occasions de bien manger sans être toutefois bien nourri. De petits maux d'estomac et de dos vous aviseront de suivre un meilleur régime. En tant que parent, si vos enfants sont grands, l'un d'eux peut décider d'aller vivre à l'étranger ; ce sera soit en raison d'un travail, soit parce qu'il lui est possible de faire un stage étudiant dans un autre pays. De juillet 2000 à juillet 2001, Jupiter est en Gémeaux dans le dixième signe de votre ascendant ; c'est comme si, tout à coup, vous vous rendiez compte que votre vie familiale n'est plus la même ; en tant que jeune parent, il est possible que la venue d'un enfant change vos habitudes ; si vos enfants sont de jeunes adultes, vous serez parfois envahi par un profond sentiment de solitude, parce que votre rôle et vos obligations de parent sont considérablement modifiés. Si vous avez des parents âgés, leur manque de santé vous inquiétera. Il est aussi possible que votre conjoint ait des malaises, ce qui probablement vous fera courir d'un médecin à un autre.

Sous Jupiter en Gémeaux, vous ne serez pas vraiment calme, vous devrez donc trouver des périodes pour vous isoler, pour récupérer et pour vous reposer. Il sera également question de transformations dans la maison ou de rénovations ; pour les uns, ce sera l'achat de leur première propriété ; pour d'autres, la vente et un autre achat par besoin de changer de décor. Il y aura du mouvement dans votre famille : un mariage ici, un divorce là, et c'est à vous qu'on demandera conseil avant chacune de ces décisions. Comme vous vous sentirez parfois bouleversé non pas uniquement par ce qui se produit dans votre vie, mais le plus souvent à cause d'événements qui surviennent à la parenté ou à des amis, au volant, redoublez de prudence : par fatigue et nervosité, vous pourriez avoir un petit accident, pas mortel, mais c'est un stress à éviter ; concentrez-vous sur la route et surveillez plus attentivement ceux que vous jugez mauvais conducteurs. Sous Jupiter en Gémeaux, côté professionnel ou commercial, durant 12 mois, la croissance sera régulière mais rien n'est gratuit. Vous ne gagnez qu'au prix d'efforts soutenus.

CANCER ASCENDANT BALANCE

Ce fut sans doute irrégulier en 1999, vous étiez tantôt en tête, tantôt en zone de stagnation. Vous avanciez par coup et il vous a fallu surveiller vos associés de plus près. À partir de la mi-février jusqu'à la fin de juin, Jupiter est en Taureau dans le huitième signe de votre ascendant. La position de cette planète a plusieurs présages. Vous pourriez faire fortune; par exemple, vous vendez une acquisition, une propriété ou une entreprise dont le prix a triplé. Je vous souhaite de gagner à la loterie, c'est aussi une possibilité d'être riche. Si vous êtes en affaires et que, jusqu'à présent, vous n'avez pas réussi à promouvoir votre produit ou votre service, soudainement tout le monde en a besoin et votre clientèle s'accroît considérablement en même temps que les profits. Mais peut-être avez-vous aussi un parent fortuné? Car il est ici question d'héritage pour certains d'entre vous. Le danger qui s'ensuit, c'est la querelle de famille lors du partage; si vous ne luttez pas pour votre part, d'autres le feront et vous assisterez alors à la fin de l'amitié entre quelques-uns d'entre eux. Il est à souhaiter que s'il y a testament, il ait été fait dans les règles: ainsi, il sera impossible de le contester.

Durant le passage de Jupiter en Taureau, de la mi-février à la fin de juin, vous changerez beaucoup, vous ouvrirez vos yeux sur ce qui est vraiment important et sur ce qui ne l'est plus; vos valeurs seront différentes, vos besoins ne seront plus les mêmes. Vous vous dissocierez de gens qui, jusqu'à présent, n'ont fait que demander et envers qui vous avez été très généreux mais qui ne vous ont jamais donné quoi que ce soit en retour. Si vous-même avez une dette envers quelqu'un et que vous avez trouvé mille raisons pour ne pas la rembourser, vous le ferez pour votre propre paix et parce que vous savez lucidement qu'il faut rendre à César ce qui appartient à César. Si vous avez l'intention de tricher, de tromper, de jouer avec des chiffres, qu'il s'agisse de ceux de votre entreprise ou de vos impôts, malgré vos subterfuges, vous serez coincé et vous paierez ce qui est dû.

De juillet 2000 à juillet 2001, Jupiter est en Gémeaux dans le neuvième signe de votre ascendant, ce qui change encore de nombreuses coordonnées ou plans d'affaires, mais voilà quand même un augure de risques à prendre, d'occasions à ne pas rater, d'expansion qu'il ne faut pas craindre. Sous Jupiter en Gémeaux, il n'y a pas d'habitude, c'est d'abord l'adoption d'une autre philosophie de vie; si tout fut finalement plus clair sous Jupiter en Taureau, pendant 12 mois, votre lucidité sera telle que vous devinerez ceux qui vous approchent, vos associés et ceux avec qui vous faites des échanges commerciaux. Dès l'instant où on tentera de vous soutirer un bien ou de l'argent qui vous appartient, vous amènerez finement le malhonnête à dévoiler son jeu et à annuler la partie. Vous serez toujours en avance sur le compétiteur et plus particulièrement si vous œuvrez dans le domaine des communications écrites, parlées ou électroniques. De juillet 2000 à juillet 2001, vous élargirez votre territoire commercial si vous faites déjà affaire avec l'étranger. Il y aura aussi des départs nécessaires et à chacun des retours, vous additionnerez de nouvelles sources de profits. L'an 2000 n'est pas à la stagnation; il aurait un effet désastreux moralement et matériellement. Il y a tout à gagner à condition de vouloir.

CANCER ASCENDANT SCORPION

Entre la mi-février et la fin de juin, vous serez nombreux à vous marier ou à vous remarier ou, si vous êtes seul, vous rencontrerez cette personne qui, jusqu'à présent, n'existait que dans votre imagination. La première moitié de l'année est chargée d'événements de toutes sortes. Il y a possibilité d'un changement d'emploi plus rémunérateur ou peut-être avez-vous cherché depuis quelques mois, et voilà enfin l'offre que vous attendiez tant. Si vous avez eu des problèmes de santé, vous découvrez le médecin qui a la solution vous permettant de retrouver votre énergie. Certains d'entre vous décideront de faire plus d'exercice, de se remettre en forme, de se faire une musculature; ils changeront de régime alimentaire, prendront des vacances comme jamais ils ne l'ont fait. En somme, Cancer/Scorpion se débarrasse de la majeure partie de ses angoisses et s'abonne à la joie. Cancer/Scorpion sort de sa retraite ou de sa cachette, il revient avec et parmi le monde. Il n'est pas fait pour vivre seul, il n'a jamais voulu cet isolement, il en a fini avec cette analyse constante de son passé qu'il ne changera pas. En l'an 2000, il apprend rapidement à vivre au présent vers le futur.

Vous n'oubliez rien; cependant, vous cessez de souffrir pour ce qui n'est plus et n'existera plus. Si vous avez le sens des affaires, si vous désirez votre propre entreprise, le ciel astral vous invite à un démarrage, mais un avis s'impose en ce qui concerne le choix d'un associé: vérifiez son crédit et sa capacité de travail, demandez des références sur ce qu'il a réussi et où il a échoué dans le passé. Ainsi, vous serez fixé sur son rôle et vous saurez jusqu'où cette personne peut aller. De juillet 2000 à juillet 2001, Jupiter est en Gémeaux dans le huitième signe de votre ascendant Scorpion; il s'agit ici d'une zone astrologique compatible à votre ascendant. Il le renforce, votre détermination se décuple, vos désirs et vos projets d'affaires sont encore plus précis. Jupiter en Gémeaux vous permet de savoir ce qui est vrai et ce qui est faux, et de faire des choix lucides et généralement payants quand il s'agit d'achats. En principe, aucune transaction ne sera faite au hasard: elle sera étudiée, passée au peigne fin, décortiquée au maximum. Vous vous trouverez génial.

Si vous faites partie de ces Cancer/Scorpion qui n'ont pas encore trouvé une orientation de carrière, sous Jupiter en Taureau et lors du passage de Jupiter en Gémeaux, vous savez avec exactitude les études qu'il faut poursuivre ou le chemin de vie qui convient le mieux à la fois à votre nature et à votre portefeuille. Si vous n'êtes pas encore parent et si vous êtes amoureux, vous vous sentez prêt à fonder un foyer et, pour certains, à avoir un deuxième ou même un troisième enfant. Vous n'aurez pas à convaincre votre partenaire, c'est comme si vous étiez en contact télépathique: il veut ce que vous voulez. Si vous êtes à l'heure de laisser vos enfants quitter le nid familial, il faudra y consentir. Ils ne vous abandonnent pas, ils prennent leurs responsabilités d'adultes tout comme jadis vous l'avez fait. L'étape du détachement est pénible en tant que double signe d'eau, mais elle est essentielle pour l'équilibre émotionnel de vos enfants. Si tel est votre cas, vous repenserez votre futur, vous le verrez différemment et, comme le vide ne reste jamais vide, une activité et de nouveaux amis vous permettront d'entrevoir agréablement une autre portion de vie.

CANCER ASCENDANT SAGITTAIRE

Vous êtes né d'un signe d'eau et de feu. L'eau peut éteindre le feu ou le feu faire bouillir l'eau. Avec une telle composition astrale, il est impossible d'être indifférent. Si, certains jours, vous donnez l'impression que tout s'effondre en vous et autour de vous, d'autres, c'est la joie, le bonheur, vous vous sentez envahi par un courant de vie et par une passion inexplicables. Si vous êtes sujet à la dépression quand vous vous sentez prêt pour une remontée, elle est spectaculaire. D'ailleurs, vous n'aimez pas l'ordinaire, vous êtes constamment à la recherche d'un défi. De la mi-février à la fin de juin, sous l'influence de Jupiter en Taureau dans le sixième signe de votre ascendant, ce défi se nomme travail, carrière, ascension, promotion et, en tant qu'artiste, vos créations seront très originales, on parlera de vous. La première moitié de l'an 2000 est presque exclusivement consacrée à votre profession, à votre réalisation sur le plan matériel. Certains d'entre vous sortent d'un état semiléthargique qui aura parfois duré deux ans. Leur monde intérieur était peuplé de craintes de toutes sortes et tout ça est presque disparu : il aura suffi de quelques mois de thérapie.

Étant donné la quantité énorme d'énergie que vous dépenserez, il sera nécessaire de penser à vous reposer de temps à autre et, si possible, prenez vos vacances avant le mois de juillet ; lors de vos fins de semaine, éloignez-vous de vos divers projets, faites le vide ; ainsi, au retour, vous serez encore plus génial et plus performant. De juillet 2000 à juillet 2001, Jupiter est en Gémeaux dans le septième signe de votre ascendant et, en tant que célibataire, ce ne sont pas les choix qui manqueront, bien au contraire ; vous serez embarrassé par cet amour qui s'offre et qui provient de gens très différents mais tous aussi attachants les uns que les autres. N'arrêtez pas votre choix trop vite ; prenez votre temps, après tout, qui vous empêche d'avoir plus d'informations sur chacun ? Il n'y a pas de mal à avoir plusieurs amis, c'est ainsi qu'il faut considérer vos flirts au départ. Lentement, le voile se lèvera et vous saurez qui est l'élu de votre cœur, qui désire partager sa vie avec vous pendant longtemps.

Mais il est aussi ici question de ceux qui vivent en couple et pour qui rien ne va plus. Si vous appartenez à ce groupe de Cancer, vous prendrez votre courage à deux mains et vous demanderez la séparation. Vous savez pertinemment que vous n'êtes pas bâti pour le malheur. L'influence de Jupiter en Gémeaux concerne ceux qui sont en affaires et qui ont des associés ; ces derniers doivent constamment jeter un œil sur la comptabilité de l'entreprise au cas où on essaierait de prendre ce qui vous appartient. Si vous êtes prudent et méticuleux, vous échapperez à une perte ou à un vol commercial qui serait fait si légalement que vous auriez besoin d'un avocat pour sortir de l'imbroglio. Certains subiront la maladie d'un partenaire qu'ils aiment profondément. Ils se dévoueront comme ils l'ont toujours fait. Si le ciel vous envoie ce genre d'épreuve et que vous ne vous sentez pas de taille à lutter contre elle, pour vous aider à remonter la pente lors de ces zones grises, demandez de l'aide, voyez un psychologue qui vous aidera à traverser l'orage. Ne vous trimballez pas avec des sentiments de culpabilité. Si vous-même n'êtes pas bien, ne vous isolez pas. Ils sont plusieurs à vous devoir des services.

CANCER ASCENDANT CAPRICORNE

Vous êtes né avec votre signe opposé ou complémentaire. La famille constitue le centre de votre quotidien. L'exception fait la règle, et cette dernière embrasse alors une carrière comme s'il s'agissait d'un mariage. Vos enfants et vous-même n'êtes pas statiques, la vie est toujours en mouvement et, en l'an 2000, si les uns deviennent parents, d'autres seront grands-parents pour la première ou la énième fois. Si vous avez une nature artistique, vous développerez davantage votre technique; sans doute suivrez-vous des cours afin d'être plus précis, surtout quand il s'agit de dessin, de peinture ou de sculpture. Mais vous êtes peut-être à l'âge de choisir une carrière? Rien de plus difficile de nos jours, car le monde est vaste et les possibilités, infinies, et il y a toujours en nous la part de rêves qui nous fait espérer le grandiose. Avec un signe de terre saturnien à l'ascendant, après une envolée quasi mystique, vous revenez les pieds sur terre; votre part pratique ne vous abandonne jamais, et surtout pas cette année. Vous trouverez le chemin qui vous conduira non pas uniquement au succès, mais aussi à une satisfaction.

Vous serez inspiré entre février et juin; un ami ou même un parfait inconnu peut, par hasard, vous donner ces indices qui vous permettront de faire le bon choix. Il en sera de même avec l'amour; si vous êtes célibataire, votre futur conjoint se tient très près, vous vous rendrez à peine compte qu'on vous fait la cour. Cependant, l'assiduité de cette personne vous convaincra de ses intentions et elles sont sérieuses. De juillet 2000 à juillet 2001, Jupiter est en Gémeaux dans le sixième signe de votre ascendant et dans le douzième du Cancer. Il s'agit ici de prendre soin de vous. Vous travaillerez beaucoup et finirez même par manquer de sommeil. Si vous faites des allergies, il est temps d'y voir sérieusement, de changer de régime alimentaire; en plus de consulter votre médecin, voyez un naturopathe sérieux, celui-ci ne rejettera pas la médecine allopathique mais, s'il y a lieu, il travaillera de concours avec vos médicaments prescrits.

Il est aussi possible que vu l'augmentation de la pollution, vous soyez plus sujet aux rhumes, aux infections des bronches; n'attendez pas la pneumonie pour vous faire traiter. N'allez surtout pas croire que vous êtes mourant, vous êtes simplement plus vulnérable; vos nouveaux et anciens stress vous rattrapent. Depuis notre naissance, toutes nos émotions troublantes se sont inscrites dans notre corps et, à notre insu, ont affaibli notre système immunitaire. Vous n'échappez pas à la règle ; entre juillet 2000 et juillet 2001, les marques les plus cachées ressurgissent et vous servent d'avertissements. Étant né avec l'opposé de votre signe, votre principal plaisir est de soigner les autres, de les dorloter jusqu'à vous oublier. Vous avez un rappel à l'ordre. Sous votre signe et ascendant, les maux d'origine psychosomatique sont fréquents. Quand vous exprimez vos sentiments, la moitié est assurément refoulée. Vous ne dites jamais tout ce que vous avez sur le cœur même quand vous êtes très fâché : vous l'apprendrez en l'an 2000. Selon votre thème, il est possible qu'entre juillet 2000 et juillet 2001, vous soigniez un parent âgé qui décline physiquement. Vous ferez votre devoir, vous serez alors généreux de votre temps.

CANCER ASCENDANT VERSEAU

Vous êtes une boîte à surprise, vous êtes sans doute celui qui ressemble le moins à un Cancer typique. Vous n'aimez pas la routine, vous ne supportez aucune forme d'emprisonnement, que ce soit au travail ou en amour ; quand l'action vient à manquer, vous la créez. Penser est votre principale activité et chez vous la logique se mêle à l'imagination. Vous avez aussi un constant besoin de bouger et d'expérimenter. Vous attendez souvent la quarantaine pour vous sortir de votre cocon et pour prendre votre envol ; avant, vous explorez vos diverses possibilités. De la mi-février à la fin de juin, Jupiter est en Taureau dans le quatrième signe de votre ascendant et dans le onzième signe du Cancer, qui est du type uranien comme votre ascendant. Cela signifie que vous ferez éclater votre monde si vous n'avez plus de plaisir à y vivre. Vous ferez de nouvelles règles de manière à avoir du temps à vous donner librement ; si, jusqu'à présent, vous avez donné toute votre attention à votre famille, vous découvrez que vous êtes important et que si vous ne prenez aucune décision, personne n'en prendra à votre place.

Si vous êtes en amour, si vous n'avez pas d'enfant, vous y songerez sérieusement ; cependant, la plupart d'entre vous attendront juillet pour rendre officiel ce genre de choix que l'on fait pour la vie. Si vous êtes ce papa ou cette maman qui a donné le maximum à ses enfants devenus adultes, sans les abandonner, vous prendrez une distance ; vous planifierez des activités, celles que vous avez eu envie de faire mille fois mais, pour toutes sortes de prétextes, vous reculiez. Vos hésitations sont derrière. L'avenir vous appartient. En tant que célibataire, une rencontre peut vous faire changer d'avis au sujet de votre vie de solitaire. Vous vous mettrez à douter de votre bien-être non accompagné. Vous ne donnerez pas votre âme au premier venu. Sous ce ciel, vous êtes extrêmement sélectif, mais sans doute attendrez-vous la fin de l'année pour rendre votre fréquentation officielle.

Durant le passage de Jupiter en Taureau, de la mi-février à la fin de juin, si vous avez des problèmes de foie, de poids ou de circulation sanguine, ne tardez pas à passer des examens, il vaut mieux prévenir ; pour apprécier le bonheur, c'est préférable d'être en bonne santé. De juillet 2000 à juillet 2001, Jupiter est en Gémeaux dans le cinquième signe de votre ascendant ; la position de cette planète favorise une expansion si vous êtes en affaires ; en tant qu'artiste, vous serez plus évident que jamais vous ne l'avez été, vous aurez un succès qui dépassera votre espoir. Jupiter en Gémeaux est une représentation symbolique de vos enfants. Pendant que la moitié des Cancer/Verseau se réjouissent d'une grande réussite d'un des leurs, l'autre moitié ne sait plus comment s'y prendre pour calmer la colère d'un de leurs enfants. Si vos adolescents sont des trouble-fêtes, c'est qu'ils manifestent ouvertement leur mécontentement et leur résistance à ce que vous tentez d'imposer ; leurs attitudes agressives sont des appels à l'aide. Ce n'est pas facile d'entreprendre un dialogue avec quelqu'un qui est aveuglé par une montagne de frustrations ; pourtant, pour les sortir de là, vous devrez faire quelques pas et si vous ne savez pas par où commencer, pourquoi ne pas consulter un psychologue spécialisé dans les crises d'adolescence ? Vous vous rendriez service.

CANCER ASCENDANT POISSONS

Votre Soleil dans le cinquième signe de votre ascendant occupe une place royale. Vous avez une énorme capacité de travail et le courage de vous sortir de situations difficiles dans lesquelles d'autres se seraient enfoncés. Vous avez fait des pas de géant depuis 1998, vous êtes devenu sélectif, plus audacieux, plus sûr de vous. Vous avez fait vos choix d'une manière réfléchie et si vous avez suivi ce courant, 1999 a stabilisé ce que vous avez mis en marche en 1998. De la mi-février à la fin de juin, Jupiter est en Taureau dans le troisième signe de votre ascendant, ce qui présage un déménagement ou d'importantes rénovations sur votre propriété. Si vous ne possédez pas de maison, il est possible que vous fassiez partie des nouveaux acheteurs, ce qui entraînera une révision complète de votre budget personnel. Vous vous ferez aider dans vos calculs si vous ne vous sentez pas assez fort en comptabilité. Sur le plan professionnel, vous serez dans l'obligation de vous adapter à une autre technologie ; l'entreprise qui emploie vos services se modernise tout comme il est possible qu'il y ait fusion entre deux compagnies ; vous n'avez cependant rien à craindre, c'est un peu comme si votre place était réservée.

Certains retourneront étudier ; s'il s'agit pour les uns de repartir à zéro, il ne s'agira pour d'autres que de quelques mois de formation afin de parfaire des connaissances dans le domaine où ils sont engagés. Durant le passage de Jupiter en Taureau, soyez extrêmement prudent sur la route : il y a des risques d'accrochage, surtout durant les mois d'août, de septembre et d'octobre. Faire un long trajet alors que vous êtes fatigué peut vous coûter cher. Car il faudrait ensuite vous guérir de votre peur et peut-être faire faire d'importantes réparations sur votre voiture. De juillet 2000 à juillet 2001, Jupiter est en Gémeaux dans le quatrième signe de votre ascendant. Cette position planétaire représente un estomac nerveux, une mauvaise digestion à cause d'un surplus de travail que vous êtes incapable de refuser. En tant que parent, vous serez inquiet à cause de vos préadolescents sur le point de devenir grands. Vous vous sentirez sans défense devant leurs brusques emportements et des comportements que vous ne comprendrez pas toujours très bien.

Comme double signe d'eau, vous pouvez devenir envahissant; comme n'importe quel humain, vos enfants n'aiment pas se sentir emprisonnés; ici, en Amérique du Nord où on prône la liberté, le moindre cloisonnement est rejeté par le jeune adulte. On vous signale qu'il est temps de relâcher votre surveillance et d'apprendre à faire confiance. Par contre, si vos enfants ont des fréquentations douteuses et qu'ils vont droit à la délinquance, votre intervention est nécessaire; il ne s'agit plus ici de relâcher, mais plutôt d'imposer une discipline que des parents Cancer/Poissons, craignant le rejet, n'ont jamais enseignée à leurs enfants. Autre possibilité: un enfant est admis dans un cégep ou une université, ce qui l'oblige à aller vivre dans une autre ville; au début, vous serez troublé, mais comme il est question de son avenir, vous accepterez ce fait. Puis, lentement, vous réorganiserez une partie de votre vie sans lui. Entre juillet 2000 et juillet 2001, si vous avez un amoureux depuis plusieurs années, il est possible que vous optiez pour la vie à deux qu'on vous propose.

JANVIER

TRAVAIL. Pendant qu'au moindre changement la majorité de vos collègues s'énervent, vous restez calme, vous observez et vous vous tenez loin de l'anxiété qui se propage comme un virus ; vous savez pertinemment que s'il le faut, vous vous adapterez aux nouvelles directives de l'entreprise et, ce dont vous êtes conscient, c'est que critiquer n'a aucun effet sur les décisions prises par l'autorité en place. Plusieurs feront du remplacement, des heures supplémentaires, on sait qu'on peut compter sur vous. Si vous avez mis sur pied un commerce et que vous avez un contact direct avec votre public, la clientèle est sans doute plus difficile à satisfaire, mais elle est en croissance. Votre but est de faire de l'argent, vous resterez donc souriant malgré votre profond désir de chasser l'impoli.

SANS TRAVAIL. Si vous n'avez pas choisi d'être sans emploi, à partir du 10, redoublez d'ardeur dans vos démarches, un travail vous attend ; au départ, il ne sera pas tout à fait ce que vous aviez souhaité ; le ciel présage que certains seront à temps partiel jusqu'à la mi-février, puis cinq jours par semaine. Si vous êtes révolté parce qu'on a aboli votre poste, vous tournez en rond. S'il s'agissait d'un travail à la chaîne, peut-être vous a-t-on remplacé par un robot. Vous n'avez pas mille solutions. Ramassez votre courage et inscrivez-vous à un cours de formation dans un domaine où vous savez que vous excellerez. Personne n'est sans talent. Nous en avons généralement plusieurs mais, dans cette société, il faut en développer un à la fois. Il deviendra de plus en plus fréquent que nous ayons deux, trois ou même quatre parcours professionnels.

AMOUR. Vénus, l'amour, en Sagittaire jusqu'au 24 et dans le sixième signe du vôtre annonce au célibataire une rencontre dans son milieu de travail ; s'il est à la retraite ou sans emploi, le face-à-face sera dans un lieu où il exerce son activité préférée ou dans une classe où il suit un cours de perfectionnement ou de formation. Du 25 à la fin du mois, Vénus est en face de votre signe. Cette position astrologique est délicate et fragilise la relation amoureuse. Si, par exemple, vous n'avez que des reproches à faire à votre partenaire, vous créez des sables mouvants dans lesquels vous serez deux à vous enliser. Si votre conjoint n'est que colère et agressivité, les sept derniers jours du mois seront peut-être le début d'un drame. Dans un tel cas, partez à l'entracte, n'attendez pas la fin de la pièce, elle serait trop décevante.

FAMILLE. Saturne en Taureau est semblable à un protecteur, à un père, à une mère ou à l'aîné de la famille qui prend tout en charge et qui dirige harmonieusement la maisonnée. Si votre thème natal révèle des aspects durs entre Saturne et d'autres planètes, l'un des vôtres se donne le titre de chef et, dans un tel cas, vous subissez sa dictature. Un de vos enfants, qu'il ait 15, 30 ou même 50 ans, peut vous annoncer qu'il est amoureux. En tant que parent, vous vous demanderez si vous devez vous en réjouir ou vous en inquiéter. Pourquoi ne pas simplement respecter son choix?

SANTÉ. Si vous êtes en santé, dites merci au ciel d'avoir reçu une bonne hérédité. Si un des vôtres est malade, ne jouez pas au docteur si vous n'avez aucun diplôme. Par manque de connaissances, vous pourriez induire en erreur le bien-aimé souffrant qui ne sera pas plus avancé et, pis encore, de moins en moins en forme. Chacun son métier.

RÊVES ET MAL À L'ÂME. Vous êtes mouvant comme la Lune; chaque fois que celle-ci change de signe ou dès qu'elle fait un aspect avec d'autres planètes, ce qui se produit tous les jours, vous faites des vagues. Vous êtes un caprice lunaire et, en ce début d'année, ne demandez pas à ceux qui vous entourent de comprendre quand vous avez envie de rire et de pleurer en même temps, ce qui se produira fréquemment en ce mois. Vous ne refoulez pas ce qui est psychologiquement sain.

FÉVRIER

TRAVAIL. Le 13, Mars entre en Bélier et y sera jusqu'au 23 mars; des tensions déjà existantes s'accentueront au sujet d'un collègue qui donne des ordres alors qu'on ne lui a pas donné cette autorité. Vous devrez résister à votre propre colère. Le silence est d'or et c'est maintenant qu'il faut appliquer cette règle. Le 15, Jupiter entre en Taureau; il est très bien positionné par rapport à votre signe; conséquence: quoi qu'il se passe, vous êtes béni! Il est possible qu'une entreprise, surtout s'il s'agit d'une multinationale, congédie une partie de son personnel ou qu'elle abolisse des postes. Vous serez triste à l'idée de ne plus voir quelques têtes attachantes. D'un autre côté, vous vous réjouirez de n'avoir pas passé au broyeur. En tant que créateur, artiste, en commerce et à votre compte, un contrat hors de l'ordinaire vous attend à la fin du mois. Ne signez rien sans négocier; si vous savez que vous avez besoin d'aide parce que vous êtes malhabile quand il s'agit de demander votre dû, l'appui d'un négociateur serait nécessaire.

SANS TRAVAIL. Vous serez nombreux à vouloir créer votre propre entreprise, surtout si, au milieu du mois, vous vous apercevez qu'il y a blocage concernant votre embauche. Possible que vous en discutiez avec un membre de votre famille. Dès le départ, établissez des règles et obligez-vous l'un et l'autre à respecter vos territoires respectifs. Rome ne s'est pas bâtie en un jour; si le temps est propice pour démarrer une affaire, la prudence s'impose: ne mettez pas tous vos œufs dans le même panier; ainsi, vous vous sentirez en sécurité et serez automatiquement plus efficace. Si vous faites partie de ceux qui refusent d'être débrouillards, non seulement êtes-vous pauvre, mais ceux qui vous ont toujours dépanné vous déserteront.

AMOUR. Le Nœud Nord est en Lion et la Lune Noire en Capricorne. Ces deux symboles astrologiques concernent certains parents qui se consacrent plus amplement à leurs enfants, mais délaissent de plus en plus leur conjoint. Essayez d'harmoniser vos rôles. Si l'amour est manquant, quand l'isolement est voulu, il finit par ressembler à un voyage dans l'espace alors qu'on n'a aucune formation d'astronaute. Conséquence : des célibataires qui craignent l'engagement auront une sensation d'étouffement.

FAMILLE. Avec la Lune Noire qui est entrée dans votre signe le 2 janvier, il y a présage de difficultés avec un parent ou d'une maladie d'un proche bien-aimé, laquelle embrouille les relations entre les divers membres de la famille. Ou tout le monde veut s'occuper du malade, ou personne ne veut prendre cette responsabilité. Cette Lune Noire vous fait voir la réalité que vivent vos enfants : leurs goûts sont différents des vôtres, ils n'ont nullement envie de suivre vos traces ou ils prennent leurs distances et vous disent qu'ils ne veulent plus de votre protection parce qu'ils ont besoin de respirer sans se sentir surveillés.

SANTÉ. Si vous avez des maux de dos, voyez votre chiropraticien. Dans la plupart des cas, les douleurs sont une extériorisation de vos problèmes familiaux et de votre manie de vouloir en faire plus pour ceux que vous aimez. Vous pourriez au fond en avoir plein le dos.

RÊVES ET MAL À L'ÂME. Cette Lune Noire en Capricorne est l'occasion de réfléchir aux relations que vous avez eues avec vos propres parents et de vous avouer une première vérité : ceux qui vous ont éduqué n'étaient pas parfaits même si vous les aimiez follement. Des plaies que vous aviez cru cicatrisées à tout jamais sont réouvertes. Si votre santé décline ou fait des ratés, la raison peut être une mauvaise hérédité que vous avez accentuée en nourrissant mal votre corps ou parce que, depuis longtemps, vous alimentez votre esprit de tristes souvenirs.

MARS

TRAVAIL. Mars est en Bélier jusqu'au 23 et accentue les tensions déjà existantes entre collègues. Mais il est aussi possible que certains d'entre eux traversent une zone grise dans leur vie personnelle ; sans tout à fait s'en rendre compte, ils la transposent sur le travail, sur leurs collaborateurs, sur leurs associés, etc. Ne laissez pas leur mauvaise humeur affecter la vôtre. Cela n'est pas simple à faire, il vous faut une bonne dose de tolérance et une montagne de compassion. Quant à la pratique de votre profession, elle est régulière, satisfaisante ; vous avez un salaire décent qui vous permet de payer l'essentiel et même de petits luxes bien mérités ; plus le temps passe, plus vous apprenez à vous offrir ces derniers sans culpabilité. Si vous êtes à votre compte, avec Jupiter et Saturne en Taureau en bon aspect à votre signe, vous travaillez beaucoup, mais ça rapporte. Vous élargissez prudemment votre territoire.

SANS TRAVAIL. Si vous êtes à la maison, si vous ne cherchez pas d'emploi alors que vous êtes en bonne santé, vous aurez de moins en moins de moral ou vous vous mettrez fréquemment en colère et accuserez le monde entier de ne point vous donner ce qui, selon vous, vous revient. Si vous êtes dans un tel état, Mars en Bélier, par manque d'action, en vient à dérégler votre digestion. Si vous avez des brûlures d'estomac, elles sont le résultat de vos frustrations. Remettez-vous à la recherche d'un travail parce que, dès le 24 avec l'entrée de Mars en Taureau, il y a toutes les chances du monde que vous soyez appelé.

AMOUR. Bien qu'il y ait des imprévus plus ou moins agréables dans votre milieu de travail, l'amour vous réconforte. Vous êtes plus proche de l'amoureux, le dialogue est ouvert, les projets d'avenir vont bon train. La vie commune est généralement agréable à moins que vous ne vouliez vous disputer. Si vous êtes un Cancer intolérant croyant fermement que l'autre ne doit respirer que lorsque vous lui en donnez la permission, vous êtes souffrant. Dans un tel cas, votre malaise psychique est comparable à ce genre de fièvre qui fait perdre la tête. En tant que célibataire réceptif se sentant capable de faire vie commune, une rencontre peut avoir lieu au début du mois, mais vous n'accorderez votre vraie confiance qu'à partir du 14 avec l'entrée de Vénus en Poissons. Avant, vous scruterez celui qui vous attire autant.

FAMILLE. Si vous êtes parent d'un enfant devenu adulte, il est normal que ce dernier prenne des décisions sans vous consulter. Il faut cesser de craindre qu'il ne fasse de mauvais choix ; vous avez fait vos expériences, vous vous êtes parfois trompé, vous vous êtes rattrapé et il en est de même pour votre progéniture. Si vous êtes seul pourvoyeur et éducateur, c'est juste un peu plus difficile d'aller contre cet aspect céleste qui vous porte à contrôler les petits, les moyens et les grands enfants.

SANTÉ. Pendant que trop de gens se laissent aller en ce mois et négligent les règles élémentaires concernant l'entretien de leur organisme, vous vous informez sur ce qu'est une alimentation saine et vous prenez les moyens qui s'imposent pour corriger des tares très souvent héréditaires ; certains d'entre vous préviennent afin de ne pas subir des maux de leurs propres parents.

RÊVES ET MAL À L'ÂME. Il y a des gens avec lesquels on se sent en sécurité, ils ne sont jamais menaçants ; leur présence est rafraîchissante et ceux-là seulement doivent être admis dans votre cercle d'amis. Si votre bonheur vous tient à cœur, vous serez vigilant et dès que vous pressentirez un trouble-fête, vous vous en éloignerez. Sous l'influence de la Lune en Capricorne, votre conscience est de plus en plus claire ; la réalité n'est pas troublante et ce que vous rêvez de réaliser devient accessible.

AVRIL

TRAVAIL. Plus le mois avance, meilleure est la collaboration entre Saturne, Jupiter et votre signe. Tout indique que vous êtes de plus en plus efficace et précis, mais trop empressé. Modérez quand il s'agit de signer un chèque : lors de tout achat, exigez une garantie. C'est un mois de progression, d'avancement, de promotion et une rémunération plus intéressante. À la pleine lune qui aura lieu dans l'axe Poissons/Vierge, si vous avez travaillé d'arrache-pied à un projet, si vous aviez besoin d'aide, de financement, d'une équipe, d'un associé, bref, quelle que soit la demande, la réponse est positive. Vu Vénus en Bélier à partir du 7, il y aura des envieux : ne vous en préoccupez pas, ils ne font que passer.

SANS TRAVAIL. Si vous êtes à la recherche d'un emploi, vous trouverez mieux que ce à quoi vous vous attendiez. Immeuble, restauration, alimentation, esthétique, médecines alternatives et arts visuels sont les domaines les mieux représentés dans votre ciel astral. Si vous avez commis une illégalité et si vous pensez vous soustraire à la loi, la justice a le bras long. Si vous empruntez en racontant constamment que vous rembourserez dès que vous aurez un travail et que vous ne faites aucun effort pour en trouver un, vos prêteurs sont à bout de souffle et, chacun leur tour, ils refuseront de vous avancer quelque somme que ce soit. Ce coup dur à votre orgueil stimulera votre désir de gagner votre vie.

AMOUR. Des célibataires sont encore en quête de la perle rare et certains font des calculs. Si vous en faites partie, demandez-vous honnêtement si votre refus de vous lier n'est pas dû au fait qu'à chaque rencontre, vous évaluez ce que cette personne vaut en argent comptant. Mesurez-vous son pouvoir, son influence et son statut social ? S'il en est ainsi, vous serez pris à ce jeu et on ne vous fréquentera que pour la supposée sécurité que vous pourriez offrir. À partir du 7, sous l'influence de Vénus en Bélier, les plus heureux peuvent gâcher leur bonheur à force de douter et d'avoir peur d'être quittés. Si vous traversez une tempête sentimentale, dites-vous qu'il s'agit d'un appel au secours tant de votre part que de celle de votre partenaire. Souvent, une crise signale que vous êtes tous deux sur le point de changer.

FAMILLE. Des amis que vous considérez comme des membres de votre famille vous diront quoi faire afin de vous éviter une rupture ; certains vous conseilleront un avocat comme si vous alliez divorcer. Il n'est pas impossible qu'ils dramatisent ce que vous leur racontez au sujet de votre vie de couple. Soyez plus discret, votre histoire d'amour ne concerne que vous et l'autre. Les suggestions des uns et des autres peuvent jeter de l'huile sur le feu. À partir du 14, Mercure et Vénus sont en Bélier dans le dixième signe du vôtre, symbole parental d'autorité. Si vous avez des enfants qui n'obéissent pas au doigt et à l'œil, sans doute sont-ils normaux. Votre confiance en eux est aussi nécessaire que la discipline imposée.

SANTÉ. Plusieurs aspects célestes ont un lien direct avec votre système nerveux. Trop en faire, c'est comme pas assez. Ces deux attitudes pourtant opposées conduisent à l'épuisement et à la déprime. Les planètes lourdes vous suggèrent de ralentir si vous en ressentez le besoin ou de vous mettre en action si vous vivez dans l'attente d'une magie qui ne se produit pas.

RÊVES ET MAL À L'ÂME. Trois planètes en Taureau, Vénus en Bélier à partir du 7, Mercure aussi en Bélier à partir du 14 peuvent alimenter négativement les esprits les plus fragiles. Ceux-ci sont susceptibles de suivre un gourou à l'allure sympathique, de devenir des adeptes d'une secte ; finalement, ils seront en état d'esclavage ou de serviabilité et feront grossir les goussets du maître. En ce mois, certains d'entre vous sont particulièrement faciles à convertir.

MAI

TRAVAIL. À partir du milieu du mois, évitez de vous confier aux collègues bavards qui se font un plaisir d'aller raconter que vous trouvez le patron oppressant ou sans allure. Si votre emploi n'est pas menacé, les mauvaises langues sont à leur œuvre diabolique. Vous ne serez pas congédié, mais sans doute serait-il préférable de ne pas avoir ce genre de problème. Ne dit-on pas que le silence est d'or ! Et en ce mois, il l'est plus que jamais. Le ciel présage des transformations technologiques dans l'entreprise en cours ou un changement à votre horaire, ou encore une augmentation de vos tâches. Si vous êtes en commerce avec l'étranger, il y aura un léger ralentissement ou vous serez dans l'obligation de partir à toute vitesse.

SANS TRAVAIL. Le Nœud Nord est maintenant en Cancer et a pour fonction de vous ouvrir la voie, de vous faire savoir à travers un événement ou une rencontre comment vous réaliser. Si vous n'avez pas découvert votre but, si vous vous posez des questions, la période de réponses est venue. Les signaux seront évidents, ne soyez pas aveugle. En tant qu'étudiant à la recherche d'un emploi d'été, n'anticipez pas le pire ; au contraire, visualisez le meilleur ; en principe, le Nœud Nord accorde à plusieurs le privilège de travailler dans une entreprise qui ressemble à celle pour laquelle un jour des Cancer travailleront quotidiennement.

AMOUR. Découverte de l'amour, rencontre avec son idéal. Lorsqu'il y a attirance, il semble à l'un comme à l'autre d'avoir toujours connu cette personne. C'est parfois vrai. Le Nœud Nord étant dans un signe lunaire, vous n'êtes pas exempt d'une illusion d'optique. Si vous êtes tenté d'accélérer le rapprochement, repensez le mot « fréquentation ». En ce qui vous concerne, il vous est conseillé d'avoir des fréquentations avant d'emménager avec votre nouvelle flamme. Si vous êtes marié depuis longtemps, voilà le mois où vous renouvellerez vos vœux. Si vous êtes malheureux en amour depuis longtemps, sans doute vous direz-vous que vous n'avez rien à perdre, et surtout pas votre temps. Pour ce dernier cas, bien que vous causiez un choc à l'amoureux, vous procéderez à la séparation afin de vous donner une autre chance d'être heureux.

FAMILLE. Quand il y a trop de régnants dans une famille, il n'y a ni roi ni reine. Si un parent a pris le contrôle de votre cellule familiale, vous ne le tolérez plus et vous ferez cesser cette dictature. On a dépassé le seuil de votre tolérance. Si vous êtes jeune, amoureux et sans enfant, l'hésitation concernant un bébé se transforme et ressemble davantage à un désir de concevoir.

SANTÉ. Vos bronches sont vulnérables ; il suffit d'un courant d'air pour que vous attrapiez un rhume, une grippe, un mal de gorge. En tant que femme, à la fin du mois, si une anomalie apparaît à un sein, passez un examen médical : l'angoisse de ne pas savoir, de s'en faire parfois pour rien est terrible à supporter. Pour quelques hommes, un examen de la prostate doit être fait. Une irrégularité intestinale vous signale de changer votre alimentation.

RÊVES ET MAL À L'ÂME. Je ne connais personne qui ait réalisé tous ses rêves ou atteint chacun de ses objectifs. Toutefois, quand on touche un but, on devrait s'en réjouir. Sous votre signe, trop de gens entretiennent leurs mauvais souvenirs. Ils oublient leurs succès ; par contre, la colonne de leurs échecs est remplie. Si vous avez été choyé, pourquoi vous demander : « Quand est-ce que ça ira mieux ? » Si l'aspiration au meilleur est humainement normale et saine, l'habitude de se plaindre n'est que destruction pour le plaignant et les témoins. Si vous n'avez jamais pu être joyeux, si l'anxiété a meublé vos jours et vos nuits, sous l'influence du Nœud Nord, de grâce, changez votre attitude !

JUIN

TRAVAIL. Votre mémoire est généralement excellente ; si vous êtes au même emploi depuis longtemps, vous serez chargé de retracer des documents égarés ou de fouiller de vieux dossiers qu'un client ou une entreprise veut réviser. Ce genre de situation se produira soit au début du mois, soit après le 17. Mercure est dans votre signe et vous donne une vitesse d'esprit peu commune. Si vous êtes en commerce, vous élargirez votre territoire et plus la fin du mois approchera, plus vos transactions seront rémunératrices. Plusieurs parmi vous seront dans l'obligation de voyager, tantôt parce qu'ils s'établissent à l'étranger, tantôt parce que l'entreprise pour laquelle ils travaillent les désigne comme représentant, comme vendeur ou comme défenseur des droits de la compagnie. Si vous œuvrez dans un domaine médical ou en médecine alternative, vous êtes le conférencier capable de défendre sa cause, son produit ou son service. Si vous occupez un poste ayant un rapport avec la loi – avocat, archiviste, secrétaire juridique, policier, détective –, vous serez plus débordé que jamais.

SANS TRAVAIL. Sous ce ciel, l'éternel sans-emploi en santé est probablement quelqu'un qui refuse de commencer au bas de l'échelle. En cette année 2000, en raison de notre modernisme, beaucoup de gens sont obligés d'étudier, de se perfectionner, de suivre un entraînement spécial afin de s'adapter à une technologie de plus en plus sophistiquée. En ce mois, il y a ceux qui font des coups de tête : ils abandonnent leur travail parce qu'ils ne veulent pas que ça change ; ils réfutent totalement les nouveaux règlements ; ils partent pour contester leur salaire qui n'augmente pas assez vite ; ils s'en vont parce que l'entreprise supprime des droits qu'ils avaient tenus pour acquis quand aucune clause ne les garantissait.

AMOUR. Célibataire, attendrez-vous le 19 pour lever les yeux et pour entreprendre une conversation avec cette personne qui, vous le savez, ne cesse de multiplier les signaux pour attirer votre attention ? Durant la semaine du 12, un *ex* peut surgir alors que vous ne saviez peut-être même plus où il était ; quand vous êtes ému, on vous manipule aisément, on peut alors vous soutirer un service, de l'argent, etc. Ne tombez pas dans ce filet. Il est aussi possible qu'à partir du 12, les arguments soient plus nombreux avec votre présent partenaire. Le budget est l'occasion de vous monter l'un contre l'autre ; si toutefois il s'agit d'une famille reconstituée, vos enfants ou ceux de l'autre, surtout s'ils sont encore jeunes, sèment la pagaille. Au fond, il en faudra peu pour que vous doutiez de vos sentiments pour l'autre.

FAMILLE. Si votre mère vous a éduqué afin que, dans la vie, vous sauviez les apparences, vous ne l'acceptez plus et si elle insiste pour que vous agissiez selon sa volonté et non pas comme vous le désirez, vous lui dites carrément de rester en dehors de vos affaires professionnelles ou de votre vie amoureuse. Si votre père n'a pas été présent et qu'il veut maintenant faire son devoir paternel alors que vous êtes assez adulte pour savoir où vous en êtes, il vous suffira d'une ou de deux répliques bien sèches pour qu'il retourne à ses moutons. Vous ne faites plus partie de son troupeau. Ce ciel présage, pour certains, un trouble émotionnel à cause de la maladie d'un parent âgé sur le point de quitter la planète Terre. Si un héritage est en jeu, vous serez étonné de l'agressivité d'un des héritiers. Il essaiera par divers moyens de vous faire signer des documents sur lesquels serait écrit que tout lui revient. Vous ne lui céderez rien.

SANTÉ. Votre organisme ne tolère pas les produits chimiques ; aussi, lavez bien fruits et légumes avant de les consommer. Les pesticides qui protègent formes et couleurs ne sont pas digestes, et surtout pas ce mois-ci. Un mal de ventre qui n'en finit plus est un signal d'alerte.

RÊVES ET MAL À L'ÂME. Vous êtes changeant durant les deux dernières semaines du mois ; un jour vous êtes en amour avec l'humanité, et le lendemain elle vous horrifie. Votre vision sera embrouillée par des désirs qui ne seront jamais satisfaits, par des peurs imaginaires et par un manque de foi en vous, en votre avenir et même en Dieu. Mais ne dit-on pas que le doute est le commencement de la sagesse ?

JUILLET

TRAVAIL. Jupiter entre maintenant en Gémeaux et y restera jusqu'en juillet 2001. Il est dans le douzième signe du vôtre et, en ce mois, méfiez-vous des imprécisions, de ceux qui vous font des messages incomplets, car on pourrait vous mettre dans un sérieux embarras. Il ne faudra rien bousculer, tout est au ralenti, surtout jusqu'au 16 pendant que Mercure dans votre signe est rétrograde. C'est comme si l'entreprise repensait son administration, son budget et ses diverses assignations. Mars étant dans votre signe et en bon aspect à Saturne, vous n'avez pas à craindre si vous êtes au même emploi depuis longtemps. Il est possible que vous soyez obligé de repousser la date de vos vacances de quelques jours. Il y a des urgences auxquelles il faut répondre.

SANS TRAVAIL. Ne vous enfermez pas dans la maison en vous persuadant qu'il n'y a aucun emploi pour vous. Si vous êtes en santé, ramassez votre courage et frappez aux portes. Dès l'instant où vous serez bien décidé, vous trouverez. Jupiter qui vient d'entrer en Gémeaux signifie à certains d'entre vous de faire un retour aux études, et si vous ne savez quelle direction prendre, pourquoi ne pas passer un test d'orientation ?

AMOUR. Votre magnétisme est extrêmement puissant sous ce ciel. Vous plaisez dès l'instant où vous vous présentez. En tant que célibataire, un ami d'un parent peut vous présenter quelqu'un de très intéressant. Si votre partenaire a des malaises, vous vous mettrez à le suivre pas à pas au point où il se sentira encore plus mal. Votre inquiétude est presque décourageante. Vous ne pouvez soigner quelqu'un de force.

FAMILLE. Vous avez indéniablement le sens de la famille ; en tant que parent, votre plus grand bonheur est de savoir que vos enfants se portent bien. Advenant que l'un d'eux doive affronter un problème à son travail ou dans sa propre famille, vous serez tenté d'intervenir et peut-être devriez-vous laisser ce jeune adulte se débrouiller seul comme jadis vous l'avez fait. Vous êtes un protecteur et c'est une qualité, mais quand vous êtes envahissant, on se fâche contre vous. Si toutefois vos enfants sont très jeunes, quelques aspects célestes vous avisent de ne pas les laisser sans surveillance près d'une piscine, au bord d'un lac, d'une rivière, d'un fleuve, etc. Si vos adolescents utilisent des embarcations, assurez-vous qu'ils respectent les règles de prudence. Leur gilet de sauvetage est une précaution nécessaire.

SANTÉ. Jusqu'au 13, dans le ciel, Soleil, Mercure, Vénus, Mars et Nœud Nord sont dans votre signe : il s'agit là de ce que je nomme un excès Cancer. Ces luminaires vous portent à exagérer vos moindres malaises ou à faire fi des recommandations de votre médecin. Avec vous, c'est tout ou rien. Si vous suivez un régime, faites-vous aider; ou vous serez trop sévère, ou vous tricherez constamment. Il y a des moments dans la vie où on a besoin d'être accompagné dans nos démarches.

RÊVES ET MAL À L'ÂME. Vous êtes imaginatif, vous avez aussi le don de dramatiser l'événement le plus banal qui soit. Si vous usez de toute cette énergie pour créer, vous serez génial. Les éléments célestes donnent des indices d'élévation, de don de soi, ou vous ne vous préoccupez que de vous et, dans un tel cas, vous êtes triste, seul.

AOÛT

TRAVAIL. Du 11 au 16 octobre, Saturne et Jupiter sont en Gémeaux; il s'agit de deux planètes dans le douzième signe du vôtre, et ensemble, elles renforcent votre idée de parfaire une formation, de vous engager plus à fond dans le domaine où vous êtes engagé. Ce ciel par rapport à votre signe est comparable à quelqu'un qui travaille en coulisses ou qui est en répétition. Si l'entreprise pour laquelle vous travaillez s'est transformée, c'est au milieu de ce mois que vous serez fixé sur votre nouvelle fonction, laquelle devrait, pour les 12 prochains mois, être régulière. Si vous avez besoin de vous confier, voyez un thérapeute; si vous racontez vos peurs ou vos projets à un collègue, quel que soit votre secret, il risque d'être étalé à votre désavantage. Vous êtes en zone céleste où ennemis et faux amis deviennent évidents.

SANS TRAVAIL. Si vous avez un talent de communicateur, il est temps de sortir de votre cachette. Vos demandes seront retenues et mieux que vous ne l'imaginez. Si vous faites partie de ces gens qui ont quitté l'école trop tôt, ce ciel se fait de plus en plus insistant concernant le retour aux études. S'il le faut, le temps est favorable à un recommencement.

AMOUR. Entre le 6 et le 18, s'il y a déjà des tensions dans votre couple, elles risquent de s'envenimer durant ces jours; c'est au plus sage de comprendre que la critique négative ne produit que des fruits pourris. Mars maintenant en Lion devient oppressant si vous êtes en décision sentimentale. Un jour, vous aimez à la folie; le lendemain, vous vous demandez ce que vous pouvez bien trouver de beau ou de bon à votre partenaire. Dans votre esprit, il passe du meilleur au pire des individus. N'y a-t-il pas exagération?

FAMILLE. Si un membre de votre famille est malade, vous y êtes attentif et plus souvent que n'importe quel autre parent. C'est tout juste si vous ne vous sentez pas coupable de ce qui lui arrive. Si vos enfants sont des préadolescents ou de jeunes adultes, si vous êtes seul à vous en occuper, si leurs comportements ont tellement changé que vous ne les reconnaissez plus, demandez de l'aide. Le manuel du parfait parent n'a pas encore été écrit et ne le sera jamais. Il est tout aussi possible que papa et maman soient présents, mais leurs enfants sont en phase de révolte. Réexaminez votre parcours avec eux: avez-vous été trop ou pas assez autoritaire? Avez-vous imposé une discipline trop sévère ou celle-ci fut-elle manquante ? Et puis, quel enfant n'a pas commis des bêtises ? Et quel enfant n'a pas eu un jour envie de dire à ses parents de ne pas se mêler de ce qui ne les regarde pas ? S'il y a de la houle, elle est temporaire et, pendant cette période plus venteuse, vous devez affiler votre patience.

SANTÉ. Si vous avez des maux de jambes, un problème de circulation sanguine, si vous faites de l'enflure, consultez un médecin ou lisez des ouvrages sur le sujet.

RÊVES ET MAL À L'ÂME. Quand on a la bonté du cœur, quand on est généreux, quand on ne recule pas devant un travail même si celui-ci est pénible, non seulement êtes-vous en paix avec vous, mais comme rien ne reste sans effet, de bonnes gens seront là pour vous donner un coup de main parce que vous en avez grand besoin. Des personnes dont vous n'aviez plus entendu parler reviendront dans votre vie au moment où vous ne saurez plus à qui demander de l'aide.

SEPTEMBRE

TRAVAIL. Vous serez déchiré entre votre travail et une personne qui a besoin que vous lui donniez la main ; elle traverse une zone grise sur les plans professionnel, sentimental, ou elle a des problèmes de santé qui, pour l'instant, lui apparaissent pires qu'ils ne le sont. Vous prendrez quelques jours de congé pour être près d'elle. Jupiter qui rayonne aussi puissamment que le Soleil est présentement considéré comme étant conjoint à Saturne. Tout comme le mois dernier, ne révélez pas vos secrets. La dernière semaine du mois présage un surplus de travail et parfois le retour d'un ancien collègue avec lequel vous vous entendiez bien. Les retrouvailles seront agréables ; les obligations du quotidien vous sembleront ainsi plus légères.

SANS TRAVAIL. Si vous avez été congédié quelques mois auparavant parce que l'entreprise procédait à des compressions budgétaires, si vous avez une spécialité, que vous soyez mécano ou intello, vous songerez à devenir un travailleur autonome ou vous lancerez votre propre affaire avec un bon ami. Certains approchent de leur retraite et on proposera à quelques-uns un départ avant terme. Si possible, faites attendre ; à partir du 17, vous serez plus sûr de vous et vous saurez si vous devez ou non accepter ce qu'on vous offre. Si vous êtes déjà un retraité, au milieu du mois, vous vous engagerez davantage dans votre communauté et ce que vous ne savez pas encore, c'est que vous y jouerez un rôle important en tant que représentant des droits d'autrui.

AMOUR. Quand vous dites à quelqu'un que vous l'aimez, ce n'est jamais une blague. Votre vie sentimentale est aussi importante qu'il est nécessaire de manger pour vivre ; aimer, c'est comme respirer. Si vous avez demandé à votre nouvel amoureux jusqu'à quel point il était engagé, s'il était sérieux, sans doute ferez-vous du sang de punaise jusqu'au 24. L'autre veut réfléchir et, pendant ce temps, vous avez peur. Il y a dans l'air un vent de prudence qui est exagéré pour quelques signes. Si tout va comme dans le meilleur des mondes entre vous et l'autre, si vous ne vivez pas ensemble, une discussion sur une vie commune pourrait durer plusieurs mois. Si vous prenez soin de votre partenaire, il ne trouvera jamais mieux.

FAMILLE. Si votre famille est divisée, un événement troublant vous rapprochera les uns des autres. Ce peut être l'enfant malade de l'un qui attire la sympathie de l'autre, et ça fait le tour. Ou une catastrophe telle une maison en flammes ou inondée réveille le cœur d'un membre de la famille, et ça fait le tour. Si vous gagnez à la loterie, chacun s'excusera de vous avoir fait faux bond ou de vous avoir insulté. Si cette dernière situation se produit, vous serez assez lucide pour reconnaître qu'on ne revient pas vers vous par amour. En tant que parent, un enfant peut quitter le nid familial, car il a l'âge requis et le bagage nécessaire pour faire son propre chemin. Bien que vous ayez le cœur en émoi, vous accepterez, vous vous inclinerez devant cette réalité.

SANTÉ. Surveillez vos reins et tenez-vous loin des aliments qui les surchargent. En tant que signe d'eau, ce mois-ci, vos ennemis sont l'enflure et ces indésirables ballonnements. Durant les deux dernières semaines du mois, vous serez plus nerveux : il suffira d'écouter de la musique douce ou des cassettes de relaxation pour vous calmer.

RÊVES ET MAL À L'ÂME. Vous réviserez vos souvenirs comme s'il vous fallait faire une nouvelle sélection. Vous ressentirez un profond besoin de vous retrouver seul et de faire le plein d'énergie ; vous vous éloignerez des artifices afin de vous remettre en contact avec votre vrai moi.

OCTOBRE

TRAVAIL. La tension professionnelle diminue graduellement et disparaîtra quasi totalement à partir du 15 même si vous êtes très occupé, même si vous n'avez que peu de temps libre. Ce sera par ailleurs un mois où certains d'entre vous devraient compter leurs journées de congé : sans doute n'auront-ils pas besoin de leurs 10 doigts. Si vous êtes sur la route, vendeur, représentant, si vous devez fréquemment aller à la rencontre du client, cela peut aussi être par avion, vous aurez à peine le temps de défaire votre valise qu'aussitôt vous la remplirez de nouveau. Les affaires sont bonnes. Si vous êtes en commerce, vous développerez un autre secteur afin d'offrir des services ou des produits différents pour faire plus d'argent, et vous y réussirez. Si vous êtes à votre compte, si vous avez des employés, durant les deux premières semaines du mois, il est possible que vous découvriez que l'un d'eux vous vole : il sera congédié sur-le-champ.

SANS TRAVAIL. Si vous avez perdu votre emploi, vous avez l'impression que c'est la fin du monde. Pourquoi ne pas visualiser que vous vivez un recommencement! Certains diront qu'ils sont trop vieux pour qu'on les embauche; d'autres se persuaderont que leurs compétences ne sont plus utiles à qui que ce soit, qu'ils ne sont que des bons à rien, etc. Il faudra lutter contre cette sensation de rejet, elle aveugle, elle détruit l'espoir et la joie. Si telle est votre situation, prenez les deux premières semaines du mois pour reprendre votre souffle afin de voir clair dans cet événement qui vous a pris par surprise. Mais si vous êtes en santé et que vous refusez de travailler, si vous manipulez le système, vous risquez d'être pris et de devoir rembourser ce qui n'aurait jamais dû vous être payé.

AMOUR. Il y a quelques aspects étranges en ce qui concerne l'amour et vous. Par exemple, vous êtes sentimentalement engagé, sur le point d'aller vivre avec l'amoureux mais, tout à coup, vous êtes envoûté par une personne dont vous ne savez rien sinon qu'elle vous plaît. Attention, il peut y avoir confusion entre sentiments et sensations! S'il vous faut un temps de réflexion, demandez-le. Les hommes sont plus sujets que les femmes à vivre ce genre de situation. S'il y a tension dans votre couple, ça ne signifie pas automatiquement une rupture, mais c'est certainement le moment d'avoir des explications. La vie dans son ensemble n'est pas simple et ne sommes-nous pas tous complexes? L'amour réciproque parfaitement harmonisé existe, mais seulement pendant de courts et inoubliables instants qui nous portent et nous préservent souvent de la séparation. Le Cancer est inconfortable dans la solitude non choisie et, de temps à autre, il y a remise en question, compromis, envie de fuir, etc. Ces indésirables font partie de la vie et vous devez composer avec eux.

FAMILLE. Le 16, avec le retour de Saturne en Taureau, pause, trêve, repos. La parenté est plus sage ou on s'éloigne sans bruit, on cesse de vous déranger. En tant que parent, vous voyez clair, qu'il s'agisse d'aider un de vos enfants à trouver son orientation ou à corriger sa trajectoire s'il avait emprunté une mauvaise route.

SANTÉ. À partir du 20, en tant que femme, si vous avez un problème hormonal, prenez rendez-vous avec votre gynécologue. Si vous avez une aventure d'un soir, protégez-vous des MTS qui continuent à faire des ravages même si elles ne font pas la une des journaux. Un mal de gorge persistant doit être traité.

RÊVES ET MAL À L'ÂME. Aussi logique soyez-vous, votre émotivité ne perd pas un pouce de terrain. Des adeptes d'une secte ou des gens qui appliquent une philosophie exotique essaieront de vous convaincre d'adhérer à leur groupe qui vous promet mille miracles ainsi que la rémission de vos péchés. Ne laissez personne vous persuader que vous êtes un coupable. Qui, dans sa vie, n'a pas eu une mauvaise pensée qu'il aurait préféré n'avoir jamais eue? En cet an 2000, vous avez besoin de croire en Dieu, c'est bien, c'est apaisant. Cependant, donner tout pouvoir à qui clame qu'il est l'envoyé de Dieu, c'est dangereux pour votre mental et pour votre moral. Il existe des cowboys qui portent une croix plutôt qu'un pistolet pour faire leurs hold-up. Ils ne dévalisent pas les banques, mais ils s'attaquent subtilement à votre crédit.

NOVEMBRE

TRAVAIL. Fuir le prochain hiver, qui n'en rêve pas? Les jours à venir seront gris et vous en perdrez votre sourire; après tout, vous êtes un signe d'été. Vous n'aurez pas vraiment le temps de rêver, quelques planètes indiquent bousculade, course, compétition. Si vous êtes à votre compte, surtout à partir du 14, avant de faire crédit, informez-vous sur le client, surtout quand il s'agit de grosses sommes d'argent. Lors d'une négociation, assurez-vous d'avoir tous les papiers en main pour éviter que cela s'étire en longueur et en largeur; si, à cause de votre manque de préparation, il y a attente, votre client prendra le train suivant et vous le perdrez. Si vous êtes en affaires, voyez à vos intérêts de près. Si vous travaillez pour la même entreprise depuis longtemps et que, jusqu'à présent, tout a été régulier, un scandale ou la bêtise d'un collègue vous surprendra; il y aura de quoi alimenter la conversation à l'heure du dîner.

SANS TRAVAIL. Si vous ne travaillez que sur appel et que vous êtes dans l'attente d'un coup de fil, attachez votre ceinture, c'est le grand décollage! Quelques Cancer apprendront que leur conjoint est congédié, ce qui signifie qu'ils devront accepter les heures supplémentaires qu'ils n'avaient jamais eu besoin de faire pour vivre. Si vous êtes sans emploi et enlisé dans le «rien faire», si vous êtes en bonne santé, vous vous rendrez compte qu'il est temps d'en sortir.

AMOUR. À partir du 15 et jusqu'à la fin du mois, Vénus et Mars se disputent. Vous voulez la paix, mais votre partenaire fait tout ce qu'il peut pour vous provoquer comme s'il avait besoin de s'obstiner. Vous ne serez pas patient très longtemps et lorsque vous dites que ça suffit, le témoin fige. Si vous êtes encore célibataire, en ce mois, vous n'êtes guère réceptif aux beaux sentiments, et les questions matérielles vous préoccupent davantage. Cette année, des Cancer prennent soin de leur partenaire, ce qui n'est pas facile; quand l'amoureux s'emporte, vous n'avez pas vraiment envie de le complimenter.

FAMILLE. Si vous avez des frères et des sœurs, à partir du milieu du mois, vous pourriez avoir des arguments avec l'un d'eux ou parfois avec plusieurs. En tant qu'adulte, vous détestez qu'on vous dise quoi faire. Aussi, l'un d'eux pourrait avoir un accident. La première personne au chevet du blessé, c'est vous. En tant que parent, la charge vous apparaît plus lourde qu'à l'accoutumée. Mais n'est-ce pas le fruit de votre imagination qui ne voit qu'en noir et blanc?

SANTÉ. Si vous exercez un sport, soyez prudent: dos et jambes sont vulnérables. Il suffirait d'un faux mouvement pour que vous chutiez. Votre estomac s'acidifie rapidement. Il vous faudra aussi supprimer quelques aliments auxquels vous êtes présentement allergique; votre résistance physique est amoindrie. Il serait nécessaire de vous coucher plus tôt, car le sommeil vous permet de récupérer vos énergies.

RÊVES ET MAL À L'ÂME. Sur cette planète, bien des gens se font la guerre; il y a des enfants maltraités; l'esclavage existe encore; on bafoue les droits de nombreux humains; etc. Continuerez-vous à vous quereller avec votre voisin ou avec ce parent qui n'a pas bon caractère? La réponse vous appartient.

DÉCEMBRE

TRAVAIL. Jusqu'au 23, certains parmi vous mèneront une lutte afin que leurs droits soient reconnus. Si vous êtes en commerce avec un membre de votre famille, il y aura mésentente au cours de la première semaine du mois; si celle-ci n'est pas rapidement réglée, elle risque de prendre des proportions démesurées, ce qui n'est guère agréable quand on a l'autre en face de soi toute la journée. Si vous êtes en relation directe avec le public, dans la vente par exemple, vous vous rendrez compte que les clients sont plus capricieux et parfois très effrontés. Vous serez souvent à deux doigts de piquer une crise. Cela n'arrangerait rien. C'est le dernier mois de l'année et non le moindre, puisque vous serez surchargé de travail.

SANS TRAVAIL. Pas d'emploi, pas d'argent, pas possible d'acheter des cadeaux et encore moins de prendre des vacances. Mais si vous avez l'intention de travailler, même s'il s'agit du dernier mois de l'année et qu'on se prépare pour Noël et le jour de l'An, il y a toutes les chances du monde que vous puissiez finir l'an 2000 en beauté. Vous aurez même le choix entre deux employeurs prêts à vous embaucher dès le début de décembre.

AMOUR. Il y a des amitiés qui se transforment. Elles deviennent amour au moment où on s'y attend le moins, et ça peut vous arriver. En ce qui vous concerne, le ciel ne vous veut pas seul; les occasions de rencontrer seront multiples, ne refusez aucune invitation; quelque part, un ami a peut-être quelqu'un à vous présenter, exactement le genre de personne et de personnalité que vous aimez. S'il y a eu des tensions dans votre couple, plus nous approchons de Noël, plus elles se calment. S'il y a eu une séparation, il est possible que l'autre et vous recommenciez à vous fréquenter.

FAMILLE. Dès le début de décembre, vous vous promettez de ne rien faire ou presque pour Noël. À partir du 9, divers événements vous feront changer d'avis et, finalement, vous reconnaîtrez qu'il faut marquer l'événement, car après tout, Noël n'arrive que le 25 décembre. En tant que parent, non seulement organiserez-vous une fête pour vos enfants, mais vous recevrez ceux des autres. Si vous vivez dans une famille reconstituée, alors que vous vous attendiez à un tiraillement entre les divers membres qui la forment, ce sera le calme.

SANTÉ. Les occasions de manger plus et n'importe quoi sont toujours plus nombreuses en décembre. Si vous suivez un régime depuis quelques mois et que vous commettez le péché de gourmandise, votre organisme se révoltera. Vous en serez malade. Aussi est-il probable que vous ne trichiez qu'une fois. Entre le 10 et le 16, habillez-vous chaudement même quand le trajet à faire est court : vous êtes sujet à la grippe et au rhume.

RÊVES ET MAL À L'ÂME. Nous avons tous dans notre entourage quelqu'un avec qui on ne s'entend pas ; l'énergie ne circule pas et, chaque fois qu'on le voit, on a l'impression que nos cheveux se dressent sur notre tête. Vous avez beaucoup changé depuis le mois de juillet, intérieurement et moralement ; vous avez fait un grand bout de chemin et vous serez surpris de votre tolérance quand vous le rencontrerez. Vous avez appris à vous détacher, à ne pas donner d'importance à ce qui n'en a pas et qui, de toute façon, n'en a jamais eu. Le Nœud Nord dans votre signe jusqu'en octobre 2001 est un allié ; il éclaire vos désirs, les épure ; lentement, il lève le voile qui recouvrait votre réalité. Vous découvrez qui sont vos amis et qui sont ceux qui vous manipulent. Certaines vérités ne sont pas agréables, mais elles sont préférables à l'ignorance.

♌ LION

21 juillet au 21 août

À CES HOMMES ET À CES FEMMES DE CŒUR.

À MON FILS ALEXANDRE AUBRY, À MON ÉPOUX WILBROD GAUTHIER ET À SON FILS ALAIN; À ÉRIC ARSON, SYLVAIN POIRIER, LISE WARDEN, RITA CORBEIL, SYLVIE SAURIOL, JOHANNE POIRIER, RENÉE LECLERC, JOHANNE BAYARD, FRANCINE DUBUC, NICOLE SIMARD, DANIELLE BARABE, MADELEINE NOURY ET GÉRALD MORAIS.

Deux signes sur le zodiaque ont le pouvoir de modifier leur destin presque à leur guise: le Lion et le Scorpion. Sous le signe du Lion, la liste de ceux qui ont surpris bien des gens est longue. On peut commencer par Alexandre le Grand et aller immédiatement à Napoléon Bonaparte; bien qu'il fît des guerres, il n'en demeure pas moins qu'il a légué le système métrique, le Code civil, la création des lycées; il a aboli les privilèges de la noblesse. Plus proche de nous, un autre Lion a fait la guerre: Slobodan Milosevic. Ici, je n'ai rien à ajouter, vous connaissez une partie de son histoire. Il en va de même de Bill Clinton, n'est-il pas en quelque sorte l'homme qui fait le plus jaser la planète? Sa femme Hillary est Scorpion. Voilà un duo capable de passer à travers à peu près n'importe quelle tempête.

Pour ce qui est d'un Lion vraiment particulier, c'est Carl G. Jung, encore près de nous puisque ses nombreux traités de psychanalyse, qui ont un plus d'un demi-siècle, servent encore de base afin de mieux comprendre nos racines et nos motifs subconscients, nos rêves, etc. Les acteurs et les chanteurs de ce signe fusionnent. Madonna, par exemple, a créé une mode audacieuse, laquelle a marqué toute une génération, celle de nos filles, qui ont environ 25 ans et qui comme elle se sont rangées et deviennent mères. Et si on parle des Lion de chez nous qui font leur marque, je pense à Martin Drainville, Julie Snyder, Marc Messier, Guy Richer, JC Lauzon,

Rémy Girard, Guy Fournier et son fils Christian, et qui peut oublier Michel Jasmin et sœur Angèle? Mes excuses pour tous ces seigneurs dont les noms n'apparaissent pas ici.

Où qu'il soit et quoi qu'il fasse, quand un Lion a un but, il est rare qu'il ne l'atteigne pas; ce signe fixe est régi par le Soleil et celui-ci brille, ou il brûle quand il s'agit d'un guerrier Lion.

Votre ténacité, votre volonté et votre rayonnement vous sont donnés à la naissance et vous avez la liberté d'en faire ce que vous voulez. Vous avez le pouvoir de contrecarrer des événements qui vous menaient à la défaite et de les transformer de manière qu'ils soient constructifs à la fois pour autrui et pour vous.

Des pièges vous sont tendus dès votre premier souffle: l'égoïsme, l'égocentrisme, le narcissisme; ces traits de votre personnalité sont fort déplaisants quand ceux qui se trouvent sous votre emprise les subissent; qui que vous soyez, il y a toujours en vous un empereur pouvant devenir tyran. L'histoire le démontre. Vous êtes le soleil qui brille pour tout le monde. Mais lorsque vous demandez à votre monde de lever la tête pour regarder le soleil, vous les aveuglez alors que votre mission est de réchauffer, d'éclairer. Ainsi, tout le monde en profite et on ne parle que de vous.

JUPITER EN TAUREAU

De janvier jusqu'à la fin de juin, sous l'influence de Jupiter en Taureau, symbole astrologique signifiant un aspect dur, des «tuiles» peuvent tomber sur la tête des petits et des grands tyrans. Nous verrons le Lion qui se bat pour gagner, ce qui est correct, mais qui peut tomber dans un excès en se disant que tous les moyens sont bons; certains trouveront mille excuses toutes plus rationnelles les unes que les autres pour agir malhonnêtement.

Il y a le Lion qui a triché et a gagné quelques années auparavant, mais Jupiter en Taureau l'obligera à rembourser ce qui ne lui a jamais appartenu. Le Lion qui ne s'est préoccupé que de lui et qui a oublié qu'il avait aussi une famille aura une mauvaise surprise: il est possible qu'un de ses enfants ou parfois plusieurs lui donnent des problèmes assez graves pour qu'il soit obligé d'intervenir. Veut-il alors sauver l'enfant ou sa réputation?

Il y a le Lion qui se dit malheureux dans sa vie de couple et qui ne peut plus se taire. La séparation est radicale et parfois brutale alors que la personne avec qui il vit ne méritait pas ce rejet. Il y a aussi celui qui a seulement besoin d'un changement parce qu'il n'en peut plus de la routine; plutôt que d'en parler avec son partenaire, il succombe à une aventure et détruit 5, 10, 15 ou 20 ans d'une vie de couple où non seulement il a été aimé, mais qui lui a aussi rendu bien des services.

La liste des réactions négatives peut s'allonger; il suffit au Lion d'être prompt, irréfléchi, de ne penser qu'à lui et, surtout, d'oublier toutes les conséquences possibles de ses gestes pour qu'il s'embourbe dangereusement. Je conseille à tous les Lion qui ont des tendances dépressives de consulter un professionnel de la santé ou de suivre une thérapie. Est-ce vraiment nécessaire de toucher le fond ?

Sous Jupiter en Taureau, il y aura aussi parmi vous d'innocentes victimes. Si, par exemple, vous êtes en affaires, reconnaissez que vous ne pouvez pas tout faire et que vous ne connaissez pas tout : durant les six premiers mois de l'année, une erreur de calcul vous placera peut-être dans une fâcheuse situation. Demandez de l'aide. Si vous vous reconnaissez comme un être naïf, ne signez aucun contrat que vous n'aurez pas entièrement compris. On pourrait abuser de vos talents et de vos services.

En tant que parent généreux et attentif, il arrive, même dans les meilleures familles, qu'un enfant abuse et « ambitionne » sur le pain béni. Vous devrez ouvrir les yeux même si cette réalité n'a rien d'agréable et aider cet enfant, s'il le veut, à corriger son tir. Puisque vous pouvez être une victime des circonstances, certains d'entre vous seront quittés ; leur partenaire, dit-il, a trouvé mieux. Dans une telle situation, la peine sera profonde, vous aurez l'impression d'avoir un couteau planté en plein cœur. Mais peut-être avez-vous eu des avertissements que vous ne vouliez ni voir ni entendre.

Si vous avez l'habitude de dire tout ce que vous pensez, ne confiez pas vos secrets à des collègues qui vous envient et qui surveillent le moindre faux pas pour vous éliminer de la partie. Sans être constamment sur vos gardes, ce qui finit par être épuisant, gardez l'esprit alerte, ne vous laissez pas impressionner par les beaux parleurs et les petits faiseurs aux grands airs. Bien des choses peuvent changer au cours des six premiers mois de l'année ; il s'agira pour certains d'une transformation radicale de carrière et c'est bien ce qu'ils voulaient. À noter que le hasard peut favoriser ce tournant de carrière qui peut survenir à la suite d'une intervention directe ou indirecte d'un membre de votre famille ou d'un ami de celle-ci.

En ce qui concerne votre santé, durant les six premiers mois de l'an 2000, ne supportez pas des douleurs par orgueil, consultez un médecin quand ça fait mal. Vous devrez aussi modifier votre alimentation pour un mieux-être et pour vous éviter d'y perdre vos énergies. Vous serez plus nerveux, car la vie ne se présente pas comme vous l'aviez imaginée. Sur le plan psychologique, vous ne serez plus le même, vous aurez mûri à une vitesse telle que, de temps à autre, vous pensez perdre le contrôle.

JUPITER EN GÉMEAUX

À chacun notre tour sur le zodiaque. Nous traversons des « montagnes russes » et il semble que le manège ne s'arrête jamais. À partir de juillet 2000 jusqu'en juillet 2001, Jupiter est en Gémeaux et occupe une position claire et dynamisante par rapport à vous. Si vous avez subi des épreuves, séchez vos larmes. Lentement, la joie revient ; vous retrouvez votre capacité à apprécier le plaisir et votre recherche du véritable bonheur recommence. Les difficultés d'affaires, finan-cières, s'aplanissent; vous vous demanderez pourquoi vous n'aviez pas vu avant ces solutions que vous trouvez maintenant si aisément... c'était pourtant si simple. L'émotion ne vous aveugle plus; la raison a repris ses galons. L'équilibre se refait.

Après le désordre, une longue période d'ordre revient. Sous Jupiter en Gémeaux, vous voyagerez, vous offrirez des cadeaux sans vous sentir coupable. Si on essaie de vous coincer, de vous faire du chantage émotionnel pour obtenir de vous faveurs ou avantages, vous ne marchez pas, vous serez trop lucide pour vous laisser prendre à ce jeu. De vieux amis reviennent dans votre vie, des nouveaux s'y ajoutent. Sous Jupiter en Gémeaux, cette prospérité que vous désiriez tant est vôtre.

Si vous appartenez à la catégorie des égoïstes, des égocentriques et des narcis-siques, si vous êtes accroché au je-me-moi, Jupiter en Gémeaux ne sera certaine-ment pas aussi satisfaisant que pour les Lion justes. Ce ne sont ni des amis ni des ennemis qui surgiront dans votre vie, mais des personnes qui vous éveilleront sans ménagement à certains de vos comportements qui font mal à autrui. Au fond, Jupiter en Gémeaux est une chance de vous reprendre, de vous voir tel que vous êtes sans fioritures, sans garnitures.

Si, sous Jupiter en Taureau, vous n'avez pas changé votre alimentation alors que vous saviez que c'était nécessaire, si vous avez joué au héros qui peut tout en-durer, sous Jupiter en Gémeaux, il sera plus qu'évident que vous devrez vous soi-gner. Vos voies respiratoires seront sans doute les premières à donner un signal d'alerte. Un bon conseil, si vous n'êtes pas dans une forme splendide, si vous êtes au-dessus ou en dessous du poids normal, entreprenez le grand ménage corporel. Des Lion vivront deux vies en l'an 2000: ils passeront de la noirceur à la lumière, de la rigidité d'esprit à la souplesse, de l'intolérance à la compassion. S'il y a eu une rupture, l'amour sera dans l'air à partir de juillet, il se présentera en ami d'abord.

LION ASCENDANT BÉLIER

N'allez surtout pas vous imaginer que vous passerez une année banale. Le ciel de l'an 2000, en ce qui vous concerne, fait surtout le beau temps. Les bonnes nouvelles devraient se succéder les unes à la suite des autres, et principalement sur le plan financier. Si vous êtes en affaires, à votre compte, durant les premiers six mois de l'année, vous aurez des offres qui dépasseront ce que vous désirez ou ce à quoi vous vous attendez. De grâce, si la négociation vous plonge dans un monde de chiffres et que vous savez que vous risquez de vous y perdre, demandez l'avis d'un expert, d'un comptable ou d'un administrateur qui vous accompagnera lors de vos discussions avec les gens d'affaires. Vous êtes un double signe de feu et, avec cet ascendant marsien, vous avez indéniablement le sens de l'initiative ; cependant, vous êtes aussi impulsif, ce qui vous conduit parfois à commettre des fautes par manque de préparation. Puisque vous avez tout ou presque pour réussir, additionnez la prudence à votre curriculum vitæ.

Certains feront l'acquisition d'une propriété ou d'un terrain sous l'influence de Jupiter en Taureau et auront le flair de choisir un coin de terre qui vaudra bientôt très cher. Il est possible que six ans plus tard, si vous vendez, vous encaissiez le double de ce que vous avez payé. De juillet 2000 à juillet 2001, Jupiter passera en Gémeaux dans le troisième signe de votre ascendant ; il présage des voyages qu'on peut enfin se payer, une autre étape d'expansion commerciale. Cette période sera pour de nombreux Lion/Bélier un retour aux études, un cours de perfectionnement en vue d'obtenir une promotion et un meilleur salaire. D'autres choisiront d'aller vivre dans une autre ville ou un autre pays afin d'élargir leur territoire commercial, de vivre de nouvelles expériences ou simplement d'avoir une vie plus paisible que celle qu'ils ont présentement. Si vous êtes artiste, vous ne resterez pas dans l'ombre, surtout si vous avez fait tout ce qui était en votre pouvoir pour vous tailler une place au soleil. Vous aurez votre chance, et ce, quelle que soit votre expression artistique. La période coulisses est terminée. La scène est à vous.

Durant la seconde partie de l'année, vous vous engagerez davantage dans votre communauté, vous apporterez votre aide. C'est comme si vous remettiez à d'autres une part des bonnes grâces que le ciel vous envoie depuis le début de l'an 2000. Il y a toujours quelques personnes qui vivent négativement leur signe et ascendant : celles-ci ne veulent pas faire d'efforts, elles attendent la manne céleste qui ne vient pas. Généralement, elles sont persuadées que tout le monde leur doit tout. Ou elles mettent toutes leurs énergies dans une seule direction et oublient que la vie n'est pas à sens unique ; nous pouvons tous développer plusieurs intérêts et en avoir un qui prime ; certains ne vivent qu'à travers le succès de leur partenaire et ne sont jamais satisfaits d'eux ; d'autres sont concentrés sur eux-mêmes et ne voient que les chances qu'ils n'ont pas eues ; quand il leur arrive malheur, c'est la faute d'un autre. Même pour ces défaitistes, l'an 2000 sera rempli d'occasions de sortir de leur misère intérieure et matérielle. Mais il faudra la saisir et ne pas faire comme si ça n'avait jamais eu lieu.

LION ASCENDANT TAUREAU

Quelle année ce fut ! direz-vous en début de 2001. À partir de la mi-février, Jupiter sera sur votre ascendant ; évidemment, le degré de cet ascendant joue un grand jeu. Si, par exemple, il n'est qu'à la fin du Taureau, malgré quelques bonnes nouvelles et réalisations, vous aurez l'impression que vous n'atteindrez jamais votre but. Mais tout est en route ; si ce n'est pas au début de l'année, ce sera au milieu, en mai ou en juin. Vous êtes un double signe fixe et vous ne vous arrêtez que lorsque les opérations sont réussies. Sous l'influence de Jupiter en Taureau, votre magnétisme devient plus puissant, votre détermination se double et tout ce qui fut entrepris en 1999 porte des fruits mûrs prêts à être cueillis.

Malgré vos progrès, vous serez inquiet ; un rêve n'est pas aussitôt réalisé que déjà vous partez dans un autre vaisseau spatial en direction d'une planète inexplorée. Vous avez souvent la sensation d'être limité, de n'avoir pas assez et c'est pourquoi vous poussez la machine à fond. En y regardant de plus près, vous faites beaucoup par besoin d'être aimé ; ce qui laisse supposer, du moins le croyez-vous souvent, que sans un statut social intéressant, vous êtes indigne d'amour. Dès l'instant où vous découvrez qu'on ne s'intéresse à vous que par intérêt, vous êtes offusqué. En l'an 2000, la différence entre ceux qui vous apprécient pour ce que vous êtes et ceux qui n'aiment votre compagnie que pour ce que vous pouvez leur apporter vous sautera aux yeux. Jupiter sur votre ascendant est symbole de vérité, et parfois celle qu'on ne veut pas entendre mais qu'il est nécessaire de savoir afin de poursuivre sereinement sa vie. L'amour est-il manquant ? Il se présentera en début d'année ; pendant quelques mois, vous n'aurez aucune assurance de la part de votre nouvelle flamme, elle voudra vous découvrir. Il y a en vous la raison pure et froide totalement détachée du cœur et tout à la fois le feu qui couve, la passion qui vous habite ; ils cohabitent avec une énorme générosité et une immense capacité de donner, et tout cela peut aller au-delà de tout ce qui se nomme raisonnable. Si on peut pressentir et ressentir qui vous êtes, dites-vous que quelqu'un est prêt à attendre que vous vous ouvriez à lui. En réalité, quand l'amour vous fait signe, c'est vous qui mettez le pied sur le frein. La peur est un étrange moteur.

Sous l'influence de Jupiter en Taureau qui agit comme un miroir, on vous renvoie vos propres doutes dont vous pouvez vous guérir. Puis, de juillet 2000 à juillet 2001, Jupiter est en Gémeaux dans le deuxième signe de votre ascendant et en bon aspect avec votre Soleil; vous aurez alors la sensation de respirer librement et d'avoir le droit d'être psychologiquement entier. Jupiter en Gémeaux a aussi une fonction commerciale et celle-ci est positive. Si, pour les uns, il s'agit de profiter agréablement des biens acquis, d'autres se lanceront en affaires et grimperont à une vitesse folle. Jupiter en Gémeaux est une représentation symbolique de l'obtention d'acquis et si vous faites commerce avec l'étranger, vous élargirez grandement votre entreprise. Il faudrait vraiment faire exprès pour y perdre et pour agir avec une imprudence enfantine. Attention, si le mal de vivre vous donne la nausée, en abusant des bonnes choses de la vie, vous aurez le même résultat! Votre succès vous vient de votre acharnement tout autant que de votre volonté et il est facile de tomber dans l'excès.

LION ASCENDANT GÉMEAUX

Les premiers mois de l'année, de la mi-février à la fin de juin, Jupiter est dans le douzième signe de votre ascendant et vous conseille d'éviter tout excès nuisible à votre santé. Durant l'hiver, gardez les pieds au chaud. Cet ascendant affaiblit vos voies respiratoires, la bronchite vous guette. Prévenez plutôt que de vous laisser piéger par Jupiter en Taureau. Si vous n'êtes pas heureux, Jupiter en Taureau en aspect de tension à votre signe vous invite à une réflexion sur vous-même et sur les motifs qui vous ont poussé à agir dans une direction plutôt que dans une autre. Par exemple, demandez-vous pourquoi vous avez choisi de ne pas réussir dans un domaine alors que vous en aviez la possibilité. Pourquoi avez-vous saboté vos chances? Sous votre signe, il arrive que vous soyez non content de trouver mille raisons à vos insatisfactions et qu'en plus, vous accusiez un proche ou un événement dont vous déclinez toute responsabilité.

Certains d'entre vous chercheront réconfort auprès d'un culte; si on vous demande une fortune pour la rémission de vos péchés, vous pouvez douter de ce type de confesseur. Il y a en vous, et comme en chacun de nous, la recherche du bonheur; peut-être avez-vous pensé le trouver dans la matière, dans la possession, dans l'argent. Le bonheur n'y était pas. Les biens vous ont apporté du confort, vous ont permis de vous offrir des plaisirs et vous vous rendez compte maintenant que le bien-être intérieur ne s'achète pas, pas plus que la santé d'ailleurs. Jupiter en Taureau invite à une introspection à laquelle vous ne devriez pas résister. Bien que non souhaitable, il est possible que la maladie d'un proche suspende une partie de vos activités. N'y allez pas à reculons; donnez généreusement de votre temps et de votre énergie; cette dernière se renouvellera, car le vide ne reste jamais vide; les heures consacrées à autrui sont comparables à de l'argent mis en banque et, au moment où vous traverserez une épreuve, on sera là pour vous soutenir, pour vous aider à en sortir. Financièrement, Jupiter en Taureau symbolise le travailleur autonome qui se prépare à émerger. Si vous cherchez un emploi, vous trouverez, mais il faudra être patient pendant quelques mois avant qu'on vous accorde le poste que vous aviez demandé au début.

De juillet 2000 à juillet 2001, Jupiter est en Gémeaux sur votre ascendant; il a pour fonction de vous mettre en lumière. Si, jusqu'à présent, vous avez été secourable, travaillant, si vous avez le sens du devoir, si vous vous êtes dévoué pour votre prochain, alors vous pouvez espérer une forme de récompense hors de l'ordinaire en amour, en affaires comme en santé. Jupiter fait justice et oblige quiconque de rendre à César ce qui appartient à César, et c'est surtout à vous que s'adresse cette recommandation. Si toutefois vous êtes resté en retrait, coincé dans vos peurs, si vous avez refusé de porter secours à autrui, si vous avez étouffé votre conscience et fait taire le cœur qui vous tenait un autre langage, Jupiter en Gémeaux vous secouera. Les événements seront tels qu'il sera impossible de vous cacher. On vous trouve, on vous place alors dans une situation d'où vous ne pourrez vous échapper et vous réagirez. Vous conclurez qu'être utile est agréable, valorisant, et que le don de soi est un velours pour l'âme. Au fil des mois, entre juillet 2000 et juillet 2001, vous révolutionnerez votre vie pour le meilleur, à la fois pour vous et pour ceux qui vous entourent.

LION ASCENDANT CANCER

Jusqu'en avril 2011, Neptune est en Verseau et jusqu'en mars 2003, Uranus est aussi en Verseau: ces deux planètes dans le huitième signe de votre ascendant vous font face. L'astrologie dans son sens psychanalytique est l'indice d'une confrontation avec vos ombres. En chacun de nous, il y a du bon; mais il arrive que des événements sur lesquels nous n'avons aucun contrôle choquent au point d'en devenir haineux. Neptune cherche à vous réconcilier avec l'univers et vous-même; Uranus, semblable à un lance-flammes, vous brûle un peu, parfois beaucoup et quand vous évitez l'attaque, même en sécurité, vous restez sur la défensive. Neptune reste calme; Uranus vous met en colère. Il y a en vous deux aspects de votre nature profonde qui sont en lutte. C'est la guerre des étoiles. Si certains profitent de ce ciel pour développer un « moi, soi et les autres », d'autres n'ont d'yeux que pour l'argent et perdent facilement pied; même s'ils s'en tirent bien financièrement, ils ne sont toujours pas plus heureux.

En l'an 2000, de la mi-février à la fin de juin, Jupiter est en Taureau dans le onzième signe de votre ascendant; il présage de nombreux déplacements et une diversité d'activités. Vous vous ferez de nouveaux amis ou reviendrez vers des anciens; si, pour les uns, il s'agit de faire la paix, d'autres veulent se venger. Sous l'influence de Jupiter en Taureau, l'appât du gain ainsi que les bénéfices et les faveurs obtenus en conduiront plus d'un à l'exploitation mais aussi à l'éparpillement de leurs talents. Si, en bout de piste, leur fortune a grossi, ils ne seront pas satisfaits car ils auront accepté conditions et compromis alors qu'ils s'étaient jurés de vivre selon leurs règles et non celles d'autrui. Jupiter en Taureau et Saturne qui l'accompagne jusqu'au 10 août vous invitent à garder l'esprit ouvert et souple de manière à demeurer sélectif. En mars, en avril, en mai et en juin, si on vous demande d'investir dans une affaire, avant de signer au bas d'une entente ou d'un contrat, relisez plusieurs fois et, si possible, demandez conseil à un expert dans le domaine qui vous concerne; les filous sont partout et, durant ces mois, vous êtes émotionnellement vulnérable et donc une proie facile pour les beaux parleurs. Durant les mois mentionnés précédemment, il est possible que certains déménagent à l'étranger ou s'installent dans une autre ville parce que leur travail les y oblige.

De juillet 2000 à juillet 2001, Jupiter est en Gémeaux dans le douzième signe de votre ascendant où tout peut arriver, du pire au miracle. On peut alors avoir atteint un sommet professionnel extraordinaire et, tout à coup, se mettre à dégringoler; cependant, juste avant de toucher le fond, des Lion/Cancer ayant reconnu le signal se prépareront à leur tournant de carrière; d'autres adopteront de nouvelles valeurs; des croyances doivent disparaître pour faire place à un savoir plus large, à une transparence de la conscience. Quand il y a maladie ou malaise, celui-ci est directement lié à des émotions refoulées et la dénégation n'est plus possible. La santé physique est menacée, les mensonges que l'on se fait à soi-même sont douloureux.

Vous êtes né du Soleil et de la Lune, vous êtes à la fois le père et la mère, mais d'abord le père; ce masculin en dominante se consacre à sa progéniture et a parfois plus d'ambitions, de rêves et de désirs que ses enfants en ont. Il y a urgence que vous soyez réceptif aux messages de vos petits et grands. Peut-être ne veulent-ils pas vous ressembler, peut-être vous imitent-ils pour avoir votre approbation. Bien qu'aimant, en tant que parent, vous avez autorité et votre poigne de fer est dans un gant de velours. Il n'y a aucun autre signe sur le zodiaque qui ne donne autant de lui-même à ses enfants, mais certains d'entre vous attendent une reconnaissance, un dévouement sans bornes ou une obéissance aveugle. Que l'on soit papa ou maman, il est normal de vouloir faciliter le chemin que prennent nos enfants et comme parent Lion/Cancer, vous avez parfois un sentiment d'obligation envers eux. Attention, l'obligation module et déforme l'amour parental, et c'est là-dessus que vous méditerez beaucoup!

LION ASCENDANT LION

De la mi-février jusqu'à la fin de juin, Jupiter sera en Taureau dans le dixième signe de votre ascendant, et Saturne y sera également jusqu'au 10 août; certains prendront plus de responsabilités que leurs épaules ne peuvent en supporter. D'autres, au contraire, se déchargeront et s'enfuiront, incapables d'affronter leurs réalités parentales. Durant cinq mois et demi, des liens familiaux qu'on croyait scellés à tout jamais peuvent se défaire à la suite du décès d'un oncle, d'une tante ou d'une personne qui laisse un héritage. Voilà que quelques membres de la famille veulent plus que leur part ou sont fâchés de ne recevoir qu'un petit morceau du gâteau alors qu'ils avaient tant fait pour ce parent. Avant que survienne le décès, avait-on promis d'en donner plus à l'un qu'à l'autre? S'est-on dévoué par amour ou par intérêt? Si c'était une question d'argent, il aurait fallu le dire avant que cette personne expire une dernière fois.

Vos adolescents pourraient se mesurer à vous et vous éprouver. C'est comme s'ils voulaient connaître votre degré de tolérance. Si vous êtes prompt de nature, vous serez sans doute en colère souvent et pendant plusieurs jours ou mois d'affilée, cinq et demi. Si la situation atteint ce point de réchauffement, plutôt que de ne plus savoir quoi faire, pourquoi ne pas consulter un expert en matière de crise d'adolescence. Vous vous épargnerez des énergies et sans doute apprendrez-vous beaucoup sur vous-même. Sous l'influence de Jupiter et de Saturne en Taureau, vous serez aussi nombreux à changer de carrière; si les uns le font par choix, d'autres subissent une fermeture ou une fusion d'entreprises et pour survivre, la compagnie doit procéder à des congédiements. Mais il n'y a pas de quoi désespérer, peu de temps après, vous trouverez un emploi mieux rémunéré. Il est aussi possible que vous subissiez la malhonnêteté d'un ami ou d'un proche. Si vous connaissez l'emprunteur et s'il n'a pas fini de vous payer ce qu'il vous doit, pourquoi lui feriez-vous confiance? À moins que vous ne soyez millionnaire. Si vous faites un gros achat, assurez-vous de la fiabilité de votre vendeur et s'il s'agit d'une grosse somme d'argent à investir, faites enquête sur l'entreprise avec laquelle vous devez conclure une entente.

Dans l'ensemble, sous Jupiter en Taureau, il sera plus difficile de rester sage parce que vous laisserez n'importe quoi et presque n'importe qui vous irriter. Puis, de juillet 2000 à juillet 2001, Jupiter est en Gémeaux dans le onzième signe de votre signe et ascendant. Certains parmi vous décideront de déménager; si, pour les uns, il y a vente de propriété, d'autres partent parce qu'ils ne supportent pas le quartier, les voisins ou un colocataire et sous-loueront sans grand problème. Jupiter en Gémeaux présage une période favorable, un renouveau, une expansion, un mieux-être ou, du moins, un profond désir d'améliorer votre qualité de vie, et vous prendrez les moyens qui s'imposent pour accéder à plus tant sur les plans personnel que professionnel. Né Lion/Lion, vous êtes excessif, plus particulièrement en l'an 2000 où vous aurez tendance à trancher alors qu'il serait plus avantageux de faire la part des choses; il est important de modérer vos emballements ou vos emportements d'abord pour préserver vos acquis, ensuite pour progresser plus lentement mais sûrement.

LION ASCENDANT VIERGE

Vous êtes une alliance entre le Soleil et Mercure, vous êtes donc travaillant à l'excès, stratégique et vous possédez un sens de l'organisation difficile à égaler. Si le

Soleil qui régit votre signe est royal, votre ascendant symbolise l'humilité et la serviabilité; il indique aussi que la majorité d'entre vous n'ont pas eu la vie facile. Pour vous tailler une place dans une entreprise, vous avez généralement produit deux fois plus qu'on ne vous le demandait; vous avez souvent accepté des tâches que d'autres avaient refusées, car ils les considéraient indignes d'eux. Vous avez toujours eu conscience que pour atteindre le sommet, il est parfois nécessaire de faire des détours. L'an 2000 vous propulse un peu plus haut, plus loin; si vous êtes en commerce, vous élargirez votre territoire; vous aurez aussi besoin d'explorer plus à fond vos possibilités, et les occasions ne manqueront pas. Si l'entreprise qui emploie vos services a des succursales à l'étranger ou si vous êtes à votre compte, l'expansion se présente presque d'elle-même. Vous débarquerez dans un ou dans plusieurs pays afin de conclure des transactions qui auront été entamées sur votre propre terrain.

Si, par exemple, vous êtes à la recherche d'un emploi, plusieurs vous seront offerts en même temps: vous aurez l'embarras du choix et une grande assurance quand viendra le temps de discuter de votre salaire. Si, en 1999, vous avez fait un retour aux études, si vous terminez en janvier ou en février, dès que vous aurez posé votre candidature, vous serez appelé. Vous aurez beaucoup de chance et d'heureux hasards côté commercial, surtout de la mi-février à la fin de juin. Pendant cette période où vous serez très en demande, il est essentiel que vous preniez soin de votre santé et, surtout, que vous adoptiez un régime alimentaire sain; si possible, pour garder la forme, pour maintenir votre énergie, consultez un naturopathe qui vous donnera plein de vitamines.

De juillet 2000 à juillet 2001, Jupiter sera en Gémeaux dans le dixième signe de votre ascendant. Si vous avez été débordé, si on vous a donné de nouvelles responsabilités, sous Jupiter en Gémeaux, le double de tout ça pourrait vous arriver. C'est pourquoi il est essentiel que, dès le début de cet an 2000, vous adoptiez une alimentation énergisante comme jamais vous n'avez eue auparavant. Vous devez protéger votre système nerveux et votre tube digestif. Vous n'avez pas le temps d'être malade, même une grippe, un rhume vous mettraient hors de vous. Sous Jupiter en Gémeaux en aspect de tension avec votre ascendant, prévenez et ainsi tout sera sous contrôle. En tant que Lion, il vous arrive de surestimer vos forces: ce n'est pas le moment de prendre ce risque. Vous jouez pour gagner, ne laissez pas maux ou douleurs vous obliger à garder le lit et, pis encore, à faire du sang de punaise. Vos sautes d'humeur ne sont jamais des spectacles agréables et relaxants. Sous Jupiter en Gémeaux, en tant que parent, un de vos enfants aura besoin de votre appui et, s'il est jeune, de votre soutien moral et financier; quoique vous vous défendiez de gâter vos enfants, vous êtes incapable de dire non, et cela est aussi vrai pour les petits que pour les gros budgets Lion/Vierge. Il peut même être question d'un achat de propriété afin de permettre à l'un des vôtres de s'installer avec sa propre famille. Vous calculerez qu'il s'agira d'un investissement pour vous et pour lui.

LION ASCENDANT BALANCE

De la mi-février à la fin de juin, Jupiter est en Taureau et Saturne y est également jusqu'au 10 août; ces deux planètes lourdes se trouvent alors dans le huitième signe de votre ascendant. Durant cette période, il est possible que vous appreniez le décès d'une personne âgée que vous saviez malade depuis quelques années. Par exemple, si elle a laissé un testament en faveur de vos enfants et que ceux-ci se disputent au sujet de l'héritage, vous serez moralement très affecté. Il est parfois difficile d'imaginer que des gens que l'on pensait connaître soient aussi agressifs pour de l'argent qu'ils ne posséderaient pas si ce parent était encore vivant. Entre la mi-février et la fin de juin, certains auront d'importantes décisions à prendre concernant leurs placements personnels; durant ces mois, le mieux est de consulter un expert ou du moins quelqu'un à qui ils peuvent faire confiance. S'il est question d'achat de propriété, un maximum de précautions s'imposent, faites vérifier la maison sous tous ses angles, dans tous les recoins, de la cave au grenier avant de signer quoi que ce soit. En prenant soin de vos intérêts, vous éviterez embarras et pertes.

À la fin de mars et durant le mois d'avril, s'il y a des tensions dans votre couple, si vous les alimentez par des critiques, les disputes se multiplieront et parfois jusqu'à la rupture. Ou peut-être faites-vous partie des Lion/Balance qui n'ont jamais connu de bonheur dans leur vie de couple. Dans un tel cas, vous trouverez le courage de quitter cette situation, vous vous donnerez une chance d'être heureux. De juillet 2000 à juillet 2001, Jupiter est en Gémeaux dans le neuvième signe de votre ascendant, ce qui est de bon augure sous bien des rapports. Si, par exemple, vous êtes célibataire, seul depuis longtemps, il y a de fortes chances que vous rencontriez votre prochain conjoint. Durant ces 12 mois, vous partirez plus souvent en voyage; vous pourriez même en gagner un si vous participez à un concours; il n'est pas impossible que certains d'entre vous déménagent dans une autre ville ou même un autre pays pour leurs affaires.

Si vous êtes en commerce, Jupiter en Gémeaux annonce une expansion; si vous décidez de lancer une entreprise, vous aurez des appuis et s'il vous faut trouver du financement, ce sera plutôt aisé, vous aurez peu de démarches à faire. Si vous êtes en amour, sans enfants et si vous désirez fonder un foyer, Jupiter en Gémeaux est présage de fertilité pour vous. À partir du 11 août, Saturne sera aussi en Gémeaux et aura pour effet de vous faire perdre vos mauvaises habitudes; vous découvrirez d'autres valeurs, vous vous débarrasserez de croyances qui vous empêchaient de voir votre réalité. Vous serez plus nombreux à retourner aux études ou à parfaire votre formation professionnelle pour obtenir de l'avancement, ou encore pour être à la fine pointe de nouvelles technologies. Pendant que des Lion/Balance suivent des cours par plaisir, d'autres le font par nécessité et n'ont aucun mal à apprendre. Si vous œuvrez dans un domaine artistique, vous ferez une percée et si vous avez l'idée de promouvoir votre œuvre à l'étranger, vous serez bien reçu.

LION ASCENDANT SCORPION

De la mi-février à la fin de juin, Jupiter est en Taureau dans le septième signe de votre ascendant. Cet aspect présage la mise en marche d'un projet et une association. Vos éventuels collaborateurs seront plus influents que ceux que vous avez connus dans le passé. Pour certains, Jupiter en Taureau symbolise le retour à un métier ou à une profession qu'ils avaient cessé de pratiquer soit à cause d'ennemis qui sont maintenant disparus, soit parce qu'on avait aboli leur poste, mais voilà que de nouveau on a besoin de votre expérience. Ces derniers auront alors un grand pouvoir de négociation quand viendra le temps de discuter du salaire. Si vous êtes seul, célibataire, l'amour est au rendez-vous. Sous Jupiter en Taureau, vous serez méfiant; il est cependant essentiel de rester sélectif et de savoir faire à temps la différence entre celui à qui on peut faire confiance et celui à qui on ne doit rien confier. Il y a aussi un déménagement dans l'air; quelques-uns vendront leur propriété et en rachèteront une autre convenant à leurs besoins. On peut aussi choisir un autre logement parce qu'on a vraiment besoin de changer de quartier. Les plus riches s'offriront une maison secondaire, un bateau, une voiture neuve, etc.

Si vous cherchez un emploi durant cette période, vous n'aurez aucun mal à trouver, surtout si vous avez la réputation d'avoir le sens de l'initiative. Si, par exemple, vous n'êtes pas heureux dans votre vie de couple, si vous avez fait le maximum de compromis et d'efforts, si ce n'est toujours pas la paix, vous prendrez tout votre courage et vous demanderez la séparation. Votre magnétisme étant puissant, votre nid ne restera pas vide longtemps. De juillet 2000 à juillet 2001, Jupiter est en Gémeaux dans le huitième signe de votre ascendant. Cette position présage un héritage, un gain dans un jeu de hasard, un cadeau qu'on n'aurait jamais imaginé recevoir, telle une fortune d'un oncle dont on ignorait même l'existence. Il s'agira peut-être de s'adapter à un travail qui paie si bien qu'on ne sait plus quel genre de placement on doit faire. Si le meilleur peut se produire dans le monde de la matière, ne perdez pas de vue que l'inverse peut également survenir.

Si, sous Jupiter en Taureau, vous n'avez pas été prudent sur le plan financier, sous Jupiter en Gémeaux, vous réparerez les dégâts qui seront la plupart du temps les résultats de vos négligences. Si vous avez accumulé des dettes, vous devrez les payer et, pour ce faire, certains modifieront grandement leur qualité de vie. Pendant 12 mois, Jupiter en Gémeaux vous avise de ne commettre aucune irrégularité comptable; Jupiter est très préoccupé par la justice et voit à ce que ni faute ni fraude ne soient commises. Côté cœur, si vous avez vécu un renouveau sous Jupiter en Taureau, Jupiter en Gémeaux vous prédit une adaptation qui ne sera parfois pas rose. Mais si l'amour a triomphé, pourquoi s'en passer, pourquoi tout casser pour un détail? Sous votre signe et ascendant, Jupiter en Gémeaux coupe un cheveu en quatre; vous aurez intérêt à vous observer dès l'instant où vous vous sentirez contrarié. En somme, tout ce qui a été positivement et prudemment entrepris sous

Jupiter en Taureau, sous Jupiter en Gémeaux, ce sera la multiplication des bienfaits. Si toutefois vous vous êtes laissé emporter par une vague de déprime sous Jupiter en Taureau, sous Jupiter en Gémeaux, vous devrez vous soigner.

LION ASCENDANT SAGITTAIRE

De la mi-février à la fin de juin, Jupiter est en Taureau dans le sixième signe de votre ascendant et présage beaucoup de travail. Cet aspect suppose aussi des transformations dans l'entreprise en cours; vous n'avez pas à vous inquiéter parce que vous êtes rendu indispensable. Vous serez sans doute chargé de tâches additionnelles, de nouvelles responsabilités; les journées seront longues, mais vous ne verrez pas le temps passer tant vous serez absorbé. L'argent ainsi gagné en surplus sera économisé dans le but d'acheter une maison, une voiture, etc. Si, par exemple, vous allez d'un emploi à un autre depuis quelques années, vous trouverez la stabilité et la sécurité en un seul. Certains d'entre vous occupent la même fonction depuis plus de 10 ans et s'adonneront à une activité qui, peu à peu, deviendra une passion qui, 10 ans plus tard, sera à son tour une occupation à temps plein. Si vous avez un talent artistique, vous aurez l'occasion de l'exercer et il est possible que certains d'entre vous aient rapidement une renommée, une reconnaissance publique et des avantages financiers.

En tant que célibataire, vous ferez une rencontre dans votre milieu de travail ou un collègue vous présentera un ami; la relation commencera timidement, tout doucement. Si Jupiter en Taureau symbolise le succès à la suite de vos efforts soutenus ou le début d'une carrière prometteuse, ou encore le rêve amoureux réalisé, il insiste pour que vous preniez soin de votre santé. Pendant que les uns adopteront un autre régime alimentaire prescrit par le médecin, d'autres devront prendre des suppléments vitaminés pour éviter les pertes d'énergie. Il est préférable d'être conseillé par un naturopathe, car une surdose n'est pas non plus recommandable. Si vous avez un mal chronique, méfiez-vous du guérisseur qui n'a jamais guéri personne, surtout s'il vous demande beaucoup d'argent pour avoir accès à ses vibrations miraculeuses. Miracles que personne n'a jamais vus non plus. La maladie rend vulnérable et naïf, et les charlatans se sont multipliés, ils profitent de ceux qui prennent panique.

De juillet 2000 à juillet 2001, Jupiter est en Gémeaux dans le septième signe de votre ascendant. En premier lieu, cela concerne votre relation de couple qui peut s'approfondir si vous avez fait une rencontre en début d'année. Si toutefois vous n'êtes pas heureux avec l'autre, vous prendrez votre courage à deux mains et vous le lui direz. Vous serez parfaitement conscient du risque: ou l'autre modifie son comportement et cesse de mener votre vie, ou il claque la porte pour ne plus revenir. Si vous êtes jeune, amoureux et sans enfant, il sera sérieusement question de fonder un foyer, d'avoir un premier bébé. Toujours dans le domaine de l'amour, si votre thème natal l'indique, il y a une possibilité d'être quitté à un moment où vous pensiez que ça n'arriverait jamais. Sous Jupiter en Gémeaux, côté matière, argent, carrière, l'ascension sera de plus en plus rapide. Si, sur le plan professionnel, vous ne saviez plus où vous en étiez, par un heureux hasard, une personne influente se placera sur votre route et vous aurez la confirmation du moyen et du chemin à prendre pour vous réaliser pleinement. Du 11 août au 16 octobre, Saturne est en Gémeaux dans le septième signe de votre ascendant; s'il multiplie et solidifie vos acquis, il augmente considérablement votre esprit analytique et vos critiques seront alors très constructives.

LION ASCENDANT CAPRICORNE

Vous êtes né du Soleil et de Saturne; si vous êtes ambitieux, vous êtes tout aussi travaillant. Vous manquez parfois d'humour et principalement à la maison; votre partenaire ne doit rien vous reprocher, puisque vous faites le maximum pour être irréprochable. Avec un tel ascendant, certains commencent une carrière au milieu de la quarantaine ou très près de la cinquantaine; si vous avez fait votre choix dans votre jeunesse, vous exercez votre profession bien au-delà de votre retraite. De la mi-février à la fin de juin, Jupiter est en Taureau dans le cinquième signe de votre ascendant faisant ainsi ressortir toutes vos qualités ou, au contraire, vos pires défauts. Si vous avez pris l'habitude de ne vivre que pour vous-même, vous êtes égoïste mais, quel que soit votre âge, il n'est pas trop tard pour changer. Si vous vous prenez pour le nombril du monde, un événement désagréable vous démontrera que vous vous trompez. Sans doute découvrirez-vous que sans les autres, sans une intervention humaine, ça aurait pu mal tourner. En fait, le ciel vous offre sa protection mais, en retour, il exige une prise de conscience.

Si vous êtes jeune, en amour et sans enfant, vous choisirez la maternité ou la paternité. Sous l'influence de Jupiter en Taureau, bébé surprise peut arriver à des Lion/Capricorne qui se sont crus stériles ou au-dessus des lois naturelles. Sous Jupiter en Taureau, méfiez-vous d'achats spontanés dont les paiements sont à long terme. Vous paieriez sans doute vos dettes, mais vous auriez à diminuer votre train de vie. De juillet 2000 à juillet 2001, Jupiter est en Gémeaux dans le sixième signe de votre ascendant et augure une montagne de travail, des contrats, des engagements, le sens du commerce. Cette position favorise l'échange commercial avec l'étranger, l'expansion ou le début d'une entreprise. Pendant 12 mois, vous serez si préoccupé par vos affaires que vous ne compterez plus les heures; vous ne dormirez pas suffisamment, vous mangerez à toute vitesse et sur le coin de la table, mais, avant même que l'an 2000 se termine, vous risquez l'épuisement. Votre système nerveux est conçu pour supporter un grand stress, mais si vous dépassez sa limite, il se désorganise de manière à vous obliger à garder le lit. N'attendez pas la maladie pour vous offrir des jours de relaxation, de repos, de vacances.

Selon votre thème natal, Jupiter en Gémeaux peut vous signifier la maladie d'un proche et, dans un tel cas, vous le visiterez régulièrement à l'hôpital. En tant que parent, vous modifierez vos méthodes éducationnelles ; si les uns demandent trop à leurs enfants, d'autres ne sont jamais là ; que vous soyez un Lion/Capricorne présent et très possessif ou un parent absent, l'effet sur vos grands est évident : ils sont choqués, révoltés et vous obligent à les voir tels qu'ils sont. Mais vous n'avez pas à attendre qu'ils commettent des erreurs pour ouvrir les yeux. Vous êtes un Lion, symbole de chaleur ; par contre, votre ascendant saturnien est signe de froideur. Unifier le chaud et le froid n'est pas une tâche facile. Manifester votre affection, vos émotions n'est pas un signe de faiblesse de caractère. Une attitude rigide vous éloigne d'autrui. En l'an 2000, vous apprendrez à communiquer avec tendresse et vous vous guérirez de vos jugements qui, trop souvent, ne donnent de la valeur qu'à ceux qui possèdent de l'argent ou un statut social intéressant.

LION ASCENDANT VERSEAU

De la mi-février à la fin de juin, Jupiter est en Taureau dans le quatrième signe de votre ascendant ou maison lunaire, symbole de la maison que vous habitez, de l'estomac, des seins, de la grossesse, de la mère, de l'âme, de la naissance, de la mort, de notre survie dans l'au-delà, etc. La traversée de Jupiter dans cette maison astrologique vous force à plonger en vous, à vous poser des questions au sujet tant de vos racines que de votre futur. Vous avez eu des désirs que vous n'avez plus, vous avez fait des souhaits qui ne se sont jamais réalisés et vous y repensez mais, surtout, vous constatez que vous avez entretenu pendant longtemps une pensée magique comme le font les enfants ; ce n'est pas parce qu'on veut quelque chose qu'il va apparaître. Jupiter et Saturne vous font passer à l'étape suivante, le mûrissement de l'être et plus de compassion pour autrui et pour vous-même. Si vos enfants ont grandi, le moment est venu de les laisser voler de leurs propres ailes. Si vous ne leur faites pas confiance, sans doute devez-vous chercher la cause en vous-même et non pas en eux. Jupiter en Taureau vous fait une démonstration de vos propres projections à travers les actes et les réflexes de vos enfants. Ils expriment tout haut ce que vous n'avez jamais dit. Ils sont votre miroir, une leçon de vie afin que vous procédiez à des changements visant à vous donner un plus grand confort lorsque vous êtes seul avec vous-même.

Jupiter en Taureau vous invite à réorganiser votre vie sous tous ses angles, en amour comme en affaires. Si vous restez immobile, paralysé par vos peurs, vous accuserez le manque d'argent, la détresse sociale, vos voisins, votre père ou votre mère de votre mal de vivre et vous aurez là mille raisons pour ne rien faire de plus. Si vous avez l'intention de lancer une entreprise, si vous désirez un autre emploi, faites vos démarches ; dès l'instant où vos intentions sont claires, des personnes ayant un but semblable au vôtre vous tendront la main et vous aideront à trouver ce que vous cherchez.

De juillet 2000 à juillet 2001, Jupiter sera en Gémeaux dans le cinquième signe de votre ascendant; pendant 12 mois, vous récolterez ce que vous avez semé sous Jupiter en Taureau. Si vous vous contentez de rêver d'un monde meilleur et que vous ne levez pas le petit doigt pour qu'il le devienne, Jupiter en Gémeaux face à Pluton en Sagittaire d'août à la fin de novembre bousculera vos habitudes à travers divers événements qui, sans être dramatiques, vous feront réagir. Vous pouvez, dès le début de l'année, prendre la direction de votre vie ou attendre d'être obligé d'agir. L'obligation signifie que vous n'avez plus le choix. Si vous avez des problèmes à régler, procédez par ordre d'importance, n'essayez pas de tout faire en même temps. En cette année 2000, pour ne rien perdre des bénéfices de Jupiter, dressez-vous un plan et faites le maximum pour le suivre. En tant que célibataire, c'est surtout à partir de juillet que vous vous rendrez disponible à l'amour; avant cette période, sous Jupiter en Taureau, vous vous souveniez de vos ruptures et vous craigniez l'engagement. Il faut d'abord vous épurer de tout malaise que suscite l'idée d'une vie intime pour ensuite être réceptif. Sous votre signe et ascendant, vous serez nombreux à faire un retour aux études ou vous terminerez une formation professionnelle que vous aviez laissée de côté.

LION ASCENDANT POISSONS

De la mi-février à la la fin de juin, Jupiter est en Taureau dans le troisième signe de votre ascendant, ce qui est favorable au commerce, à la progression de l'entreprise, à un travail en publicité ou à une création artistique. Sous cet aspect, si, par exemple, vous avez mille métiers et mille misères, vous arrêterez votre choix sur un seul et, s'il le faut, vous retournerez aux études. Si vous cherchez un travail spécifique dans un secteur professionnel, vous suivrez des cours de perfectionnement pour y accéder. Jupiter ainsi positionné représente vos frères et vos sœurs avec lesquels vous clarifierez une situation reliée à l'argent; il peut s'agir d'un emprunt que l'un d'eux a fait et qu'il ne peut rembourser et voilà que les autres membres de la famille viennent à sa rescousse. Mais serez-vous celui qui a besoin de l'aide de sa famille? Il ne vous suffira que de demander. Vous serez nombreux à choisir une nouvelle activité à laquelle vous consacrerez beaucoup d'énergie sans vous fatiguer, puisque vous l'exercerez par plaisir.

Si vous n'êtes pas un grand voyageur, entre la mi-février et la fin de juin, vous ne résisterez pas à l'envie de partir, de voir un autre coin de pays ou même d'aller à l'étranger pour y découvrir des terres exotiques. Si certains feront un premier voyage, il sera question pour d'autres d'aller plus loin que jamais ils n'ont été jusqu'à présent. Au cours de ces mois, vous vous engagerez davantage dans la communauté dont vous faites partie; c'est un peu comme si vous redécouvriez le sens des mots «partage» et «interdépendance»; vous aurez aussi besoin de donner si vous avez beaucoup reçu.

De juillet 2000 à juillet 2001, Jupiter est en Gémeaux dans le quatrième signe de votre ascendant. Cet aspect est important si vous êtes parent, car vos enfants auront besoin de plus d'attention; s'ils sont petits, il sera important de mieux les surveiller et ne les laissez pas jouer dans un endroit où ils seraient plus susceptibles de se blesser; par exemple, ne leur permettez pas de grimper aux arbres, pas en l'an 2000. Il n'est pas question de les enfermer, mais simplement de vous assurer qu'ils ne jouent jamais à des jeux dangereux. S'ils grandissent, s'ils sont des préadolescents ou de jeunes adultes, vous devrez ouvrir les yeux sur ce qu'ils sont réellement et si vous avez des doutes sur leurs amis, invitez-les chez vous. Vous saurez qui ils fréquentent. En résumé, la question éducation se pose sérieusement: leurs études, l'école qu'ils fréquentent ou votre partenaire et vous choisirez un collège privé pour qu'ils puissent terminer leur secondaire ou leur cégep dans une institution où ils seront mieux encadrés. Il peut aussi être question pour l'un des vôtres de suivre des cours de danse, de musique, de théâtre, de dessin, etc. Il faudra aussi revoir votre budget, ce qui donnera lieu à de nombreuses discussions avant qu'il y ait ajustements. Sous Jupiter en Gémeaux, méfiez-vous d'un membre de votre famille qui vous dit quoi faire en amour, avec vos enfants, votre argent, votre santé, et le reste. Votre ascendant Poissons se laisse facilement envahir même si le Lion rugit. Protégez votre intimité et restez en contrôle de votre vie; de toute manière, personne n'a le droit de vous dicter votre conduite; les seules personnes en qui vous pourrez croire seront celles qui respecteront vos choix.

JANVIER

TRAVAIL. Vous avez le sens de l'initiative sur le plan professionnel, mais il est possible que ça ne plaise pas à tout le monde. Il y a des jaloux dont vous devrez faire abstraction, ils ne peuvent rien contre vous. Que vous travailliez dans un bureau ou dans un chantier de construction, redoublez de prudence; par exemple, quand vous montez un escalier, prenez une marche à la fois. C'est un peu comme si vous étiez en déséquilibre physique; votre esprit est si préoccupé par vos diverses affaires que vous ne regardez pas toujours où vous mettez les pieds. Quelques planètes présagent de nombreux déplacements sur la route ou en avion pour que vous puissiez représenter les intérêts de l'entreprise en cours. Si vous faites commerce avec l'étranger, vous élargirez vos horizons, vous ferez aussi une expérience professionnelle différente et porteuse d'un premier changement dans votre carrière.

SANS TRAVAIL. Si vous êtes à la recherche d'un emploi et si, par exemple, vous habitez en ville, il est possible qu'une entreprise ayant ses bureaux à la campagne vous fasse une offre. Si vous vivez à la campagne, vous devrez décider si oui ou non vous êtes prêt chaque matin à vous rendre en ville. Si vous êtes à contrat, si votre métier vous a déjà envoyé à l'autre bout du monde, il est possible que vous y retourniez pour quelques mois. En somme, il faut vraiment dire non pour rester sans travail. Dès l'instant où vous offrez vos services, on est prêt à les retenir.

AMOUR. Si querelle il y a, ce sera surtout à cause du travail qui, d'après l'amoureux, reçoit toute l'attention. Jusqu'au milieu du mois, si vous vivez avec la même personne depuis trois ou quatre ans, il est possible que vous remettiez votre vie de couple en question. Vous avez tous deux changé et peut-être ne voulez-vous pas voir à quel point vous n'êtes plus celui qu'on a connu. Ou peut-être serez-vous la victime d'un amoureux qui n'accepte pas votre mûrissement. En tant que célibataire, même si on vous flirte, vous gardez vos distances.

FAMILLE. Saturne est en Taureau en aspect difficile à Uranus; cette position concerne particulièrement les familles reconstituées où les enfants des deux partenaires se trouvent souvent au milieu d'adultes qu'ils ne comprennent pas parce que ceux-ci ne peuvent s'entendre entre eux. Si telle est votre situation, pour éviter des crises et de l'angoisse à vos enfants, essayez d'avoir une relation mature avec votre *ex*. Si un membre de votre famille est âgé et malade depuis quelques mois, une autre alerte vous obligera à vous précipiter à l'hôpital. Si, par exemple, vos enfants ont l'âge de vous faire des reproches, ce qui est souvent une forme de chantage pour tenter de vous contrôler ou pour vous posséder, soyez assez vigilant et stoppez celui ou ceux qui gâchent votre vie et la leur.

SANTÉ. C'est surtout durant la deuxième semaine du mois que vous devrez redoubler de prudence en exerçant un sport ou même en faisant une promenade. Jambes, chevilles et hanches sont plus fragiles. Un mal de dos chronique et une digestion difficile sont les résultats d'un trop grand stress. Décompressez.

RÊVES ET MAL À L'ÂME. S'il y a parmi vous des esprits forts et des cœurs généreux, d'autres ne savent faire qu'une chose : attirer l'attention en se plaignant de tout et de rien. Ces derniers ont intérêt à réfléchir à leurs sentiments d'abandon et à leur manie de voir des traîtres partout. S'ils se donnent le droit d'avoir de nombreuses fréquentations qu'ils appellent leurs amis, le Lion qui n'est pas bien dans sa peau ne supporte pas que ses amis en aient d'autres que lui ; certains passeront même toute une vie à réclamer une exclusivité qu'ils n'auront jamais. Si vous vous reconnaissez, quelques bons ouvrages ont été écrits sur l'amitié.

FÉVRIER

TRAVAIL. C'est à partir de la mi-février qu'un grand nombre de natifs prennent leur tournant de carrière. Ceux qui lancent leur propre affaire feront du recrutement. Grâce à leur flair, ils détecteront des gens à l'esprit ouvert qui sauront les seconder. Si vous êtes déjà en commerce, vous repenserez à une autre stratégie ; vous vous préparez à prendre de l'expansion, mais vous étudierez auparavant jusqu'où vos finances vous permettent d'aller. Si votre emploi est régulier, routinier, à partir du 19, on vous confiera de nouvelles tâches qui vous sortiront de l'engourdissement dans lequel vous glissiez sans trop vous en rendre compte. Mais peut-être faites-vous partie des gens qui ont pris leur retraite. Certains d'entre vous seront rappelés, le temps de signer un contrat bien payant.

SANS TRAVAIL. Il est quasi impensable qu'un Lion soit sans travail. Si vous n'avez aucun emploi, peut-être manquez-vous de motivation. Ou vous attendez peut-être qu'on sonne à votre porte et qu'on vous fasse une offre. Il arrive qu'on soit malchanceux pendant un temps. Mais pas toujours. Si jamais vous êtes inactif alors que vous avez la santé, votre signe fixe n'est-il pas embourbé dans la paresse ? Il y a de l'emploi pour celui qui cherche et c'est au milieu du mois que les bonnes nouvelles arrivent.

AMOUR. Un *ex* vous rappelle et vous trouble. Si c'est terminé entre vous, ne le laissez pas s'introduire à nouveau dans votre vie, il pourrait vous envahir jusqu'au moment où son intérêt se porte sur quelqu'un d'autre. Vous n'avez pas à revivre un second abandon. Si vous avez un amoureux depuis plusieurs mois et que vous n'êtes pas encore certain d'être engagé, du 19 à la fin du mois, votre insécurité pourrait croître. Ne prenez aucune décision sur un coup de tête ou parce qu'on vous a un peu contrarié. Quelques planètes dans le ciel symbolisent un remue-ménage et suggère de ne rien précipiter en cas de querelle. Si vous êtes seul depuis longtemps, un coup de foudre vous renverse. Ce serait plus sage de ne faire aucune promesse pour l'instant.

FAMILLE. Les planètes sous haute tension forment des aspects qui désorganisent votre vie familiale. Ce ciel peut aussi signifier que vous fermerez la porte pour de bon à un membre de votre famille qui demande constamment de l'aide et qui ne fait jamais d'efforts pour sortir de ses problèmes. En tant que parent, même si vos enfants sont grands, même s'ils font le maximum pour être indépendants, même s'ils sont travaillants, il est possible que l'un d'eux réclame votre aide ou qu'il ait besoin d'une oreille attentive ou d'un peu d'argent pour payer ses comptes en retard à la suite d'un manque temporaire d'emploi. Parmi vous, des parents radicaux devront changer leur méthode parce qu'elle ne fonctionne pas.

SANTÉ. Si vous êtes constamment stressé, votre système immunitaire est lui aussi sous le choc et n'attendez pas une grippe ou une crise de foie pour vous offrir une détente. En ce temps de l'année, les produits frais se font plus rares; si vous consommez des aliments remplis d'additifs chimiques, vous risquez de voir vos petits malaises se multiplier.

RÊVES ET MAL À L'ÂME. Un monde parfait n'existe pas, il suffit d'écouter les bulletins de nouvelles pour le reconnaître. Toutefois, le bonheur demeure la seule véritable raison de vivre. Le bonheur n'est pas possession comme la publicité essaie de nous le faire croire. Le bonheur n'est pas un produit artificiel, il ne se mesure pas non plus. Chaque fois que vous serez insatisfait de votre condition, demandez-vous ce qui vous rendrait heureux ou ce que vous avez fait pour être aussi malheureux. Il nous arrive à tous, un jour ou l'autre, de subir la bêtise d'un autre; cependant, en faire le centre de ses pensées, c'est passer à côté du bien et du beau, gaspiller son énergie, ruiner sa santé et, surtout, s'éloigner de sa vraie raison d'être.

MARS

TRAVAIL. Pour gagner sa vie, la plupart travaillent, ce qui n'est pas du tout une punition; aussi, souriez quand vous partez le matin. Si votre moral est plus à plat, dites-vous que l'hiver finira comme chaque année et que vous avez mieux à faire que de ruiner le temps qui passe à vous plaindre. C'est un mois où les relations de travail semblent plus complexes, comme si tout à coup des collègues avec lesquels vous travaillez depuis longtemps n'étaient plus tout à fait eux-mêmes. Ça leur passera. N'avez-vous pas eu vous aussi des problèmes dont vous n'avez parlé à personne, mais que chacun ressentait sans oser vous dire quoi que ce soit? Il sera plus difficile de vous concentrer; faites un effort supplémentaire, car les erreurs sont moins bien excusées par le patron qui est, lui aussi, sur les dents. Si vous êtes le patron, restez calme, ne vous emportez pas contre des employés qui ont toujours été fidèles : vous regretteriez que votre plus talentueux parte en colère, contre vous en plus.

SANS TRAVAIL. Jupiter, Saturne en Taureau, Uranus et Neptune en Verseau : ces planètes lourdes dans des signes fixes, bien qu'elles créent une tension sur le Lion, vous invitent à tenir bon si vous avez un emploi précis en tête. Vous finirez par l'obtenir. L'an 2000 ne vous veut pas inactif ; au contraire, il vous stimule et suggère de choisir votre propre sommet. Si vous n'aimez pas les limites, regardez quand même où sont les vôtres pour l'instant et procédez par étape. Il est impossible d'en sauter une, surtout ce mois-ci.

AMOUR. La vie est quasi insupportable rien qu'à l'idée de n'être aimé de personne. Par contre, vivre avec quelqu'un qui a forcé votre porte n'apporte pas le bonheur. En tant que célibataire, ne sautez pas dans les bras du beau parleur ou de l'enchanteresse qui ne ressemble ni de près ni de loin à ce que vous recherchez émotionnellement et intellectuellement. Une fois le grand frisson passé, vous auriez très froid. Si votre relation de couple est boiteuse depuis déjà longtemps, vous oserez dire ce que vous pensez parce que vous êtes prêt à entendre la vérité. Pour plusieurs, votre vie sentimentale est une sorte de déclenchement à une prise de conscience sur vous-même et sur vos vrais désirs par rapport au présent qui prépare toujours le futur.

FAMILLE. Le ciel n'est pas tranquille en ce qui concerne la vie de couple ; si vous avez des enfants, ils subissent vos tourments même si vous ne leur dites rien. Les enfants devinent très bien papa et maman. C'est pourquoi ils sont aussi habiles à les faire marcher. S'ils ont l'âge de raison et s'ils posent des questions au sujet de vos discussions très animées avec votre partenaire, sans vous expliquer de A à Z, donnez-leur des explications sur ce que vous ressentez. Quant aux sentiments de votre partenaire, vous n'avez pas à faire de l'interprétation. Mais peut-être avez-vous un enfant qui a un talent spécial. Si c'est le cas, donnez-lui la chance de le développer dès qu'il en manifeste le désir.

SANTÉ. Votre digestion est encore capricieuse et si vous ne faites pas attention à votre alimentation, il en sera ainsi toute l'année. Aussi vaut-il mieux prévenir. Avec Mercure en Poissons dans le huitième signe du vôtre, gardez les pieds secs et au chaud, car vos poumons sont plus sensibles et détestent le froid en ce mois.

RÊVES ET MAL À L'ÂME. On peut devoir prendre des médicaments qui remplissent une fonction spécifique que le corps ne peut fournir, on peut souffrir d'un mal chronique et pourtant ne pas être découragé. On peut aussi être en parfaite santé physique et se sentir quand même mal dans sa peau. En ce mois, il faut réfléchir à ce que vous avez reçu comme dons du ciel. Et puis, n'est-il pas temps de faire fructifier un de vos talents plutôt que d'en parler continuellement et de ne rien faire ? Vous êtes régi par le Soleil et vous seul déciderez de le faire briller du dedans vers le dehors.

AVRIL

TRAVAIL. Le défi se poursuit; si vous bâtissez, il est normal que de temps à autre vous rencontriez des obstacles, que les plans soient partiellement modifiés, qu'il faille remplacer un absent ou congédier quelqu'un qui travaille mal parce qu'il retarde le groupe. Si vous lancez une affaire, ce n'est pas le moment de faire relâche; vous subissez des retards mais qu'importe, vous atteindrez votre but. En tant qu'employé, l'entreprise vous fera travailler plus fort; pour survivre, elle a dû réduire son personnel, mais la situation est temporaire, patientez! En juillet, l'ordre sera rétabli. Si vous faites partie de ceux qu'on met à la retraite alors que vous n'êtes pas prêt, vous devrez débattre votre cas devant un comité. Seule la ténacité vous fait gagner la partie.

SANS TRAVAIL. Si vous n'avez pas d'emploi depuis plusieurs mois, attention, ce mois vous semble plus difficile à supporter moralement et matériellement! Un Lion qui ne peut s'offrir ni luxe ni la moindre fantaisie est un Lion souffrant. Mais celui qui s'écrase alors qu'il devrait être à la chasse n'a pas non plus de sens, il renie sa vraie nature. Il y a des lions dans des zoos, ils sont nourris, logés mais ils n'ont pas de liberté.

AMOUR. À partir du 7, Vénus en Bélier vous redonne votre magnétisme; si vous pensiez avoir perdu le goût de l'amour, vous vous apercevez qu'il s'était tout simplement assoupi. Dès que vous passez, on vous voit, on vous sourit, on a envie de mieux vous connaître, et vous décidez qui mérite votre sourire, votre attention. Le choix ne manque pas! Peut-être avez-vous une vie de couple où vous y trouvez de multiples satisfactions, de la sécurité et beaucoup d'affection; une chose est certaine, ce n'est pas écrit sur votre front que vous êtes heureux en amour et vous n'êtes pas non plus à l'abri des grands séducteurs ou des charmeuses. Faites attention à un flirt qui peut devenir insistant, envahissant et même destructeur. Vous rappelez-vous le film *Attraction fatale*?

FAMILLE. Si vous avez eu des problèmes avec un de vos adolescents, peut-être n'est-il pas complètement résolu. Pourtant, vous savez que vous devrez trouver une solution un jour ou l'autre. Mais, en tant que parent, ce n'est jamais facile de prendre position, surtout quand il s'agit de sanctions. De nombreux *baby-boomers* sont déjà grands-parents, et d'autres sont sur le point de l'être. En ce qui vous concerne, il est possible qu'il y ait un heureux ajout. Si vous êtes heureux en amour, si vous êtes à la fin de la vingtaine ou dans la trentaine, vous pourriez avoir un premier ou un second enfant.

SANTÉ. Trois planètes en Taureau vous invitent encore à la prudence en faisant un sport; quand vous êtes au volant, redoublez d'attention; en cuisinant, lorsque vous tenez un gros couteau, regardez ce que vous coupez. Une distraction peut causer un accident, ce dont personne n'a besoin. Si vous prenez des médicaments et qu'il vous faut prendre un comprimé d'urgence pour des allergies, des palpitations au cœur ou autre, ne partez pas sans eux en ce mois d'avril.

RÊVES ET MAL À L'ÂME. La sagesse ne s'apprend pas ; bien que des livres nous l'inspirent, on y aspire en réalité qu'au fil de nos expériences, et souvent les plus douloureuses. Si vous êtes encore en période de questionnement, si vous cherchez une raison à votre existence, c'est déjà bon signe. Mais il faut un jour se risquer et entrer dans le jeu de la vie. Vous pouvez toujours faire seul votre jeu de patience et tuer le temps, ce qui n'augure rien de bien vivant. L'échange est valorisant parce que c'est avec et à travers les autres qu'on se découvre. Si vous avez tendance à vous isoler, sortez de ce carcan qui vous emprisonne moralement.

MAI

TRAVAIL. Plusieurs planètes sont en Taureau dans le dixième signe du vôtre. Elles symbolisent l'ascension ou le désir de se retrouver au sommet ainsi que la volonté de vous déployer pour l'atteindre. Si vous occupez un poste de pouvoir, il est dangereux de devenir tyrannique avec vos subalternes. Si vous êtes employé, vous n'avez pas à vous comporter en esclave, vous n'avez pas non plus à subir un tyran. Il y a des recours pour cela. Il est difficile de rester en équilibre sous ce ciel ; la majorité des Lion au travail, surtout ceux qui sont à leur compte, en font trop et épuisent leurs réserves. Si vous faites commerce avec l'étranger, les nouvelles sont bonnes, les allers-retours seront nombreux. Si vous vous rendez dans un pays où on ne protège peu ou pas l'environnement, méfiez-vous d'aliments qui ne vous ouvrent pas l'appétit et, si possible, buvez de l'eau embouteillée. Ainsi, lors de votre séjour, vous vous en porterez mieux et vous conclurez de bonnes affaires.

SANS TRAVAIL. Que vous soyez chauffeur de taxi, de camion, de train, pilote d'avion, etc., dès l'instant où votre métier ou votre profession vous oblige normalement à des déplacements, vous trouverez si vous cherchez. Il en va de même pour les spécialistes en informatique et pour ceux dont le métier est en rapport avec les communications modernes.

AMOUR. Si vous avez fait une heureuse rencontre en avril, même si vous êtes encore emballé, quelques réalités au sujet de votre partenaire vous sautent aux yeux et vous déplaisent. Avez-vous noté ce qu'il y avait d'agréable chez l'autre ? C'est aussi une partie importante de sa personnalité. Si votre vie de couple n'est plus que routine, plutôt que de dire clairement que ça ne vous plaît plus, vous faites des crises à propos de tout et de rien. Votre message peut être ainsi compris : ou votre partenaire se sent coupable et se retrouve désemparé, ou il vous claque la porte au nez. Le ciel est encore obscur concernant votre vie amoureuse et, s'il en est ainsi, demandez-vous si vous n'êtes pas en train de subir un climat social où l'angoisse est à la hausse.

FAMILLE. Si vous avez des parents âgés dont la santé décline, sans doute devrez-vous leur donner plus d'attentions et de soins car vous vous sentez responsable d'eux. Si toutefois vous avez des frères et des sœurs, demandez-leur de faire leur part afin que vous puissiez continuer à travailler, vous occuper de vos enfants, prendre le temps de vivre avec votre partenaire et, surtout, vous éviter un épuisement physique. Si vos enfants ont l'âge de contester votre autorité, pour empêcher les cris et les crises, vous devrez vous transformer en psychologue ou essayer de vous mettre à leur place: peut-être comprendrez-vous ce qui les révolte.

SANTÉ. Les planètes en Taureau affectent les estomacs nerveux. Si vous êtes sujet aux ulcères, c'est le temps de changer votre régime alimentaire, de modifier vos habitudes de vie. Plusieurs médecins s'entendent pour dire que les ulcères du duodénum surviendraient surtout chez les gens qui sont frustrés sur le plan professionnel. À vous de conclure et de prendre les mesures pour faire disparaître le problème.

RÊVES ET MAL À L'ÂME. Entre le 14 et le 24, vous réfléchirez sérieusement à votre relation de couple. Non seulement vous demanderez-vous qui vous êtes devenu, mais également qui est ce partenaire que vous ne reconnaissez plus depuis peut-être quelques mois ou même des années. Vivez-vous une évolution, avez-vous la sensation de stagner ou est-ce une étape de régression? Il est difficile de trouver une réponse juste, mais une fois la question posée, le travail psychique commence.

JUIN

TRAVAIL. Si vous faites un travail artistique, le ciel présage des déplacements ou un long voyage en raison d'un contrat que vous ne pouvez et ne voulez pas refuser. Si vous êtes en affaires ou à contrat, c'est du long terme qui vous sera offert; aussi, veuillez à bien négocier votre salaire afin qu'il corresponde aux longues heures qui vous attendent chaque jour; de préférence, gardez-vous une porte ouverte pour négocier de nouveau si, en cours de route, vous deviez être quasi entièrement responsable des opérations. Si vous faites commerce dans le domaine de l'immeuble, de la construction, si vous achetez et vendez propriétés et terrains, jusqu'au milieu du mois, vous signerez quelques papiers qui vaudront de l'or ou presque. De plus, vous élargirez votre territoire et parfois bien au-delà des frontières.

SANS TRAVAIL. Si vous avez choisi de rester à la maison ou si vous êtes à la retraite, ou encore si tout simplement vous avez des moyens financiers qui vous permettent de vivre sans contrainte, si vous êtes resté inactif depuis le début de l'année, vous n'en pouvez plus, vous avez besoin de vous dégourdir et, surtout, de vous sentir utile. Certains feront du bénévolat, d'autres apporteront leur aide et leurs compétences à la communauté dont ils font partie. Si vous avez de la famille à l'étranger, il est possible que alliez y passer le mois.

AMOUR. Il y a emballement, excitation, passion et grandes déclarations. Puis, tranquillement, le masque de la séduction s'efface et le vrai moi apparaît, le vôtre et, du même coup, celui de l'autre puisqu'on ne peut voir autrui qu'à travers ses propres désirs, expériences et perceptions, plus particulièrement quand on naît Lion. En tant que célibataire, vous pourriez vous rendre compte en peu de temps que vous êtes tombé amoureux d'une image et que vous avez inventé la réalité de cette personne. Si les uns y apprennent une importante leçon, d'autres se contenteront d'être déçus jusqu'à la prochaine flamme. La même situation peut s'appliquer à une union qui dure pendant quelques années et pour laquelle vous avez de moins en moins d'intérêt. Vous a-t-il fallu tout ce temps pour vous apercevoir que vous ne pouviez transformer votre partenaire? Et pourquoi ne seriez-vous pas heureux avec l'autre qui est maintenant authentique, qui n'est plus un idéal inaccessible mais une vraie personne?

FAMILLE. S'il y a des tensions dans votre famille, si vous décidez de ne pas comprendre ce que certains essaient de vous passer comme message, vous aurez d'abord un profond sentiment de solitude, vous serez fâché qu'on ne soit pas de votre avis. Mais il suffit que vous examiniez leurs propres motifs pour qu'ensuite vous deveniez plus souple, plus réceptif et plus conciliant. Jupiter et Saturne en Taureau sont dans le dixième signe du vôtre et exigent une réorganisation pour la paix familiale; ces conflits peuvent être entre frères, sœurs, enfants, cousins, belles-sœurs, beaux-frères, qu'importe la source, elle est tarie et il faut dépolluer.

SANTÉ. Votre état de santé dépend en grande partie de vos émotions et de vos frustrations; si vous acceptez d'être dérangé par des événements sur lesquels vous n'avez aucun contrôle, vous aurez des chutes de vitalité ou des malaises dont le propre est de vous ramener à vous-même et à un ordre intérieur.

RÊVES ET MAL À L'ÂME. Vous êtes généralement pieux ou, du moins, très près de la nature et de la vie elle-même. À partir du 19, vous aurez besoin de méditer davantage, il s'agit là d'un repos pour l'âme et d'une paix pour votre esprit. Que vous croyez ou non au miracle, il s'accomplit. Cette élévation spirituelle, quelle que soit votre méthode, provoquera des changements dans l'ordre matériel; vous recevrez des signaux comme quoi on vous écoute en Haut. Neptune, la planète qui vous relie au Grand Tout, au cosmos ou à Dieu, appelez cette relation particulière selon vos convictions, est telle une entité qui se manifeste et vous apporte une aide providentielle.

JUILLET

TRAVAIL. C'est un mois de vacances pour un grand nombre; pour ceux qui sont au boulot, il y a moins d'empressement ou le travail est plus harmonieux, le stress diminue, les relations entre collègues sont en général agréables. Si vous faites partie de ceux qui ont leur bureau ou leur atelier à la maison, vous serez débordé alors que vous vous attendiez à un ralentissement; il vous faut même embaucher du personnel pour remplir les commandes.

SANS TRAVAIL. Si vous êtes à la maison et que vous ne quittez pas votre habitation pendant votre période de vacances, c'est parce que vous êtes occupé à la transformer, à décorer, à rénover, à réparer. Si vous avez un jardin, étant donné que vous l'avez plus chargé que les années précédentes, il vous tient aussi plus occupé. Jupiter vient d'entrer en Gémeaux et y sera jusqu'en juillet 2001, ce qui est de très bon augure sur le plan professionnel. Si vous cherchez un emploi, vous aurez plusieurs offres; vous ne mettrez pas beaucoup de temps à choisir la voie la plus intéressante et payante.

AMOUR. Vous aimez votre partenaire, mais vous aimez aussi vos enfants et il arrive que vous soyez déchiré entre ces deux amours. Sous votre signe, vous consacrer l'un à l'autre est un tour de force. Comment pourriez-vous donner l'exclusivité à votre conjoint et à vos enfants? L'exclusivité se définit comme étant un parti pris. Et, en ce mois, vous vous adonnerez à ce genre de gymnastique intello-émotive. En tant que parent célibataire, vous êtes plus susceptible de rencontrer le grand amour. Quant aux autres, sans doute se retrouveront-ils en face de quelqu'un dont le premier désir est celui de fonder un foyer, d'avoir une famille. Si vous avez dépassé l'âge d'être parent, vu une rencontre spéciale, vous devrez composer avec une belle-famille bien différente de votre propre famille.

FAMILLE. En ce mois, amour et famille se confondent, s'entremêlent, s'associent et sont souvent inséparables. Il y a aussi la probabilité que des amis s'infiltrent et se comportent comme s'ils étaient de la parenté. Si certains sont agréables et sains d'esprit, d'autres sont des envahisseurs qui ne veulent que prendre le contrôle et orchestrer votre vie ainsi que celles de vos proches comme si c'était la leur. On vous envie et soyez vigilant, ne laissez personne semer la zizanie dans votre foyer.

SANTÉ. Du 13 au 21, avec Vénus en face de Neptune, si vous êtes fréquemment déprimé, si vous avez régulièrement le vague à l'âme, vous êtes alors plus facile à écraser. Cet aspect est temporaire; pour y remédier, vous devez tenir un discours positif. Si vous êtes tourmenté, chez les uns l'estomac encaisse le coup et les brulûres apparaissent; d'autres feront de l'enflure et s'il y a engourdissement, il vaut mieux par prudence voir un médecin.

RÊVES ET MAL À L'ÂME. Saturne contient vos expériences et, en ce mois, il fait un aspect difficile à Uranus; cette dernière planète a tendance à transformer vos souvenirs; nous avons tous vécu des moments difficiles, des périodes plus pénibles que d'autres; avec le temps, il arrive que nous les transformions pour les rendre plus agréables, supportables. Cependant, la position de Saturne en Taureau et d'Uranus en Verseau est comme un miroir à qui on dirait: « Dis-moi la vérité. » Si cette dernière n'est pas plaisante, elle est réalité. Saturne en Taureau, Uranus en

Verseau, c'est pour un grand nombre la fin d'une attitude immature et le début d'une vie où, en tant qu'adulte, on est responsable de ses actes.

AOÛT

TRAVAIL. Vous avez trouvé votre voie, vous réalisez une part de votre rêve et il n'est pas statique ; votre scénario devient de plus en plus complexe et intéressant, surtout à partir du 11 quand Saturne fera un séjour en Gémeaux jusqu'au 16 octobre. Une nouvelle qui n'était pas encore entièrement confirmée, un projet qui n'était pas définitif le sera ; si vous êtes propriétaire d'un commerce, il est possible que vous en doubliez la superficie. Si vous faites affaire avec l'étranger, que ce soit en personne ou par Internet, vous augmenterez votre clientèle, vous ferez plus d'argent et vous investirez judicieusement vos profits. Si vous êtes un concepteur, qu'il s'agisse de publicité ou d'architecture, vous aurez des idées géniales que vous vendrez avec une telle facilité que vous en serez vous-même très surpris.

SANS TRAVAIL. Si vous êtes sans emploi et que, jusqu'à présent, vous avez choisi de ne pas travailler, si vous ne cherchez pas même si vous êtes en santé, vos finances seront bien basses. Vous aurez des dépenses qui, au départ, n'étaient pas sur votre budget et, pour en sortir, dans un suprême effort vous ferez des demandes ; comme vous êtes en zone plutôt chanceuse, vous trouverez selon vos compétences et selon le salaire que vous souhaitiez obtenir. Si vous avez un diplôme universitaire, que vous soyez un débutant ou une personne d'expérience, une bonne nouvelle suivra rapidement vos démarches.

AMOUR. Vénus est en Vierge à partir du 6, Jupiter est en Gémeaux, Saturne entre dans ce signe du 10 août au 16 octobre ; ces planètes dans des signes doubles vous font douter d'une personne que vous avez récemment rencontrée. Vous êtes parfaitement conscient que votre nouveau flirt est sexy, mais vous pressentez qu'en dehors de votre attirance, vous n'avez que bien peu à partager. Si votre vie de couple dure depuis longtemps, si vous êtes heureux, l'autre et vous déciderez de faire un voyage et peut-être cette lune de miel que vous n'avez pu vous offrir au moment de votre mariage. Si vous êtes ce Lion qui a raison en tout temps, entre le 7 et le 22, vous risquez de vous faire répondre ce que vous ne voulez pas entendre, mais n'est-ce pas le temps d'apprendre votre leçon d'écoute attentive ?

FAMILLE. S'il y a eu des conflits familiaux, ce sera enfin le repos. Si ce n'est pas la paix, vous serez capable de vous détacher et de ne pas souffrir de l'éloignement. En fait, vous aurez la sagesse de laisser retomber la poussière ; ensuite, vous pourrez la ramasser. Ce ciel d'août concerne principalement les parents dont les enfants ont entre 10 et 18 ans. Vous serez porté à leur dire quoi faire ; si, par exemple, vous suggérez plusieurs choix à votre progéniture, celle-ci apprendra à réfléchir à ce qu'il y a de mieux à faire et se sentira fièrement en contrôle de sa vie. Du même coup, ces enfants apprendront à être responsables et conséquents. En tant que Lion, vous êtes très protecteur; le problème est que certains enfants vieillissent en se fiant à vous et se défilent quand vient le temps de prendre leur vie en main.

SANTÉ. Si vous avez des problèmes de sinus, un mauvais fonctionnement du foie risque d'accentuer cette faiblesse. Durant la deuxième semaine du mois, soyez plus prudent au volant : ne prenez pas la route quand vous êtes très fatigué, car une distraction peut vous faire déraper et vous causer une grosse peur.

RÊVES ET MAL À L'ÂME. En principe, le temps devrait nous faire mûrir, nous rendre plus sage. Si, durant des années, seul l'argent a eu de l'importance, s'il a été votre unique préoccupation, le centre et les pourtours de votre vie, sans doute vous rendez-vous compte que vous n'avez que peu ou pas d'amis. Il n'est jamais trop tard pour changer d'autant plus que ce ciel d'août concerne le mental, l'esprit qui s'ouvre, qui comprend et qui admet avoir misé sur un cheval perdant. Des humanistes, des missionnaires partiront à l'étranger pour aider ceux qui souffrent. Si vous vous identifiez à ces Lion, vous n'aurez jamais ressenti une aussi grande satisfaction.

SEPTEMBRE

TRAVAIL. Mars est maintenant sur le dernier décan de votre signe; cette planète est un symbole d'explosion, vous détonnez. Mars ainsi positionné stimule votre volonté, votre sens de l'organisation ainsi que votre audace. Jusqu'au 17, vous êtes en zone de pouvoir et très efficace. Grâce à des rencontres aussi charmantes qu'influentes, vous prendrez un raccourci pour atteindre votre objectif. D'où que vous partiez, indépendamment de votre âge, que vous soyez un débutant ou une personne d'expérience, vous vivrez une période d'expansion au-delà de ce que vous espériez; vos profits seront supérieurs à vos prévisions. Rien ne s'arrête à partir du 18; au contraire, il s'agit alors de stabiliser ce qui est en cours et de vous assurer de sa continuité.

SANS TRAVAIL. Si vous avez la santé, si vous êtes à la recherche d'un travail, il vous suffit de faire quelques démarches pour que vous trouviez l'emploi correspondant à vos compétences et au salaire que vous espériez recevoir. Si toutefois vous avez choisi de rester à la maison, si vous êtes à la retraite ou même en congé de maladie, durant les deux dernières semaines du mois, vous serez intellectuellement plus curieux et vous aurez envie de lire pour le simple plaisir d'en savoir plus long sur un sujet qui vous tient à cœur.

AMOUR. Si votre vie de couple a été orageuse, la tempête se calme pour faire place à des sentiments que l'on partage plus agréablement. On peut au moins se parler sans se fâcher l'un contre l'autre. En tant que célibataire, vous êtes réceptif ce mois-ci et c'est sans doute au début du mois que vous rencontrerez une belle personne dans une librairie, à l'entracte d'un spectacle ou d'un concert, ou encore dans une salle de classe si vous suivez des cours. En somme, les endroits où l'on s'instruit sont les plus favorables à un beau choc amoureux.

FAMILLE. Jupiter et Saturne sont en Gémeaux et, sous leur influence, votre porte est ouverte aux amis de la famille et à ceux de vos enfants. Certains parents découvriront aussi qu'un de leurs enfants a de mauvaises fréquentations ; avant qu'un sérieux problème survienne, ils interviendront. Si vous recherchez un parent dont vous n'avez pas de nouvelles depuis parfois plusieurs décennies, le ciel indique que vous avez de plus en plus de chances de le retrouver, surtout si vous utilisez Internet qui vous vous fait faire le tour du monde sans devoir dépenser tous vos avoirs.

SANTÉ. Si vous êtes physiquement plus résistant, il est aussi possible que vous abusiez de vos forces ; vous vous coucherez ; plus tard, vous travaillerez sans relâche, vous rendrez des services aux autres. Finalement, vers le 24, vous aurez une terrible chute de vitalité qui vous clouera au lit pendant quelques jours. Un mal de dos vous signalera que vous en avez assez fait.

RÊVES ET MAL À L'ÂME. Bien que vous soyez entré dans une zone céleste où tout sera plus agréable à vivre pour la majorité, il restera toujours des Lion difficiles ou impossibles à satisfaire. Si vous vous reconnaissez comme étant une personne susceptible et en colère à propos de tout et de rien, à partir du 18 avec Mars en Vierge, Jupiter et Saturne en Gémeaux, ces planètes étant dans des signes doubles de Mercure, vos critiques seront non seulement déplaisantes pour autrui mais également autodestructrices. Il a été démontré que le langage négatif que l'on se tient à soi-même mine l'humeur et affecte même les fonctions vitales. Il existe des formules simples que chacun peut appliquer pour retrouver la paix quand un événement hors de son contrôle la trouble. Avec Neptune en Verseau en face de votre signe, vous avez tendance à chercher des raisons et des explications pour à peu près tout ; c'est sans aucun doute une gymnastique intellectuelle stimulante ; par contre, le bonheur est bien au-delà du savoir. Il est dans notre relation entre soi et Dieu ou entre soi et l'Univers.

OCTOBRE

TRAVAIL. Vous n'aurez pas de repos, surtout durant les deux premières semaines du mois. Le travail ne manque pas, les défis sont plus nombreux à relever. Si vous êtes à votre compte, vous faites plus d'argent, vous élargissez votre territoire commercial. Si vous œuvrez dans le monde des communications modernes, dans un domaine médiatique, telle la publicité, vous aurez beaucoup à penser. En tant que créateur, vous vous réalisez pleinement. Si, par exemple, vous travaillez à la maison, il est possible que les nuits soient longues. Si vous faites un travail d'équipe, de mauvaises langues essaieront de vous déséquilibrer et, pis encore, de vous éliminer, mais ils ne gagneront rien à ce jeu. Si une petite guerre se déclare à l'intérieur de l'entreprise qui emploie vos services, à partir du 19, vous verrez vos ennemis disparaître les uns à la suite des autres après que vous aurez dépassé l'objectif qu'on vous avait fixé.

SANS TRAVAIL. Si vous êtes en forme, si vous refusez les emplois qu'on vous offre en prétextant constamment que c'est toujours en dessous de vos compétences, vous vivez probablement sur un budget réduit et vous risquez de vous trouver avec encore moins. Si, par exemple, vous simulez une maladie parce que vous ne voulez pas travailler, vous serez pris en pleine activité et la pénalité vous coûtera vos dernières économies. Si vous êtes à la retraite et si vous avez la santé, ne restez pas inactif ; en tant que Lion, lorsque vous vous sentez inutile, vous allez tout droit à la déprime. Gardez le contact avec le reste de la planète. Votre survie physique, émotionnelle et mentale en dépend.

AMOUR. Jusqu'au 19, Vénus est en Scorpion et fait un aspect dur à votre signe ; pendant ces jours, évitez de jouer dans les faiblesses de votre partenaire. Sa riposte vous troublerait plus que vous ne l'imaginez. Ce Vénus peut aussi signifier à certains qu'ils subiront l'humeur maussade de leur conjoint qui s'énerve ou même s'angoisse à la moindre contrariété. Entre le 15 et le 19, l'argent, qu'on soit riche ou pauvre, est un sujet de conversation épineux. Soit vous demandez une explication pour chaque dépense, soit on vous pose des questions sur le moindre de vos achats. Vous n'êtes pas obligé de tomber dans ce piège. Les astres inclinent, mais n'obligent pas.

FAMILLE. Tout le mois, Mercure est en Scorpion et Vénus s'y trouve jusqu'au 19 ; ces planètes dans le quatrième signe du vôtre concernent ceux qui ont un enfant à problèmes et l'urgence de trouver une solution avant que les autres membres de la famille en soient affectés. Si vos enfants sont des adultes, il est quand même possible que l'un d'eux ait besoin de votre présence ou de vos conseils ; traverse-t-il une période difficile, une rupture ? Ou peut-être ne sait-il plus quelle solution parmi plusieurs serait la plus appropriée à ce qu'il vit sur le plan personnel. Votre rôle sera principalement de l'écouter.

SANTÉ. Des planètes vous suggèrent de modérer, de vous accorder des pauses quand vous êtes fatigué. Vous n'avez pas à jouer au héros. Si vous vous épuisez, si on vous oblige au repos, vous vous en voudrez d'avoir dépassé vos limites.

RÊVES ET MAL À L'ÂME. Avec le Nœud Nord qui est maintenant en Cancer, si en plus vous avez des planètes dans ce signe, votre questionnement sur votre rôle parental ou sur votre vie familiale est loin d'être achevé. Lorsque vous croirez avoir trouvé des réponses, d'autres questions surgiront à votre esprit. En tant que parent, vous désirez le meilleur pour vos enfants et, en général, vous avez fait le maximum mais vient un temps où vous devez faire confiance à leur jugement, respecter leur décision. Vous êtes un protecteur et vous avez plus de mal que les autres signes à laisser aller vos enfants, même quand ils sont parfaitement autonomes.

NOVEMBRE

TRAVAIL. Si vous êtes à votre compte et si on vous propose une association, par prudence, avant d'y consentir, avant de signer quoi que ce soit, prenez vos références, informez-vous sur son crédit et sur ses expériences passées. Les filous surveillent les gens à succès de très près. À partir du 15, si des collègues se disputent au travail, si vous n'êtes pas directement concerné, n'essayez même pas de les raisonner. Vous vous feriez prendre à ces filets de colère et de fiel. Il est possible qu'il y ait un léger ralentissement de vos affaires, mais si peu. En réalité, ce brouillard est plus personnel que matériel.

SANS TRAVAIL. Si vous avez été remercié parce que l'entreprise fermait ses portes ou réduisait le nombre de ses employés, il est possible que vous étudiiez vos possibilités de lancer votre propre entreprise. Si telle est votre situation, demandez des informations et faites appel à d'autres qui ont des compétences semblables aux vôtres ou complémentaires ; réunissez les gens, vous serez surpris de voir autant de monde se rallier à votre idée.

AMOUR. À partir du milieu du mois, votre partenaire et vous discuterez déjà de la réception pour la fête de Noël. En cet an 2000, les querelles de famille ne sont pas rares et affectent le couple. Il y a des discussions dans l'air au sujet du choix des invités. Si vous filez le grand bonheur et que vous n'avez pas encore d'enfant, il en sera sérieusement question. En tant que célibataire, surtout durant la seconde partie du mois, si vous n'êtes pas ouvert aux beaux sentiments, vous vous replierez davantage sur vous-même et si un joli cœur se présente, vous vous en détournerez : vous avez peur d'être déçu avant même qu'une relation s'établisse.

FAMILLE. Il est possible qu'un membre de votre famille soit gravement malade ; depuis quelque temps, vous aviez remarqué que sa santé déclinait et, en ce mois, il a bien besoin d'être soigné. Si vous aviez prévu partir en vacances avec votre famille à la fin de ce mois ou au début du prochain, sans doute devrez-vous reporter votre voyage pour cause de maladie.

SANTÉ. Si vous avez une aventure d'un soir, protégez-vous, vous n'êtes pas à l'abri des MTS ! Si vous avez tendance à faire des bronchites ou si vous avez déjà eu des problèmes pulmonaires, habillez-vous chaudement et gardez vos pieds au sec. Entre le 23 et le 30, Mercure en Scorpion fait un aspect dur à Uranus en Verseau, zone où vous serez plus nerveux ; durant ces jours, lorsque vous prenez la route, redoublez de prudence et si vous avez rendez-vous, partez plus tôt ; vous serez alors moins stressé et plus attentif.

RÊVES ET MAL À L'ÂME. Vous avez réalisé plusieurs petits rêves, vous les additionnez et vous constatez que la vie est généreuse envers vous. Si toutefois vous ne cessez de vous comparer à des gens qui possèdent plus que vous, votre insatisfaction ira en augmentant. Le bonheur n'est pas chiffrable. Les planètes dans ces signes de commerce et d'argent rendent l'accès à la sagesse plus ardue. Ne vous laissez pas piéger par cette idée que la valeur d'une personne se mesure à son statut social et à ses gains. Si vous y croyez, c'est que vous êtes facile à impressionner.

DÉCEMBRE

TRAVAIL. Si vous œuvrez dans le domaine des communications, vous serez débordé jusqu'au 23. Si vous êtes dans la vente, que ce soit à domicile ou sur la route, vos profits augmenteront; à partir du 9, vos clients seront capricieux, difficiles à satisfaire; vous devrez vous armer de patience. Si vous avez suivi un cours afin de vous perfectionner ou de vous adapter à une nouvelle technologie, vous aurez de l'avancement, et sans doute l'apprendrez-vous juste avant Noël. Si vous faites de la création, vous aurez des idées hors de l'ordinaire que vous mettrez rapidement à exécution. Si vous avez fait une demande de mutation afin d'occuper un autre poste dans l'entreprise en cours, on vous l'accordera; votre signe reçoit un bon aspect à Mercure du 4 au 23.

SANS TRAVAIL. Si vous êtes en bonne santé et sans emploi, peut-être n'avez-vous pas suffisamment cherché. D'ailleurs, même en ce mois, période des fêtes, si vous désirez vraiment travailler, vous n'aurez pas à frapper à mille portes: il vous suffira de bien peu de démarches pour trouver. Vous êtes persuasif de nature et quand vous voulez, vous pouvez. Si vous êtes en arrêt de travail à cause de graves problèmes de santé et si votre médecin vous a suggéré de rester à la maison jusqu'à la fin du mois, suivez son conseil et essayez de vous détendre; l'entreprise va survivre malgré votre absence et, quand le temps sera venu, c'est en grande forme que vous reprendrez vos fonctions.

AMOUR. À partir du 9, Vénus est en Verseau, Uranus et Neptune y sont encore. Ces trois planètes exercent une pression sur votre vie de couple et, de temps à autre, l'orage éclate. Pour certains, les nuages sont passagers. Si, malheureusement, vous insistez pour avoir raison, vous aurez l'impression que la tempête n'en finit plus. Votre partenaire sera nerveux et agressif et si vous avez des enfants, ils le seront aussi; ces derniers ont généralement l'art de se modeler sur le comportement de leurs parents. Si votre amour pour votre partenaire a traversé des décennies, si l'harmonie règne en maître, au début du mois, vous déciderez tous les deux de partir en voyage afin de souligner agréablement votre entrée dans cet autre siècle. En tant que célibataire, un ami peut vous présenter à un de ses amis dont il vous a souvent parlé, mais que vous ne connaissez pas encore. Cette rencontre sera magnifique même si, au début, vous vous méfiez de ce genre de présentation.

FAMILLE. C'est souvent lors de la période des fêtes qu'éclatent les querelles entre parents. Le ciel contient des éléments étranges en ce qui concerne l'obstination ; si elle a lieu, votre travail ou celui d'un membre de votre famille la déclenchera. Il suffira d'une remarque banale pour que la personne concernée soit offensée. À partir du 24, Mars entre en Scorpion dans le quatrième signe du vôtre et fait un aspect dur au Lion ; votre signe fait face à Uranus et à Neptune ; cette dernière planète fait un carré à Mars en Scorpion. Ce ciel s'attache surtout au premier décan et, malheureusement, il présage à ceux qui ne peuvent pas être sages un Noël où les échanges de cadeaux ne se font pas en douceur. Si le deuxième décan fait de son mieux, de nombreux Lion du troisième décan se voient dans l'obligation de soigner un parent malade plutôt que d'assister aux réunions familiales. Si vos enfants sont de jeunes adultes, peut-être serez-vous choqué quand ils vous annonceront qu'ils ne veulent pas voir tantes, oncles, cousins, etc., parce qu'ils préfèrent fêter avec les amis. Plutôt que d'être seul, pourquoi ne feriez-vous pas comme eux ?

SANTÉ. Votre état de santé est directement relié à vos émotions. Si vous vivez une situation personnelle complexe, embrouillée, désagréable, des malaises ou des maux qui semblaient disparus à tout jamais réapparaîtront. Si vous avez des difficultés circulatoires, si vous êtes sous médication, soyez rigoureux, suivez les recommandations de votre médecin. Si vous êtes un fêtard, si votre cœur a des palpitations irrégulières sans que ce soit alarmant, vous avez quand même là un avis de modération. Durant la dernière semaine du mois, ne buvez pas trop, mais, si vous le faites, de grâce, ne prenez pas le volant. Ce n'est plus uniquement votre vie que vous risquez, mais peut-être bien celle d'autres personnes.

RÊVES ET MAL À L'ÂME. Vu le Nœud Nord en Cancer dans le douzième signe du vôtre, nombreux imploreront le ciel pour qu'il protège leurs enfants, leur donne plus en qualité de vie et en matière. Si votre progéniture a été éprouvée, votre demande est légitime. Mais des Lion demanderont à Dieu et aux saints de changer leurs enfants pour qu'ils deviennent des modèles d'ange ou presque. Dans un tel cas, ne serait-il pas plus juste de méditer afin que vous vous transformiez vis-à-vis d'eux ? Ouvrir les yeux sur ce qu'ils sont réellement, c'est un tour de force pour un Lion. Sous votre signe, on idéalise ses enfants au point où on ne voit plus la réalité.

♍ VIERGE

22 août au 22 septembre

À MES CHERS AMIS: GUILLAUME GAUTHIER, MARGUERITE BLAIS, DIANE DUQUETTE, ÉMILE CAMPANELLO, ROBERT ASHBY, YVAN RUEL, LUCIEN FRANCOEUR, ET À MON CHARMANT ET PATIENT ÉDITEUR, MONSIEUR JACQUES SIMARD.

AU DOCTEUR ANTOINE F. ASSWAD, ENVERS QUI JE SERAI TOUJOURS RECONNAISSANTE POUR SES SOINS ATTENTIFS; GYNÉCOLOGUE, IL EST L'HOMME LE PLUS DIPLOMATE ET LE PLUS GÉNÉREUX QUE JE CONNAISSE DANS CE DÉLICAT SECTEUR DE LA SANTÉ AU FÉMININ SEULEMENT.

De la mi-février à la fin de juin, Jupiter est en Taureau dans le neuvième signe du vôtre et occupe une portion céleste favorable à la réalisation et à l'expansion de vos projets. Si, en 1999, vous vous êtes bâti, si vous avez transformé les défaites et les déceptions en succès, si vous vous êtes tenu debout au milieu des tempêtes, la voie est libre et les six prochains mois se dérouleront avec beaucoup plus de facilité. L'année 1999 vous signifiait une multitude de transformations dans divers secteurs de votre vie professionnelle, personnelle, sociale, etc. Vous avez eu votre lot d'angoisses, mais aussi de joies. Le tournant de 1999 était abrupt, c'est comme si votre voiture l'avait parfois pris sur deux roues plutôt que sur quatre mais, finalement, vous êtes arrivé sain et sauf à une première destination.

JUPITER ET SATURNE EN TAUREAU

Jupiter et Saturne sont tous deux dans le neuvième signe du vôtre et de la mi-avril à la fin de juin, ces planètes seront côte à côte. Ceux qui sont déjà en affaires, à leur compte, vont solidifier leur entreprise; il est possible qu'ils se joignent à d'autres compagnies afin de réduire les dépenses et d'augmenter les profits. De la

191

mi-avril à la fin de juin, plus vous progresserez, plus agressifs seront aussi vos compétiteurs. Vous deviendrez une personne de stratégie, vous déplacerez vos pions avec méthode, prudence et ne prendrez des décisions qu'après une longue réflexion. De toute manière, vous ne serez pas seul, vous aurez su vous entourer de personnes compétentes qui prendront vos affaires aussi à cœur que si c'était les leurs.

Si vous êtes fraîchement sorti de l'université, quelle que soit votre spécialisation, vous trouverez l'emploi qui correspond à vos compétences et qui vous propulsera là où vous rêvez de vous retrouver un jour. Il s'agit d'un commencement agréable. Si vous décidez de lancer une entreprise, quel que soit votre âge, vous mettrez votre talent et votre énergie à profit. Il faudra bien sûr passer à travers les étapes de la paperasse gouvernementale mais, comme nous vivons en société, il faut aussi suivre les règles.

Parmi vous se trouvent des exportateurs et des importateurs ; Jupiter et Saturne annoncent une croissance rapide de votre commerce avec l'étranger. Si certains ne voyagent qu'à travers l'inforoute pour régler leurs affaires, d'autres prendront l'avion et iront à la rencontre de clients éventuels. Vous serez particulièrement persuasif, que vous vendiez, que vous achetiez ou que vous échangiez. Une fois sur place, vous pouvez aussi vous attendre à des dénouements surprenants et souvent plus rémunérateurs que vous ne l'aviez imaginé.

Jupiter et Saturne en Taureau propulseront des Vierge sur la scène politique ; il s'agit là d'un besoin et d'un désir d'améliorer sa propre qualité de vie et celle de la communauté dont elles font partie. Des Vierge ne se reconnaîtront plus tant elles auront de l'audace.

Jupiter et Saturne en Taureau sont favorables à une rencontre amoureuse, et plus particulièrement pour la Vierge divorcée et seule depuis plusieurs années. Jupiter peut même en conduire plusieurs à leur deuxième ou troisième mariage. Si vous êtes en amour, si vous n'avez pas d'enfant ou si vous en voulez un deuxième ou un troisième, les discussions au sujet d'un nouveau bébé seront animées et joyeuses. Certaines Vierge se tourneront vers l'adoption, ce qui prend souvent un temps fou ; par contre, elles trouveront un raccourci grâce à leurs relations influentes.

URANUS ET NEPTUNE EN VERSEAU

Ces deux planètes sont encore dans le sixième signe du vôtre ; cette maison astrologique dans sa représentation symbolique est particulièrement axée sur le travail et sur la santé. Pour ce qui est de votre vie professionnelle, même s'il y a des changements dans l'entreprise en cours, vous passez par-dessus les compressions et si vous êtes congédié, vous trouverez un emploi chez un compétiteur heureux de vous accueillir. Si ces planètes rendent l'adaptation facile dans un milieu de travail, elles ne ménagent toutefois pas votre système nerveux. Vous êtes un signe de terre, vous êtes résistant ; cependant, si vous dépassez vos limites, ce qu'Uranus et Neptune vous portent à faire, vous risquez l'épuisement physique et moral.

Vous êtes par excellence le signe de la discipline dans votre façon de vous alimenter ; par contre, quand vous pensez pouvoir manger n'importe quoi et n'importe quand, toutes sortes de petits malaises apparaissent ainsi qu'une multitude de médicaments pour les soigner. Lorsque vous tombez dans cet excès, en jouant au médecin, vous vous piégez. Si vous vous identifiez à cette Vierge qui se prend pour un laboratoire, à partir de juillet, vous serez en zone où un mal plus sérieux vous obligera à passer des examens et, cette fois, à suivre les recommandations du médecin. Si, en début d'année, vous faites attention à vous, si vous vous nourrissez sainement, vous éviterez une chute de vitalité.

SOUS L'INFLUENCE DE JUPITER EN GÉMEAUX

Dans tous les signes, il y a des gentils et des vilains, des Vierge honnêtes et malhonnêtes, aimables et détestables. À partir de juillet, la Vierge qui a triché, qui a menti sera dénoncée ; si elle a commis une fraude, Jupiter en Gémeaux l'oblige à rembourser ce qui ne lui a jamais appartenu. Si une Vierge s'est hissée au sommet d'une entreprise en jouant du coude, en créant des intrigues, en faisant du tort aux uns et aux autres, la chute sera rapide ; elle aura à peine le temps d'y penser et si personne ne sait pourquoi elle se trouve au bas de l'échelle, elle, elle le sait.

De juillet 2000 à juillet 2001, Jupiter en Gémeaux sera dans le dixième signe du vôtre et symbolise pour la Vierge honnête et travaillante une ascension, une promotion ; si elle est en affaires, ça peut être l'acquisition d'une autre entreprise ou l'expansion vers l'étranger. Les Vierge les plus favorisées sont celles qui œuvrent dans le domaine des communications verbales, écrites, informatiques ; les secteurs bénis sont la publicité, la librairie, l'imprimerie, la papeterie, les circulaires, les journaux ou les magazines, la radio, la télévision et tout ce qui touche les technologies modernes. Que le natif de la Vierge soit inventeur, vendeur, négociateur, etc., qu'importe son rôle, dès l'instant où ce qu'il fait circule dans le public, son travail lui garantit le succès.

Jupiter en Gémeaux concerne également une réorganisation familiale parce que les enfants grandissent ; pour certains, il sera question de déménager, car la maison ou l'appartement est trop petit et chacun a besoin de plus d'espace ou, à l'inverse, les grands s'en vont parce qu'ils sont prêts à voler de leurs propres ailes et le couple n'a plus besoin de toutes ces chambres. Sous Jupiter en Gémeaux, de nombreuses Vierge obtiendront un travail qu'elles feront à la maison ; si elles vivent seules, l'adaptation est simple mais si elles ont des enfants, un partenaire, il faut inventer des murs pour rendre la situation viable.

AVIS IMPORTANT

Sous Jupiter en Gémeaux, vous devrez vous méfier de ces gens qui s'invitent chez vous et qui ne repartent pas. Ne laissez personne, ni un ami ni un parent, contrôler votre propre famille. Vous serez si occupé à gagner votre vie, à régler des tas de choses que c'est à peine si vous vous rendrez compte que petit à petit on vous envahit. En tant que Vierge, il vous arrive aussi de vouloir sauver les uns et les autres pour finalement vous retrouver victime de manipulateurs habiles et subtils. Regardez bien quel genre de bonne œuvre vous êtes sur le point de faire ; avant de vous lancer dans un sauvetage, demandez-vous s'il s'agit d'un véritable appel à l'aide. Quand on est bon, on ne voit pas bien les méchants, on a même du mal à s'imaginer qu'ils existent. Malheureusement, il y a bel et bien des personnes qui abusent des bonnes gens. Jupiter en Gémeaux vous avise de ne rien signer dont vous ne soyez certain, et principalement quand il sera question d'un achat qui implique des paiements à long terme.

Si vous êtes dans la vingtaine, Jupiter en Gémeaux face à Pluton en Sagittaire de juillet à la fin de l'année vous touche directement. S'il vous donne la chance de vous intégrer dans un milieu de travail intéressant, il vous avise qu'en tout temps vous devrez respecter les règles de l'entreprise. Si un collègue veut vous mêler à une combine malhonnête, n'y consentez pas et sauvez-vous : le premier et le seul qui serait pris, ce serait vous. Si vous êtes étudiant et si vous participez à une manifestation, à la seconde où vous pressentez qu'elle tourne au vinaigre et à la violence, partez ; si vous restez, vous risquez d'être blessé légèrement ou gravement, selon votre thème personnel. Pour éviter ce genre d'accident, ne vous mêlez pas à la foule. Adoptez le rôle de l'observateur.

VIERGE ASCENDANT BÉLIER

Une bonne année pour le commerce, le travail et des revenus supplémentaires. Vous êtes né de Mercure et de Mars, une association planétaire assez particulière. Vous dites ce que vous pensez ; cependant, ça vous arrive de manquer de tact ou de juger trop vite d'une situation, ou encore de vous créer une fausse idée sur certaines gens parce que vous les évaluez d'après leur apparence parfois trompeuse. Lorsque vous exécutez un travail manuel ou intellectuel, vous êtes ultrarapide et impossible à suivre. Vous ne ralentirez pas en l'an 2000 ; tout ce que vous avez mis en marche en 1999 rapporte de plus en plus de bénéfices. Vous serez tenté par de nouvelles acquisitions ; avant de signer une entente, un contrat, demandez à un expert de l'étudier et assurez-vous que ce qui a été dit et promis est écrit tel quel. Des amis voudront faire des affaires avec vous ; si vous tenez à les garder comme amis, négociez, signez des papiers entre vous comme vous le feriez avec un étranger. Les bons comptes font les bons amis.

Au cours des mois qui viennent, si vous faites aveuglément confiance à quelqu'un que vous pensez connaître, vous serez déçu et choqué une fois trompé, trahi ou même volé. Pour éviter que se produise ce genre de situation, tout ce qui concerne l'argent doit être clair et signé sur papier officiel. Au cours des six premiers mois, vous serez nombreux à acheter une maison ou à vendre celle que vous possédez ou vous obtiendrez un superbe rabais, ou encore vous ferez le profit que vous désiriez retirer de cette propriété que vous avez si bien entretenue. De juillet 2000 à juillet 2001, Jupiter est en Gémeaux dans le troisième signe de votre ascendant, autre symbole qui vous relie au monde commercial. Ce que vous avez précédemment entrepris devrait progresser à un rythme accéléré ; vous ne ferez certainement pas moins d'heures de travail, mais vos profits vous feront sourire au point où vous aurez l'impression de décompresser. Vous serez rassuré parce que vous ferez des économies. Sous Jupiter en Gémeaux, vous pourrez même vous offrir de petits voyages ou des luxes que vous ne vous étiez peut-être plus offerts depuis longtemps.

Jupiter en Gémeaux est aussi une invitation à vous adonner à une nouvelle activité culturelle, ou vous découvrirez que vous avez un talent d'écrivain, de musicien, de peintre, de sculpteur, etc. Certains d'entre vous termineront un cours de perfectionnement ou retourneront même sur les bancs d'école et recommenceront leurs études à partir du début. Si l'année peut être bénéfique sous de nombreux rapports, elle peut avoir son revers si vous attendez que tout se règle sans que vous ayez à intervenir. N'allez pas croire que la réussite vient en vous tournant les pouces. L'an 2000 n'est pas une invitation à la paresse, bien au contraire, l'effort rapporte, l'inertie vous ferait reculer et chuter. Vous devez donc profiter du passage de Jupiter en Taureau puis en Gémeaux dont les effets sont positifs pour solidifier vos affaires et vos avoirs. Notre époque est en une de compétition ; vous faites le jeu ou vous démissionnez. Le temps est à la multiplication des entreprises de toutes sortes ; pour sortir de l'impasse commerciale, il est nécessaire d'avoir le sens de l'entreprise. Né de Mercure/Mars, vous êtes volontaire ; orientez vos énergies d'une manière constructive et vous l'emporterez.

VIERGE ASCENDANT TAUREAU

Si vous avez vécu selon Jupiter en Bélier en 1999 où vous deviez vous préparer à émerger, à vous renouveler, si vous avez travaillé sur vos projets, si vous avez dépassé les obstacles, si vous ne vous êtes pas enlisé dans la déprime quand les choses n'allaient pas comme prévu, si vous avez gardé la tête haute et votre courage, si vous avez cru en ce que vous faisiez, c'est en l'an 2000 que vous récolterez ce que vous avez semé. De la mi-février à la fin de juin, Jupiter en Taureau traverse votre ascendant et se trouve en bonne réception avec votre signe. Vous aurez plus confiance en vous, vous rencontrerez des personnes influentes dans le secteur professionnel et celles-ci vous aideront à vous tailler une place plus importante, plus proche du sommet. Il vous arrivera d'être empressé, d'avoir l'impression que rien n'avance ; durant ces courtes périodes d'impatience, l'action se crée à distance de vous ; c'est comme si l'invisible travaillait en secret pour vous ; puis, vous aurez tout à coup le plaisir de constater que le chemin a été dégagé et que vous pouvez passer. Quel que soit le domaine dans lequel vous avez choisi de vous réaliser, vous marquerez des points ; lorsqu'un pas sera fait, ce sera un pas de géant.

Si vous êtes à votre compte, une offre d'association vous sera proposée, ne la refusez pas sans d'abord en avoir étudié les avantages. Votre double signe de terre en l'an 2000 aura tendance à croire que tout lui revient tant il a travaillé fort ces dernières années. Si la plus grosse part du gâteau est à vous, vous devez quand même accepter d'en céder un peu. De juillet 2000 à juillet 2001, Jupiter est en Gémeaux dans le deuxième signe de votre ascendant et symbolise le plus souvent plusieurs sources de revenus. Si vous travaillez pour une grande entreprise, sans doute vous chargera-t-on de nouvelles tâches pour lesquelles vous serez mieux rémunéré. Il est également possible que vous preniez un second emploi afin d'arrondir vos fins de mois. Dans l'ensemble, pour la Vierge/Taureau entreprenante et travaillante, le succès, l'argent et la satisfaction l'attendent pour la durée de l'an 2000 et quand elle aura pris cette direction, la prochaine année et la suivante seront aussi très favorables.

Mais il y a toujours des gens qui vivent les aspects à l'inverse du bon, du bien et du meilleur. Voici des recettes pour rater l'an 2000. Soyez prétentieux sous l'influence de Jupiter en Taureau, laissez le succès vous monter à la tête et le pouvoir vous rendre tyrannique ; à la suite de ces attitudes, quelques ennemis se placeront sur votre route ou des gens déçus de vous voir aussi dur refuseront de vous fréquenter. Jupiter en Taureau vous donne un puissant magnétisme ; si vous l'utilisez pour manipuler autrui, pour vous servir d'eux sans rien donner en retour, cet abus se retournera contre vous au moment où vous pensiez en tirer profit. Puis, pour mieux rater l'an 2000, quand vous faites des affaires, vous n'avez qu'à tricher, qu'à voler votre client et, en peu de temps, vous devrez payer une amende ou, pis encore, vous perdrez tous vos acquis et peut-être même le permis qui vous permettait d'exploiter votre entreprise. Il est à souhaiter que vous ne soyez jamais malfaisant, car vous n'y gagnerez rien. L'an 2000 rapporte aux Vierge/Taureau honnêtes.

VIERGE ASCENDANT GÉMEAUX

Vous êtes né de Mercure/Mercure, l'esprit n'a pas de repos. Il est agile, vous passez d'un concept à un autre, d'un sujet à un autre pour revenir ensuite à l'idée première sans rien y perdre de ce que vous avez appris de la dernière. Vous donnez parfois l'impression de vous éparpiller ; pourtant, quand on vous connaît, on s'aperçoit que vous savez fort bien où vous allez mais vous n'avez aucun mal à faire un ou deux détours s'il le faut, juste le temps de découvrir un nouveau décor, des gens différents. Vous êtes persuadé qu'une vie remplie est faite d'une multitude d'expériences et vous avez raison. De la mi-février à la fin de juin, Jupiter est en Taureau dans le douzième signe de votre ascendant et dans le neuvième signe de la Vierge. Il s'agit d'un bond immense vers la sagesse ; si vous êtes jeune, vous vous intéresserez à plusieurs philosophies, vous vous interrogerez, vous aurez parfois des réponses contradictoires, mais c'est à partir de là que vous creuserez plus profondément en vous afin de découvrir le centre de votre vie et votre bonheur d'être.

Vous possédez souvent plusieurs talents et l'un d'eux vous semblera plus agréable qu'un autre à développer. Vous le ressentirez dans vos tripes et vous vous élancerez dans cette création ou cette étude qui crie à tue-tête en vous. Si votre double Mercure est figé sur une seule pensée, si vous êtes obsédé, si vous n'avez qu'un but et que depuis de nombreuses années vous vous en éloignez, il est alors temps de repenser le pourquoi de ce désir. Peut-être êtes-vous coincé dans l'illusion, l'irréel et l'impossible. Si vous appartenez à ce double Mercure constamment déprimé, sous l'influence de Jupiter en Taureau, trouvez le courage de faire une thérapie avant que vous soyez totalement isolé du reste du monde. Une Vierge/Gémeaux est née pour partager, pour discuter, pour échanger des idées, des informations et pour mettre les uns et les autres en contact. Ce qui, en général, lui rapporte des bénéfices.

De juillet 2000 à juillet 2001, vous serez sous l'influence de Jupiter en Gémeaux sur votre ascendant. Si vous n'avez pas bougé d'un iota, si vous vous êtes laissé prendre par la peur et par l'angoisse, quelques événements indépendants de votre volonté vous obligeront à réagir. Si toutefois vous avez fait vos choix sous Jupiter en Taureau, si vous avez grandi en bonté, en tolérance, en compassion, si vous avez agi plutôt que simplement observer, si vous avez développé vos forces, si vous avez marché sur vos faiblesses, de juillet 2000 à juillet 2001, vous prendrez les devants de la scène et vous deviendrez populaire dans votre milieu. Vous serez en demande partout où vous vous serez précédemment présenté. Vous prendrez plaisir à vous investir dans votre communauté. En tant que double signe de Mercure, vous êtes un double messager des dieux. Plus vous vous déployez, plus vous dépensez votre énergie, mieux elle se renouvelle. En étant actif, vous ne serez jamais fatigué. Nous avons tous le libre arbitre, certaines années plus que d'autres. En l'an 2000, grâce à votre volonté, vous changerez votre destinée, vous ferez deux petits pas vers votre idéal pour vous apercevoir que tout se met en place pour que vous puissiez gagner beaucoup de terrain.

VIERGE ASCENDANT CANCER

De la mi-février à la fin de juin, Jupiter est en Taureau dans le onzième signe de votre ascendant et en excellent aspect avec votre Soleil. Le moment est donc venu d'entreprendre, de faire, d'agir et de réussir. Jupiter en Taureau vous réserve quelques surprises dont certaines au départ ne vous paraîtront pas favorables mais, par un concours de circonstances, par un jeu de hasard ou parce que Dieu a jeté les dés comme il le fallait, tout tourne à votre avantage. Vous vous direz que c'est même mieux que ce que vous anticipiez comme résultat. Lorsque vous serez déçu de quelqu'un ou d'une situation, dites-vous que dans l'invisible on s'occupe de vous, on vous veut gagnant au jeu de la vie. Sous Jupiter en Taureau, vous vous ferez de nouveaux amis qui, la plupart du temps, seront issus d'un milieu fort différent du vôtre ; par contre, vous aurez beaucoup à échanger. Vous serez utile et agréable les uns aux autres. De ces relations, vous retirerez des bénéfices matériels et un bien-être émotionnel. De plus, l'échange sera une forme de stimulation et, pour chacun, le but à atteindre paraîtra plus près, et le sera.

Il est aussi possible qu'au cours du passage de Jupiter en Taureau, étant plus lucide que jamais auparavant, vous vous aperceviez que des gens qui se disaient vos amis n'étaient en fait que des envieux ; sans aucun affrontement, sur la pointe des pieds, vous vous éloignerez ; quand on vous appellera, vous serez simplement occupé. Pour ce qui de l'amour, si tout va pour le mieux, vous n'avez pas à vous inquiéter, les beaux sentiments s'approfondissent encore. L'autre et vous aurez envie de voyager, de vous éloigner même de ceux qui vous aiment parce qu'ils interfèrent de temps à autre et brisent cette intimité dont vous avez tous deux tant besoin. En tant que célibataire, tout débute par une amitié ; bien que très attiré par votre flirt, vous vous tiendrez à distance mais, bien vite, on saura vous apprivoiser et avant de passer à Jupiter en Gémeaux, sans doute vous serez-vous mutuellement déclaré l'attachement que vous avez l'un pour l'autre; d'un commun accord et souvent sans paroles, vous comprendrez que vous avez un profond désir de poursuivre cette relation, la plus honnête que vous ayez vécue jusqu'à présent.

Puis, Jupiter sera en Gémeaux de juillet 2000 à juillet 2001. Il sera alors dans le douzième signe de votre ascendant, une zone de réflexion, mais, en ce qui vous concerne, de décision quasi simultanée. Vous comprendrez ce qui, dans le passé, a fait obstacle à votre bonheur, à votre joie de vivre; vous ne vous apitoierez pas sur vous-même, au contraire, vous direz adieu à la souffrance morale; si certains sortent de cet état, d'autres se font aider par un psychothérapeute. Qu'importe le moyen, l'essentiel est de vivre sereinement. Le ciel de l'an 2000 vous invite à une multitude de transformations dont la principale est de goûter à la paix intérieure. En ce qui concerne le monde de la matière, vous n'avez pas à vous tourmenter, il suit les mouvements de votre âme. Comme dans tout signe, certains refuseront les changements; dans un tel cas, non seulement se plaindront-ils mais, en plus, ils crieront haut et fort qu'il n'y a pas de justice. Qu'y a-t-il de plus déprimant que d'être persuadé qu'il n'y a plus rien à faire?

VIERGE ASCENDANT LION

Vous n'êtes jamais ordinaire, vous détestez passer inaperçu, vous êtes une intrigue pour bien des gens, puisque cohabitent en vous l'orgueil et l'humilité. Quand une part de vous-même sait qu'elle abuse de l'innocent qui succombe à votre charme, la partie consciente et éclairée se sent coupable à un point tel que vous trouvez un moyen de vous pénaliser afin de payer votre dette. C'est comme si vous possédiez les clés d'une prison et, lorsque bon vous semble, vous sortez de votre cellule. De la mi-février à la fin de juin, Jupiter sera dans le dixième signe de votre ascendant; Jupiter en Taureau en bon aspect avec votre Soleil vous donne le droit de vous tailler une place au soleil; vous pourriez aussi obtenir une promotion, un travail où votre rôle sera plus important que tous les précédents. Durant cette période, vous aurez une assurance difficile à ébranler et l'impression d'être au sommet pour toujours. Mais c'est faux. La vie est mouvement continu, c'est une route à l'infini avec des courbes tantôt douces, tantôt dangereuses; puis, on met les gaz et on monte, ensuite on redescend; voilà une autre côte, on évite un précipice; tout à coup, on est distrait et on prend la mauvaise sortie, mais on profite de ce détour pour explorer une ville qu'on ne connaît pas. Et c'est ainsi toute une vie durant, surtout en ce qui vous concerne.

Sous Jupiter en Taureau, vous serez chanceux, vous aurez le don d'arriver au bon moment et de faire un coup d'éclat payant. Vous rencontrerez des gens influents prêts à vous aider dès que vous en manifesterez le besoin; il arrivera même qu'on vous devine, qu'on vienne au-devant de vous et qu'on vous offre le coup de main dont vous avez besoin pour atteindre votre objectif. Un danger vous guette: la prétention. Si vous avez droit au succès et à l'argent, vous ne devrez jamais oublier vos origines et ces gens qui ont toujours été là pour vous consoler quand vous pleuriez ou pour vous remonter le moral quand vous déprimiez. En tant que parent, même si vous êtes très occupé à ces importantes fonctions sociales, arrêtez-vous et donnez du temps à votre famille, votre port d'attache, votre havre de paix ; elle est votre sécurité émotionnelle et votre équilibre psychique. Vous avez besoin d'elle et elle a besoin de vous. Certains parmi vous reviendront à une carrière qu'ils avaient abandonnée ou à un travail où ils étaient experts ; une entreprise réclame vos compétences et, lors de votre négociation salariale, il ne sera pas nécessaire d'insister : vous aurez ce que vous demandez.

Puis, de juillet 2000 à juillet 2001, Jupiter est en Gémeaux dans le onzième signe de votre ascendant. Il s'agit d'un mouvement de continuité avec toutefois des instants où vous serez ébranlé dans vos certitudes. Si vous abusez de votre pouvoir, vous serez forcé de redescendre quelques marches, et ces protections dont vous avez bénéficié s'amoindriront. Personne ne veut chuter ; aussi, pour l'éviter, pour demeurer sur ce podium où vous êtes à l'aise, dès que Jupiter sera en Taureau, prenez soin de ceux qui aident et qui vous aiment, soyez reconnaissant envers eux. Sous Jupiter en Gémeaux, vous chercherez l'excitation alors que vous avez atteint la sérénité. Pourquoi reculer quand on peut encore avancer vers une meilleure qualité de vie, un confort matériel et tout à la fois sur la voie de la sagesse ?

VIERGE ASCENDANT VIERGE

Vous êtes né de Mercure/Mercure et d'un double signe de terre. Vous avez besoin de stabilité ; vous craignez les tremblements de terre – au sens figuré – et vous avez généralement la manie d'en avoir peur alors que tout est presque comme vous l'avez voulu en tout lieu et en tout temps. Il vous arrive de déclamer que vous êtes détaché, au-dessus des problèmes de ce monde ; vous vous donnez l'air de quelqu'un qui banalise ses inquiétudes et qui veut faire croire qu'il ne s'en fait pas vraiment. Vos malaises, vos sautes d'humeur ou votre apathie trahissent la réalité de ce qui se passe réellement sur les plans mental et émotionnel. En tant que double signe de terre, vous êtes persuadé qu'on vous a demandé d'être la personne forte, le sauveur. L'année 1999 en a été une d'incertitudes, de transformations matérielles et émotionnelles dont certaines ont été difficiles à accepter ; en amour, il y a parfois eu quelques ruptures et retrouvailles ou l'envie de se libérer d'une relation devenue insupportable ; certains ont réussi à s'en dégager, d'autres sont restés et se sont convaincus qu'en voulant très fort, ils finiraient par être heureux. Pour plusieurs, il y a eu à la fois désir de liberté et désir d'union. Vous n'êtes pas un être simple, vous êtes complexe, très coloré, intéressant parce que sensible et logique. Vous êtes le savant fou et le savant sage. Qui êtes-vous ? Vous êtes avant tout responsable, qualité qui s'est égarée dans la nuit des temps en cette fin de siècle et que vous avez conservée et entretenue malgré douleurs et malheurs, plaisirs et joies.

De la mi-février à la fin de juin sous Jupiter en Taureau, vous êtes chanceux. Là où vous pensez y perdre, vous y gagnez ; si, par exemple, vous devez subir compressions budgétaires ou congédiement, vous passez à travers la tornade ravageuse et vous préservez vos acquis. Si vous avez l'intention de vous lancer en affaires, vous avez des appuis, vous progressez rapidement grâce à une clientèle satisfaite qui semble tomber tout droit du ciel et vous faites des profits plus gros que tout ce que avez anticipé. Vous avez même les moyens de partir en voyage ou de vous acheter une voiture neuve ou une maison plus grande et mieux adaptée à vos besoins. Côté cœur, en tant que célibataire, alors que vous pensiez l'être pour toujours, vous rencontrez la perle rare et hop ! on se marie ou, du moins, va-t-on faire vie commune.

Si vous êtes jeune, amoureux et sans enfant, voilà le miracle de la naissance et un bonheur que vous ne connaissiez pas avant. Si toutefois vous avez une relation de plus en plus complexe et que vous n'avez pu y échapper en 1999, vous le pouvez en l'an 2000 : la séparation se fait harmonieusement. Si telle est votre situation, vous ne resterez pas seul longtemps. Puis, Jupiter sera en Gémeaux de juillet 2000 à juillet 2001 dans le dixième signe de votre ascendant ; ce sera le moment de solidifier tout ce que vous avez mis sur pied en début d'année. Certains parmi vous changeront carrément d'orientation de carrière : ils seront à leur compte. Ils ne seront plus l'employé mais le patron. Le ciel vous est favorable, calmez vos angoisses. Si toutefois vous êtes arrogant – ce qui est possible avec Mercure/Mercure dans ce double signe de terre –, les événements, bien qu'ils ne soient pas totalement négatifs, vous donneront une leçon à retenir jusqu'à la fin de vos jours. Vous apprendrez que la gentillesse est payante à long terme.

VIERGE ASCENDANT BALANCE

On ne peut faire plaisir à tout le monde même si c'est ce que vous essayez de faire depuis que vous êtes enfant. Sur cette planète, il y a des insatiables, des gens continuellement sur leurs gardes, des méfiants, des malhonnêtes ; il y a aussi ceux qu'on voit venir de loin parce qu'ils portent de gros sabots, tandis que d'autres ont des chaussures de cuir fin et on ne les entend pas s'approcher. Il y a également des gens qui sont carrément méchants et qui n'ont nullement l'intention de changer parce que, en raison de leur brutalité, ils ont toujours eu tout ce qu'ils ont voulu. Vous avez rencontré beaucoup de ces personnes et elles ont abusé de votre naïveté, de votre bonté, de votre serviabilité. Pour certains d'entre vous, de la mi-février à la fin de juin, il s'agit d'une première constatation de cette réalité et le commencement non pas d'une agressivité envers les vilains, mais plutôt d'un apprentissage qui consiste à s'éloigner dès qu'on les aperçoit ; il n'est pas ici question de lâcheté mais de reconnaître qu'on ne peut changer des gens qui refusent de changer.

Pour d'autres, c'est le point final ; désormais, ils s'intéresseront aux bonnes gens et n'essaieront plus de sauver le démon. Ce n'est pas une démission, c'est comme se trouver devant une bombe atomique et avoir le choix entre exploser ou prendre l'avion jusqu'à l'autre bout du monde et échapper au pire. C'est maintenant que l'état de victime s'achève et que vous entrez dans une ère de paix qui s'accommode très bien du travail et d'une bonne rémunération. La majorité des Vierge/Balance n'ont pas de méchanceté. En vous éloignant d'elles, vous appliquerez le « priez même pour vos ennemis ». La prise de conscience vous fait entrer dans la sagesse. Il y a une catégorie de Vierge/Balance dont l'idéal est l'argent. Celles-ci croient que plus elles possèdent, plus elles se rapprochent du bonheur. Elles aussi se rendent compte qu'elles en sont encore bien loin, mais leurs avoirs les dominent et le seul fait de penser qu'elles pourraient en manquer les rend malades. Ça risque d'être vrai si vous entretenez ces pensées depuis des décennies. Malheureusement, une opération d'urgence peut les surprendre ; rien n'arrive pour rien ; être allongé sur un lit, immobile, impuissant, ça fait réfléchir aux amis qu'on a perdus, à ceux qu'on n'a pas eus quand on n'aime que l'argent.

De juillet 2000 à juillet 2001, Jupiter est en Gémeaux dans le neuvième signe de votre ascendant. Si vous avez fait des pas en direction de la sagesse qui n'est ni apathie ni inertie, vous pousserez votre exploration spirituelle plus loin ; certains d'entre vous retourneront étudier et termineront un cours, se perfectionneront afin d'obtenir un meilleur emploi pour faire plus d'argent, ce qui est commode quand on veut être généreux. Si, par exemple, vous avez démissionné sous Jupiter en Taureau, si vous avez remis vos responsabilités à autrui, sous Jupiter en Gémeaux, vous fuirez encore, vous prendrez tous les moyens qui sont à votre disposition pour en faire le moins possible et vous aurez mille bonnes raisons à donner pour excuser votre paresse face à l'effort. Si, au contraire, votre conscience s'est ouverte, si vous êtes ouvert au partage tout en étant sélectif, si vous êtes seul, célibataire, l'amour s'introduira gentiment, délicatement, lentement pour durer longtemps.

VIERGE ASCENDANT SCORPION

De la mi-février à la fin de juin, Jupiter est en Taureau dans le septième signe de votre ascendant ; l'amour peut vous accaparer au point où vous oublierez le reste de votre vie. Il ne faudra pas non plus confondre attirance sexuelle et sentiments amoureux, ou excitation et bonheur. En affaires, ne soyez pas naïf : les offres d'association seront plus nombreuses, mais elles ne seront pas toutes porteuses de succès. Il sera donc important de faire la différence entre ce qui est vrai et ce qui est faux, entre les apparences et la réalité. Nous vivons dans une société de consommation, nous avons tellement abusé de la nature que celle-ci, un peu partout sur la planète, donne des signes de décrépitude. Il en est de même des relations sexuelles ; certains sont devenus si permissifs qu'ils n'ont plus été ni sélectifs ni prudents ; ils se sont accouplés non pas parce que c'était naturel, agréable et doux, mais parce que c'était la mode d'avoir plusieurs partenaires; à force d'être *in*, la nature s'est rebellée contre cet abus de plaisirs et le sida s'en est mêlé.

Sous Jupiter en Taureau, dans le monde de la matière, le désir de pouvoir ou l'amour de l'argent peut vous conduire à une perte financière, vous avez oublié de faire vos calculs à long terme. Certains parmi vous auront l'impression d'avoir passé à côté du plaisir depuis déjà trop d'années et, sous l'influence de Jupiter en Taureau, ils prennent soudainement des libertés et des risques. Si vous ne respectez pas les règles de l'élémentaire prudence en affaires comme en amour, vous aurez une énorme dette à rembourser; pour les uns, il s'agira carrément de payer leurs comptes, d'autres paieront de leur santé. Si vous êtes une Vierge/Scorpion modérée, si vous ne laissez pas la pulsion de Mars, votre ascendant Scorpion, dominer votre raison, Jupiter en Taureau sera bénéfique. Parmi vous, certains retourneront aux études ou termineront un cours qu'ils avaient mis de côté; d'autres lanceront leur entreprise et choisiront lucidement leur associé en prenant bien soin d'analyser ses réussites ou, du moins, ses expériences passées. Les sages ne s'élanceront pas en commerce à l'aveuglette. Attention, cherchez ce qui garantit des gains et évitez tout ce qui peut occasionner une perte; ainsi, tout risque sera minimisé.

Le ciel ne laisse pas le célibataire seul; la position des planètes présage une rencontre hors de l'ordinaire parmi toutes les autres. Si votre idéal n'a pas l'apparence physique que vous aviez imaginée, s'il n'a rien d'un mannequin, il a toutefois bon cœur et est extrêmement généreux. Sous votre signe et ascendant, en l'an 2000, vous apprendrez à ne pas vous fier qu'à vos sensations; vous ferez plutôt confiance à vos perceptions qui vont bien au-delà des sens. N'y a-t-il pas des phénomènes pour lesquels la science n'a aucune explication, par exemple une personne atteinte d'un cancer incurable et qui est miraculeusement en rémission? Les chercheurs ont beau se pencher sur ce genre de questions, ils n'ont aucune réponse à donner. Au cours de l'an 2000, en dépassant le monde des apparences, vous plongerez profondément en vous-même. Vous vous connaîtrez mieux et vous serez ainsi capable de vous projeter vers l'avenir, de créer votre futur en toute conscience et vous accepterez ainsi les conséquences de vos choix tant en amour qu'en affaires.

VIERGE ASCENDANT SAGITTAIRE

Vous êtes né de Mercure et de Jupiter, deux planètes fortement intellectuelles qui cherchent constamment des réponses à tout. Il arrive même à Jupiter de vouloir contrôler ce qui ne peut l'être. Le danger, c'est de se prendre pour Dieu et de refuser les limites qui nous sont imposées en tant qu'humain. Vous êtes généralement porté vers l'ésotérisme, les sciences occultes mais si vous pensez que ce savoir apporte des réponses et des solutions magiques à vos problèmes, dites-vous qu'on vous a mal renseigné. La parapsychologie comme l'astrologie sont des guides dont le but ultime est de vous mettre sur la voie du bonheur. La vie est une longue méditation qu'on peut faire en se retirant comme un moine ou en communiquant sainement avec son prochain. Jupiter en Taureau, en cette année 2000, a la mission de vous ramener les pieds sur terre, de vous faire voir les choses telles qu'elles sont ainsi que de vous stimuler à changer ce qui peut l'être.

De la mi-février à la fin de juin, Jupiter sera dans le sixième signe de votre ascendant; il représente le travail, non seulement celui qui s'effectue dans le monde de la matière et qui permet d'avoir un toit au-dessus de sa tête, mais aussi le travail à faire sur soi. Cette pratique du « travail sur soi » a suivi un étrange chemin depuis la fin des années 70 où on a enseigné à toute une société à prendre soin de soi, à satisfaire ses besoins et non plus uniquement ceux des autres. En 1990, la mode de « l'enfant intérieur » est venue clore cette forme de « je fais les choses pour moi ». Finalement, nous sommes en l'an 2000 et plus personne ne s'occupe de personne. Résultat, les gens se sont isolés les uns les autres et les dépressions ont augmenté.

Jupiter en Taureau vous ramène au juste milieu de choses; il y a les autres et vous. Vous avez des talents que d'autres n'ont pas. Vos amis ont des capacités manuelles ou artistiques que vous ne possédez pas et, quoi que vous fassiez, l'essentiel est de vous savoir utile; et pourquoi ne pas être agréable à ces gens avec lesquels vous échangez quotidiennement ou de temps à autre?

Peut-être n'est-ce pas le bonheur parfait avec votre partenaire. Il est possible que vous ayez pris des habitudes qui ne rendent ni l'un ni l'autre heureux. L'excitation de la nouveauté a disparu; il vous reste une impression de vide; vous vous êtes de plus en plus machinalement consacré à vos enfants, à votre travail et vous avez perdu cette étincelle qui vous animait auparavant. Jupiter en Taureau vous informe que vous reprendrez la communication avec vos proches; vous n'attendrez plus qu'ils fassent votre bonheur; vous commencerez par leur offrir des moments spéciaux, particuliers, hors de l'ordinaire et, lentement, chacun à leur rythme, ils s'éveilleront de leur torpeur; vous transformerez leurs mécontentements en diverses satisfactions. Ils se rapprocheront de vous, ils s'étonneront, mais ils apprécieront aussi vos gestes et vos attentions. En l'an 2000, vous vous départirez de la langue de la Vierge critique, vous adopterez celle de Jupiter qui sait apprécier ces petites choses qu'on accumule et qui finissent par faire beaucoup de joies, d'espoir et d'enthousiasme.

VIERGE ASCENDANT CAPRICORNE

Avec votre Soleil dans le neuvième signe de votre ascendant, vous n'êtes pas dépourvu de talents, vous avez été choyé en naissant. Vous êtes un double signe de terre, vous êtes pratique; comme tout le monde, il vous arrive d'avoir peur de manquer de l'essentiel mais, pour la plupart d'entre vous, cette anxiété est semblable à un nuage gris ne couvrant le soleil que pour bien peu de temps. Vous êtes né de Mercure et de Saturne, votre intelligence est vive, vous avez un esprit curieux; si le passé vous intrigue, le futur, celui qu'on bâtit pour soi et pour les autres est aussi très important. En tant que double signe de terre, bien que vous soyez émotif, vous choisissez l'analyse à l'emportement ou à l'emballement, vous préférez les explications calmes aux inutiles querelles; vous faites souvent un excellent ambassadeur de la paix partout où vous passez.

Il y a ceci d'étrange chez vous. En principe, la terre est stable, elle ne se déplace pas, elle voyage peu mais, en ce qui vous concerne, c'est toute la planète qui vous intéresse. C'est un peu comme si vous portiez en vous toutes les cultures et toutes les nationalités; lorsque vous voyagez, vous prenez la couleur locale à la fois par respect pour les gens du pays où vous êtes en visite et parce qu'ainsi il est plus facile de les approcher pour mieux les connaître. Il est rare que votre savoir, vos talents et vos succès vous montent à la tête parce qu'au fond de vous-même, vous savez que tous sont égaux et que chacun mérite le respect qui lui est dû. Certains font d'excellents journalistes, d'autres embrassent une vie d'artiste; si vous devenez médecin, vous serez le médecin sans frontières; si vous faites de la politique, vous transformez vos électeurs, vous les stimulez à se réaliser, à croître, et vous prêchez l'unité et l'entraide. Vous avez un lien avec l'Univers et Dieu.

En l'an 2000, sous l'influence de Jupiter en Taureau et en Gémeaux, vous serez populaire dans votre milieu; vous accomplirez en un an ce que la plupart des gens prennent cinq et même dix ans à faire. Si, jusqu'à présent, il y eu davantage de pluies de bonnes étoiles que d'orages, quel que soit votre âge, ce ciel 2000 fera tomber sur vous une foule de bénédictions de toutes sortes. Vous n'aurez qu'à les cueillir et lorsque vous aurez les bras pleins, vous redistribuerez une grande part de ces cadeaux; vous savez logiquement et intuitivement que ça ne fait que commencer.

Il y a toutefois des Vierge/Capricorne que je qualifierais de terre sèche et froide. La plupart du temps, ils sont nés avec un thème natal où les planètes les traînent constamment dans la peur du lendemain. Si vous appartenez à cette catégorie, le ciel astral de l'an 2000 sera l'occasion d'en sortir afin de vivre selon votre véritable nature. Il n'est jamais trop tard pour ouvrir l'œil sur ce qu'il y a de mieux à faire pour se réaliser. Quel que soit votre métier, il y a toujours moyen de progresser. Il est primordial que vous soyez en action, en communication avec autrui, que vous ayez un engagement social en politique, en environnement, en arts. Même si vous avez un emploi, choisissez une autre activité; vous aurez plus d'énergie physique en diversifiant vos intérêts; malgré une sous-estimation de vos dons ou de vos talents, vos actes ont toujours de grandes répercussions, beaucoup plus loin que ce que vos yeux peuvent voir.

VIERGE ASCENDANT VERSEAU

Vous êtes né de Mercure et d'Uranus, ou de celui qui ne veut ressembler à personne. Votre Soleil en Vierge, comme tout bon signe de terre, essaie de se mouler aux traditions et d'y être fidèle; plaire à tout le monde, c'est une mission impossible; pourtant, pendant longtemps, vous avez fait tout ce qui était en votre pouvoir pour la remplir. Si, par exemple, vous êtes sous les ordres d'un patron qui ne cesse d'exiger et qui ne dit jamais merci, jusqu'à présent vous n'avez pas contesté son autorité mais ce n'est pas l'envie qui a manqué ces dernières années. Vous avez écrasé, vous avez plié, vous avez toléré, vous avez enduré et, n'en pouvant plus, vous explosez. L'orage est terrible, mais le soleil et un arc-en-ciel apparaissent ensuite. Vous vous demanderez pourquoi vous avez tant attendu.

De la mi-février à la fin de juin, sous l'influence de Jupiter en Taureau, si vos parents sont contrôlants, si des amis se servent de vous sans jamais rien donner en retour, vous trouverez le courage de les congédier pour un temps indéfini. Vous repousserez les envahisseurs. Vous vous sentez mûr pour prendre vos décisions sans devoir consulter qui que ce soit; vous respectez les idées et les choix d'autrui, mais vous exigerez désormais qu'on en fasse autant envers vous. Jupiter en Taureau concerne l'état parental. Certains sont très responsables et prennent tout sur leurs épaules. Ils n'exigent jamais que leurs enfants ramassent leurs « traîneries » alors que ceux-ci ont l'âge de donner un coup de main. Le parent Vierge/Verseau finit par nettoyer leurs divers dégâts et leurs chambres. Sous Jupiter en Taureau, ce parent sait qu'il est temps d'apprendre que lorsqu'on vit en société, on ne fait pas tout ce qu'on veut; sans règles, c'est l'anarchie et chacun est responsable de son désordre et des saletés qu'il fait. C'est une réorganisation complète des tâches de chacun des membres de votre famille. Pour une fois, vous êtes aux commandes.

Lors du passage de Jupiter en Taureau, vous serez plus nombreux à déménager; si les uns ont besoin d'un plus petit appartement, d'autres loueront un espace plus grand. Si vous n'êtes pas propriétaire, il est fort probable que vous le deviendrez une première fois. Si vous vendez votre maison, l'acheteur paiera le prix demandé et si vous êtes l'acheteur, vous aurez un important rabais. Ce Jupiter en Taureau est aussi une représentation symbolique de votre mère; si celle-ci a des problèmes de santé, vous serez dévoué envers celle qui vous a donné la vie. Si vous êtes jeune, amoureux et si vous n'avez pas d'enfant, il en sera sérieusement question ou peut-être s'agira-t-il de concevoir un deuxième ou un troisième enfant.

De juillet 2000 à juillet 2001, Jupiter est en Gémeaux dans le cinquième signe de votre ascendant et présage une série d'heureux événements; lorsque vous vivrez une déception, vous serez suffisamment armé moralement et psychologiquement pour y faire face. Jupiter en Gémeaux est, en ce qui vous concerne, une zone de chance et favorise une augmentation de votre magnétisme et parfois une confusion entre deux flirts intéressants, entre deux personnes qui veulent faire votre bonheur. Si vous vivez négativement Jupiter en Gémeaux, vous ne chercherez qu'à attirer l'attention, à vous faire admirer, à servir ou vous manipulerez des gens fragiles et vulnérables qui feraient n'importe quoi ou presque pour être aimés.

VIERGE ASCENDANT POISSONS

Vous êtes né de Mercure et de Neptune; pendant que Mercure analyse systématiquement tout ce qu'il aperçoit, Neptune accepte tout ce qui s'offre à lui. Votre

Soleil étant dans le septième signe de votre ascendant, l'amour est votre principale raison d'être. La Vierge symbolise celle qui n'appartient à personne et le Poissons est l'être de toutes les tendances et de tous les courants. Il arrive que, dès l'instant où vous êtes aimé, vous craignez que l'amour ne soit qu'emprisonnement. Quand on vous repousse, Mercure développe une stratégie et Neptune déploie ses filets pour piéger le fuyard. Au fond, vous cherchez le regard de l'autre pour qu'il vous dise qui vous êtes.

De la mi-février à la fin de juin, Jupiter est en Taureau dans le troisième signe de votre ascendant; voici donc un Jupiter vénusien dans une maison mercurienne; cet aspect augmente votre curiosité intellectuelle tout autant qu'il fait battre votre cœur qui se sent prêt à aimer et à être aimé; il faudra cependant vous corriger des si, des peut-être, des à condition que et de votre peur d'abandon qui n'est au fond que votre propre peur d'abandonner le premier qui vous aime. Jupiter en Taureau vous donne envie de retourner aux études, de parfaire une formation professionnelle afin d'obtenir une promotion ou un poste où vous seriez plus heureux et mieux rémunéré. Pour certains, il s'agira de commencer au primaire; ils auront en tête que dans quelques années, ils seront à l'université pour le diplôme leur permettant d'accéder à cette carrière dont ils rêvent depuis qu'ils sont petits.

Si, jusqu'à présent, le courage vous manquait, Jupiter en Taureau a un effet stimulant. Pour tout ce qui sera entrepris en l'an 2000, il y a toutes les chances du monde que vous alliez jusqu'au bout. Des commerçants prendront de l'expansion; si vous faites affaire avec l'étranger, vos transactions seront plus nombreuses et plus payantes que celles de l'an dernier. De juillet 2000 à juillet 2001, Jupiter sera en Gémeaux dans le quatrième signe de votre ascendant. Il sera sans doute question de déménager avec votre famille. Durant ces 12 mois, la vie conjugale pourrait traverser une crise, ce qui ne veut pas nécessairement dire une rupture; si vous avez 10 ou 20 ans de vie commune, il est normal que vous vous posiez des questions; vos valeurs ont changé, l'excitation du début a fait place à des sentiments et à des sensations que vous avez du mal à cerner, mais l'attachement demeure. Ne vous emmurez pas dans le silence, ne vous éloignez pas même si vous avez peur. De toute manière, il n'y a rien de pire que le doute pour détruire une union; quand la communication est rompue, chacun imagine les questions et les réponses de l'autre et, la plupart du temps, chacun fait fausse route.

Jupiter en Gémeaux concerne également vos enfants qui ont l'âge de faire des choix. Ils vous demandent de les respecter même s'ils sont loin du chemin que vous désiriez qu'ils prennent. Si vous avez l'âge d'être grands-parents, vous aurez une première ou une seconde belle surprise. Si vous avez des adolescents aux fréquentations douteuses, vous devrez y voir avant qu'ils fassent un malheur. Si vous n'y arrivez pas seul et si vous ne vous sentez pas la force d'affronter ce genre de problème, faites appel à un professionnel en relations familiales; l'ordre suit le chaos.

JANVIER

TRAVAIL. Jupiter est encore en Bélier et laisse supposer d'autres changements, pas toujours agréables, dans votre milieu de travail. Mars est en Poissons en face de votre signe et fait une mauvaise réception à Pluton en Sagittaire ; cet aspect vous suggère de ne rien négliger, de ne pas vous trouver de raisons pour vous défiler de vos obligations même si vous êtes fatigué. En ce début de l'an 2000, si vous prenez des vacances, avant de partir, organisez votre travail et faites le maximum. Réglez ce qui est en suspens, remettez de l'ordre dans vos papiers pour que celui qui vous remplace s'y retrouve. En 1999, vous avez probablement passé à travers une tempête professionnelle, mais celle de ce mois-ci n'est pas aussi terrible. Patience plutôt que rage.

SANS TRAVAIL. Si vous êtes sans emploi depuis plusieurs mois, le courage peut faire défaut, le moral sera bas. Vous aurez l'impression qu'il n'y a pas de solution. Mais il y en a toujours une. L'émotion vous empêche de voir clairement où sont vos intérêts et quelle entreprise aurait absolument besoin de vos services. Si vous poursuivez vos démarches, si vous cessez de jongler avec celles qui n'ont donné aucun résultat, à partir du 19, sans doute recevrez-vous enfin une bonne nouvelle.

AMOUR. Jusqu'au 24, Vénus est en Sagittaire et fait un aspect difficile à votre signe ; si les uns ont envie de fuir, d'autres subissent le silence réprobateur d'un partenaire. Que vous soyez marié ou en union libre, le mot « engagé » n'est pas écrit sur votre front. Attention, on vous fera les yeux doux et même si rien n'est parfait entre vous et l'autre, est-il nécessaire de tout casser pour une aventure, pour une excitation ? Si vous vous retrouvez tout près du point de tromper l'autre, c'est parce qu'il est temps de vous asseoir et de discuter des transformations que vous avez vécues au fil des années. Si vous avez une relation extraconjugale depuis quelques semaines ou des mois, par un étrange concours de circonstances, votre partenaire l'apprendra. Si la culpabilité ne vous gruge pas, la colère de l'autre vous effraiera. En somme, votre ciel amoureux est obscur et, certains jours, vous croirez que le soleil ne se lèvera jamais.

FAMILLE. Durant la première moitié du mois, si vos enfants sont des adolescents, sans doute n'obéissent-ils plus comme lorsqu'ils étaient petits. Ils ont gagné votre amour et, cette fois, ils veulent s'en assurer. De temps à autre, vous serez mis au défi et soumis à un jeu de patience. N'oubliez pas qu'ils mesurent votre seuil de tolérance et vous obligent, sans que vous vous en rendiez compte, à en repousser constamment les limites. Si vos enfants sont encore de petits anges, remerciez le ciel pour ces magnifiques cadeaux.

SANTÉ. Vous subissez un grand stress sur le plan professionnel et votre vie de couple subit de brusques changements de température; en conséquence, votre système immunitaire est moins résistant. Dès que vous vous alimentez mal, votre estomac crie au feu, vous avez des maux de tête ou un rhume doublé d'une sinusite. Si vous n'arrivez pas seul à vous relaxer, faites-vous aider. Des massages seraient bienfaisants: ce ne sont pas des luxes mais des nécessités.

RÊVES ET MAL À L'ÂME. Si vous êtes contrarié dans divers secteurs de votre vie, pour vous réconcilier avec elle, pourquoi ne pas faire du bénévolat! En aidant des gens encore moins choyés que vous, vous retrouverez le moral, vous vous rapprocherez de la paix intérieure et, surtout, vous prendrez conscience que donner, c'est se créer un espace pour recevoir de l'amour.

FÉVRIER

TRAVAIL. Jusqu'au 13, Mars est sur le dernier décan du Poissons; ce décan est régi par Mars qui, dans ce signe d'eau, est très inconfortable; de plus, il est en face de votre Soleil et vous affronte, vous confronte, vous provoque. Somme toute, vous aurez du mal à vous concentrer; si vous ne faites pas un effort, vous commencerez beaucoup de choses mais ne terminerez rien; par conséquent, vos collègues seront en colère ou votre patron, furieux. Même si vous êtes syndiqué et que votre emploi est garanti, les bonnes relations de travail sont préférables aux obstinations et aux injures. À partir du 15 avec l'entrée de Jupiter en Taureau, peu à peu, la fumée se dégagera et vous serez plus énergique et plus déterminé. Si vous songez à lancer une affaire, le moment planétaire est propice, et plus encore si vous négociez avec d'autres pays. Si vous êtes déjà en commerce, vous procéderez à une expansion qui sera mûrie afin d'éviter tout gaspillage.

SANS TRAVAIL. Si vous avez récemment perdu votre emploi, c'est surtout à partir du 6 que vous ressentez le choc de cette perte et que vous vous rendez compte de l'urgence d'en retrouver un autre. Si vous êtes en congé de maladie, vous trouvez le temps long, particulièrement si vous soignez une dépression ou un *burnout*. Courage, vous vous en sortirez! Si, pour mille raisons, vous avez choisi l'oisiveté et que vous refusez des emplois qui vous sont offerts, il est possible que les changements que fera bientôt le gouvernement concernant les gens aptes au travail vous sortent de votre torpeur.

AMOUR. En ce deuxième mois de l'année où le soleil se fait rare, la réalité et les habitudes qui s'infiltrent subtilement dans le quotidien sont oppressantes, presque intolérables. Vous avez noté les défauts de votre partenaire, vous êtes encore capable de voir ses beaux côtés, mais, comme une obsession, c'est le pire qui surgit constamment. Jusqu'au 18, Vénus est en Capricorne et jette un regard glacé sur ce qui lui déplaît. En réaction à cette tendance, certains cherchent le plaisir facile; un flirt les anime. Vénus en Capricorne ne veut pas rompre, mais il a bien envie de se distraire quand l'union a plusieurs décennies. Si votre vie de couple est encore jeune, si rien n'a assombri votre bonheur, février est propice aux projets d'avenir, le premier étant l'achat d'une maison ou la décision d'avoir un premier enfant.

FAMILLE. En tant que parent, vos enfants sont continuellement le centre de vos discussions; que ceux-ci soient petits ou grands, vous êtes inquiet pour leur avenir. Sans doute vos propres parents s'interrogeaient-ils aussi de la même manière quand ils avaient votre âge. Il ne faut pas dramatiser le futur, chaque génération a connu des problèmes et chacune a trouvé ses solutions. Si certains d'entre vous ont de jeunes adultes, il est possible qu'ils proposent la mise sur pied d'une entreprise familiale, ce qui augure une dynamique prospère.

SANTÉ. Si vous êtes constamment mélancolique, parlez-en à votre médecin avant que vous deveniez excessivement dépressif ou consultez un naturopathe qui vous conseillera des plantes qui régénèrent le système nerveux. Même si la pollution devient inquiétante, la nature travaille de manière à produire des contre-poisons.

RÊVES ET MAL À L'ÂME. Il ne faut jamais perdre espoir; il n'y a pas de situation sans issue. Il vous faut accepter ce passé que vous ne changerez jamais; il est peut-être rempli de douleurs, de malchances, d'insatisfactions, mais si vous le laissez vous obséder, vous perdez votre énergie physique et devenez vulnérable à la maladie. Quelques planètes vous suggèrent de lever les yeux au ciel et de constater l'infinie grandeur de cet Univers; après un tel exercice comparable à une méditation, vous serez paisible; lorsque l'esprit se met au repos, il est alors plus ouvert à recevoir ce savoir qui s'accomplit dans le monde du subtil et c'est ainsi que vous trouvez la voie qui mène à votre bonheur.

MARS

TRAVAIL. S'il y a eu conflit ou remaniement de l'entreprise en cours, bien qu'il y ait encore beaucoup de travail à faire, c'est plus calme; vous passez peu à peu du chaos à un nouvel ordre. Les planètes lourdes comme Jupiter et Saturne sont favorablement positionnées en ce qui vous concerne. Si votre travail vous oblige à des voyages, à de fréquents déplacements par la route, sans doute devrez-vous partir à quelques heures d'avis afin d'aller à la rencontre d'un important client. Si vous faites commerce avec l'étranger, une discussion s'engage sur les intérêts de chacun des négociateurs. Vous pouvez vous attendre à une heureuse conclusion à la fin du mois; vous allez vers une expansion que vous n'auriez jamais espérée quatre ans plus tôt.

SANS TRAVAIL. Si vous êtes à la maison par choix, si vous êtes à la retraite, vous ne tiendrez pas en place en ce mois. Vous avez un gros besoin de sociabiliser, de retrouver le monde et d'y participer. Après la nouvelle lune du 6, vous vous informerez au sujet d'une activité que vous avez follement envie de pratiquer depuis longtemps ou vous offrirez vos services en tant que bénévole pour une cause qui vous tient à cœur.

AMOUR. S'il y a eu des conflits le mois dernier, Mars, même s'il est en Bélier, fait un bon aspect à Vénus et vous offre une réconciliation. Si vous avez pris une distance vis-à-vis de votre partenaire, le rapprochement va de la douceur à la passion. En tant que célibataire, vous n'êtes pas au banc des punitions même si vous vous surprenez à le penser avec plaisir. Votre magnétisme est puissant, vous n'avez aucun effort à faire pour attirer l'attention ; pourtant, vous ne semblez pas voir cette belle personne qui vous donne des signaux, car elle est séduite. Mais peut-être craignez-vous l'engagement. Si toutefois on se sauve de vous, vous courrez comme un fou, un fou d'amour et, cette fois, vous effraierez la personne qui n'est pas prête à recevoir vos lots d'affection et d'attentions. Demandez-vous si vous voulez quelqu'un qui vous ressemble ou quelqu'un de très différent.

FAMILLE. PLuton est dans le quatrième signe du vôtre ; il symbolise de profondes transformations psychiques et une analyse qui va au-delà de la simple psychologie ; vous comprendrez les multiples raisons de ces liens que vous avez eus avec vos proches, vos parents, en tant que père ou mère ou fils ou fille ; vous prenez conscience de leur influence et de celle que vous avez sur eux. Il y a également ce parent que vous vous êtes cru obligé d'aimer et cet autre que vous n'avez pas su apprécier même quand il a été très bon pour vous. En quelque sorte, vous faites un bilan qui vous permet de mieux composer avec vos changements d'attitude et les leurs.

SANTÉ. Si vous avez tendance à avoir des maux de tête, si vous êtes un migraineux et si vous prenez des médicaments pour vous en soulager, en tout temps ayez-les à portée de main. Votre mental est tellement actif qu'il est possible que ce mal vous attaque par surprise, et plus fréquemment qu'à l'accoutumée.

RÊVES ET MAL À L'ÂME. Qui n'a pas rêvé d'une santé parfaite, d'une sécurité assurée, d'une vie sans imperfection, sans problème, dans le confort ? Si vous bénéficiez d'une telle grâce, sans doute finiriez-vous par vous dire que c'est morne et sans saveur. Ne faut-il pas lutter ? N'appréciez-vous pas votre bonheur par rapport à vos malheurs ? Si vous avez tendance à vous replier sur vos souvenirs et généralement les plus tristes, n'êtes-vous pas en train de rater le présent ? N'oubliez-vous pas ce qu'il reste encore à faire et à vivre ?

AVRIL

TRAVAIL. Tout est tellement plus simple en ce mois d'avril. S'il y a autour de vous quelques personnes qui s'inquiètent, qui s'énervent, qui font des bêtises, vous gardez le contrôle de la situation. Sur le plan professionnel, ce ciel présage de l'avancement, ce qui correspond à une augmentation de salaire ; si vous êtes à votre compte, il y aura des profits au-delà de ce que vous espériez ainsi qu'une expansion de l'entreprise en cours. Si vous avez un emploi régulier et assuré, il est possible que vous deviez accepter un changement de votre horaire ou des tâches additionnelles mais qu'importe, vous ne perdez rien ; au contraire, vous y gagnez en expériences, lesquelles vous feront avancer vers un nouveau sommet de carrière. Encore en ce mois et plus que le précédent, si vous êtes appelé à vous déplacer par affaires, vous partirez. Cette fois, vos transactions, vos négociations aboutissent rapidement à des profits fort intéressants. Si vous avez un poste de contrôle, sans doute congédierez-vous une personne qui, malgré toutes les chances qu'elle a eues, ne cesse de semer la zizanie.

SANS TRAVAIL. Il est difficile de vous imaginer sans emploi. Votre signe est la représentation symbolique du travail. Ce ciel favorise ceux qui cherchent plus que ce qu'ils espèrent. Si le secteur d'entreprise où vous avez travaillé a ralenti au point de n'avoir plus rien à vous offrir, il reprend et vous êtes naturellement le premier à être appelé.

AMOUR. Ne vous arrive-t-il pas de demander à votre partenaire de changer et d'être la personne de vos rêves ? Si vous l'avez choisi, n'est-ce pas pour ce qu'il était ? Il est aussi possible que votre partenaire vive des problèmes à son travail et, naturellement, vous en serez affecté ; vous voudrez le sauver, prendre sa peine sur vos épaules, ce qui n'est pas une bonne idée. S'il y a des Vierge sages, d'autres réagissent promptement et quand elles sont en colère, elles ne mesurent pas les répercussions de leurs mots durs envers leur conjoint. Des Vierge doivent prendre garde à ne pas piquer une crise parce que l'autre n'est pas conforme à leur réalité. À partir du 7, si vous vous identifiez à une Vierge qui exige plus qu'elle ne demande, non seulement infligerez-vous une blessure morale à votre amoureux, mais vous serez par la suite aux prises avec votre culpabilité. Il y a aussi la Vierge victime d'abus de toutes sortes ; si jamais son conjoint est physiquement violent envers elle, il lui est fortement conseillé, sous ce ciel, de s'en éloigner.

FAMILLE. Si vous vivez dans une famille reconstituée, vous ferez face à des problèmes. Vos enfants ou ceux de votre partenaire désapprouvent la vie qu'ils sont obligés de mener. Les règles ont changé et ils ont l'impression de n'être aimés ni de l'un ni de l'autre ou ils se croient rejetés. Même si ces croyances sont le fruit de leur imagination troublée, ils n'en sont pas moins en colère ou révoltés. Il n'y a pas mille solutions quand un tel problème surgit : patience, tolérance et écoute sont alors les outils de base qui vous permettent de retrouver la paix familiale. Que vous soyez parent de jeunes enfants ou d'adultes, si vous vivez avec quelqu'un qui n'est ni le père ni la mère de vos enfants, pendant que les petits contestent par des crises pénibles à supporter, il arrive que des grands devenus possessifs et contrôlants ne supportent pas que la place de leur père ou de leur mère ait été usurpée ; pour manifester leur désapprobation, ils critiquent, ils boudent ou ils vous fuient.

SANTÉ. Si vous avez eu des problèmes de santé, vous prendrez la ferme décision de suivre un régime sain qui convient à votre organisme. Si vous avez quelques kilos en trop, vous les perdrez aisément.

RÊVES ET MAL À L'ÂME. Le 10, le Nœud Nord quitte le Lion et entre en Cancer. Si les joies familiales sont plus grandes, les peines sont plus dures à vivre. Elles font toutes deux partie de la vie et sont deux façons, bien différentes, de mieux la comprendre.

MAI

TRAVAIL. Si vous êtes à votre compte et si vous avez des associés, l'un d'eux peut manifester son mécontentement; l'entente est clairement définie, légale et il l'a signée. Mais il aura quand même recours à un avocat parce qu'il se dit lésé dans ses droits. Devant l'obligation de vous défendre, vous n'avez pas à vous inquiéter, les planètes lourdes donnent de forts indices de gain de cause. Il s'agit d'une situation surprenante et, bien sûr, elle n'a rien d'agréable. Il est également possible que si l'entreprise pour laquelle vous travaillez depuis quelques années éprouve des difficultés financières, vous deviez vous plier, au plus tard jusqu'au milieu du mois prochain, à des conditions qui ressembleront à un recul. Quelques Vierge vivront un déménagement de la compagnie ou devront travailler au milieu des rénovations.

SANS TRAVAIL. L'an 2000 ne va pas ralentir notre rythme de vie; la société des loisirs n'est ni pour demain ni pour les vingt prochaines années. Le problème de chômage est mondial. Si vous faites partie de ceux qui ont perdu leur travail, si vous avez une spécialité, vous songerez très sérieusement à lancer votre affaire, ce qui est une excellente solution en ce qui vous concerne. S'il vous est possible de créer une entreprise familiale, vous aurez alors plus de facilité que vous ne l'imaginez à trouver du financement. Si vous avez choisi de ne pas travailler et si vous faites de l'argent au noir, vous serez dénoncé et sans doute devrez-vous rembourser ce que vous n'auriez jamais dû recevoir.

AMOUR. Si vous êtes amoureux, si vous ne vivez pas encore avec l'autre, il est possible que vous vous mettiez d'accord pour faire vie commune, et plus sûrement si vous vous connaissez depuis longtemps. Mais peut-être avez-vous un ami, un confident et, au fond, la seule personne qui soit là quand vous avez besoin d'aide. Le temps change les gens et leurs sentiments, et cette amitié a toutes les chances du monde de se transformer et de devenir une relation amoureuse. Vous êtes jeune, amoureux, désireux d'avoir un enfant? Votre désir sera comblé.

FAMILLE. S'il y a eu des tensions familiales, elles se modèrent, puis le climat redevient harmonieux après qu'on s'est excusé. Mais il se trouve toujours quelques Vierge qui, pour un détail, refusent le rapprochement et choisissent l'éloignement, et se plaignent de l'injustice qu'elles subissent. Si vous êtes parent d'adolescents, à partir du 15, ceux-ci seront plus actifs ; leurs nouveaux amis, leurs sorties et les heures tardives de leur retour vous inquiéteront. Des parents Vierge ont décidé comment leurs jeunes adultes passeront leurs vacances et ce ciel présage des obstinations.

SANTÉ. Si vous voyagez et si vous avez des problèmes respiratoires, si vous faites des allergies, ne partez pas sans ces médicaments prescrits par votre médecin, car vous pourriez en avoir besoin. Si vous êtes un grand nerveux, des problèmes de peau peuvent apparaître. Le premier remède, c'est de calmer votre mental pour retrouver votre sérénité et votre équilibre émotionnel.

RÊVES ET MAL À L'ÂME. La famille est un port d'attache et souvent le seul endroit où vous n'ayez pas à porter un masque parce que vous êtes accepté tel que vous êtes. En ce mois, des gens que vous connaissez à peine s'introduiront dans votre maison ; ils vous diront quoi faire avec vos enfants, votre conjoint, etc. Ayez la sagesse de les congédier et ne vous sentez pas coupable de les rayer de votre vie. Personne n'a à vous dire qui vous êtes, comment faire ou ne pas faire. La tentation de croire qu'on en sait plus que vous sera forte. Consentir à ce que quelqu'un d'autre prenne le contrôle peut être une erreur de parcours, mais également un désir inexprimé de vous déresponsabiliser.

JUIN

TRAVAIL. Jusqu'au 16, des situations semblables à celles du mois précédent peuvent se produire. Mais le 17, avec l'entrée de Mars en Cancer, il est plus facile de discuter calmement ; vous êtes plus sûr de vous. Vous cessez d'hésiter ou d'avoir peur de vous tromper dans vos choix. Vous regarderez l'autorité avec un regard neuf. Le patron n'a rien contre vous et quand il vous donne des ordres, en tant qu'employé, vous vous pliez à ses demandes sans être offusqué ; s'il change les règles du jeu, vous suivez la consigne tel qu'il vous le demande. Si vous travaillez dans le domaine des communications écrites, verbales, informatiques, en somme dans le monde médiatique, vous recevrez à la fin du mois de très bonnes nouvelles à la suite de démarches faites il y a parfois plusieurs semaines.

SANS TRAVAIL. Jupiter et Saturne en Taureau sont des présages de chance concernant celui qui cherche un emploi. Au début du mois, vous recevrez une offre que vous serez tenté de refuser parce qu'elle ne correspond pas à vos compétences. Si l'entreprise ne peut vous donner le poste que vous demandez, avant la fin du mois, il y aura de la place pour vos services spécialisés.

AMOUR. Il y a des couples dont la dynamique est l'obstination, ce qui n'est pas de tout repos ; pour eux, c'est le seul moyen qu'ils ont trouvé pour attirer l'attention de l'autre. Si tel est votre cas, entre le 12 et le 18, vous pourriez dépasser les bornes et, cette fois, la querelle sera sérieuse. Si vous êtes en état d'éveil par rapport à une relation, durant la première moitié du mois, vous aurez envie de fuir cet autre qui ne ressemble pas à celui que vous avez connu il y a deux, trois ou cinq mois. Est-ce l'engagement qui vous effraie ou préférez-vous le rêve à la réalité ? Alors que vous aimiez que l'autre vous dise ce qu'il pense de vous, en ce mois, ses remarques vous semblent des critiques. Il y a dans le ciel un excellent aspect pour les amoureux qui ont traversé plusieurs tempêtes et qui, chaque fois, en sont sortis. Ces vieux couples d'amoureux partiront en voyage pour fêter leur union et pour renouveler leurs vœux de bonheur.

FAMILLE. Jusqu'au 16 et parfois jusqu'au 18, des événements hors de votre contrôle désorganisent votre vie familiale ou vous troublent profondément. Vous pourriez apprendre un secret qu'un parent a réussi à cacher durant environ 20 ans. Si un de vos parents est malade, il est possible que vous deviez vous rendre d'urgence à son chevet. Même si vous vous y attendiez, sa souffrance est pénible à regarder, qu'il ait été ou non un bon parent pour vous.

SANTÉ. Si, le mois précédent, vous avez fait des allergies ou avez eu des problèmes respiratoires, vous continuez à vous soigner, mais plus les jours passent, plus vous êtes énergique. Si vous êtes stressé, si vous n'arrivez pas à décontracter seul, pourquoi ne pas vous faire donner un massage ; la massothérapie vous serait d'un grand secours !

RÊVES ET MAL À L'ÂME. Il y a sur le zodiaque la Vierge folle et la Vierge sage. La première se complaît en critiques de toutes sortes, elle se nourrit de ses frustrations et de ses mécontentements ; la seconde, la sage, est une missionnaire, un être généreux, une mère Teresa (du signe de la Vierge). Il arrive à chacun de perdre pied (même à un saint), de juger, d'être intolérant ; cependant, en prendre conscience et stopper cette hémorragie intérieure ou ce glissement vers la rancœur, c'est devenir plus fort et plus serein ; dans cet état mental et tout à la fois moral, un rêve, un désir peut se réaliser. Bonté de cœur et bonté d'âme ne restent jamais sans écho.

JUILLET

TRAVAIL. Si, jusqu'à présent, vous avez été plutôt choyé dans votre milieu de travail, si vous êtes passé par-dessus les obstacles, si vous avez remporté des victoires, sous l'influence de Jupiter en Gémeaux, surveillez-vous davantage. Vous avez grimpé, mais tout ce qui monte peut redescendre. Jupiter vous suggère d'être extrêmement prudent lors de vos éventuelles transactions. S'il est question d'association, prenez des informations sur un éventuel associé ou sur un acheteur ; vous pourriez avoir une surprise en ce qui concerne l'historique de son crédit. Vous avez beaucoup travaillé ces dernières années ; préservez vos acquis, car les malhonnêtes ont généralement un beau sourire et complimentent pour mieux vous endormir. Ils ne sont jamais tout à fait clairs dans leurs propos et quand une transaction doit avoir lieu, ils vous persuadent d'avoir confiance et refusent de signer quelque document légal que ce soit. Des planètes vous portent à relâcher votre garde et à commettre non pas l'irréparable, mais la bêtise qu'il faut ensuite réparer et la perte qu'il faut récupérer. Avec une attention soutenue, vous éviterez ce piège.

SANS TRAVAIL. Même si c'est un mois de vacances pour bon nombre de gens, l'entreprise en elle-même ne s'arrête jamais et on a besoin de personnel pour faire du remplacement. Si on ne vous offre ni temps plein ni permanence, acceptez cet engagement à court terme. Une fois juillet terminé, un autre contrat vous sera proposé. Si vous travaillez dans le domaine des communications, il y a toutes les chances du monde que, d'une semaine à une autre, puis de mois en mois, vous ayez du travail; finalement, vous serez mieux rémunéré que si vous étiez un employé permanent

AMOUR. Pour la majorité des Vierge, le ciel est paisible côté cœur. Vous êtes plus proche de l'amoureux, plus sentimental; vous réussissez à lui dire combien vous l'aimez et à quel point vous êtes attaché à lui. Si votre union compte plusieurs années de bonheur, vous profiterez de ce mois pour vous offrir des moments qui n'appartiendront qu'à vous deux. Si vos enfants ont quitté le nid familial, vous chercherez un autre cocon et, ensemble, vous trouverez un appartement ou une petite maison convenant aux besoins et au goût de chacun. En tant que jeune amoureux encore sans enfant, vous entamerez une longue négociation sur le fait d'avoir un enfant parce que l'un est moins pressé que l'autre. En ce mois, quelques grands-parents garderont leurs petits-enfants dont ils sont amoureux.

FAMILLE. Si vous êtes un marginal, vous faites jaser la famille qui envie votre façon de vivre, votre capacité de vous laisser aller, votre calme, même votre foi en la vie et en Dieu. Mieux vous vous portez, plus les jaloux placotent. Si votre famille est un enfer, à partir du 14, vous trancherez et cesserez de la fréquenter. En tant que parent, si vous avez plusieurs enfants, il arrive que l'un d'eux veuille se distinguer des autres en étant choquant. Cherchez ce qui a pu attiser sa colère; faites-le parler et peut-être découvrirez-vous qu'il s'est senti rejeté à un moment où il avait besoin de vous.

SANTÉ. Si vous prenez soin de vous comme le fait habituellement une Vierge, vos petits malaises ont la vie courte. Surtout durant les deux premières semaines du mois, abstenez-vous de consommer des aliments qui ne vous inspirent pas à cause de leur manque de fraîcheur. Si aucune maladie grave ne se pointe à l'horizon, des malaises gastriques ou intestinaux vous guettent.

RÊVES ET MAL À L'ÂME. Juger négativement de la pratique religieuse de son voisin parce qu'elle n'est pas la nôtre, ce n'est pas chrétien. Vous croiserez des gens qui ne prient pas comme vous; leur communication avec Dieu a une expression différente de la vôtre. Le but est le même: le paradis à la fin de vos jours et, de votre vivant, une paix intérieure. Vous aurez une grande réflexion sur le sujet.

AOÛT

TRAVAIL. Le repos n'est pas pour bientôt si vous êtes engagé et responsable. Faites-vous partie de ces gens qui doivent occuper deux fonctions pour le même salaire ou à peine plus ? Pour préserver votre qualité de vie et pour offrir à vos enfants une éducation privilégiée dans une école privée, peut-être avez-vous deux emplois. Ce sont là de lourds mandats, mais vous avez choisi cette façon de vivre et vous ne vous en plaignez pas. De nombreuses Vierge prennent un tournant de carrière ; d'autres s'inscrivent à des cours de perfectionnement afin d'obtenir une promotion dans l'entreprise en cours. Si vous êtes à votre compte, vous observez tout naturellement vos compétiteurs ; au milieu de ce mois, vous élaborerez une stratégie commerciale intelligente, subtile ; vous vous ferez aider par des professionnels dans le domaine de la publicité. Si, par exemple, vous êtes patron d'une petite entreprise, il est possible que celle-ci soit à vendre et vous ferez une offre ; à votre grande surprise, on acceptera la forme de paiement que vous proposez.

SANS TRAVAIL. Si vous avez des problèmes de santé et que votre médecin vous a mis au repos, vous vous sentirez beaucoup mieux en ce mois ; par contre, on vous a sérieusement avisé de ne pas abuser de vos forces ; vous serez quand même tenté de passer outre ces recommandations et vous songerez à rentrer au travail. Ne jouez pas au héros, vous pourriez faire une rechute. Il y a aussi parmi vous des Vierge en santé qui refusent le travail ; elles ont mille bonnes raisons à se donner, mais, vu Jupiter en Gémeaux face à Pluton, la déprime les attend.

AMOUR. Entre le 12 et le 18, Vénus en Vierge fait un aspect dur à Pluton en Sagittaire ; durant ces jours, vous demanderez ce qu'on ne peut vous donner ou, au contraire, vous subirez les frustrations de votre partenaire qui n'a pas trouvé meilleure victime que la personne la plus proche de lui. Si votre conjoint est colérique, prenez vos distances ; si on a déjà été violent envers vous, entre le 12 et le 18, si on lève la main sur vous, de grâce, demandez de l'aide ! Si vous avez fait une rencontre et si vos fréquentations n'ont que quelques mois, vous avez droit à vos doutes et à vos incertitudes ; votre questionnement est normal : est-ce un rêve ou une réalité ? Votre flirt devient-il autre que celui que vous avez connu ou avez-vous été aveugle au point de l'imaginer comme vous vouliez qu'il soit ? Si, malheureusement, vous apprenez que votre partenaire dont vous êtes amoureux a de sérieux problèmes de santé, vous ne vous sauverez pas, vous serez là pour l'aider à traverser l'épreuve.

FAMILLE. En tant que parent, des planètes présagent des querelles ; si vous prêtez ou donnez de l'argent à l'un de vos enfants parce que sa situation financière est loin d'être reluisante, les autres se sentent pénalisés et ont l'impression que vous êtes injuste envers eux. Ils auront bien du mal à comprendre que vous en auriez fait autant si eux avaient le même problème. Ayez la patience de laisser retomber la poussière après que vous aurez expliqué ce geste qu'on vous reproche. L'argent est plus que matière dans ce genre d'histoire ; au fond, vos enfants qui n'ont besoin d'aucun soutien financier vous montrent, par leur attitude, qu'ils craignent que vous aimiez davantage celui qui reçoit plus qu'eux. Si vous pressentez que c'est la véritable raison de cette dispute, parlez-en et ainsi vous éviterez qu'on s'éloigne les uns des autres. Si vous êtes amoureux et que vous n'avez pas encore d'enfant, que ce soit l'autre ou vous qui en désiriez un, les pourparlers ne font que commencer.

SANTÉ. Votre état de santé dépend de votre alimentation ; si vous mangez sainement, vous gardez la forme et si vous avez eu des malaises, des maux ou une opération, vous récupérez rapidement.

RÊVES ET MAL À L'ÂME. À travers vos proches, vos amis ou même vos ennemis, vous découvrirez d'autres forces et des faiblesses que vous refusiez de voir en vous. Pour certains, le temps est venu de vous détacher de vos enfants devenus adultes ou de les laisser faire des choix qui sont à l'encontre des espoirs que vous aviez mis en eux. La raison vous dit que tout semble simple à faire, mais sur le plan des émotions, ça ne l'est pas à moins de n'avoir pas de cœur.

SEPTEMBRE

TRAVAIL. Ce que vous avez entrepris depuis un mois et demi prend une forme plus précise, mais la bureaucratie, l'embauche de gens très différents les uns des autres et la nécessité de s'ajuster aux imprévus compliquent les choses. Ce ciel est favorable à l'entrepreneur s'il a eu le sens de l'initiative ; il a de l'audace, de la ténacité et assez d'imagination et de logique pour passer à travers le tumulte d'un nouveau départ. Rien ne se réalise en criant « ciseaux », vous en êtes parfaitement conscient ; en ce mois, armez-vous de patience ; rien de très grave à l'horizon à moins que vous ne choisissiez de voir le pire. Il vous faut toutefois vous méfier des vendeurs d'illusions et de vos achats sans garantie. Si vous faites une acquisition qui vous oblige à des paiements à long terme, assurez-vous de la fiabilité de la compagnie ou au sujet de la marchandise ou du service qu'on doit vous livrer régulièrement. Si vous êtes à l'emploi d'une multinationale et qu'il est question de fusion ou de réduction du personnel, il est possible que vous deviez contester pour préserver vos acquis.

SANS TRAVAIL. Si vous êtes sans emploi, si vous avez un diplôme ou une spécialité, sans doute devrez-vous regarder dans d'autres villes, provinces ou pays pour obtenir un travail correspondant à vos compétences. Dans chacun des signes du zodiaque, il y a des gens en bonne santé mais paresseux qui refusent de travailler depuis parfois plusieurs années. Si vous en faites partie, vos grandes vacances sont terminées. La manne du gouvernement se réduit de plus en plus. Si vous êtes à la retraite et que vous avez de bons revenus, vous suivrez le soleil. Vous vous préparerez pour un long voyage. Si vous restez, pour vous sentir vivre, vous donnerez votre temps à des malades ou prendrez la défense d'un groupe de gens dont les droits sont lésés. Quelques Vierge trouveront beaucoup de satisfaction à s'occuper d'environnement.

AMOUR. C'est l'agréable calme en ce mois ; on se parle d'amour, on se donne des attentions, on prend conscience de l'importance de l'autre dans sa vie et des transformations psychiques qu'il a provoquées sans qu'il ait voulu qu'il en soit ainsi. Sans lui, vous ne seriez pas ce que vous êtes aujourd'hui. Si vous êtes célibataire, ce ciel présage une rencontre ; les particularités de cette personne seront sa douceur, sa bonté de cœur et sa tolérance.

FAMILLE. Si vous travaillez avec votre conjoint, vos enfants ou tout autre parent, il y aura une autre répartition des tâches et, pour éviter toute dispute, il est préférable de procéder avant le 17. En tant que père ou mère, si vos grands furent dissipés le mois dernier, ce ciel présage l'accalmie. Vu Jupiter et Saturne en Gémeaux, si matériellement vous réussissez mieux que votre frère, votre beau-frère, votre sœur, vos beaux-parents, etc., lors d'une réunion familiale, on vous lancera quelques flèches d'envie et des pointes de jalousie. Ne donnez pas d'importance à leurs remarques ; leur mesquinerie n'est au fond qu'un reflet de leurs propres frustrations.

SANTÉ. La majorité des Vierge sont en forme ; vous êtes attentif aux signaux de votre corps, ce qui vous permet de stopper et même de faire disparaître certains de vos maux avant qu'ils se cristallisent. Si vous devez vivre avec une maladie chronique, vous ne vous en plaignez plus et, jour après jour, vous apprenez à composer avec elle tout en continuant à chercher comment harmoniser science et nature en vue de guérir.

RÊVES ET MAL À L'ÂME. Vous êtes généralement croyant et pieux même si vous n'affichez ni votre foi ni votre pratique religieuse. Vous êtes bon envers autrui, vous rendez service sans rien attendre en retour et cette générosité envers votre prochain vous revient à travers un événement agréable ; ou ce sera la résolution d'un problème grâce à une aide providentielle ; ou encore une création artistique à noble contenu sera bien reçue du public.

OCTOBRE

TRAVAIL. Sur le plan professionnel, ne confiez pas vos secrets à une personne qui a déjà prouvé qu'elle était dans l'impossibilité de se taire même après avoir promis de ne rien répéter. Si vous êtes vous-même bavard, vous subirez les sarcasmes de quelques collègues et peut-être vous a-t-on fait une fausse confidence pour vous démontrer qu'on ne peut vous faire confiance même quand vous avez juré de ne rien dire. Si votre travail vous oblige à des déplacements dans diverses villes ou à des voyages outre-mer, vous ferez votre valise plus souvent. Si vous travaillez dans le domaine des communications, vous serez débordé et occupé même les journées de congé. Ce mois-ci, le courrier, celui qu'on reçoit dans sa boîte aux lettres, par courriel ou par télécopieur sera non seulement volumineux, mais vous devrez y répondre rapidement.

SANS TRAVAIL. Mars est dans votre signe tout au long du mois; lorsque vous faites vos démarches, votre attitude pleine d'assurance, votre originalité et votre vivacité d'esprit plaisent au chef du personnel. L'attente ne sera pas longue; il est même possible que vous ayez le choix entre deux offres, l'une aussi intéressante que l'autre.

AMOUR. Jusqu'au 19, sous l'influence de Vénus en Scorpion dans le troisième signe du vôtre, peut-être poserez-vous trop de questions à l'amoureux. Il finira par croire que vous êtes possessif, jaloux ou tellement peu sûr de vous dans le domaine des sentiments qu'il se mettra à douter de la qualité de votre affection. Il y a toujours de ces passages dans un couple où l'un craint que l'autre ne le quitte; en ce mois, il y a danger que cette insécurité se cristallise en vous. Sous ce ciel, des couples se portent mieux que jamais, les conjoints sont capables d'un plus grand rapprochement; si on ne se révèle pas entièrement à l'autre, l'un pressent qu'il y a des mots que l'autre veut garder pour lui seul et il n'exige pas que son partenaire lui livre son passé puisque, en ce mois, ils sont heureux d'être là, tout près et si présents l'un pour l'autre.

FAMILLE. Saturne fait un retour en Taureau le 17 et il est en bon aspect à votre signe et à Mars en Vierge, ce qui est souvent l'occasion de se réconcilier quand on s'est disputé. Quand deux amoureux se mettent d'accord, ce ciel augure la conception d'un premier ou d'un second enfant. Il y a dans l'air un mouvement de sagesse et chacun est prêt à porter secours à celui qui appelle à l'aide. Au cours de ce mois s'organiseront des soupers entre membres d'une même famille comme si on se pratiquait pour bien vivre les prochaines fêtes de Noël.

SANTÉ. Avec Mars dans votre signe, les actifs deviennent hyperactifs. Ils ne s'arrêtent que lorsque c'est l'heure d'aller au lit. Puis, il y a ceux qui s'usent à force d'excès de toutes sortes et, sous l'influence de Mars, ils en rajoutent. Et c'est ainsi qu'un malaise devient un mal plus difficile à supporter.

RÊVES ET MAL À L'ÂME. En principe, avec les années qui passent, on devrait s'assagir. Ce n'est pas le cas de chacun. Vieillir avec la peur du lendemain, n'est-ce pas gaspiller le temps présent et se préparer un triste futur qui risque de ressembler à ces souvenirs qui nous obsèdent mais qu'on voudrait n'avoir jamais eus?

NOVEMBRE

TRAVAIL. Il y aura quelques ajustements durant la première semaine du mois, des tâches supplémentaires auxquelles vous vous attendiez puisqu'elles reviennent régulièrement chaque mois de novembre mais, cette année, tout vous semble plus lourd, plus imposant et plus difficile à supporter; vous serez légèrement démotivé puis, à partir du 13, votre dynamisme sera de plus en plus ravivé, surtout que les résultats à la suite de démarches et de pourparlers sont supérieurs à ceux que vous attendiez. Si votre travail vous met en relation directe avec le public, vos clients sont capricieux; ils exigent des garanties qu'il vous est impossible de donner sur quelques produits ou services; malgré ces petits désagréments, vous augmenterez vos profits.

SANS TRAVAIL. Si votre emploi n'est qu'à temps partiel et si vous espérez travailler à temps plein, soyez patient; au cours de la dernière semaine du mois, vous pourriez apprendre la bonne nouvelle. Si vous refusez les emplois qui vous sont offerts et que vous êtes en excellente santé, il y a toutes les chances du monde que vous adoptiez une autre attitude au milieu du mois et que, finalement, vous consentiez à un travail même s'il ne correspond pas entièrement à vos compétences.

AMOUR. À partir du 17, dès que vous serez sur le point de faire un reproche à votre partenaire, tournez-vous la langue sept fois et évitez de déclencher des arguments pour des détails qui, de toute façon, ne changent rien à la vie. Si vous avez l'impression que votre amoureux se détache de vous, s'éloigne, communique moins, pourquoi ne pas proposer des sorties spéciales pour vous donner à tous deux l'occasion de parler de ce qui se passe vraiment entre vous.

FAMILLE. Si vos parents sont âgés, s'ils ont des problèmes de santé à cause de la pollution, il est possible qu'une très vilaine grippe cloue au lit ceux dont la résistance physique est amoindrie par des années de travail. Vous accourrez pour soigner celui qui vous a donné la vie, et plus encore. Vous ne devrez en aucun temps tolérer qu'un parent curieux s'introduise dans votre famille et vous dise quoi faire avec vos enfants qui ne sont pas nécessairement des anges. Le pire, c'est que ces conseils peuvent vous être donnés par quelqu'un qui n'en a pas. Dans un tel cas, soyez assez vif pour remettre cet oncle ou cette tante à sa place.

SANTÉ. Vous êtes en majorité en forme. Si toutefois vous vous nourrissez mal, votre foie est vulnérable et sujet à des soubresauts désagréables. Peut-être aurez-vous une petite toux, mais vous passerez un examen médical ne révélant rien d'anormal. Si tel est le cas, votre nervosité et des contrariétés sont peut-être à l'origine de ce malaise.

RÊVES ET MAL À L'ÂME. En tant que parent, qui n'a pas imaginé un extraordinaire succès pour un des siens? Mais n'est-ce pas normal de vouloir que ses enfants réussissent mieux que soi? Vous êtes présentement sous l'influence du Nœud Nord en Cancer: la tendance à insister pour qu'un des vôtres accepte votre choix est plus forte qu'à l'accoutumée. Si, par exemple, l'enfant n'a qu'une dizaine d'années, laissez-le mûrir; écoutez quand il raconte ce qu'il voit et veut pour son son futur. Sans doute sait-il mieux que vous ce qu'il faut faire pour se réaliser. Même les petits, avant qu'ils soient intégrés dans le système scolaire, connaissent intuitivement leur valeur, ce qu'ils pourront et devront accomplir quand ils seront grands.

Rien n'est impossible pour vos enfants et les décourager de ce qui vous semble être une utopie, c'est leur entrer dans la tête qu'ils ne peuvent penser par eux-mêmes. En tant qu'adulte, vous avez reconnu vos limites; laissez donc vos enfants définir les leurs.

DÉCEMBRE

TRAVAIL. Si vous êtes à contrat et qu'on n'a pas renouvelé le vôtre, vous entamerez de longues négociations qui auront un aboutissement positif juste avant Noël. Si vous êtes un entrepreneur en voie d'acquérir une autre entreprise, ne précipitez pas votre décision: le ciel vous propose plusieurs rencontres avant de signer le formulaire d'achat. S'il est question de vous associer, informez-vous au sujet des antécédents de cette personne, et principalement sur son crédit. Il y a un aspect étrange en ce qui vous concerne, on pourrait se présenter à vous sous un faux nom; et si vous êtes roulé par un filou, non seulement la facture sera-t-elle élevée, mais les conséquences sur vos affaires seront pénibles sur le plan financier. Attention, tout ce qui brille n'est pas or!

SANS TRAVAIL. Entre le 9 et le 23, chacun court, les gens sont de plus en plus préoccupés par les fêtes de Noël. Si vous cherchez du travail, vous en trouverez, et plus spécialement si vous regardez du côté des communications modernes comme l'informatique ou dans la vente de nouveaux appareils ultrasophistiqués qui visent à faire économiser du temps dans la vie de tous les jours. Tous les produits qui ont un rapport avec l'assainissement de l'air et de l'eau dans les maisons se vendront facilement.

AMOUR. En tant que célibataire, en ce dernier mois de l'année, un ami vous présentera quelqu'un, plus sûrement après le 9. Vous pourriez avoir devant vous la perle rare et soudainement avoir peur, car vous croirez que c'est trop beau pour être vrai. Pourtant, le bonheur existe. Une union n'est pas obligatoirement vouée à l'échec même si on ne parle que rarement de ceux qui l'ont bien vécue. Si vous êtes béni du ciel, si vous aimez et êtes aimé, vous avez alors toutes les bonnes raisons de fêter.

FAMILLE. Si vous avez été patient, tolérant, si vous avez discuté avec certains de vos parents, les problèmes familiaux, même ceux qui semblaient insolubles, disparaissent les uns après les autres. Si vous avez été inquiet pour la santé de l'un d'eux, celui-ci se rétablit et vous respirez plus librement. Si vos enfants sont des adultes, peut-être ont-ils vécu des moments difficiles; ils sortent peu à peu du chaos, ce qui vous réjouit. Si vous avez vous-même des petits, ce ciel indique qu'ils ne sont pas aussi sages que vous le souhaitez; la visite du père Noël ne provoque-t-elle pas une excitation? N'attendent-ils pas beaucoup de cadeaux? de la magie? Si vous leur avez laissé croire qu'il en était ainsi, ne cherchez plus de réponse. Ils ont hâte et ils ne tiennent pas en place.

SANTÉ. Lors des fêtes plus nombreuses, vous grignoterez, vous vous gaverez. En vous nourrissant de mets inhabituels souvent plus épicés, vous courez le risque d'avoir des brûlures d'estomac et une digestion plus lente.

RÊVES ET MAL À L'ÂME. À partir du 24, Mars entre en Scorpion; il s'agit d'un bon aspect dans le onzième signe du vôtre: des amis qui, pour une raison ou une autre, vous avaient délaissé reviennent vers vous. Ne vous détournez pas d'eux, passez l'éponge sur vos rancœurs. Terminez l'année et commencez la prochaine l'âme en paix. La nouvelle lune du 25 se produit en Capricorne; elle symbolise un nouveau départ moralement et matériellement. L'an 2000 qui s'est écoulé vous a épuré de vos illusions et bien des événements vous ont fait comprendre l'«imperma-nence», l'éphémère; vous avez perdu d'un côté, vous avez gagné d'un autre. Vous êtes toujours là, plus conscient de la différence entre le réel et le rêve, entre la vérité et le mensonge; vous avez maintenant à l'esprit que tout changement a sa raison d'être et que même vos ennemis ont eu un effet bénéfique; grâce à eux, votre idéal n'a jamais été aussi clairement défini.

♎ BALANCE

23 septembre au 22 octobre

À LUCILLE CARRIÈRE, UNE DAME QUE J'AIME BEAUCOUP ET QUI ME RAPPELLE L'ODEUR D'UNE ROSE PERPÉTUELLE ET MAGIQUE. À ALAIN BENAZRA, UN CLAIRVOYANT MAIS AVANT TOUT UN PRÉCIEUX AMI.

À SERGE BÉLAIR, UNE VEDETTE OU UN HOMME CONNU MAIS, SURTOUT, UN ADORABLE SENSIBLE INTELLO QUI NE CESSERA JAMAIS DE ME SURPENDRE ET DE M'IMPRESSIONNER. À MICHEL LAMBERT, MON AMI POUR TOUJOURS, ET À FRANÇOIS PÉRUSSE, SI DOUÉ ET TELLEMENT AIMABLE.

ET À QUI D'AUTRE QUE DIEU PUIS-JE DIRE MERCI POUR MA RENCONTRE AVEC ANDRÉE PLANTE À LA FIN DE 1998? ELLE EST COLORÉE, ELLE PEUT RIRE, BLAGUER ET PLEURER TOUT À LA FOIS; BIEN QUE DES PLUIES D'ÉPREUVES LUI SOIENT TOMBÉES SUR LA TÊTE, ELLE EST RESTÉE SAGE, BONNE, DÉVOUÉE, SPIRITUELLE, DRÔLE, SPONTANÉE ET ADMIRABLEMENT PACIFIQUE; SI JE DEVAIS ACCORDER UN «PRIX GANDHI», LE MAHATMA OU LA GRANDE ÂME, C'EST À ANDRÉE PLANTE QUE JE LE REMETTRAIS. MON AMIE A LES DEUX PIEDS SUR TERRE, LA TÊTE AU CIEL ET LE CŒUR EN FÊTE.

Il y a du mouvement dans l'air. Une profonde transformation psychique vous conduit à un renouveau professionnel, à une autre carrière, à d'autres croyances, au lâcher-prise, au renoncement d'un désir que vous avez confondu avec l'idéal. Vous êtes le premier symbole de la justice; il arrive à bon nombre d'entre vous d'être convaincus d'avoir vu et pensé et quand on contrarie vos théories ou vos affirmations, surtout quand il s'avère que vos opposants ont eu raison, vous dites qu'on a été injuste envers vous. Vous avez généralement mille bonnes excuses, toutes aussi rationnelles les unes que les autres, pour justifier vos actes et vos décisions qui ont parfois des répercussions négatives sur autrui. Malgré l'évidence de la peine ou de l'embarras causé, vous avez des arguments logiques et vous vous démontrez à vous-même et à ceux qui n'osent vous contredire que vous avez bien agi. Vous possédez une habileté intellectuelle supérieure.

Dans les années précédentes, j'ai souvent écrit et décrit votre indéniable intelligence et je n'ai rencontré que bien peu d'entre vous qui en étaient démunis. Les années passent et votre brillance d'esprit n'est pas affectée par la pollution, par les épreuves ou par les malchances; elle est intacte. Mais à cette rationalisation, il y aura un important ajout en l'an 2000.

Vous ferez un grand voyage intérieur. Vous accéderez à des formes de connaissances qui ne tiennent ni d'une analyse, ni d'une étude, ni d'une déduction, ni d'une observation. Vous entrerez dans le monde des perceptions, des intuitions ou du savoir qui vient tout droit du ciel.

Par exemple, vous vous posez des questions au sujet d'un problème qui peut se résoudre de multiples manières en faisant un geste ou un autre, en faisant affaire avec telle ou telle autre personne; vous avez le choix des solutions qui sont toutes aussi efficaces les unes que les autres. Au moment où vous vous surprendrez à planer au-dessus des nuages, spontanément vous saurez ce qu'il faut faire pour retirer le meilleur de la situation complexe dans laquelle vous vous trouvez.

Voici un autre exemple. Je connais des Balance qui font de l'astrologie, des tarots, de la numérologie ou qui pratiquent d'autres sciences divinatoires. Elles ont fait des études et des recherches. Bien informées sur les symboles qui servent de guide, elles satisfont leurs clients par leurs prévisions, par leurs réponses sensées et par leurs judicieux conseils. Mais peu à peu, sans se départir de leurs techniques, elles « verront » là où, en principe, il n'y a rien à voir. Leurs perceptions extra-sensorielles seront d'une telle précision qu'elles se demanderont comment elles ont pu savoir au-delà de ce qu'elles entrevoyaient par le biais de leurs outils divinatoires.

JUPITER EN TAUREAU

À partir de la mi-février jusqu'à la fin de juin, Jupiter est en Taureau dans le huitième signe du vôtre. Il indique qu'une partie de vous-même meurt, permettant ainsi à une autre de renaître. Il y a un abandon de croyances, de valeurs et même de convictions que vous entreteniez parfois depuis 10, 15, 20 ans et plus. Peut-être exercez-vous un métier depuis quelques décennies? En ces mois, vous vous apercevez que pendant tout ce temps, vous détestiez rentrer au boulot et vous avez été terriblement malheureux; en même temps, par un heureux concours de circonstances, vous avez l'occasion de retourner aux études et de parfaire cette formation professionnelle que vous avez toujours désirée; ou vous réaliserez ce rêve que vous avez secrètement gardé pour vous. Il est aussi possible que vous décidiez volontairement de prendre votre tournant de carrière parce que vous savez intuitivement que c'est ce qu'il y a de mieux à faire.

Si vous êtes attaché à l'argent comme si c'était l'unique raison de vivre, si seul votre statut social a de l'importance, si vous êtes persuadé d'être quelqu'un parce que vous possédez beaucoup, si votre nom et votre identité n'ont de valeur que parce qu'ils sont rattachés à un gros compte en banque, cette obsession matérialiste devient maladive; sous Jupiter en Taureau, des événements hors de votre contrôle ne seront pas agréables à vivre; vous comprendrez alors que la santé, la vôtre ou celle d'un proche, la paix, l'amour ou le bonheur ne sont pas achetables. Si vous refusez de prendre conscience qu'il y a plus que vous et vos possessions, Jupiter en Taureau se charge de vous ouvrir les yeux du cœur. Jupiter en Taureau augure chez les uns une nouvelle fortune ou, au contraire, un sérieux allègement de celle-ci. Tout dépend de votre attitude vis-à-vis de ceux qui vous entourent. La première mission de Jupiter dans ce signe est la transformation de l'être: de bien à meilleur pour les bonnes gens ou de mal en pis pour les esprits négatifs et les égoïstes.

SATURNE EN TAUREAU

Saturne est en Taureau depuis mars 1999 et y restera jusqu'au 10 août 2000. Du 11 août au 16 octobre 2000, il est en Gémeaux, puis Saturne revient en Taureau jusqu'à la fin de l'année. Vous vous êtes sûrement rendu compte que Saturne en Taureau dans le huitième signe du vôtre vous a obligé ici et là à modifier votre comportement; sous son influence, vous avez approfondi des liens avec certaines personnes ou vous vous êtes éloigné de ceux qui ne voulaient pas vraiment votre bien. Des Balance ont vécu des deuils, d'autres ont changé d'emploi ou en ont perdu un. Vous avez procédé à d'importants changements dans l'entreprise en cours; en tant que patron, vous avez peut-être congédié des employés afin que la compagnie survive; il est à souhaiter que ces calculs furent justes, car la présence de Saturne en Taureau présage l'ensemble des répercussions de toutes vos décisions prises en 1999.

SATURNE EN GÉMEAUX

Durant le court séjour de Saturne en Gémeaux, vous aurez l'occasion de corriger des erreurs, de retrouver un élan vers une nouvelle expansion ou de mettre sur pied un grand projet sur lequel vous avez beaucoup travaillé. Saturne en Gémeaux ne vous limite pas sur le plan commercial; au contraire, il vous invite à dépasser les frontières, à faire des échanges avec l'étranger et parfois, en tant qu'entrepreneur, à lancer une affaire hors Québec: les uns se dirigeront vers l'Europe, d'autres vers les États-Unis.

JUPITER EN GÉMEAUX

De juillet 2000 à juillet 2001, vous serez sous l'influence de Jupiter en Gémeaux. Douze mois au cours desquels vous plongerez là où vous auriez toujours dû être. Si, par exemple, sous Jupiter en Taureau, vous vous êtes vous-même transformé, si vous avez modifié vos méthodes de production, vous récolterez maintenant ce que vous avez semé et probablement en double. Si vous avez respecté votre prochain viendront alors vers vous des personnes influentes qui sembleront apparaître dans votre vie comme par magie. Si vous avez effectué les transformations profondes qui s'imposaient sous Jupiter en Taureau, Jupiter en Gémeaux vous fait alors vivre une explosion ressemblant à une pluie d'étoiles bénies. Il s'agit alors de feux d'artifice, de joies, de surprises toutes plus agréables les unes que les autres. Sans doute ferez-vous alors ces voyages d'exploration qui vous hantent depuis parfois des décennies.

Sous Jupiter en Gémeaux, ce n'est plus de l'ordinaire qui se produit mais plutôt l'extraordinaire. Jupiter dans le neuvième signe du vôtre symbolise la compréhension des enseignements des grands sages et parfois une vision créatrice au-delà de celle que vous possédez déjà ; c'est un peu comme si l'avenir n'avait plus de secret parce que vous acceptez le moment présent tel qu'il est, ce qui vous apporte plus de confiance en vous-même et en un futur meilleur pour vous et pour ceux qui vous entourent.

Jupiter en Gémeaux, c'est le voyage à l'autre bout du monde ou le voyage intérieur le plus magnifique qui puisse se produire, c'est l'ouverture sur le monde, c'est la prise de conscience où vous faites un avec l'univers. Jupiter en Gémeaux, c'est la concrétisation d'un grand rêve ou d'un idéal ; c'est le chemin qui vous conduit à la sagesse.

Sous Jupiter en Gémeaux, des Balance retourneront étudier ; elles apprendront avec une telle facilité qu'elles en seront surprises, et leurs proches seront tellement éblouis qu'ils croiront qu'elles ont un don. Elles recevront des faveurs, des bénédictions, des cadeaux, des bénéfices plus gros que ceux auxquels elles s'attendaient, feront des gestes généreux envers les laissés-pour-compte de la société. Elles feront du bénévolat ou donneront des sommes d'argent à des organismes dont le but est d'aider les malheureux.

JUPITER EN GÉMEAUX VÉCU NÉGATIVEMENT

Si vous y perdez sous Jupiter en Gémeaux, il va sans dire que sous Jupiter en Taureau, vous n'avez rien compris aux messages et aux signaux que la vie vous envoyait à travers les gens ou les événements ; ceux-ci avaient pour but de vous sensibiliser à la souffrance humaine, celle des autres et la vôtre. Mal vécu, Jupiter en Gémeaux est la fuite vers on ne sait quoi, l'éparpillement, la futilité et son propre enchaînement au monde des apparences.

NEPTUNE ET URANUS EN VERSEAU

Neptune et Uranus sont encore en Verseau dans le cinquième signe du vôtre. Neptune y est particulièrement à l'aise, il est symbole d'inspiration, d'espoir, de créativité. Il n'a que la limite que le mental lui accorde. Neptune en Verseau symbolise le rêve réalisable dès l'instant où vous supprimez les obstacles que vous vous êtes vous-même créés à force de penser à vos peurs qui proviennent de vos souvenirs douloureux. Uranus, aussi dans le cinquième du vôtre, fait référence aux enfants des autres, aux amis de vos enfants; si, pour les uns, cela ne représente aucun problème, pour certains d'entre vous, il s'agit d'apprendre à vos jeunes qui grandissent d'être plus sélectifs dans le choix de leurs amis. Uranus en Verseau peut plonger quelques parents Balance dans un débat intérieur entre l'envie de se sauver de leurs responsabilités ou de rester pour remplir ses obligations, son devoir de père ou de mère. Quand une Balance vit un tel dilemme, la patience lui fait souvent défaut. Uranus est comme un grand coup de vent qui fait osciller les plateaux de la justice, du bien et du mal, de la paix et de la guerre.

PLUTON EN SAGITTAIRE

Pluton est encore en Sagittaire dans le onzième signe du vôtre; vous faites de plus en plus rapidement la différence entre les vrais amis et ceux qui ne font que passer. Vous vous rendez compte aussi que des gens que vous connaissez depuis longtemps sont devenus ennuyeux; ils ont perdu leurs idéaux alors que vous poursuivez les vôtres avec toujours autant de dynamisme et de foi. Du début d'août jusqu'à la fin de l'année, Jupiter sera en face de Pluton; durant cette période, vous reconnaîtrez davantage ceux qui vous disent la vérité et ceux qui mentent, ceux qui font semblant, par exemple, d'être savants dans un domaine où vous n'avez que peu d'expérience et ceux qui savent vraiment de quoi ils parlent.

BALANCE ASCENDANT BÉLIER

Il sera sérieusement question d'argent, surtout de la mi-février à la fin de juin lorsque Jupiter en Taureau sera dans le deuxième signe de votre ascendant et dans le huitième signe de la Balance. Plusieurs scénarios sont possibles. Il peut y avoir une dispute au sujet d'un héritage alors qu'auparavant tous les membres de la famille s'entendaient. Chacun veut la plus grosse part du gâteau. Il y a des gens qui peuvent faire une guerre à n'en plus finir même pour 1000 $. Jupiter en Taureau vous lance un défi: accepterez-vous un juste partage ou vous élancerez-vous dans de longues disputes parce que vous avez conclu que vous étiez celui qui devait l'emporter? Voici une autre situation qui pourrait se produire. Si vous vous reconnaissez comme naïf et généreux, si vous êtes celui à qui on emprunte dès qu'on a besoin d'argent, durant la première partie de l'an 2000, ne prêtez pas à ces gens que vous pressentez comme n'étant pas fiables. Vous êtes perspicace et vous ressentirez un tiraillement intérieur dès l'instant où vous aurez l'emprunteur devant vous; vos soupçons, vos doutes, votre peur elle-même de ne pas être remboursé, tout ça devrait vous servir de balises et de stop. Ne soyez pas manipulé, restez bon sans toutefois vous faire victime.

Plusieurs Balance/Bélier feront l'acquisition d'une maison d'ici la fin de juin 2000; avant de signer quoi que ce soit, faites-la vérifier de la cave au grenier; évitez une mauvaise surprise et des problèmes malgré tous les recours juridiques que vous auriez contre votre vendeur. C'est une bataille à laquelle chacun peut échapper s'il est prudent. Il y aura des chanceux: sous ce ciel 2000, un gain à la loterie n'est pas impossible. Mais il vaut mieux miser sur le travail pour faire des économies. Si vous êtes en commerce, il est certain que vous augmenterez vos profits, mais pour préserver vos acquis, il est essentiel d'avoir un comptable honnête. Puis, de juillet 2000 à juillet 2001, Jupiter est en Gémeaux dans le troisième signe de votre ascendant et dans le neuvième signe de la Balance, ce qui présage des voyages; si vous n'allez pas à l'autre bout du monde, vous vous déplacerez plus souvent, vous verrez du paysage; les routes seront longues, les clients seront loin mais ils seront bons acheteurs.

Si vous êtes artiste, Jupiter en Gémeaux peut vous conduire à l'étranger où vous vivrez une belle expérience et aurez un succès plus grand que celui que vous espériez. Côté cœur, si c'est instable, si vous n'êtes pas heureux et que vous avez hésité à cesser votre union, vous ne pourrez plus supporter votre malheur et vous vous donnerez une chance d'être heureux autrement. Advenant une séparation, vous ne resterez pas seul longtemps; dès que vous vous serez libéré, alors que vous vous étiez juré de ne plus jamais tomber amoureux, vous ferez une rencontre bienheureuse. Si vous êtes célibataire depuis longtemps, si vous espérez ce grand amour et même si vous désespérez, c'est surtout à partir de juillet qu'une personne hors de l'ordinaire vous tirera de votre célibat. Puis, tout ira si vite et si bien entre vous que vous oublierez vos vieilles blessures et entamerez une portion de vie agréable qu'il ne vous restera qu'à entretenir, à préserver et à chérir comme si c'était chaque fois le jour de cette rencontre magique.

BALANCE ASCENDANT TAUREAU

Vous êtes un double signe de Vénus; d'une extrême sensibilité, vous avez un cœur d'or et vous êtes dévoué envers autrui. Vous avez même du mal à refuser de rendre service même quand vous êtes débordé de travail. Vous êtes capable de donner au point où vous vous épuisez, mais dès que vous dormez des heures de sommeil normales ou un peu plus après une grosse période d'effort, vous récupérez votre énergie. Vous paraissez généralement plus jeune que votre âge; d'ailleurs, il vous suffit de bien vous alimenter pour que votre vieillissement soit au ralenti et pour que vos petits malaises disparaissent comme par magie. De la mi-février à la fin de juin, Jupiter sera sur votre ascendant, ce qui présage une considérable amélioration de l'ensemble de votre vie. Si, par exemple, vous avez été malade en 1999, cette fois vous faites peau neuve, vous vous sentirez mieux que jamais vous ne l'avez été. Sous l'influence de Jupiter en Taureau, si vous avez tendance à faire de l'embonpoint, vous devrez vous surveiller davantage et modérer vos fringales qui seront, la plupart du temps, d'origine nerveuse, car l'impatience vous donne de l'appétit. Quel que soit votre métier, il y aura des dénouements intéressants, une progression, une promotion, ou vous vous déciderez enfin à faire ce changement d'emploi que vous désiriez tant depuis plusieurs années. Jupiter en Taureau vous rendra très populaire dans votre milieu; la famille sera autour de vous comme si on vous redécouvrait, comme si, tout à coup, on s'apercevait à quel point vous avez toujours été bon pour chacun.

Si vous êtes en amour, si vous n'avez pas encore d'enfant et si vous en désirez un, la cigogne passera au-dessus de chez vous et vous laissera un bébé, un enfant que vous aimerez plus que vous. Si vous avez un talent artistique et si vous essayez de vous frayer un chemin dans ce monde, une porte plus grande que toutes les précédentes s'ouvrira et vous aurez alors l'occasion de faire profiter votre talent à une foule d'admirateurs. L'argent ne devrait plus manquer; le travail vous permet d'en gagner mais, en plus, il est possible qu'une personne à qui vous avez rendu un grand service dans le passé et que vous aviez oubliée vous rembourse soit en vous faisant un gros chèque, soit en vous accordant une faveur hors de l'ordinaire.

Puis, Jupiter sera en Gémeaux de juillet 2000 à juillet 2001. Rien du meilleur de ce qui s'est produit ne devrait s'arrêter; au contraire, les bénéfices reçus durant la première moitié de l'année peuvent alors doubler. Mais avec ce supplément financier, il vous faudra redoubler de prudence : vous verrez soudainement des gens que vous connaissez à peine et qui se diront vos amis. En fait, ils veulent ce qui vous appartient. Vous avez beaucoup travaillé pour votre réussite et pour votre argent, ne laissez pas les parasites et les flatteurs vous voler. Si, par exemple, vous travaillez dans le domaine de l'immeuble, vos ventes croîtront à un rythme fou. Si vous êtes un négociateur, si vous achetez, sous Jupiter en Gémeaux, vous obtiendrez un incroyable rabais pour chacun de vos achats. Comme célibataire, l'amour vous surprendra. Certains le rencontreront au cours d'un voyage, dans un aéroport ou dans un avion. Comme un film qui finit bien, vos cœurs palpiteront en duo, et vous aurez aussi l'impression d'avoir toujours connu cette personne.

BALANCE ASCENDANT GÉMEAUX

Vous êtes un double signe d'air, vous possédez un talent pour la communication verbale et écrite. Vous êtes généralement si plaisant qu'on ne peut rien vous refuser ou presque. Vous avez la manie de poser beaucoup de questions pour bien connaître la personne qui se trouve en face de vous mais, émotionnellement, vous ne vous livrez qu'au compte-gouttes. De la mi-février à la fin de juin, sous l'influence de Jupiter en Taureau dans le douzième signe de votre ascendant, vous vous apercevrez que vous avez un trop-plein. Toutes ces émotions refoulées depuis longtemps, surtout les quatre dernières années, ne peuvent plus être contenues. Vous avez besoin de vous confier à un ami ou à un thérapeute. Il vous sera tout de même difficile de prendre cette décision, mais vous le ferez. Sous Jupiter en Taureau, vous aurez moins d'énergie physique, mais n'est-ce pas dû à toutes ces années où vous avez travaillé sans relâche ? Il est normal que votre corps vous signale une halte ; si, jusqu'à la fin de juin, vous prenez vraiment soin de vous, par exemple changer votre alimentation, dormir davantage, faire de l'exercice et dire non même à votre meilleur ami quand vous êtes épuisé, vous vous referez une santé.

Sous Jupiter en Taureau, il sera question de l'argent qui entre au foyer et qui se dépense à l'extérieur ; vous serez, à certains moments, apeuré par l'avenir, par la peur d'en manquer : ne laissez pas ce genre de panique s'emparer de vous et, si possible, dialoguez avec votre partenaire au sujet du budget familial et du partage. Il est aussi possible que Jupiter en Taureau présage la maladie d'un proche ou même d'un enfant ; si une telle situation se produit, dites-vous qu'il ne s'agit que d'un passage plus difficile qu'un autre. Autre scénario de Jupiter en Taureau : si, par exemple, vous avez fait du tort à une personne ou que vous avez joué du coude pour prendre sa place, vous avez un ennemi et ce dernier retardera l'accès à un poste pour lequel vous êtes quand même qualifié, ou on répandra des faussetés à votre sujet pour vous punir. Ce geste, aussi enfantin soit-il, est fort désagréable à subir. Jupiter ainsi positionné dans le douzième signe de votre ascendant se nomme zone de pénitences même si vous n'en avez mérité aucune ; Jupiter en Taureau a également pour fonction de vous apprendre à ne pas faire confiance à tout le monde. Il existe sur cette planète des manipulateurs si habiles qu'on ne les détecte pas et contre lesquels il est inutile de se venger, mais soyez assuré que s'il y a injustice, avant que l'année se termine, la vérité sera mise au jour et la situation rétablie.

De juillet 2000 à juillet 2001, Jupiter est en Gémeaux sur votre ascendant; il vous assure que vos contrariétés, parfois d'un seul coup, seront peu à peu remplacées par d'agréables surprises et, plus souvent qu'autrement, ce sera une double indemnité. En tant que célibataire, alors que vous pensiez que vous étiez condamné à la solitude ou abandonné pour toujours, vous ferez une rencontre. Le ciel présage que de nombreuses Balance/Gémeaux qui avaient juré de ne plus jamais se remarier briseront cette promesse et s'engageront légalement pour une seconde fois. Si vous êtes en amour, jeune, et si vous désirez un enfant, la seconde moitié de l'année comblera votre vœu.

BALANCE ASCENDANT CANCER

Vous êtes un double signe cardinal, sensible mais parfois si dur dans vos jugements que vous créez des situations complexes et compliquées. Votre ascendant indique que vous êtes marqué par des faits survenus dans votre enfance mais, comme bien des gens, vous vous souvenez surtout de ce qui vous a déplu. Le Cancer, s'il est symbole de mémoire, a aussi beaucoup d'imagination et il n'est pas rare que vous amplifiiez ce qui a été décevant. Il y a chez vous un besoin de dramatiser: est-ce pour ne rien oublier de vos traumatismes qui vous servent d'attaches à vos racines ou, comme l'affirment certains psychanalystes, est-ce pour alimenter des souvenirs que vous vous êtes inventés? Si vous avez vécu dans un rêve jusqu'à présent, de la mi-février à la fin de juin, Jupiter est en Taureau et il vous ramène les deux pieds sur terre dans divers secteurs de votre vie. Si, par exemple, vous exercez un métier que vous n'aimez pas, vous ferez des démarches et vous obtiendrez un poste correspondant à vos compétences ou à votre idéal. En tant que parent, vous êtes très protecteur; si toutefois vos enfants ont l'âge de prendre des décisions, vous verrez clairement qu'il est temps de leur faire confiance et vous approuverez leurs choix même s'ils sont loin de ce que vous espériez pour eux.

Entre la mi-février et la mi-avril, un parent qui était en parfaite santé peut avoir des maux soudains; ne cherchez pas à les expliquer, elle a bien assez d'en sortir sans devoir subir un interrogatoire. En mai et en juin, si vous avez des malaises dont vous n'arrivez pas à vous soulager, par précaution, demandez à passer un examen médical, car la poitrine et l'estomac sont plus vulnérables qu'à l'accoutumée. Vos croyances et vos valeurs seront secouées sous Jupiter en Taureau; des opinions contraires vous feront hésiter et réfléchir à ce que vous avez tenu pour acquis depuis parfois plusieurs années. Si, par exemple, vous savez que l'amour n'existe plus entre votre partenaire et vous, vous pourriez vous rendre compte que vous êtes très attaché à l'autre et que s'il partait, votre vie n'aurait plus de sens, du moins pendant un long moment. Il y a un éveil important qui se produit. Autre exemple : si vous êtes mal aimé et traité comme un objet par votre partenaire, et si, pour des raisons matérielles, vous êtes resté, en cette première moitié de l'an 2000, vous débattrez la question financière afin de quitter cette relation que vous supportez et qui, vous le savez, se terminera de toute façon par une séparation officielle.

De juillet 2000 à juillet 2001, Jupiter est en Gémeaux dans le douzième signe de votre ascendant. Si précédemment vous n'avez pas pris position, si vous avez laissé aller des situations en vous disant que tout allait s'arranger sans votre intervention, sous Jupiter en Gémeaux, les pots cassés devront être réparés les uns après les autres. Jupiter en Gémeaux correspond aussi à une importante et longue période de réflexion, laquelle conduit à une autre philosophie et façon de vivre votre quotidien. Cette zone représente pour vous une préparation à une vie nouvelle : vous ferez votre ménage intérieur. Les uns s'inscriront à des cours de perfectionnement ou achèveront des études qui les mènent à un diplôme ; d'autres choisiront des activités enrichissantes sur les plans intellectuel et émotif.

BALANCE ASCENDANT LION

Vous êtes né de Vénus et du Soleil, vous êtes un être magnétique. Vous attirez l'attention sans devoir faire le moindre effort. C'est tout naturel de prendre votre place. Vous êtes curieux, logique, raffiné, original, audacieux et bon communicateur. Vous aimez et respectez autrui comme le veut Vénus et le Soleil. Mais advenant de très mauvais aspects sur votre signe, toutes ces belles qualités s'envolent et il ne reste plus que votre égocentrisme et votre égoïsme. En ce qui concerne les Balance/ Lion attentionnés et travaillants, sous l'influence de Jupiter en Taureau qui se trouve dans le dixième signe de votre ascendant de la mi-février à la fin de juin, l'effort est récompensé. Il y aura ascension de carrière, promotion ou tournant professionnel mérité puisqu'il fait suite à vos nombreuses démarches, à votre ténacité et à votre courage. Il s'agit là d'un revirement positif de situation. Si l'un de vos parents est âgé et malade ou comme protecteur d'un ami, il est possible qu'on vous appelle à l'aide ; vous ferez votre devoir sans rien attendre en retour, simplement par bonté de cœur. Si vous avez des enfants qui sont presque des adultes, tout en ayant l'air de n'avoir besoin de rien, ils vous demanderont votre opinion au sujet de choix qu'ils sont sur le point de faire par rapport à leurs études. Vous aurez la bonne idée de poser des questions afin qu'ils prennent par eux-mêmes la bonne décision pour qu'ils se réalisent.

Sous Jupiter en Taureau, un de vos enfants vous fera honneur : il aura une réussite hors de l'ordinaire et dont on parlera. Si Jupiter en Taureau vous emprisonne à coups d'obligations, surtout durant les mois de mai et de juin, ne désespérez pas parce qu'à partir de juillet, après une courte période de chaos, l'ordre revient. De juillet 2000 à juillet 2001, Jupiter sera en Gémeaux dans le onzième signe de votre ascendant. La vie ne sera pas ennuyeuse. Vous pouvez vous attendre à une multitude de surprises, la plupart agréables, et de véritables cadeaux du ciel. Vous ferez des voyages, vous serez parfois l'invité d'une personne qui a trouvé le moyen de vous rembourser l'appui que vous lui avez donné. Si vous avez un talent artistique, si vous travaillez dans le milieu des arts, si lors d'événements hors de votre contrôle vous avez dû prendre un recul, vous y revenez plus fort qu'avant et apprécié pour vos compétences dont l'entreprise avait grand besoin.

Si vous êtes un créateur, un inventeur, un chercheur, un écrivain, un musicien, un humaniste et un protecteur de l'environnement, en somme quel que soit votre talent, vous ferez une trouvaille qui pourrait bien vous rapporter une fortune. Si vous avez déménagé sous Jupiter en Taureau, sous Jupiter en Gémeaux, vous déplacerez continuellement les meubles comme si vous n'arriviez pas à vous installer. Il vous faut effectivement un décor changeant; cela stimule votre imagination et quand vous débordez d'énergie, c'est le genre d'exercice qui vous fait du bien et qui vous calme. Sous Jupiter en Gémeaux, vous recevrez plus souvent, vous reprendrez contact avec vos vieux amis. Et si ce n'est pas la fête sous Jupiter en Gémeaux, peut-être est-ce parce que vous ne vivez que pour vous depuis bien longtemps. Fêter seul, c'est très ennuyeux. Quel que soit votre âge, vous n'avez aucune bonne raison de vous isoler.

BALANCE ASCENDANT VIERGE

Vous êtes né de Vénus et de Mercure, vous êtes débrouillard et généralement extrêmement délicat, attentionné envers autrui. Vous avez l'œil vif, vous êtes précis et quel que soit votre métier, on n'a jamais rien à vous reprocher. Vous donnez des conseils, mais on peut parfois s'en plaindre : vous avez un tel souci de perfection que vous ne tolérez pas la moindre erreur. Cependant, vous n'êtes que rarement en colère à moins que le Mars dans votre thème natal n'occupe une position d'intolérance et d'impatience. Malgré ces défauts, lorsqu'on vous connaît bien, on sait que vous avez le cœur sur la main. Vénus de la Balance est sensible, Mercure de la Vierge est compréhensif : cette alliance fait de vous un humain dans tous les sens du mot. Votre pire insécurité est celle de manquer d'argent, car vous tenez à votre indépendance ; vous ne voulez dépendre de personne ni devoir quoi que ce soit. Cette peur est exagérée, mais elle vous pousse à travailler plus fort.

De la mi-février à la fin de juin, Jupiter est en Taureau dans le neuvième signe de votre ascendant ; il présage de la chance dans le secteur où vous êtes engagé, et même au jeu. Il vous suffit d'un seul billet pour faire de vous un millionnaire. Si la fortune doit venir, vous n'avez pas à investir votre salaire, quelques dollars suffisent durant la première moitié de l'an 2000. Jupiter en Taureau peut aussi vous faire gagner un grand voyage ou vous vous l'offrirez parce que vous prenez conscience que vous le méritez. Jupiter en Taureau correspond à une transformation de votre philosophie de vie, à des études qu'on termine ou qu'on commence, ou encore à une participation à un mouvement social ou politique. Il y a toujours des gens qui font tout pour se couler; ils refusent les bons aspects du ciel astral, ils s'éloignent du bonheur comme la peste au cas où ça changerait leur vie. Ceux qui n'aiment pas être heureux, qui fuient toutes les occasions d'améliorer leur destin regarderont leurs proches, leurs voisins avec envie et même avec le temps, ils en seront non seulement au même point mais plus mal en point. Seule une thérapie sérieuse les sortira du malheur qu'ils sont convaincus d'avoir mérité.

De juillet 2000 à juillet 2001, Jupiter est en Gémeaux dans le dixième signe de votre ascendant; il symbolise les mésententes dans la famille, une division ou une formation en clans opposés à cause de la politique, de l'éducation ou parce que l'un est plus riche que l'autre. Il aura suffi d'une bêtise pour qu'une guerre se déclare. Jupiter en Gémeaux a aussi des angles positifs. On embrasse une carrière parfois tardive, d'autres terminent leurs études et trouvent immédiatement un emploi correspondant à leurs compétences. Si certains ont l'âge d'être grands-parents, ils accueilleront l'heureux événement qu'est l'annonce du nouveau bébé dans la famille. Si vous êtes amoureux, sans enfant et que vous avez hésité longtemps avant de vous décider à fonder un foyer, que vous soyez au milieu ou à la fin de la trentaine, le ciel présage que vous pourriez être papa ou maman. Si vous êtes célibataire, la rencontre que vous ferez sous Jupiter en Taureau deviendra une union officielle ou un sérieux engagement sous l'influence de Jupiter en Gémeaux.

BALANCE ASCENDANT BALANCE

Vous êtes un double signe de Vénus; aimer et être aimé est votre préoccupation première. S'il y a, d'un côté, une personne très généreuse, de l'autre côté, Vénus/Vénus dans son aspect le plus sombre symbolise la manipulation ou le fait de donner le moins possible et de prendre le maximum. De la mi-février à la fin de juin, Jupiter est en Taureau dans le huitième signe de votre ascendant. Si le meilleur se produit chez les uns, des événements désagréables attendent les vénusiens égocentriques. Pour les Balance/Balance qui vivent d'amour, pour l'amour, pour l'amitié, en somme pour tous les nobles de cœur, Jupiter en Taureau annonce des changements radicaux, par exemple un gain providentiel, un héritage qu'ils n'ont jamais espéré, des cadeaux de grande valeur de la part de gens qui les apprécient pour ce qu'ils sont et pour ce qu'ils font pour eux gratuitement depuis plusieurs années. Pour ceux qui, jusqu'à présent, ont obtenu des emplois et des promotions grâce à leur travail et à leurs talents, une autre belle surprise les attend : un poste honorifique, une augmentation de salaire, une prime et parfois même un congé cadeau payé.

Sous Jupiter en Taureau, si le vénusien n'a pensé qu'à lui, des gens qu'il fréquentait s'éloigneront de lui parce qu'ils n'en peuvent plus de supporter ses caprices et ses exigences. Cet isolement forcé et cette désertion de ceux qu'il pensait avoir sous son contrôle seront un coup dur à son orgueil. Le voilà obligé à faire une réflexion sur ses agissements; avant de n'avoir que la solitude en partage, il lui est nécessaire de changer son comportement. Quand Balance/Balance n'a fait que des calculs, il est possible que pour obtenir des services, il doit les payer très cher. Jupiter est en Taureau dans le huitième signe du vôtre et dans le huitième signe de votre ascendant; il annonce les réactions et les conséquences de vos gestes. Quand une Balance n'a rien donné d'elle-même et qu'elle a pris le maximum, elle doit maintenant rembourser ce qu'elle doit tandis que l'autre, la généreuse, récupère ce qui lui revient.

Puis, Jupiter passera en Gémeaux de juillet 2000 à juillet 2001 dans le neuvième signe du vôtre et neuvième signe de votre ascendant. Il y aura Vénus/Vénus en fuite ou que chacun évite. Pour cette Balance, il y a devant elle 12 mois pour se rattraper; il lui faudra d'abord accepter qu'elle a été égoïste. Pour la Balance/ Balance au cœur d'or, sous Jupiter en Gémeaux, elle continuera de récolter les bénédictions qu'elle a auparavant distribuées. Si cette dernière est célibataire, seule depuis longtemps, ouverte à l'amour, bien que sélective parce que ce double Vénus est dans un signe d'air, la perle rare fera son entrée. Un déménagement est à prévoir non pas pour aller vivre seul, mais plutôt pour partager une maison ou un appartement avec un être dont Vénus/Vénus sera profondément amoureux. Sous l'influence de Jupiter en Gémeaux, un long processus de douces transformations s'effectue. Vous vous découvrirez un talent artistique ou vous adopterez une activité culturelle d'abord par curiosité, puis, grâce à vos nouvelles connaissances, en peu de temps, vous vous sentirez profondément engagé. Si, par exemple, vous menez une lutte pour la protection de l'environnement, vous rallierez des gens à votre cause et vous ferez des vagues; finalement, ce mouvement dans lequel vous êtes entraîné prendra de l'expansion et obtiendra des résultats dépassant tout ce que vous aviez anticipé.

BALANCE ASCENDANT SCORPION

Vous êtes né de Vénus et de Mars et votre Soleil est dans le douzième signe de votre ascendant; pour vous, rien n'est banal, les extrêmes vous attirent et vous fascinent. Trouver le juste milieu en toutes choses devient pour vous une croisade personnelle. De la mi-février à la fin de juin, Jupiter est en Taureau dans le septième signe de votre ascendant. Si vous êtes en affaires, il est possible qu'on vous fasse une offre d'association; avant de l'accepter, faites faire une enquête de crédit sur l'entreprise en question, prenez aussi des informations sur le passé de vos éventuels associés. Si le ciel présage une croissance, il laisse quand même entrevoir un danger de perdre une grande part de votre pouvoir; aussi est-il urgent d'exiger dès le départ des conditions précises et de signer une entente vérifiée par des professionnels dans le domaine qui vous concerne. Jupiter en Taureau est également présage de quelques mises au point dans votre vie de couple, d'un nouveau partage des tâches, d'une révision du budget familial.

En tant que célibataire sous Jupiter en Taureau, vous ferez une rencontre; cette personne sera impressionnante et même envoûtante, mais avant de lui donner votre âme et votre cœur, ayez quelques mois de fréquentations et apprenez à bien la connaître; ne lui remettez pas trop vite les clés de votre appartement ou de votre maison. Quelques planètes laissent entrevoir qu'au moment où vous pensez vivre le parfait bonheur, une ombre peut l'assombrir; assurez-vous que votre nouvel amoureux n'ait pas derrière lui un *ex* qu'il ne peut quitter totalement sous divers prétextes. Ne vous faites pas moralement broyer par une dispute de couple qui n'est même pas la vôtre.

Puis, Jupiter sera en Gémeaux de juillet 2000 à juillet 2001 dans le huitième signe de votre ascendant. Si vous n'avez pas été prudent en affaires ou en amour, si vous vous lancez à l'aventure et que vous n'avez pas calculé les conséquences de vos actes, vous aurez à payer pour vos imprudences. Par contre, si vous suivez attentivement vos affaires, votre comptabilité, vos fluctuations financières, vous contrôlerez les situations et, du même coup, vous éviterez des pertes qui ne sont pas nécessaires à vivre. Avec le Nœud Nord en Lion dans le dixième signe de votre ascendant, il est de votre droit de vous accorder une place au soleil que vous ne volez d'ailleurs à personne. Jupiter en Gémeaux présage qu'entre juillet 2000 et juillet 2001, il sera question d'un héritage. Quand il y a lecture de testament, c'est qu'il y a eu décès d'un proche. Certains s'y attendaient; bien que la nouvelle ne soit pas surprenante, elle est toujours vécue comme si ça ne devait jamais arriver. Si une telle situation se produit, le débat des héritiers sera semblable à une guerre, à une lutte pour le pouvoir. Vous aurez alors l'impression que le défunt remue dans sa tombe et ce sera presque vrai. Jupiter en Gémeaux annonce une transformation de vos valeurs, de vos croyances; il est synonyme de recommencement, de renouveau; vous ne partez pas de zéro, vous avez un bagage de connaissances et d'expériences que nul ne peut vous enlever. La force vous accompagne dans ce périple.

BALANCE ASCENDANT SAGITTAIRE

Vous êtes né de Vénus et de Jupiter, association planétaire extraordinaire. L'esprit est extrêmement lucide, logique, et l'intuition est puissante; de plus, il vous arrive d'avoir des perceptions extrasensorielles ou une communication à distance. Par exemple, un océan vous sépare d'un ami et s'il a un malaise ou une joie hors de l'ordinaire, vous le ressentez; c'est un peu comme si, sur l'écran mental, vous aviez vu l'événement se produire. Vous visionnez le meilleur pour vous, pour ceux qui vous entourent et pour l'humanité. Advenant une chute d'énergie, elle ne dure jamais longtemps, la remontée est rapide. Si vous êtes malade et que vous avez subi une opération, vous guérirez vite, même votre médecin s'en étonnera. Vénus et Jupiter se nourrissent généralement bien. Vous avez conscience de la nécessité qu'un corps en santé offre une qualité de séjour et du confort pour l'âme qui l'habite. Somme toute, vous avez été choyé de naître ainsi.

De la mi-février à la fin de juin, sous l'influence de Jupiter en Taureau, le travail domine et quelques bonnes surprises vous attendent. Si vous avez fait une demande afin de changer de poste, si vous avez postulé pour obtenir une promotion, vous aurez non pas uniquement ce que vous demandez mais beaucoup plus. Si vous avez un travail à temps partiel et que vous souhaitez qu'il soit à temps plein, votre vœu sera exaucé. Si vous êtes sérieusement tombé amoureux l'an dernier, votre partenaire maintenant officiellement conquis vous parlera de vie commune ou de mariage. Si vous avez un talent artistique, vous fêterez en grand la signature d'un contrat plus important que tous les précédents. En tant que célibataire, c'est dans votre milieu de travail ou grâce à un collègue qui vous présente son meilleur ami que l'amour, celui qu'on ne peut refuser, vous est offert. Si vous vous entraînez à un sport assidûment, alors que vous n'attendez rien d'autre que le plaisir de votre activité, un nouveau venu vous distraira. Après que votre flirt sera devenu grand amour, vous vous direz que c'est plus merveilleux que cette médaille que vous auriez pu gagner lors d'une compétition.

De juillet 2000 à juillet 2001, Jupiter est en Gémeaux dans le septième signe de votre ascendant. Il peut alors souder légalement votre union. Si toutefois vous n'êtes pas heureux dans votre relation de couple depuis bien des années, cette position planétaire vous donne le courage de quitter votre malheur et sous ce ciel de la seconde partie de l'année, vous vous allouez le droit d'être libre. Si ce dernier scénario se produit, vous ne resterez pas seul bien longtemps ; la séparation se fait et, sans crier gare, se présente une personne remarquable. Il s'agit alors d'un appel et il vous est impossible de faire la sourde oreille ou de vous cacher de ces sentiments qui vous animent. Tout au long de l'an 2000, vous sociabiliserez davantage, vous sortirez, vous accepterez les invitations au plaisir, vous voyagerez dès que vous pourrez décrocher de votre travail. Votre vie sera remplie. Si vous ratez l'an 2000, c'est parce que vous vous serez attardé à des détails que vous aurez dramatisés. Jupiter en Taureau et en Gémeaux a des effets négatifs quand vous jugez trop facilement et quand vous seul avez raison en tout et partout. Dans un tel cas, la solitude vous attend et, avec elle, un gros paquet d'angoisses.

BALANCE ASCENDANT CAPRICORNE

Vous êtes un double signe cardinal et un amalgame étrange entre Vénus et Saturne. Vénus est semblable à une éternelle jeunesse, tandis que Saturne ne connaît rien d'autre que la vieillesse. D'un côté, vous êtes enjoué, parfois même frivole; de l'autre, vous êtes sérieux et anxieux. Tout dépend du jour et de l'heure où on vous rencontre. S'il est un secteur de votre vie que vous ne traitez jamais à la légère, c'est votre vie de couple. Elle a priorité. De la mi-février à la fin de juin, Jupiter est en Taureau dans le cinquième signe de votre ascendant; par rapport à votre thème natal, tous les aspects reliés à Vénus sont accentués et peuvent même être très gros. Si un simple plaisir devient une fête, une contrariété est semblable à une tempête. Vous flotterez, rassuré par la présence de l'autre et, soudainement, vous craindrez qu'il ne vous abandonne. Si vous êtes cet amoureux fou ou ce fou d'amour, vous ne saurez plus comment le démontrer et s'il vous faut faire le pitre pour attirer l'attention de l'autre, vous le ferez. L'essentiel pour vous est d'aimer, d'être aimé de retour et d'échanger verbalement les sentiments partagés.

Entre la mi-février et la fin de juin, le budget familial sera un sujet de conversation difficile, ce qui n'a rien de romantique; vous serez irrité de temps à autre et vous irez bouder au sommet de Saturne. Il est possible que votre conjoint prenne des décisions financières sans vous en parler ou fasse des placements sans vous consulter; par conséquent, vous serez insulté. Sous l'influence de Jupiter en Taureau, vous pourriez acheter une propriété, ce qui occupera une grande partie de votre temps; vous vous couperez de certaines activités et de certains loisirs, lesquels créaient une proximité extraordinaire.

De juillet 2000 à juillet 2001, Jupiter est en Gémeaux dans le sixième signe de votre ascendant; vous aurez beaucoup plus de travail, souvent deux emplois, ou vous ferez des heures supplémentaires plus que vous ne pouvez le prévoir maintenant. Jupiter en Gémeaux vous met en garde contre votre excessive nervosité; pour rester en forme, il sera important que vous fassiez relâche au moins une fin de semaine sur deux pour permettre à votre système nerveux de se refaire.

De juillet à la fin de l'année, vous aurez à vivre quotidiennement avec de nouveaux collègues et des règles que vous n'avez pas choisies si vous n'êtes pas le propriétaire de l'entreprise. Jupiter en Gémeaux vous portera à vous opposer ou à critiquer ce qui ne fait pas votre bonheur, ou vous condamnerez le comportement des uns et des autres. Si vous tombez dans le panneau de l'éternel insatisfait, vous risquez d'y perdre beaucoup ou de devoir côtoyer des gens qui, chaque matin, vous feront la tête. Sous l'influence de Jupiter en Gémeaux, si vous œuvrez dans le domaine des communications modernes, si vous êtes à contrat, un n'attendra pas l'autre. Jupiter en Gémeaux, sixième signe de votre ascendant, vous avise que des situations particulières vous obligeront à donner sans devoir attendre quoi que ce soit en retour, du moins pas en cette année. Ce sixième signe est le monde du service à autrui et de l'humilité. Si vous avez quelque prétention que ce soit, il serait nécessaire de vous en guérir le plus vite possible, sinon Jupiter/Gémeaux vous donnera une leçon qui serait un coup dur à votre ego.

BALANCE ASCENDANT VERSEAU

Vous êtes un double signe d'air, il est difficile de vous arrêter. Des vents de curiosité vous emportent, vous secouent, vous font survoler des océans et des montagnes, puis vous déposent sur une plage... le temps de reprendre votre souffle. Vous êtes né pour la communication et votre plus grande punition est de devoir rester seul sans personne à qui parler. Vous aimez les voyages, vous êtes souvent un grand défenseur de la nature menacée par la pollution. Vous possédez généralement plusieurs talents artistiques ; le plus difficile est de choisir lequel est le plus satisfaisant puisque vous trouvez un intérêt dans tout et dans toute expérience, vous découvrez que vous pouvez encore vous dépasser. Vous aimez les enfants, les vôtres et vous respectez ceux des autres. De la mi-février à la fin de juin, Jupiter est en Taureau dans le quatrième signe de votre ascendant ; sa position met l'accent sur votre famille. Si vous avez l'âge d'être grands-parents, vous serez surpris mais heureux de la nouvelle quand l'un des vôtres vous apprendra qu'il sera parent à son tour. Si vous êtes jeune et en amour, si vous n'avez pas encore d'enfant, vous déciderez de fonder un foyer ou d'avoir un deuxième ou un troisième enfant. Il sera fortement question de déménager, d'acheter une maison ou un condo.

Si vous vivez en ville, vous déménagerez peut-être à la campagne ; si toutefois vous êtes de la campagne, vous aurez envie de connaître la vie en milieu urbain. Si vous êtes déjà propriétaire, vous ferez d'importantes rénovations ou vous décorerez de nouveau et sans doute dépenserez-vous beaucoup pour embellir votre résidence. Puis, de juillet 2000 à juillet 2001, Jupiter sera en Gémeaux dans le cinquième signe de votre ascendant et dans le neuvième signe de la Balance : divers événements chanceux agrémenteront votre vie. Il n'est pas non plus impossible que vous gagniez à la loterie. Même si vous ne croyez pas à ces jeux, entre juillet 2000 et juillet 2001, prenez l'habitude d'acheter un billet par semaine ; il n'en faut pas davantage pour devenir millionnaire ! Il est rare que vous ayez une invitation au jeu de ma part, mais n'allez pas quitter votre emploi parce que vous pourriez gagner. Si l'argent donne plus de confort, l'oisiveté n'est jamais recommandée. Sous Jupiter en Gémeaux, vous serez fier de la réussite spéciale d'un de vos enfants, et ce, quel que soit son âge. Quant à vous, Jupiter en Gémeaux sera une inspiration et si vous hésitez entre plusieurs arts ou activités, vous serez enfin capable de choisir.

En tant que célibataire, vous pouvez espérer le grand, le très grand amour. Vous aurez l'impression d'avoir toujours connu cette personne tant vous vous sentirez proche d'elle. Vous vous devinerez mutuellement, vous aurez les mêmes goûts, les mêmes espoirs et une passion commune ; la rencontre peut avoir lieu dans une librairie ou dans tout autre lieu où la culture est mise à l'avant. Jupiter en Gémeaux peut également vous souffler d'étranges désirs, comme celui de partir à l'autre bout du monde afin de secourir des enfants malades, ou vous vous engagerez dans un regroupement bien de chez nous afin d'aider enfants ou adolescents qui ont peine à lire et à écrire. Ne résistez pas à cet appel du cœur : vous en retirez d'énormes bénéfices et un élargissement extraordinaire de votre connaissance d'un monde qui ne ressemble pas au vôtre.

BALANCE ASCENDANT POISSONS

Vous êtes né de Vénus et de Neptune, vous êtes bonté du cœur, amour sans bornes, passion sans limites, don de soi, etc. Vous êtes parfois un sacrifié, mais vous avez la capacité de cicatriser les coups de couteau reçus en plein dans l'âme. Vous avez un don pour enfouir plus haut que les nuages les douleurs insupportables. Vous idéalisez l'amour, l'autre est plus beau, plus fort que nature ; quand vous aimez, vous êtes celui qui sert. Vous ne demandez rien en retour si ce n'est qu'une attention, et il arrive que vous ne receviez rien. Si vous avez un esprit vengeur, c'est que, dans votre thème natal, Vénus et Neptune ne reçoivent que des aspects durs, ce qui est d'une extrême rareté. De la mi-février à la fin de juin, Jupiter est en Taureau dans le troisième signe de votre ascendant ; vous aurez envie de retourner sur les bancs d'école, de suivre des cours afin de vous réorienter dans une autre carrière. Vous aurez le profond désir de vous changer et, pour une fois dans votre vie, de choisir votre orientation. Vous ne vous laisserez plus ballotter par les caprices du destin. Jupiter en Taureau est semblable à un réveille-matin dont la sonnette retentit à tel point que vous sursautez. Impossible de l'ignorer !

Peut-être pratiquez-vous le même métier depuis 10, 15 ou 20 ans, ou espérez-vous que quelqu'un vous enlève ce clou qui s'enfonce en vous et malgré vous, de plus en plus profondément. Vous vous rendez compte que vous êtes le seul détenteur de votre nouvelle carte de compétence. S'il vous faut trois, quatre, cinq ou même dix ans pour atteindre le prochain but, le fait de commencer en l'an 2000 vous portera à aller jusqu'au bout ; vous relèverez le défi que vous vous serez lancé. Jupiter en Taureau est favorable aux gains, à des heures supplémentaires ou à deux emplois, mais ne vous inquiétez pas, vous aurez l'énergie nécessaire pour tout faire ce que vous avez planifié. Puis, Jupiter sera en Gémeaux de juillet 2000 à juillet 2001 dans le quatrième signe de votre ascendant. Il présage un déménagement ou d'importantes rénovations dans la maison. Il est aussi possible que vous vous sépariez d'un membre de votre famille qui, depuis toujours et vous le savez maintenant plus que jamais, ne cesse de s'accrocher à vous et à votre compte en banque.

Si, par exemple, vous cherchez père, mère, frère ou sœur dont vous avez été séparé à la naissance, entre juillet 2000 et juillet 2001, vous avez plus de chances de le retrouver. Jupiter en Gémeaux vous réaffirme dans toutes ces décisions prises en début d'année. Si vous vous êtes senti énergique sous Jupiter en Taureau, Jupiter en Gémeaux entretient cette force, et pour bon nombre ce fut une véritable découverte. Si un de vos enfants a l'âge de quitter le nid, Jupiter en Gémeaux vous permet d'accepter sagement cet éloignement nécessaire à l'équilibre du père, de la mère et de l'enfant. Si vous êtes jeune, en amour et si vous n'avez pas d'enfant, si vous le désirez, sous Jupiter en Gémeaux, vous concevrez. Sous Jupiter en Gémeaux, en tant que célibataire, vous serez attiré par une personne qui ressemble à votre père ou à votre mère; soyez observateur, vous n'avez nullement besoin d'un éducateur.

JANVIER

TRAVAIL. Si vous êtes quelqu'un à tout faire, vous irez d'un emploi à un autre. Si vous êtes spécialisé, on aura continuellement besoin de vos services. Si vous songez à lancer une affaire, dès les fêtes terminées, lorsque les gens ont repris leur rythme et qu'ils sont revenus de leurs vacances, n'attendez plus et prenez vos informations au sujet des permis et de toute cette paperasse que tout nouvel entrepreneur est obligé de remplir; si possible, demandez des avis à des gens qui ont l'expérience du genre d'entreprise que vous êtes sur le point de mettre sur pied. Par un heureux et étrange hasard, on peut vous offrir d'associer votre talent à celui qui travaille dans le domaine qui vous intéresse ou qui a peut-être déjà eu une compagnie, et qui une fois encore est prêt à remettre la machine en marche. Si vous faites commerce avec l'étranger, jusqu'au 24, vous signerez des ententes auxquelles vous ne vous attendiez pas; l'expansion sera profitable.

SANS TRAVAIL. Si vous avez un travail à temps partiel, ne désespérez pas, un travail à temps plein se rapproche! Si vous avez perdu votre emploi il y a quelques semaines, vous êtes encore sous le choc et en colère d'avoir été remercié, et ce, quelle qu'en soit la raison. Quand vous offrez vos services, la personne qui pourrait être votre futur employeur ressent votre rage. Laissez-la à la porte si vous voulez être embauché.

AMOUR. Si vous partagez votre vie avec un partenaire voyageur ou si vous êtes vous-même du type oiseau migrateur, quand vous n'êtes pas séparé par des villes, ça peut être par un océan. Il vous reste la communication téléphonique pour maintenir le lien. En ce mois, si votre amoureux est constamment à vos côtés, vous aurez le désir et le besoin de vous éloigner, de prendre de l'air, ou c'est l'autre qui se sauve avant que vous l'étouffiez. En tant que célibataire, vous serez attiré par un étranger ou par une personne dont les parents ont émigré quand il était petit. Votre étranger bénéficie de deux cultures: une lui a été transmise par sa famille d'origine et l'autre, par les gens d'ici. Vous êtes nombreux à avoir une attirance pour les gens venus d'ailleurs. Il vous est conseillé de ne rien précipiter; prenez le temps de connaître votre flirt. Selon la tradition, la lune de miel vient après le mariage. La vivre avant que le couple soit solide, avant que les partenaires soient engagés, est-ce un monde à l'envers ou un monde superficiellement sentimental?

FAMILLE. Entre le 1er et le 18, s'il y a déjà des tensions dans votre famille, même si vous désirez la paix, même si vous faites tout ce qui est en votre pouvoir pour l'obtenir, le ciel ne vous offre aucune garantie. Si vous vous acharnez à rétablir l'équilibre, peut-être sera-t-on de plus en plus en colère contre vous. Si vos enfants sont presque des adultes et en âge de prendre leurs décisions concernant leur avenir, la maman Balance plus que le papa de ce signe peut s'opposer ou tenter d'influencer le choix de son jeune. La résistance sera énorme, surtout si l'enfant est Capricorne, Bélier ou Cancer.

SANTÉ. Votre digestion est capricieuse, votre système s'acidifie et, par conséquent, vous êtes sujet aux brûlures d'estomac et, pis encore, aux ulcères. Si vous avez une aventure amoureuse, protégez-vous contre les MTS.

RÊVES ET MAL À L'ÂME. Quand des événements ne tournent pas comme vous le voulez, c'est tout simplement que des nuages gris passent au-dessus de vous et vous empêchent de voir la lumière. Il est important de garder à l'esprit qu'il ne vous arrivera que ce que vous désirez. Attention à vos souhaits dont vous n'avez pas mesuré les conséquences et qui peuvent se réaliser soudainement; ne faites surtout pas un vœu qui aurait pour but d'éliminer un ennemi! Espérez plutôt des appuis quoi qu'il se passe.

FÉVRIER

TRAVAIL. Si vous faites un travail manuel, à la chaîne, vous ferez plus d'heures qu'à l'accoutumée. L'entreprise a promis une marchandise à ses clients et embauche de la main-d'œuvre, ce qui sera pour vous l'occasion de sociabiliser avec de très bonnes personnes qui éventuellement deviendront de précieux amis. Si vous êtes un intellectuel, si vous êtes en sciences, si vous faites de la recherche médicale (médecin, pharmacien, thérapeute) ou si vous pratiquez tout métier qui vous met en relation de près ou de loin avec des malades, vous serez plus débordé que jamais. Si, par exemple, vous êtes sur appel, votre téléphone ne dérougira pas. À partir du 13, en tant qu'artiste, vous pourriez subir la critique d'un public qui subit lui-même l'influence d'un malfaisant. Le tort causé sera réparé mais, en plus, toute l'histoire – d'autant plus si elle est fausse – fera de vous une tête d'affiche populaire dont on prend la défense et qui, tout à coup, vend son œuvre littéraire, musicale, théâtrale ou autre.

SANS TRAVAIL. À partir du 13 avec Mars en Bélier face à votre signe, vous devrez ajouter un brin de diplomatie à celle que vous possédez déjà quand vous faites des demandes d'emploi, ce sera ainsi plus facile d'en obtenir un. Le soir du 14, Jupiter entre en Taureau dans le huitième signe du vôtre; si, malheureusement, vous avez pris l'habitude de retirer de l'argent de l'aide sociale et si vous êtes en bonne santé, une « coupure » de plus et vous ne mangerez plus à votre faim, surtout si vous n'avez pas d'enfant. Cette poussée inattendue vous conduira droit au milieu de travail.

AMOUR. Vous avez tendance à fuir quand l'amoureux se rapproche et à courir après quand il s'éloigne. Il est possible que vous soyez indécis ou hésitant jusqu'au 19. C'est long pour vous et votre partenaire. Si vous avez fait une rencontre il y a un ou deux mois, vous prendrez un recul ; la lune de miel est terminée, la réalité de l'autre n'est pas rose. Il a perdu son aura. Votre tolérance sera au point zéro ou presque. Jusqu'au 19, ne décidez ni d'un toujours ni d'un jamais.

FAMILLE. Un frère, une sœur, un cousin ou un ami d'enfance que vous considérez comme étant un membre de votre famille et auquel vous êtes très attaché appellera à l'aide ; tout présage que cette personne revient vers vous avec un problème qui semblait pourtant résolu pour de bon. Si vous avez été patient jusqu'au point de supporter sa quatrième panne matérielle, morale ou les deux, pour votre bien et pour le sien, recommandez-lui de s'adresser à quelqu'un qui a plus d'énergie que vous n'en avez présentement. Le Nœud Nord est en Lion dans le onzième signe du vôtre et représente symboliquement les vrais amis et ceux qui ne font que passer. Soyez vigilant, car il y a de ces gens qui s'introduisent chez vous et qui, tout à coup, n'ont qu'une idée en tête : contrôler. Ils ne sont pas sur leur territoire mais qu'importe, leur but ultime est d'avoir de l'emprise sur autrui afin de se donner de l'importance. Il n'est pas impossible qu'il y ait parmi vous quelques imposteurs qui ressemblent de près à ce qui est décrit plus haut. Dans un tel cas, vous serez chassé.

SANTÉ. Si vous avez des maux de tête comme jamais vous n'avez eus, aussi étrange que cela puisse paraître, cet énorme désagrément peut trouver sa source dans vos reins qui n'éliminent pas bien vos toxines. Ayez une alimentation saine, buvez beaucoup d'eau et sans doute verrez-vous une grande différence.

RÊVES ET MAL À L'ÂME. Vous êtes un intuitif et il vous arrive de déceler l'ombre d'autrui ; vous avez cependant bien du mal à voir la vôtre. Dans notre civilisation et vu notre éducation, on nous a appris à faire la différence entre le bien et le mal ; sous votre signe, on a la manie de regarder les autres comme s'ils étaient un de nos miroirs ; si vous n'y voyez que du vilain, demandez-vous ce qui vous déplaît le plus chez une personne.

MARS

TRAVAIL. Jupiter et Saturne sont en Taureau ; ils se rapprochent l'un de l'autre et sont tous deux dans le huitième signe du vôtre. Cela laisse présager d'importantes négociations si vous êtes en affaires. Mars est en Bélier jusqu'au 24 en face de la Balance ; en ce mois, ne prenez aucune décision hâtive quand il s'agit de gros investissements ou de changements radicaux dans l'organisation de l'entreprise en cours. Vous avez sans doute une belle logique ; cependant, nul n'est à l'abri de l'erreur. Si vous êtes un employé à qui, de temps à autre, on donne un rôle de gérant ou de superviseur, ne dépassez pas les limites imposées. Si vous allez à l'encontre du patron, vous vous attirerez une pénalité qui porterait un coup à votre orgueil.

SANS TRAVAIL. Peut-être ne travaillez-vous pas parce que vous contestez des règlements, que vous aspirez à un contrat de travail plus favorable ou que vous êtes en congé de maladie. Si vous êtes à la maison, sans emploi et en bonne santé, que vous êtes oisif depuis quelques semaines ou des mois, l'action commence à vous manquer sérieusement. Sous ce ciel, ne cherchez pas un travail dans un domaine qui n'est pas le vôtre. Certaines Balance, très travaillantes, désespèrent et paniquent, ce qui leur fait accepter des conditions et un salaire bien en dessous de ce qu'elles méritent.

AMOUR. Vivre et laisser vivre tout en indiquant par des gestes et des comportements qu'il est dans l'intérêt de l'amoureux de suivre vos conseils et d'aimer ce que vous aimez: voilà la situation d'un non-dit et d'une réalité que certains font subir à leur partenaire. Ils ne s'en sont pas rendu compte et se demandent pourquoi le conjoint a mis une distance entre eux. Si vous êtes la victime, un événement déclenchera une obstination qui sera alors une occasion en or d'exprimer vos frustrations. Si vous êtes le bourreau, vous serez étonné de la colère de l'autre et de son ultimatum: ou vous changez, ou il vous quitte, ou encore il vous met à la porte. Si vous n'êtes plus qu'un objet commode dans la maison, si vous ne recevez aucune attention, vous en avez assez et vous réagissez. Si toutefois vous êtes l'autorité, celui qui a toujours raison, votre domination sera vivement contestée et ce sera l'orage.

FAMILLE. Quand vos enfants grandissent, ils choisissent leurs amis ou se lient d'amitié avec d'autres étudiants. Si vous soupçonnez l'un des vôtres d'avoir de mauvaises fréquentations ou, pis encore, d'appartenir à un gang, ne faites pas l'autruche et, cette fois, intervenez. Si vous ne vous sentez pas la force d'agir seul, demandez l'aide d'un professionnel.

SANTÉ. À partir du 14, surveillez ce que vous mangez, surtout si vous savez que vous avez des réactions allergènes à certains aliments. Vous êtes également sujet à faire de l'enflure à cause d'une mauvaise élimination intestinale; seule votre alimentation peut rétablir vos fonctions organiques.

RÊVES ET MAL À L'ÂME. Si nous ne rêvions plus, si nous n'espérions plus, nous ne serions pas mieux que mort. Vous avez cependant tendance à croire que votre idéal ne peut se réaliser que par ou à travers quelqu'un d'autre plutôt que grâce à vous. L'attente est interminable, elle vous torture. Changez cette manière de penser.

AVRIL

TRAVAIL. Mars, Saturne et Jupiter sont en Taureau dans le huitième signe du vôtre. Durant la dernière semaine du mois, Saturne et Jupiter font un aspect dur à Uranus. Si vous êtes en affaires, vous ne devrez compter que sur vous et avant tout investissement ou achat important, assurez-vous de l'honnêteté de vos associés ou de vos collaborateurs. Plus vous avez d'argent, plus il y a de requins autour de vous. Si vous êtes à l'emploi d'une multinationale ou si vous travaillez pour un gouvernement, il est possible qu'il y ait une période d'arrêt. Pour certains, ce sera une période de contestations, pour d'autres, l'impossibilité de poursuivre en raison de bris qui doivent être réparés. Si vous subissez des critiques que vous savez ne pas mériter, défendez-vous. La compétition est forte en ce mois, l'agressivité entre les gens est en escalade. Vous n'avez pas en être victime.

SANS TRAVAIL. Peut-être avez-vous subi un congédiement à cause d'une fermeture d'entreprise ; dans ce cas, comme vous êtes débrouillard, vous trouverez rapidement un autre emploi. Si vous lancez une affaire et qu'elle n'est pas encore tout à fait prête, tenez bon, ne laissez pas les obstacles vous décourager. Si vous êtes à la retraite, vous ne resterez pas oisif ; vous vous engagerez dans une cause sociale ; plusieurs d'entre vous apporteront leur aide aux malades que des familles ont délaissés dans des hôpitaux.

AMOUR. À partir du 7, Vénus est en face de votre signe et présage des discussions à cause de votre humeur changeante. Il suffit que vous craigniez l'abandon pour qu'aussitôt vous réagissiez négativement à de simples commentaires que vous fera votre amoureux. En tant que célibataire, peut-être espérez-vous encore le grand amour ; cependant, celui qui doit vous plaire est presque un personnage mythique. Chaque fois que vous rencontrez quelqu'un, vous lui trouvez tant de défauts qu'il sent très bien qu'il n'a pas de place dans votre vie. Votre couple est solide, vous avez réussi à perpétuer la lune de miel, l'harmonie subsiste, mais ne laissez pas l'argent du budget être une occasion de dispute.

FAMILLE. C'est surtout en tant que parent d'un enfant devenu adulte que vous êtes concerné. Vous serez inquiet parce qu'il a perdu son emploi ou qu'il est en congé de maladie. Vous vous sentirez impuissant face à la situation. Vos encouragements suffiront à lui rendre confiance. Vous ne pouvez pas agir à sa place ni vivre sa vie. Si vous avez des adolescents, sans doute suivent-ils ce mouvement social qui pousse les uns et les autres à trouver des insatisfactions partout. Il faudra alors vous armer de patience et discuter avec eux de manière à bien comprendre leurs besoins.

SANTÉ. Si vous avez des douleurs chroniques dans les os et si votre médecin ne vous prescrit que des antidouleurs, pourquoi ne pas lire quelques ouvrages qui traitent de guérison par les plantes ? Si on vous a dit que vous deviez subir une opération, avant d'accepter, demandez une autre opinion médicale à moins que votre cas ne soit terriblement urgent. Le ciel vous invite à une extrême prudence sur les routes ; vous êtes plus nerveux par les temps qui courent et, donc, plus distrait. Un simple accrochage vous rendrait extrêmement nerveux pendant quelques semaines.

RÊVES ET MAL À L'ÂME. À partir du 10, le Nœud Nord entre en Cancer dans le dixième signe du vôtre ; il vous signifie l'importance de la famille, des enfants mais peut-être est-ce le moment de les laisser voler de leurs propres ailes. Vous ne serez jamais totalement détaché de ceux que vous avez conçus; par contre vient un moment où il faut voir que leurs besoins ne sont pas les vôtres, qu'ils ont des rêves que vous trouvez complètement fous, mais ils sont les leurs et ils méritent votre respect.

MAI

TRAVAIL. Entre le 1er et le 14, il y a dans le ciel cinq planètes sur neuf dans le signe du Taureau, votre huitième signe; encore en ce mois, l'extrême prudence vous est recommandée dans le monde des affaires. Lorsque vous achetez, prenez le temps de négocier et, si possible, faites patienter vos clients ou vos futurs associés jusqu'au 15. À partir de cette date, il vous sera plus facile de les persuader ou d'obtenir les bénéfices que vous réclamez. Il ne faudrait pas interpréter ces aspects comme étant un drame, mais plutôt comme une invitation à agir sagement et sans précipitation. Si, le mois dernier, vous étiez professionnellement menacé, l'ordre revient lentement avec les ententes. Si vous voyagez parce que vous faites commerce avec l'étranger, vous avez toutes les chances du monde d'augmenter vos profits, de prendre de l'expansion. S'il s'agit d'une grosse entreprise, vous n'êtes pas seul et ceux qui travaillent avec vous auront de bons conseils ou des stratégies à vous proposer; vous avez intérêt à les écouter.

SANS TRAVAIL. Si vous êtes en bonne santé, sans emploi et si vous en cherchez un, vous trouverez facilement dans le domaine de la vente ou du service direct au public. Il vous suffira de quelques démarches seulement. Certains parmi vous jetteront un regard vers les offres et les possibilités de travail à l'étranger; ils auront l'art d'arriver au bon moment, d'être à la bonne place et obtiendront un poste correspondant à leurs compétences. Tout ce qui concerne les routiers, par exemple les camionneurs, les chauffeurs de taxi, etc., seront en demande comme jamais ils ne l'ont été depuis plusieurs mois.

AMOUR. Il arrive qu'il faille une crise pour se rendre compte que la présence de l'autre est un cadeau ou une bénédiction. Si vous vivez avec la même personne depuis quelques décennies, si vous être convaincu qu'elle sera toujours là et que vous ne vous préoccupez plus de ses besoins ou de sa santé, une alerte sonnera et vous fera prendre conscience que si l'autre n'était plus là, vous ne seriez plus le même. Si toutefois votre couple est jeune, si vous êtes amoureux, l'un de vous s'éveillera et se rendra compte que ceux que nous aimons nous sont prêtés et qu'il faut en prendre grand soin.

FAMILLE. Il n'y a pas de famille parfaite, à moins qu'on ne soit complètement dans l'illusion. À l'intérieur de celle-ci, des personnalités se confrontent tout en apprenant à se connaître les unes les autres. Il y a toutefois une marge d'agressivité à ne jamais dépasser et des mots qu'il vaut mieux taire. Si vous êtes chef de famille, votre rôle premier est d'apprendre aux vôtres à se respecter avec leurs différences. En tant que parent, si votre enfant fait bande à part, sans doute a-t-il une bonne raison que vous ne connaissez pas. Ayez une conversation sans témoin avec celui qui s'éloigne et, miraculeusement, se sentant compris, il rétablira la communication.

SANTÉ. Si vous avez été malade, si vous vous êtes senti plus faible au cours des mois derniers, grâce à vos efforts, vous retrouvez votre énergie. Mars, qui donne le pouls de la résistance physique, est en Gémeaux à partir du 3 ; il indique non seulement la volonté de sortir de vos problèmes, mais il accélère aussi la cicatrisation quand il y a eu blessure et présage un renouvellement rapide des cellules saines. Ce mois de mai vous permet de vous remettre sur vos pieds. Si vous avez été dépressif et que vous avez été soigné, c'est qu'on a trouvé le médicament qui vous redonne le courage et le moral que vous aviez auparavant.

RÊVES ET MAL À L'ÂME. Si vous êtes nostalgique, il s'agit là d'un état d'esprit qui est, la plupart du temps, le résultat d'une mauvaise estime de soi, de voyages dans vos tristes souvenirs et du refus de voir l'avenir en couleurs. Même si le passé n'a pas été facile, nous devons être rempli d'espoir. Si vous faites partie de ces gens qui se prélassent dans leurs malheurs, vous ne pouvez aider personne et dites-vous que plus vous vous replierez sur vous-même, plus vous vous isolerez et plus difficile sera le retour à la vie en société. Vous êtes le maître de votre mental ; on n'a pas encore installé de puces électroniques dans le cerveau des gens pour en faire des robots ; il n'en tient donc qu'à vous d'en sortir, et pourquoi ne pas vous faire aider par un psychothérapeute si vous en ressentez le besoin !

JUIN

TRAVAIL. Avec le Nœud Nord et Mercure en Cancer, les difficultés peuvent être davantage le fruit de votre imagination que d'une réalité. Tout homme ou toute femme a peur comme si cette indescriptible peur s'était inscrite en notre âme dès notre premier souffle. Si on se laisse absorber par l'angoisse, le travail est plus pénible et trop souvent vécu comme une punition. Mais ce ciel de juin présage un allègement de vos responsabilités et l'obtention d'avantages pour lesquels vous vous êtes débattu. Si vous êtes à contrat ou à commission, vous ferez plus d'argent et sans doute en dépenserez-vous pour vous faire plaisir, pour vous récompenser.

SANS TRAVAIL. Si vous cherchez un emploi, vous avez plus de chances d'en trouver si vous faites vos démarches avant le 17. Après, quelques aspects planétaires indiquent un ralentissement ou des hésitations de la part de patrons et de propriétaires d'entreprises.

AMOUR. Vous êtes en zone de renouveau ; sans doute vous êtes-vous rendu compte à quel point l'autre était important pour vous ; vous lui avez redonné ces qualités pour lesquelles vous l'avez apprécié au début et vous avez cessé de lui reprocher ces comportements qui, bien que différents des vôtres, sont nécessaires à l'équilibre du couple. Si vous êtes amoureux, si votre partenaire et vous songez à fonder un foyer, vous serez parmi les heureux élus et futurs parents. Vous êtes en zone fertile. Par ailleurs, la contraception est votre décision. Les enfants ne sont plus nécessairement les fruits du hasard ni la conséquence d'une passion. Ils sont désirés et, si vous le voulez, en ce mois la nature est généreuse.

FAMILLE. Si vous êtes parent d'enfants d'âge scolaire, la période de vacances approche et il faut prendre des décisions afin de les tenir occupés pour leur prochain été. Peut-être ne sont-ils jamais allés dans un camp de vacances. Il est possible, cette année, que vous alliez dans ce sens et que leur réponse vous surprenne tant ils seront heureux de cette aventure que vous leur proposez. Si vous avez de la parenté à l'étranger, elle peut vous annoncer sa visite, ce qui réjouira les uns et dérangera les plans de quelques Balance qui se sentent incapables de dire non. En général, vous êtes plus indépendant face à l'opinion des membres de votre famille parce que vous avez une vie qui ne dépend pas d'eux.

SANTÉ. Vous gardez la forme tant que vous surveillez votre alimentation. Si vous devez prendre des médicaments prescrits par le médecin, ayez-les sur vous. Ne jouez pas au plus fin si vous souffrez d'un mal chronique. Il nous arrive à tous de devoir aider la nature.

RÊVES ET MAL À L'ÂME. À partir du 19, sous l'influence de Vénus et de Mars en Cancer ainsi que du Nœud Nord et de Mercure dans ce signe, votre attention est encore sur la famille en tant que parent, futur parent ou grand-parent. Il y a une prise de conscience de votre rôle auprès des enfants et des changements subtils qui s'opèrent en vous. Ne vous étonnez pas d'avoir à certains moments envie de prendre la fuite, de vouloir être libéré de votre charge. Y penser n'est pas dangereux et dites-vous que personne ne peut lire dans vos pensées. Vous êtes généralement trop responsable pour passer à l'acte.

JUILLET

TRAVAIL. Jupiter est entré en Gémeaux, réjouissez-vous. Il vient faciliter vos tâches. Dès que vous aurez besoin d'un appui, vous aurez à peine à le signaler que déjà on sera là pour vous aider. Si vous êtes du genre à occuper deux emplois, le ciel indique qu'à partir de maintenant, vous aurez le choix entre non pas deux mais trois et même quatre offres. Si vous êtes à votre compte, vous irez vers une expansion, laquelle se produira d'une manière absolument surprenante, totalement différente de ce que vous aviez prévu. Qu'importe, le succès et l'argent sont là et vous en ferez bon usage. Vous avez beaucoup travaillé depuis le début de l'année et c'est maintenant que les fruits sont mûrs.

SANS TRAVAIL. Si vous êtes en santé et si vous refusez les emplois qui vous sont offerts, plutôt que de bénéficier des faveurs de Jupiter, vous aurez moins que vous n'avez maintenant. Il est urgent de sortir de votre cocon et d'aller vers le monde. Quel que soit le travail que vous fassiez, être utile est à la fois satisfaisant pour soi et pour autrui.

AMOUR. En tant que célibataire jusqu'au 13, il est possible que, affamé d'amour, vous tombiez dans les bras d'une personne qui ne peut qu'abuser de votre générosité, de votre naïveté et de votre besoin d'aimer. Soyez alerte et sélectif. Il est impossible d'aimer n'importe qui. À partir du 14, sous l'influence de Jupiter en Lion, vous changez et, du même coup, vous ne vous intéressez qu'à des gens dont les idéaux et les buts ressemblent aux vôtres. Le ciel indique que vous pourriez rencontrer une personne d'une autre nationalité ou, du moins, qui voyage. La précipitation n'est tout de même pas recommandée : ne déménagez pas avec cette personne la semaine d'après. Prenez le temps de vous connaître. Si toutefois vous fréquentez quelqu'un depuis des mois ou des années, il est possible qu'il soit sérieusement question de mariage ou, du moins, de vie commune si ce n'est pas encore fait. Si vous êtes amoureux, sous Vénus en Lion, votre partenaire et vous aurez envie de recommencer votre lune de miel et peut-être de faire un voyage dont la destination est un pèlerinage dans ce lieu où vous avez su que vous vous aimeriez longtemps.

FAMILLE. Si des membres de votre famille sont envahissants, vous leur direz de s'éloigner et peut-être même de ne plus vous visiter pendant quelques mois ; vous serez aimable, poli, diplomate, vous leur expliquerez que vous avez simplement besoin d'espace, ce qui est vrai. Si toutefois un de vos grands enfants a un comportement inquiétant, s'il est déprimé, ne prenez pas cela à la légère, il a besoin de vous pour sortir de sa misère morale et commencez par l'accompagner chez le médecin. Il arrive que des traitements soient nécessaires quand la dépression atteint un seuil dangereux pour la vie du malade.

SANTÉ. Mercure et Mars sont en Cancer durant tout le mois. Vénus est dans ce signe jusqu'au 13, ce qui présage des troubles d'estomac et, pis encore, un empoisonnement alimentaire ; si ce dernier survient, bien qu'il soit passager, il est fort désagréable à vivre, principalement pour la région intestinale et sans doute aurez-vous alors besoin des conseils de votre médecin. Si vous avez mal au ventre pendant quelques jours, n'hésitez pas à consulter. Vous vous rendrez compte que vous n'êtes pas seul à subir un tel malaise.

RÊVES ET MAL À L'ÂME. Vous êtes le signe le plus sceptique du zodiaque. Vous avez de la difficulté à concevoir que des miracles puissent se produire. Mais si vous examinez votre vie, vous constaterez qu'au moins un s'est produit dans le cours de votre vie. Le ciel aide toujours celui qui s'aide. Si malheureusement vous traversez une zone sombre, vous vous surprendrez en train de prier et vous serez exaucé. Ce qui par la suite peut tout changer dans votre quotidien.

AOÛT

TRAVAIL. C'est un mois agréable que vous passerez entre les obligations et les plaisirs, les invitations parfois surprenantes et les rencontres de gens sympathiques qui auront une grande influence sur le déroulement prochain de vos affaires. Votre magnétisme est puissant, vous ne passez pas inaperçu; vous êtes persuasif sans avoir besoin de changer de ton, sans être obligé d'exagérer. Vous avez un effet certain sur les personnes que vous rencontrez. Vous leur donnez envie d'avoir un ami. Si vous n'êtes pas en vacances, c'est que vous êtes au travail; à partir du 7 juillet, sous l'influence de Vénus en Vierge, vous serez précis et parfois pointilleux sur les détails. Vous aurez la présence d'esprit et la délicatesse de comprendre que ceux qui travaillent avec vous n'ont pas nécessairement cette capacité. Cela ne les empêche pas d'être d'excellents collaborateurs. Vous serez plus fréquemment sur la route, vous irez à la rencontre des clients et votre assurance les persuadera que vous n'offrez que de la qualité humainement délivrée.

SANS TRAVAIL. Si vous êtes à retraite et en forme, vous planifierez des voyages; certains découvrent qu'ils ont toujours été des explorateurs, mais c'est maintenant qu'ils sont prêts à partir. Ils prennent conscience que ce qu'ils laissent derrière eux, ils le retrouveront au retour. Si vous cherchez un emploi et si vous êtes spécialisé en communications, vous pouvez avoir une excellente nouvelle au milieu du mois.

AMOUR. La vie de couple se poursuit, mais elle prend une autre dimension; votre partenaire et vous déciderez d'avoir une activité commune ou ensemble vous exercerez un sport que ni l'un ni l'autre n'a auparavant expérimenté. En tant que célibataire, si vous avez fait une rencontre, vous prendrez un léger recul pour mieux voir avec qui vous sortez. En fait, il s'agit d'une période d'une étude comportementale. Si jamais vous avez un partenaire autoritaire, à partir du 13, vous trouverez le courage de dire au dictateur qu'il ne peut plus vous imposer votre conduite. Vous avez fait du chemin depuis le début de l'année, vous avez pris de l'assurance et, pour vous, c'est la fin d'une vie non choisie. Désormais, vous prendrez vos décisions.

FAMILLE. Si vous avez une famille reconstituée et si vous avez eu des problèmes d'adaptation à cause des relations entre les enfants, vous entrez en période de trêve; des moyens seront pris officiellement afin que chacune des personnes impliquées dans cette histoire familiale retrouve sa paix d'esprit et l'harmonie qu'elle veut vivre.

SANTÉ. Entre le 7 et le 12, surtout pendant ces cinq jours, si vous avez des douleurs au dos, aux reins, si vous avez des difficultés respiratoires ou autre, soyez plus attentif à votre alimentation; vous devez savoir que ces aliments épuisent votre organisme, sinon demandez à un naturopathe de vous aider à les découvrir.

RÊVES ET MAL À L'ÂME. Vous ressentez une certaine légèreté; la vie vous apparaît plus simple, vous êtes optimiste comme vous ne l'avez plus été depuis longtemps et, du même coup, vous êtes plus généreux envers autrui, plus à l'écoute des besoins des autres, principalement des membres de votre famille. Rangez en mémoire ce bien-être intérieur et, au moindre doute, ressortez-le.

SEPTEMBRE

TRAVAIL. Si le bon temps est arrivé côté affaires, si vous avez progressé, d'abord vous vous en réjouissez, ensuite vous en faites profiter ceux qui vous entourent. Le ciel est à la multiplication; si, par exemple, vous avez un commerce, il est possible que vous en achetiez un deuxième, un troisième ou un quatrième. Tous les éléments ou presque se mettent en place afin que vous réalisiez d'autres profits. Si vous êtes sur la route en tant que vendeur, vos produits ou vos services seront sans cesse réclamés parce qu'on aime vos manières et votre savoir-vivre. Vous êtes le signe de la mesure; si vous savez à quel moment vous devez arriver, vous savez aussi quand il faut partir et laisser le client réfléchir à vos offres. Si vous faites commerce avec l'étranger, ce qui est fréquent sous votre signe en l'an 2000, si vous devez rencontrer des associés sur votre territoire ou sur le leur, il est préférable d'agir avant le 17: vos chances sont meilleures et le contact est plus aisé avec des personnes que vous connaissez bien ou que vous n'avez jamais rencontrées. Si votre emploi est régulier, il y aura des changements agréables et peut-être une promotion ou un poste que vous désirez occuper depuis parfois plusieurs années.

SANS TRAVAIL. Si vous êtes en santé, sans emploi et si vous en cherchez un, vous trouverez à la première moitié du mois. Ensuite, votre moral étant moins bon et votre enthousiasme n'étant pas à son maximum, celui qui est censé vous embaucher aura des doutes et, entre deux personnes ayant besoin de travailler, il choisira la plus optimiste. Si, à tout hasard, vous n'avez pas un emploi officiel, si vous travaillez au noir, vous serez dénoncé et vous ne saurez jamais qui a osé. Est-ce une vengeance ou quelqu'un qui considère vos revenus injustes et malhonnêtes par rapport aux siens? Sans doute vous poserez-vous la question longtemps.

AMOUR. Votre magnétisme est extraordinaire. Vénus est dans votre signe jusqu'au 24; quand vous apparaissez dans un endroit public, les regards se tournent vers vous et plusieurs personnes ont évidemment envie de faire votre connaissance. Si vous êtes en amour, votre partenaire pourrait vous faire comprendre qu'il est jaloux, que vous êtes trop flirt. Sous votre signe, on a fréquemment le désir, conscient ou non, de plaire à tout le monde. Votre attitude ne veut pas dire que vous voulez être infidèle; cependant, l'autre, qui n'est pas comme vous, se met à craindre l'abandon. Sous ce ciel, il y a tellement de planètes symbolisant la communication que vous n'échappez pas à leurs effets.

FAMILLE. La paix se poursuit entre des membres de la famille qui, quelques mois plus tôt, n'avaient que des bêtises à dire et des reproches à vous faire. Si vous êtes récemment déménagé, sous l'influence de Jupiter et de Saturne en Gémeaux, vous changez constamment les meubles de place et vous ne pensez qu'à en acheter d'autres. Rares sont ceux qui résisteront et, s'il le faut, certains s'en procureront à crédit, surtout entre le 17 et le 24. En ce qui concerne vos plus grands enfants, attendez-vous à une demande d'emprunt, et plus particulièrement s'ils sont Vierge, Balance ou Lion.

SANTÉ. Vous avez pris soin de vous, mais les problèmes de santé décrits le mois précédent peuvent se reproduire, cette fois, à partir du 19. Si vous avez compté sur le temps et sur la chance pour vous guérir, vous vous êtes trompé. L'effort personnel est nécessaire ainsi que l'aide extérieure d'un médecin ou d'un naturopathe, si possible expérimenté.

RÊVES ET MAL À L'ÂME. Il y a des moments dans la vie qu'il faut garder en mémoire. Et il y en a plus en ce mois. Vous aurez une communication avec un monde qui vous dépasse, qu'il est impossible de raisonner, que vous pouvez nommer cosmos ou Dieu. Vous vivrez d'autres événements agréables, hors de votre contrôle, quasi magiques. D'où viennent-ils? Vous avez beau remonter la filière, analyser, user de toute votre logique... vous ne trouverez aucune réponse satisfaisante. Le soir, regardez le ciel, peut-être y verrez-vous un sage.

OCTOBRE

TRAVAIL. Le climat planétaire change radicalement. Il passe de la douceur, de la tolérance et de la diplomatie à la rigueur, à la discipline et parfois à la dictature à petite ou à grande échelle, de la famille à tout un peuple. Les guerriers ont ressorti leurs armures et leurs armes. La compétition a repris de plus belle. Les disputes pour un territoire recommencent. Vous n'êtes nullement dans l'obligation de tomber dans le panneau. Votre meilleure défense est l'éloignement dès qu'on se querelle. Attendez que la poussière retombe. Sous votre signe, se battre est beaucoup trop exigeant. Malgré ce ciel et ce soleil couvert par de lourds nuages gris, vous adopterez une attitude détachée ou, du moins, c'est ce que vous laisserez paraître. Si vous êtes patient, à partir du 20, vous verrez vos affaires se rétablir; les gentils se rapprocheront parce qu'ils ont compris que votre méthode et votre pacifisme étaient financièrement plus efficaces que de presser le citron.

SANS TRAVAIL. Si vous êtes sans emploi, si vous en avez cherché un et si vous n'avez rien trouvé, sans doute ferez-vous partie de ceux qui manifestent publiquement contre des entreprises qui, bien que riches, procèdent à des compressions budgétaires. Un aspect ressort plus spécifiquement; si vous cherchez un travail en assurance, en comptabilité, dans une compagnie de crédit, un salon funéraire, si vous avez la formation pour assister les mourants, en somme, tous ceux qui sont capables de faire affaire avec ce qu'il y a de moins drôle trouveront rapidement un emploi.

AMOUR. Attendrez-vous la fin du mois pour adopter une attitude pacifique face à votre partenaire? Dès que ça ne va pas comme vous le voulez, si vous faites abstraction de votre comportement, si vous trouvez toutes les bonnes raisons pour être déraisonnable, vous accuserez ou punirez la personne la plus proche de vous. C'est quand le ciel est orageux qu'on peut alors donner la preuve de sa sagesse.

FAMILLE. Il va de soi que si vous êtes de mauvaise humeur, non seulement pénalisez-vous l'amoureux mais également les enfants; s'ils désobéissent ou n'agissent pas selon vos directives, vous ne serez ni tendre ni patient ni pour vos petits ni pour vos grands. Si vous vous reconnaissez, il est nécessaire de vous calmer. Si vous faites une colère, elle laissera des traces longues à effacer pour tous les témoins. Vous êtes né sous le signe de la Balance, vous êtes censé être un pacifiste, mais il y a des moments où vous oubliez vos origines et votre véritable raison d'être.

SANTÉ. Si vous faites de l'angoisse, il est normal que vous vous sentiez physiquement mal. Aucun organisme n'est parfait et il suffit d'un déséquilibre émotionnel pour que tous les malaises, les uns après les autres, refassent surface; il y a pire, de nouveaux malaises et assurément désagréables peuvent se manifester à un moment où vous étiez certain de tout avoir sous votre contrôle.

RÊVES ET MAL À L'ÂME. Désespérer, se plaindre, voir le pire et n'avoir aucune autre conversation, dire que le monde est fou, en somme, si vous ne voyez que des insatisfactions, si vous vous abstenez de voir la lumière au bout du tunnel, le mois sera long et, malheureusement, l'âme et le cœur seront écorchés. Vous aurez la chance qu'un sage vous parle sérieusement. L'écouterez-vous?

NOVEMBRE

TRAVAIL. La vie nous ballotte tous, et plus encore en cet an 2000 où, depuis au moins une décennie, nous avons connu les prophètes de malheurs. Comme bien d'autres depuis le début de l'année, vous avez subi leur influence. Astrologiquement, il m'a été donné d'observer que nous avons 10 ans de croissance et 10 ans de décroissance. Rassurez-vous, le déclin est terminé depuis le mois de mai; il faut vraiment être démuni de volonté et de courage pour être perdant. Nous avons une augmentation de petits entrepreneurs et il y a dans notre ciel astral plus de possibilités que jamais de réaliser le rêve américain qui nous a rejoint. Si vous êtes de ceux qui ont pris le taureau par les cornes, si vous avez lancé une affaire, si le mois dernier était plus complexe, novembre correspond, en ce qui vous concerne, à une remontée ou à des solutions si l'entreprise a eu des ratés, et ce, dès le 4. Si vous avez un emploi régulier, si vous occupez le même poste depuis de nombreuses années et si vous êtes heureux ou, du moins, satisfait, cessez de penser au mot « perte ». Rien ne prévoit cette calamité.

SANS TRAVAIL. Depuis le début de l'année, de nombreuses planètes, à différents moments, favorisaient l'embauche. Si vous êtes en santé et sain d'esprit, il a presque fallu faire un effort pour ne rien trouver ou croire que vous n'étiez destiné qu'à commencer en haut de l'échelle. Si vous cherchez sérieusement, attention, vous trouverez mais pas tout à fait ce que vous désirez. Toutefois, vous pouvez compter sur votre chance et peu après votre embauche vous retrouver là où vous vouliez.

AMOUR. Il arrive que le travail vous éloigne de votre partenaire. Ce dernier peut comprendre, mais il est aussi possible qu'il ne soit pas d'accord avec la distance que vous prenez ; dans un tel cas, soyez assuré qu'il exigera que vous en discutiez. En tant que chef de famille, et plus particulièrement si vous êtes monoparental, un amour essaiera de se faufiler mais prenez garde, vous pourriez avoir une réaction négative et éloigner cette personne prête à vous aimer ; même si vous avez un ou des enfants, ne repoussez pas quelqu'un qui est probablement un peu plus âgé que vous et pour qui vous semblez pouvoir vous lier d'affection.

FAMILLE. À partir du 14, s'il y a des tensions dans votre famille, vous êtes loin de la paix, surtout si vous faites la tête, si vous refusez une discussion sous prétexte que, depuis le début des conflits, vous êtes convaincu d'avoir raison. Si vous êtes jeune, nouveau parent, comme tous ceux qui vous ont précédé, vous ne saviez pas que votre vie avec votre partenaire ne serait plus jamais la même, et c'est là-dessus qu'il faut réfléchir. Mais peut-être avez-vous un âge où, en tant que femme, l'horloge biologique sonnera bientôt le dernier appel. Vous êtes amoureuse, mais votre partenaire ne partage pas votre désir de fonder une famille. Plusieurs femmes parmi vous délaisseront les contraceptifs sans en aviser leur conjoint ; cependant, celles-ci sont prêtes à assumer leur rôle et à accepter les conséquences de leur décision.

SANTÉ. À partir du 15, le ciel vous prévient de la possibilité d'une faiblesse rénale ; ne prenez pas de froid, chaussez-vous chaudement et comme le temps se refroidit chez nous, habillez-vous selon la saison.

RÊVES ET MAL À L'ÂME. Des idéaux se réalisent, d'autres doivent être mis de côté pour diverses raisons, et principalement à cause d'un membre de la famille dont vous vous occupez avec un admirable dévouement. Vous n'y perdez rien, vous devez simplement reporter un projet. Dites-vous qu'il y a des circonstances où les événements travaillent à distance et plus favorablement que si on avait soi-même fait un geste.

DÉCEMBRE

TRAVAIL. Nous en sommes au dernier mois de l'année et, sous ce ciel, vous encaisserez des bénéfices plus gros que ceux que vous espériez ou anticipiez. Si, par exemple, vous avez un produit ou un service à vendre, les acheteurs sont plus nombreux même si vous avez monté vos prix. Qu'importe, vos clients savent que s'ils sont insatisfaits, vous les rembourserez ou trouverez un autre moyen afin qu'ils en aient pour leur argent. Vous avez énormément travaillé depuis le début de l'an 2000, vous avez réglé un tas de problèmes, mis des projets sur pied et, en ce mois, vous songerez sérieusement à prendre des vacances. Même si vous partez loin de vos obligations, vos négociateurs ou vos acheteurs communiqueront avec vous par téléphone. Ainsi, vous joindrez l'utile à l'agréable. Si vous avez un emploi stable, les fêtes que l'entreprise organise seront plus animées que les années passées; au cours de l'une d'elles, il est possible que vous ayez une sérieuse discussion avec une personne en pouvoir; vous connaissant mieux, cette dernière peut vous offrir juste avant Noël un poste qui correspond mieux à vos compétences et à un meilleur salaire.

SANS TRAVAIL. Il est facile de trouver un emploi vous mettant en contact direct avec le public. On a besoin de vendeurs pour répondre aux clients qui se précipitent pour leurs achats des fêtes. Pour certains, ce sera leur premier emploi ou une réinsertion dans le marché du travail. Si vous refusez tout emploi alors que vous êtes en bonne santé, à partir du 25, vous trouverez le temps long, surtout si la majorité de vos amis travaillent.

AMOUR. En tant que célibataire, le ciel astral présage une rencontre lors d'une sortie ou à l'occasion d'une fête que vos amis organisent. Si vous êtes seul depuis longtemps, vous ne vous ferez pas prier; sans doute vous habillerez-vous de manière à être certain d'attirer l'attention et ce sera une réussite. Ce qui sera un grand amour puis une union commencera par une amitié plutôt comique où l'un et l'autre essaieront de se convaincre qu'ils veulent rester libres parce qu'ils ont trop souffert. La chimie fera son œuvre, l'attirance sera mutuelle. Si vous êtes amoureux, si votre partenaire et vous êtes ensemble depuis longtemps, sans doute vous évaderez-vous. Vous trouverez une raison pour vous retrouver seul avec l'autre.

FAMILLE. La majorité des planètes indiquent le calme et le respect entre les membres de la famille; lors d'une fête, il est possible que celui qui est continuellement en désaccord avec les autres n'y soit pas. Ainsi, il n'y aura ni obstination ni inutiles discussions. Chacun s'accordera le droit de rire, de s'amuser. Il y a parmi vous des Balance qui désirent un premier, un deuxième ou même un troisième enfant. Jusqu'au 23, il y a de forts indices de fertilité. Quant aux autres qui ne veulent pas concevoir, ils savent ce qu'ils doivent faire.

SANTÉ. Si vous sortez beaucoup, si vous dormez moins parce que vous rentrez tard, vous devriez être fatigué mais, sous ce ciel de décembre, un étrange phénomène se produit: vous récupérez en moins d'heures de sommeil qu'il ne vous en faut ordinairement. Les plaisirs sains sont de santé.

RÊVES ET MAL À L'ÂME. Le Nœud Nord est en Cancer et il est encore dans le dixième signe du vôtre. Il porte un message: l'importance de la famille, de ses parents, de ses enfants, de ses frères et sœurs, de ses oncles et tantes, etc. Ce Nœud Nord a un rôle important: il invite à une réconciliation quand il y a eu conflits. Cela n'est guère facile parce que vous avez une excellente mémoire quand on vous a blessé. Si vous essayez de régler les problèmes, vous aurez la conscience tranquille. Mais si vous ne faites aucun effort pour rétablir la paix, lorsque vous aurez des chutes d'énergie, ne vous posez pas mille questions. Vos baisses de vitalité seront le résultat de vos rancœurs et de vos rancunes. Il n'en tient qu'à vous de réagir à cette suggestion qui, en fait, est l'image d'un symbole astrologique entre vous et le Nœud Nord en Cancer.

♏ SCORPION

23 octobre au 22 novembre

À CES GENS SOLIDES COMME LE ROC ET AUSSI VULNÉRABLES QUE LES FLEURS. À PIERRE ARCAND, PIERRE BÉLAND, CLAUDE POIRIER, MARC WARDEN, ET À CLAIRE SYRIL, MON AMIE DEPUIS DÉJÀ DEUX DÉCENNIES.

Le plus beau compliment qu'on puisse vous faire, c'est de vous dire que vous êtes une énigme ou un mystère. Deux signes sur le zodiaque ont le pouvoir de dépasser ce que révèle leur thème natal : le Lion et vous. Tout peut être plus beau ou plus terrible que ce que votre carte du ciel indique. Vous êtes doté d'une volonté si puissante qu'on ne peut soupçonner qu'elle puisse exister sous cette forme. Vous relevez les défis, vous êtes capable de tout rebâtir après que tout a été détruit. Il n'y a pas mieux que vous pour remonter une entreprise qui est à zéro et pour en faire un succès.

Vous êtes né de Mars le guerrier et de Pluton qui s'échappe de l'enfer. Ou vous êtes Mars le destructeur, ou vous êtes Pluton qui se place dans un non-retour parce qu'il a choisi de ne jamais voir la lumière. Vous affrontez vos peurs ou vous vous en nourrissez. Mars et Pluton vécus positivement sont des guerriers pacifiques ; mal vécus, ils sont des assassins parce qu'ils tuent le bonheur en eux et autour d'eux. Ces deux planètes qui régissent votre signe ont le choix entre vivre librement, ou emprisonnés et empoisonnés à la seule idée que le pire les attend demain. Qui êtes-vous ? La clarté ou l'ombre de vous-même ? L'action ou la passivité ?

JUPITER EN TAUREAU

De la mi-février à la fin de juin, Jupiter est en Taureau en face de votre signe, le septième du Scorpion. Le Taureau est votre opposé ou votre complément. Tout dépend de la façon dont vous voyez les choses. Jupiter en Taureau peut vous apporter

261

ce qui vous manque ou, au contraire, vous enlever ce que vous ne méritez pas ; vous êtes un signe d'automne, le Taureau en est un du printemps ; durant cette première moitié de l'année, vous vivrez avec une impression de froid et de chaleur tout à la fois. Les bonnes et les mauvaises nouvelles se chevaucheront ; la plupart du temps, vous ne serez nullement responsable des événements, vous vous en réjouirez ou vous serez peiné. Vous passerez du plus simple au plus complexe en un rien de temps, en un jour, en une semaine ou en un mois. On dit de Jupiter qu'il est le Grand Bénéfique ; en réalité, il est le justicier et il rend à César ce qui appartient à César, mais gare aux voleurs et aux tricheurs, car il n'hésite pas à les jeter en prison.

JUPITER EN TAUREAU FACE À L'HONNÊTE SCORPION

Si vous avez travaillé dur pour gagner votre pain, si jusqu'à présent on n'a presque pas reconnu votre talent et votre fidélité à l'entreprise et au patron, si vous êtes resté humblement dans l'ombre tout en sachant que votre tour viendra, vous avez de la chance : cette année, vous serez propulsé vers l'avant. À vous l'honneur et la promotion ! Il va de soi qu'étant sur un podium, envieux et jaloux diront que cette place leur revenait, et comptez sur eux pour que les ragots soient plus nombreux et plus malfaisants que jamais. Mais Jupiter veille sur le juste et ne permet pas l'injustice. Les années ont passé et vous vous êtes fait des alliés qui seront là pour défendre votre réputation et votre territoire.

Si vous êtes en affaires, Jupiter en Taureau vous proposera un associé financièrement puissant ; vous verrez votre entreprise prendre une telle expansion qu'il vous faudra de l'aide afin qu'on veille sur votre comptabilité. Comme vous ne pouvez pas être partout à la fois, vous apprendrez à déléguer ; vous aurez le flair quand viendra le moment de choisir ceux qui vous représenteront.

Si vous êtes célibataire, sous l'influence de Jupiter en Taureau, vous ferez la rencontre ultime, probablement dans votre milieu de travail. Jupiter en Taureau n'hésite pas à s'engager parce que vous saurez qui est devant vous. Sous ce ciel, vous serez attiré par l'artiste ou par quelqu'un qui navigue dans ce monde. C'est toute votre vie qui peut être transformée, puisque cette personne vous proposera de faire vie commune. Il y aura dans cet amour un mélange d'intérêt et de passion mais, surtout, une promesse de bonheur que deux êtres matures veulent se donner l'un pour l'autre.

Si toutefois vous n'êtes plus heureux et que votre vie de couple est devenue un enfer, sous l'influence de Jupiter en Taureau, sans doute aurez-vous le courage de partir ou de demander à l'autre de le faire. Pour un signe fixe, il n'y a pas décision plus difficile à prendre. Mais vous avez décidé de vous donner le droit au bonheur et, du même coup, vous libérez l'autre qui, de son côté, peut en faire autant.

SI VOUS NE VIVEZ QUE DE PEURS ET D'ANGOISSES

Jupiter dans le signe du Taureau est symbole de lumière et de printemps ; si toutefois vous avez pris l'habitude de vous nourrir de vos peurs, si vous avez développé diverses dépendances destructrices pour vous et pour les autres, si vous manipulez ceux qui vous entourent afin qu'ils s'occupent de vous, on mettra un frein à toutes vos exigences. Si vous décidez de réapprendre à vivre sainement, à vous tenir debout, seul et sans qu'on doive vous prendre par la main, avant qu'on vous laisse tomber, on vous demandera si oui ou non vous voulez retrouver votre autonomie. Si vous acceptez, on vous aidera à sortir de ces états d'angoisse qui vous ont, votre famille et vous, pénalisé depuis trop longtemps.

QUAND VOUS ÊTES UN DICTATEUR

Le Taureau est une représentation symbolique de votre partenaire, du moins en partie, votre ascendant le précise davantage. De la mi-février à la fin de juin, sous l'influence de Jupiter en Taureau, si vous vous êtes comporté en tyran vis-à-vis de votre partenaire, il suffoque à un point tel qu'il pourrait fort bien choisir de vous quitter si vous vous entêtez à contrôler sa vie. Avant de partir, il pourrait s'emparer de biens qu'il pense lui appartenir, en guise de paiement pour vous avoir supporté.

SATURNE EN TAUREAU

Saturne est aussi en Taureau dans le septième signe du vôtre jusqu'au 10 août ; puis, du 11 août au 16 octobre, il est en Gémeaux pour ensuite revenir en Taureau. Saturne en Taureau vous demande d'abandonner certaines croyances, valeurs, superstitions et de vous séparer de membres de votre famille qui vous ont nui plus qu'ils ne vous ont aimé ainsi que d'amis qui n'ont jamais vraiment voulu votre bien-être mais plutôt des biens et des faveurs que vous leur apportiez. Si, au contraire, vous avez essayé de vous emparer de ce qui ne vous appartenait pas, vous vous êtes chaque fois retrouvé plus démuni, plus affaibli et même plus pauvre. Saturne agite la conscience en vue de détachements et de renoncements nécessaires à tout humain. Si, par exemple, vous êtes un parent possessif, Saturne vous signifie l'épreuve ; vos enfants ne vous appartiennent pas, ils ne sont ni objet ni propriété, ils ont parfaitement le droit de s'éloigner de vous, mais ils peuvent le faire si brutalement que vous en souffrirez jusqu'au plus profond de vos tripes. Pour les Scorpion *baby-boomers*, Saturne en Taureau leur signale qu'il est temps de devenir adulte ; leur folle jeunesse est un souvenir, inutile de vouloir ressembler à son enfant quand on a l'âge d'être grands-parents.

JUPITER EN GÉMEAUX

De juillet 2000 à juillet 2001, Jupiter est en Gémeaux dans le huitième signe du vôtre. Il peut être l'héritage, le gain à la loterie, la retraite, une réorientation de carrière, un retour aux études et une sérieuse période d'adaptation au modernisme et à ce monde qui communique par informatique. Jupiter en Gémeaux est troublant pour les Scorpion passifs. Le Gémeaux est un symbole de Mercure, la pensée, la logique, la communication. Si vous refusez son influence, si vous vous isolez pendant qu'il traverse ces 12 mois, la dépression nerveuse vous guette. Jupiter en Gémeaux vous convie à la grande fête de la vie ; si vous refusez son invitation, vous parlerez à vos murs qui ne répondront jamais. Jupiter en Gémeaux vous suggère de partir en voyage et si vous n'en avez pas les moyens, faites une activité qui vous permettra d'entrer en relation avec de nouvelles gens. Jupiter en Gémeaux veut que vous rompiez avec vos habitudes ; quittez votre lassitude et votre mélancolie. Jupiter en Gémeaux, c'est aussi le déménagement qu'on fait par besoin d'expérimenter la vie dans un autre quartier, une autre ville ou même un autre pays. Jupiter en Gémeaux, c'est l'occasion de vous mêler d'affaires sociales, de défendre les droits d'une communauté ou ceux d'un groupe dont les droits sont bafoués, ou encore de devenir un écologique, un défenseur des animaux, un protecteur de l'air, de l'eau ou de la terre.

Jupiter en Gémeaux déteste l'inertie ; il secoue la fixité de votre signe, il vous dit que le monde est vaste, que tout existe mais que vous n'avez vu que trop peu. Il peut être votre éclair de génie, une création hors de l'ordinaire, la mise en marche d'un projet, d'un commerce auquel vous songez depuis longtemps. Jupiter en Gémeaux dans le huitième signe du vôtre fait mourir en vous un vieux moi et fait renaître votre soi authentique. Il correspond à un recommencement, à un nouveau souffle de vie.

SCORPION ASCENDANT BÉLIER

Vous êtes régi par Mars et par Pluton avec un ascendant martien. Vous n'êtes né ni pour la monotonie ni pour l'immobilité. En principe, avec Jupiter en Bélier sur votre maison un en 1999, tout a pu arriver, le pire et le meilleur. Si vous avez lancé une affaire, vous avez travaillé fort et, en l'an 2000, vous en récolterez les profits. Il sera sérieusement question d'acheter une maison ou, du moins, d'emménager dans un plus grand appartement. Si vous faites des placements, n'écoutez pas le premier beau parleur qui vous promet de faire fructifier votre argent. Informez-vous sur cette entreprise qui est censée gérer vos biens. Vous posséderez plus en l'an 2000 et des filous auront l'œil sur vos avoirs. À partir de la mi-février, vous aurez une sensation d'empressement comme si quelqu'un vous obligeait à aller plus vite, à en faire plus, à être meilleur, plus riche, plus puissant; au fond, personne ne vous pousse dans le dos. Cette sensation peut provenir du carré ou de la tension qui existe entre Saturne et Uranus, entre Jupiter et Neptune en février et, sans vous en rendre compte, vous pourriez suivre ce rythme jusqu'à la fin de juin.

Durant le mois de mars, soyez plus prudent au volant; les jours où vous aurez des rendez-vous, partez plus tôt: vous serez moins nerveux et plus attentif à ce qu'il y a devant vous sur la route. Au cours des deux dernières semaines de juin, une querelle de famille peut survenir; si vous n'êtes pas directement touché, essayez de rester en dehors et laissez votre parenté régler ses propres problèmes. De juillet 2000 à juillet 2001, Jupiter est en Gémeaux dans le troisième signe de votre ascendant et dans le huitième du Scorpion; si, par exemple, vous faites commerce avec l'étranger, vous prendrez de l'expansion. Vous n'avez jamais voyagé? Si tel est votre cas, votre curiosité l'emportera, votre désir d'explorateur prendra le dessus. Participez-vous à une œuvre? Vous préocccupez-vous d'écologie? Faites-vous de la recherche sur les aliments transgéniques? Avez-vous un intérêt politique? Qu'importe votre type d'engagement social, sous Jupiter en Gémeaux, vous ne vous serez jamais autant dévoué à votre cause. Il est dit qu'il suffit d'une seule personne pour faire basculer un monde, pour créer une mode ou un autre mode de vie, et il est possible que sans même l'avoir cherché vous vous retrouviez à la tête d'une organisation; votre but est d'améliorer la qualité de vie d'un groupe de gens ou de toute une population.

Né d'un double signe de Mars et de Pluton, à l'instant où vous avez pris une décision, vous foncez et dès lors personne ne peut vous arrêter. Si vous êtes un Scorpion/Bélier qui n'a pas beaucoup sorti ces dernières années, si vous vous êtes isolé pour cacher vos peines, vos peurs, si vous vous êtes replié dans vos angoisses, sous Jupiter en Gémeaux, la vie vous lance un grand cri et vous ne résisterez pas à son appel. Jupiter en Gémeaux sera l'occasion de rencontrer une foule de gens différents, d'apprendre sur les diverses cultures ; certains d'entre vous feront un retour aux études ou termineront un cours pour se donner une chance de plus d'avoir cette promotion qu'ils désirent ardemment. Sous Jupiter en Gémeaux, vous serez nombreux à vous découvrir un talent artistique et à vous y adonner malgré parfois des moqueries de la part de votre entourage. Mais rira bien qui rira le dernier.

SCORPION ASCENDANT TAUREAU

Vous êtes un double signe fixe ; votre Soleil se trouve dans le septième signe de votre ascendant, l'amour passe au premier plan et les autres sont plus importants que vous. Il vous faut souvent attendre la quarantaine pour vous en rendre compte. Alors que Jupiter était dans le douzième signe de votre ascendant en 1999, vous avez fait le grand ménage. Vous avez cessé de pratiquer des activités qui, au fond, ne vous plaisaient pas. Vous avez sorti des profiteurs de votre vie et vous avez pris soin de vous en cessant de servir ceux qui ne méritaient pas vos attentions. Jupiter en Bélier vous a ouvert les yeux sur votre réalité ; vous avez médité davantage et vous vous êtes libéré d'obsessions et de peurs qui vous hantaient depuis des années. De la mi-février à la fin de juin, Jupiter est en Taureau dans le septième signe du vôtre. C'est le retour du balancier. Si, par exemple, on a été injuste envers vous, si on vous a trompé, trahi, volé, si on a essayé de vous éliminer par envie, par jalousie ou par méchanceté, sous Jupiter en Taureau, non seulement êtes-vous protégé de ces gens, mais ce que vous méritez vous revient, vous est rendu.

Des événements spéciaux et souvent inexplicables rendront votre vie plus facile, vous direz alors que ça tient du miracle ou que vos prières ont été entendues. Si vous êtes en affaires, en commerce, vous procéderez à de nombreux changements sous Jupiter en Taureau ; vous vous associerez à des personnes fiables ; Saturne aussi en Taureau symbolise que vous reprendrez contact avec des gens que vous connaissez depuis une vingtaine d'années et qui, depuis ce temps, ne vous ont jamais déçus. En tant que célibataire, le ciel de l'an 2000 présage la rencontre avec le grand amour ; votre flirt sera attentionné et généreux. L'attachement se fera rapidement d'un côté comme de l'autre même si vous donnez l'impression de garder vos distances. Vous pressentirez qu'il s'agit bel et bien de cette personne avec qui vous souhaitez partager votre vie et, du même coup, vous saurez qu'elle est déjà amoureuse de vous. Il suffira d'un instant, d'un éclair, d'une intuition pour que cette certitude s'implante en l'autre et en vous ; sous votre signe et ascendant, la solitude n'est pas souhaitée, aimer et être aimé donne un sens à votre vie.

Puis, Jupiter sera en Gémeaux de juillet 2000 à juillet 2001 ; vous avez devant vous 12 mois de bienfaits, de faveurs, de cadeaux, de surprises agréables et, si vous en avez le temps, de voyages dans des pays où vous n'êtes jamais allé. Jupiter en

Gémeaux dans le deuxième signe de votre ascendant symbolise l'argent, celui qu'on vous doit et qu'on vous rembourse, celui que vous gagnez en double ou peut-être même à la loterie. Il faudrait que vous ayez l'esprit très noir et de bien mauvaises idées sur vous-même et sur autrui pour rater l'an 2000. Si vous êtes persuadé de ne mériter que de la misère, c'est ce que vous aurez, et de mille façons. Si vous êtes un dépressif, un mélancolique, dès le début de l'année, suivez une thérapie et faites-vous aider à corriger cette façon négative de vous voir et de vivre votre vie.

SCORPION ASCENDANT GÉMEAUX

Vous êtes le Scorpion qu'on retrouve le plus souvent dans le monde des communications. Vous êtes un travailleur et un pacifique, vous êtes indépendant et l'opinion d'autrui n'a que peu d'influence sur vous si ce n'est que d'être déçu du jugement de certaines gens qui ne vous connaissent pas vraiment. Vous parlez peu de votre vie intime, votre vie professionnelle est au premier plan et souvent votre raison d'être. Vous n'êtes généralement pas prétentieux, vous produisez et vous appréciez les succès parce que vous les avez mérités. Votre Soleil est dans le sixième signe de votre ascendant; vous êtes aussi intuitif qu'analytique. De la mi-février à la fin de juin, Jupiter est en Taureau dans le douzième signe de votre ascendant; il s'agit de mois de réflexion et d'un léger ralentissement professionnel. Pendant cette période, vous repenserez à vos buts, à vos valeurs, à vos croyances et même à votre façon de vous nourrir. À certains moments, vous aurez envie de tout laisser tomber pour vous retirer, pour faire autre chose parce que vous avez découvert que des gens sur lesquels vous vous êtes fié ou à qui vous vous êtes confié sont des traîtres, des menteurs, des malhonnêtes. Sans être méchant, vous êtes un futé et vous trouverez le moyen de dénoncer les trouble-fêtes.

Sous Jupiter en Taureau, on vous confiera des tâches nouvelles et fort différentes de toutes les précédentes. Quelques-unes seront éprouvantes, mais professionnellement enrichissantes. Vous devrez surveiller vos placements de plus près et ne pas investir dans un immeuble dont vous ne vous occuperiez pas de près. N'achetez pas un terrain sans avoir préalablement vérifié s'il est bel et bien à vendre. Attention aux endroits publics lorsque vous transportez paquets, sac à main, mallette, téléphone cellulaire, etc. : sous Jupiter en Taureau, vous tomberez dans l'œil des petits voleurs. Voilà une bonne raison d'être vigilant. Si vous n'avez aucun système d'alarme pour votre voiture, votre maison ou votre commerce et si, de plus, il est évident que vous n'êtes pas pauvre, on voudra s'approprier ce que vous possédez. Il vous suffit de mieux vous protéger pour n'avoir pas à subir un vol. Si votre vie n'est pas en danger, si tout ou presque est remplaçable, votre peur, elle, serait tenace après ce genre d'événement. Alors, aussi bien prévenir.

Puis, de juillet 2000 à juillet 2001, Jupiter est en Gémeaux sur votre ascendant et vous signale que si vous avez travaillé moins intensément les mois précédents, vous rattraperez le temps perdu. Jupiter en Gémeaux laisse supposer une grande popularité dans votre milieu professionnel; si vous n'avez plus d'emploi, vous en trouvez un plus intéressant et plus payant que celui que vous aviez auparavant. Il se trouve de nombreux célibataires sous ce signe et ascendant, et Jupiter en Gémeaux sera l'occasion de rencontrer une personne qui accepte ce que vous faites et qui admire même votre ténacité. Il y a toutes les chances du monde que votre flirt appartienne à votre milieu professionnel, c'est pourquoi vous serez aussi bien compris; ce sera enfin quelqu'un qui ne vous demandera pas à quelle heure vous terminez. Une importante mise en garde s'impose sous Jupiter en Gémeaux. Si vous partez en vacances dans un pays où l'hygiène laisse à désirer, si un jour vous avez le pressentiment que la nourriture n'est pas fraîche, abstenez-vous d'en consommer. Votre foie est vulnérable pendant 12 mois.

SCORPION ASCENDANT CANCER

Vous êtes un double signe d'eau et votre Soleil est dans le cinquième signe de votre ascendant; pendant que les uns se consacrent à leur famille, à leurs enfants, à leur partenaire, les autres ne pensent qu'à eux-mêmes et ne se rendent pas compte à quel point ils sont narcissiques, égocentriques et parfois bien égoïstes puisque leur centre d'intérêt, c'est eux-mêmes. Il y a de nombreux artistes sous ce signe et ascendant. Le Scorpion est un tenace, et la Lune qui régit l'ascendant est inspiration jour et nuit. De la mi-février à la fin de juin, Jupiter est en Taureau dans le onzième signe du Cancer. Si des amis sortent de votre vie, d'autres apparaissent. Si, jusqu'à présent, vous avez eu une vie où vous avez minimisé les risques, si vous n'avez eu que peu ou pas d'activités, vous aurez un besoin incontrôlable de prendre des bouffées d'air frais, de voir le monde, de vivre parmi ces gens qui font partie de votre communauté et que vous désirez ardemment connaître.

Sous Jupiter en Taureau, vous vous accorderez le droit de dire ce que vous pensez et, surtout, ce que vous ressentez sans devoir faire un détour. Lorsqu'on sera déplaisant avec vous, vous répliquerez sans hésitation plutôt que de ruminer vos peines et vos contrariétés. S'il y a beaucoup à changer, sans doute commencerez-vous par habiter un autre quartier, puis vous vous choisirez une garde-robe qui fera parfois sursauter ceux qui pensaient que vous manquiez d'originalité. Vous verrez des spectacles comme jamais auparavant, vous ne craindrez pas de partir en voyage, car vous savez fort bien que votre maison sera encore là à votre retour. Il est possible que vous vous sépariez d'un parent qui, depuis trop longtemps, vous dit quoi faire et quoi penser. Si vos enfants ont l'âge de répliquer, ils seront comme vous: quand ils ne contesteront pas, ils se démarqueront et quand il y aura obstination et procès familial, vous serez la plupart du temps, selon eux, le fautif. Mais ne vouliez-vous pas qu'ils soient indépendants, qu'ils aient le sens de l'initiative? Vous serez servi. Si vous ne comprenez pas leurs nouveaux comportements et si vous êtes inquiet, lisez quelques ouvrages de psychologie traitant des enfants qui ont l'âge des vôtres. Vous prenez votre liberté et ils en font autant à leur façon et selon leur époque.

Puis, de juillet 2000 à juillet 2001, Jupiter sera en Gémeaux dans le douzième signe de votre ascendant, voilà de quoi réfléchir et sans doute modérer vos emballements. Jupiter en Gémeaux vous rend alors vulnérable aux idées d'autrui parce qu'au fur et à mesure que les mois passeront, vous douterez des vôtres. Sous Jupiter en Gémeaux, méfiez-vous des pseudo-philosophes, des prêcheurs ou de ces chefs de secte qui vous promettent le paradis sur terre moyennant une partie de votre salaire et des travaux obligatoires qui sont censés vous apprendre l'humilité. Jupiter en Gémeaux vous suggère d'observer le genre humain et de vous éloigner de ces personnes qui veulent que vous les sauviez. Des manipulateurs frapperont à votre porte; intuitivement, vous le saurez mais si vous les laissez vous convaincre, ils y réussiront sans trop d'effort. Jupiter en Gémeaux présage un retour aux études pour certains d'entre vous ou une activité hors de l'ordinaire, plus intellectuelle que manuelle.

SCORPION ASCENDANT LION

Vous êtes un double signe fixe, vous êtes régi par Mars, par Pluton et par le Soleil, et votre volonté est aussi puissante que vos désirs. De la mi-février à la fin de juin, Jupiter est en Taureau dans le dixième signe de votre ascendant, ce qui présage un important changement dans l'orientation de votre carrière. En tant que parent, il est possible que ce nouveau choix professionnel vous éloigne temporairement de vos enfants. Mais peut-être sont-ils des adultes et Jupiter ainsi positionné peut faire de vous des grands-parents. Si l'un de vos enfants vit une séparation, vous serez aussi affecté que si c'était à vous que ça arrivait et vous serez là pour l'aider à traverser sa peine. Si l'un de vos parents est âgé et malade, vous vous rendrez plus souvent à son chevet et sans doute y aura-t-il de sérieuses alertes.

Si Jupiter en Taureau annonce une promotion ou plus d'engagement vis-à-vis de votre travail, il est aussi présage de multiples événements familiaux, certains heureux et d'autres, tristes. Sur le plan personnel, cela signifie aussi qu'on doit s'incliner devant le destin des autres et se rendre compte qu'on ne peut pas tout faire même quand on le veut. Jupiter en Taureau est en face de votre signe: votre partenaire peut être celui qui vous oblige à modifier vos plans. À cause de la double fixité de votre signe, il vous est parfois difficile d'accepter ce que, pourtant, vous ne pourrez jamais changer. Puis, de juillet 2000 à juillet 2001, Jupiter est en Gémeaux dans le onzième signe de votre ascendant. Si vous travaillez dans le domaine des communications, durant 12 mois, vous direz que vous n'avez jamais voulu autant de travail. Cependant, les gains supplémentaires vous soulageront de votre fatigue. Si vous avez un talent de créateur, vos idées originales seront enfin écoutées et achetées. Si vous faites commerce avec l'étranger, vous partirez beaucoup plus souvent pour aller à la rencontre de clients ou de collaborateurs.

Sous l'influence de Jupiter en Gémeaux, vous vous ferez de nouveaux amis, mais vous en délaisserez quelques-uns que vous avez depuis parfois des années ; vos chemins se séparent, vous n'avez plus rien à partager. Sous Jupiter en Gémeaux, vous devrez tout de même faire attention à vos dépenses ; faites régulièrement de l'ordre dans votre comptabilité. Vous gagnez de plus gros salaires ; par contre, vous vous offrirez des luxes qui pourraient gruger vos économies. Sous Jupiter en Gémeaux, vous serez tenté d'acheter une voiture neuve, de remplacer vos meubles ou d'acquérir une seconde propriété. Avant d'apposer votre signature au bas d'un contrat d'achat, si vous avez le moindre doute, si vous ne comprenez pas parfaitement quelques paragraphes, demandez l'aide d'un professionnel ou informez-vous auprès d'un ami qui a déjà fait le même genre de transaction : ses conseils pourraient vous faire épargner une jolie somme d'argent. Si vous vivez dans une famille reconstituée, si votre partenaire et vous avez des enfants d'une précédente union, sous Jupiter en Gémeaux, attendez-vous à devoir vous expliquer avec vos *ex* au sujet de l'éducation des enfants ; si ceux-ci sont jeunes, des problèmes au sujet de leur garde risquent de survenir. Il sera nécessaire de passer par l'avocat quand la tension sera trop élevée. Patience, tout finit toujours par s'arranger.

SCORPION ASCENDANT VIERGE

Votre Soleil étant dans le troisième signe de votre ascendant, la fonction réflexion est puissante ; vous êtes né pour communiquer et si vous aimez la solitude, ce n'est certainement pas pour de longs moments à la fois. Pour votre équilibre mental et émotionnel, il vous faut échanger avec autrui. Vous êtes aussi un grand observateur, un être minutieux et quel que soit votre travail, il est généralement très bien fait. Vous êtes habile tant sur le plan intellectuel que sur le plan manuel. Il y a parmi vous de nombreux créateurs, des inventeurs, des médecins, des chercheurs, etc. Il est possible que vous ayez pris un recul en 1999 non pas parce que vous étiez arrêté et passif, mais parce que vous vous prépariez à émerger différemment ; vous avez travaillé à un produit, à une idée ou à une création hors de l'ordinaire.

De la mi-février à la fin de juin, vous serez sous l'influence de Jupiter en Taureau dans le neuvième signe de votre ascendant, présage de chance dans divers secteurs de votre vie. Si, par exemple, vous êtes seul, sans amour depuis plusieurs années, le hasard ou le destin vous met en relation avec un être spécial qui vous comprend dès l'instant où il vous aperçoit. L'attirance sera réciproque. Entre ce partenaire et vous, il y aura peut-être une grande différence d'âge, ce qui n'interdit nullement les beaux sentiments. Il ne subsistera que les problèmes que vous imaginerez. Si vous avez été sans emploi, sous Jupiter en Taureau, vous rattraperez le temps perdu, car vous ferez beaucoup d'heures supplémentaires, surtout si vous êtes dans le domaine manufacturier. Si vous n'avez jamais voyagé, vous aurez votre baptême de l'air. Si toutefois vous avez l'habitude des aéroports, les allers-retours seront nombreux et peut-être cette année apprendrez-vous à voyager avec moins de bagages que vous ne le faisiez auparavant.

Puis, de juillet 2000 à juillet 2001, Jupiter est en Gémeaux dans le dixième signe de votre ascendant; pour un grand nombre, ce Jupiter présage deux emplois, deux carrières, deux œuvres, deux découvertes, etc.; même lorsque vous irez magasiner, vous serez porté à tout acheter en double. Si toutefois vous avez deux amoureux, vous ne saurez lequel est celui que vous pourriez aimer longtemps et cette situation peut durer 12 mois. Si vous n'avez encore fait aucune promesse ni à l'un ni à l'autre, restez-en là. Sous Jupiter en Gémeaux, même le Scorpion/Vierge le plus fidèle de tous aura l'occasion d'une aventure sentimentale fort excitante: si vous consentez, vous devez savoir que l'infidélité a généralement des conséquences; en ce qui vous concerne, Jupiter en Gémeaux dévoile tout ou presque. Sous Jupiter en Gémeaux, vous serez plus sujet aux rhumes et même aux infections des bronches; une toux tenace doit être vue par votre médecin et pendant que vous y êtes, demandez un examen médical complet ainsi qu'une radiographie de vos poumons, ne serait-ce que pour vous rassurer. Sous Jupiter en Taureau et plus encore quand il est en Gémeaux, quand vous visiterez des pays exotiques où l'alimentation et les règles de l'hygiène sont très différentes des nôtres, il est à souhaiter que vous ayez un bon système immunitaire. Par prévention, ne consommez que les aliments dont vous êtes sûr de la qualité.

SCORPION ASCENDANT BALANCE

Votre ascendant est Vénus dans un signe d'air qui aspire à la paix, tandis que Mars et Pluton, qui régissent votre signe, sont compétitifs. Votre Soleil est dans le deuxième signe de votre ascendant où il symbolise l'argent ou l'insécurité matérielle dont vous avez du mal à vous défaire même quand vous êtes fortuné. Vous êtes généralement habile lors de vos négociations, mais il arrive que vous demandiez plus que ce qu'on ne peut vous donner. L'amour est un point majeur dans votre vie; la stabilité affective est votre équilibre mental, votre ticket modérateur et souvent la raison première de votre désir de réussir et d'être reconnu. Vous êtes complexe parce qu'il s'agit de vous faire plaisir sans jamais déplaire à qui que ce soit. Voilà une mission quasi impossible à remplir. De la mi-février à la fin de juin, Jupiter est en Taureau dans le huitième signe de votre ascendant. S'il y a eu une séparation en 1999, si les problèmes financiers ne sont pas encore réglés, vous aurez encore besoin de toute votre patience et s'il y a des enfants au milieu de cette rupture, tout se complique. S'il s'agit d'assurer leur survie économique, vous ne devez pas oublier, quel que soit leur âge, que la séparation de leurs parents les affecte et les peine beaucoup. Vous devrez alors saisir leurs messages de détresse qu'ils vous manifesteront de diverses manières. Si vous savez que vous ne pouvez faire face à leurs difficultés, demandez l'aide d'un thérapeute spécialisé en relations familiales.

Jupiter en Taureau vous met en garde contre des investissements qui n'auront pas été suffisamment réfléchis ou contre des achats dont les paiements dépasseraient le salaire que vous gagnez. Puis, de juillet 2000 à juillet 2001, Jupiter est en Gémeaux où il occupe une position beaucoup plus confortable par rapport à votre ascendant. Si vous avez été prudent en affaires, en commerce, si vous n'avez pas fait de dépenses inconsidérées, si vous avez suivi les conseils d'un comptable fiable, pendant 12 mois, vous progresserez, vous prendrez de l'expansion à condition que vous franchissiez une seule étape à la fois. Il y a des voyageurs parmi vous qui, à plusieurs reprises, ont fait de longs séjours à l'étranger ; il n'est pas exclu que certains d'entre eux fassent leurs bagages une fois de plus et déménagent dans un pays où ils vivront une expérience enrichissante et où ils travailleront de manière plus régulière que s'ils étaient restés ici.

Si vous êtes célibataire depuis parfois plusieurs années, bien que vous soyez décidé à le rester, la vie vous réserve une surprise sous Jupiter en Gémeaux. La rencontre peut se faire au cours d'un déplacement dans une autre ville, dans un autre pays ou au moment où vous décidez de suivre des cours ; dans une classe de mathématiques ou dans une salle d'art, vous apercevrez cette personne qui ne ressemblera à aucune autre et c'est exactement ce qu'elle pensera de vous. Il sera facile d'entrer en conversation avec elle, puisque vous avez un intérêt commun. Jupiter en Gémeaux activera votre curiosité, vous aurez soif de savoir ; si vous avez un esprit scientifique, l'ésotérisme vous attirera. Si vous avez l'habitude de voir des clairvoyants pour vous faire prédire votre avenir, vous cesserez puisqu'il est maintenant parfaitement clair que vous êtes le maître de votre destin.

SCORPION ASCENDANT SCORPION

Il faudra attendre juillet et peut-être bien juillet 2001 pour vous reposer. D'ici là, des tas d'événements de toutes sortes pourraient vous tenir éveillé la nuit. De la mi-février à la fin de juin sous l'influence de Jupiter en Taureau, il sera question de droits, de lois, de justice, de règles, etc. Quand il ne s'agira pas de débats pour faire respecter, par exemple, un contrat que vous avez signé avec une entreprise, il faudra représenter un groupe de gens afin de prendre sa défense. On ne trouve pas meilleur justicier que vous. Si, jusqu'à présent, vous avez une petite vie tranquille, sous Jupiter en Taureau, vous ne résisterez pas à l'appel de la communauté qui a besoin de vos talents, de votre aide, de votre soutien. Jupiter et Saturne sont dans le septième signe de votre ascendant et c'est surtout en mai que vous obtiendrez des résultats positifs après tout le travail que vous aurez fait depuis le début de l'année. Vous pourriez aussi recevoir un honneur, une promotion, une offre si intéressante que vous ne la repousserez pas même si vous demandez quelques semaines pour y réfléchir.

Si vous êtes en affaires, il sera question d'une association avec une autre entreprise et vous serez assez prudent pour exiger que votre pouvoir soit intact à l'intérieur de cette fusion. Sous Jupiter en Taureau, vous songerez à faire l'acquisition d'une nouvelle maison; n'allez pas trop vite, prenez le temps d'étudier le quartier, la localité et la valeur des terrains environnants. Si vous allez vivre à la campagne, assurez-vous qu'il n'y ait aux alentours aucun projet de pesticides industriels ou autre fabrication de produits toxiques. C'est le genre de tour que vous pourriez vous faire jouer si vous prenez trop vite votre décision. Pour éviter cette situation, il suffit de faire votre enquête. Quand un Scorpion/Scorpion veut savoir, il sait. Vous êtes le meilleur détective du zodiaque.

Puis, de juillet 2000 à juillet 2001, Jupiter est en Gémeaux dans le huitième signe du vôtre et de votre ascendant. Si vous avez des parents âgés et malades, sans doute y aura-t-il des alertes à plusieurs reprises et des soirées à l'hôpital. S'il y a un décès puis un partage d'héritage, sous Jupiter en Gémeaux, ce sera de véritables tensions, surtout entre frères et sœurs, beaux-frères et belles-sœurs, et pis encore si le testament du défunt n'est pas clair. Qu'il s'agisse de partager une grosse somme d'argent ou des miettes, chacun veut le plus gros souvenir. Sous Jupiter en Gémeaux, si la route est longue pour vous rendre au travail, redoublez de prudence et, surtout, n'essayez pas de lire des documents pendant que vous êtes au volant. Si votre téléphone sonne dans la voiture, arrêtez-vous pour discuter avec votre interlocuteur. Vous avez tellement d'idées en tête qu'il suffit d'une toute petite distraction pour avoir un accident. Lorsque vous aurez des rendez-vous, partez plus tôt; ainsi, vous aurez moins peur d'être en retard et vous serez moins nerveux dans les embouteillages. Jupiter en Gémeaux peut aussi vous redonner un emploi que vous aviez perdu à la suite d'une fermeture temporaire d'entreprise. Pour plusieurs, cette position planétaire correspond à un long et progressif tournant de carrière, puisqu'elle ne bouge pas pendant 12 mois.

SCORPION ASCENDANT SAGITTAIRE

Vous êtes aussi sensible que logique, aussi vulnérable que cette allure de glace que vous vous donnez, aussi calculateur que généreux. En somme, vous êtes déchiré: vivrez-vous avec vos qualités ou avec vos défauts? Votre Soleil est dans le douzième signe de votre ascendant: si votre santé n'est pas reluisante, votre résistance demeure étonnante et votre capacité à récupérer provient de cette force que personne ne vous connaît et que vous gardez pour vous. Après tout, comme Scorpion, vous avez droit à votre vie secrète, à ces aspirations dont vous n'avez parlé à personne. Avec votre ascendant jupitérien, on vous demande beaucoup et, par orgueil, vous démontrez que vous êtes à la hauteur des attentes d'autrui. Vous avez à la fois le sens de l'honneur et celui du sacrifice. De la mi-février à la fin de juin, Jupiter est en Taureau dans le sixième signe de votre ascendant ; il s'agit d'un éveil, d'une prise de conscience de vos limites et de celles que vous n'avez plus envie de dépasser. Vous apprendrez à dire non ; vous ne serez plus le serviteur qu'on ne remercie jamais et à qui on demande toujours plus.

Jupiter en Taureau se trouve aussi dans le septième signe du vôtre et touche directement votre relation amoureuse, votre vie de couple. Si, par exemple, vous n'êtes pas heureux et que vous êtes resté pour remplir vos obligations envers vos enfants, si vous n'optez pas pour un divorce officiel, vous vous éloignerez de l'autre ; vous commencerez par choisir une activité qui vous plaît et qui vous permet de vous isoler de celui avec qui vous avez la certitude qu'aucun bonheur n'est possible. Jupiter en Taureau concerne aussi votre travail et des changements qui s'opèrent à l'intérieur de l'entreprise en cours. Quand il ne s'agit pas d'occuper une autre fonction, il sera question d'un horaire si différent qu'il vous oblige à modifier votre quotidien ainsi que vos habitudes. Si vous faites partie de ceux à qui on donne le choix entre rester ou prendre sa retraite, sans doute opterez-vous pour la seconde offre. Jupiter en Taureau a un lien avec votre santé ; pour certains, il est nécessaire d'adopter une alimentation différente et épurée, mais d'autres passent leur temps à suivre des régimes et se privent de tout ce qui est bon ou presque. Le moment est venu de relâcher, de prendre plaisir à manger à l'heure des repas.

Puis, Jupiter sera en Gémeaux de juillet 2000 à juillet 2001 dans le septième signe de votre ascendant et dans le huitième signe du Scorpion. Cette fois, vous êtes bien décidé à n'en faire qu'à votre tête. Si vous ne vous êtes pas séparé au cours des mois précédents, si le bonheur est encore abstrait, vous savez du plus profond de vous-même qu'il peut exister et que vous y avez droit. D'abord, vous aurez la délicatesse de demander à votre partenaire s'il veut bien changer sa façon de vivre qui s'est trop éloignée de ce que vous espériez partager avec lui. S'il refuse, vous ferez vos bagages ou vous exigerez que l'autre parte s'il est chez vous. Puis, viendront les questions d'argent à débattre. Si vous sentez qu'on pourrait vous prendre tout ce qui vous appartient, demandez l'aide d'un avocat. Pourquoi recouvrer votre liberté sans argent ? Sous Jupiter en Gémeaux, si vous vous séparez, vous ne resterez pas seul longtemps. Votre charme et votre magnétisme ne vous abandonneront jamais, et ce, quel que soit votre âge.

SCORPION ASCENDANT CAPRICORNE

Vous êtes né de Mars, de Pluton et de Saturne, ce qui fait de vous une personne sérieuse qui prend presque toutes ses décisions en fonction de son avenir. Vous prévenez, ce qui est bien et tout naturel à condition de ne pas être excessif et d'en oublier de vivre l'instant présent. Votre Soleil étant dans le onzième signe de votre ascendant, vous êtes fidèle à vos amis, vous êtes un habile relationniste. Vous avez aussi le talent de bien voir dans les affaires d'autrui ; vous avez ce sixième sens qui vous permet de savoir comment un ami ou votre partenaire peut réussir ce qu'il entreprend ; mais, quand il est question des vôtres, comme vous n'écoutez pas les conseils d'autrui, il arrive que vous commettiez des erreurs. En tant que parent, vous êtes un grand protecteur, que ne feriez-vous pas pour vos enfants ? Votre ascendant Capricorne vous porte à vous choisir un partenaire qui sera souvent absent : il est ici représenté par votre maison sept en Cancer, laquelle est régie par la Lune et, sous le ciel, n'y a-t-il rien de plus changeant que la Lune ? Comme elle est un symbole féminin, ce sont surtout les conjoints des femmes de ce signe et ascendant qui partent ou s'éloignent ; si leur partenaire est attaché aux enfants, il l'est souvent à distance. Conséquence, la majorité des femmes Scorpion/Capricorne ont l'entière charge de l'éducation de leurs enfants.

De la mi-février à la fin de juin, avec Jupiter en Taureau dans le cinquième signe de votre ascendant, il sera fortement question de vos enfants, de leur éducation, de leur protection, de leur attitude, de leurs comportements qui changent s'ils sont des adolescents, et vous prendrez des décisions à leur place. Si vous êtes de la génération des *baby-boomers*, il y a bien des chances que vous deveniez un grand-père ou une grand-mère, ce dont vous serez fort heureux. Si vous avez plusieurs enfants, des adultes, il est possible que l'événement se produise deux fois plutôt qu'une. Si vous êtes jeune et amoureux, vous songerez sérieusement à avoir un premier, un deuxième ou même un troisième enfant. Ce ciel est présage de fertilité. Si toutefois vous êtes célibataire et persuadé que vous ne rencontrerez jamais l'amour, vous changerez d'avis. La romance vous attend. Vous prendrez plaisir à vous faire faire la cour et à préparer des surprises pour mieux séduire la personne que vous désirez avec autant d'ardeur que lorsque vous étiez adolescent.

Puis, de juillet 2000 à juillet 2001, Jupiter est en Gémeaux dans le sixième signe de votre ascendant ; il est ici question de travail, de changements officiels, d'une autre fonction, d'autres responsabilités, de nouvelles méthodes de travail. Il est possible que l'entreprise qui emploie vos services réduise son personnel ; vous n'avez pas à vous inquiéter, vous resterez en poste mais vous devrez prendre les bouchées doubles. Vous pourriez aussi faire des démarches afin de travailler pour un compétiteur et si telle est votre décision, vous aurez ce que vous demandez. Si vous êtes vous-même en commerce, vous prendrez de l'expansion ; ne comptez pas vos heures supplémentaires, cela vous épuiserait. Si votre travail vous oblige à voyager, il est possible que cette fois, à la suite d'une proposition intéressante et payante, vous déménagiez. Sous Jupiter en Gémeaux, il faudra tout de même prendre soin de vous. Des problèmes de digestion et d'origine nerveuse peuvent survenir.

SCORPION ASCENDANT VERSEAU

Votre double signe fixe vous donne la sensation que rien n'est impossible et que les rêves les plus fous peuvent se réaliser, et dans votre cas c'est souvent vrai.

Quand vous croyez à une idée, à un produit, on ne trouve pas plus insistant et vous n'hésitez pas à consulter les gens de pouvoir pour vous aider à les exécuter ; un détour n'a aucun intérêt pour vous, c'est une perte de temps. De la mi-février à la fin de juin, Jupiter est en Taureau dans le quatrième signe de votre ascendant. Durant cette période, si vos projets sont coûteux, vous aurez plus de difficulté à trouver un endosseur. Sous Jupiter en Taureau, vous devez être prudent dans toutes les questions d'argent. Vous aurez également envie d'acheter une maison, peut-être avec un membre de votre famille ou avec un de vos enfants s'il est adulte ; avant de passer à l'action, assurez-vous de l'imperméabilité du sous-sol et de la plomberie. Les autres pièces les plus susceptibles de vous donner des problèmes sont la salle de bain et la cuisine.

Comme Jupiter et Saturne sont en Taureau du 10 août au 16 octobre, votre santé est aussi importante que tous vos plans d'avenir réunis. Si, par exemple, il y a trois ou quatre ans, vous avez subi une maladie dont vous vous êtes sorti, avec la quantité d'énergie que vous déployez sous Jupiter et Saturne en Taureau, vous courez le risque d'une rechute ou d'une sérieuse baisse de vitalité vous obligeant à garder le lit pendant plusieurs semaines. Il est important que vous suiviez les instructions de votre médecin et le régime alimentaire qu'il vous a suggéré. Sous Jupiter et Saturne en Taureau, certains d'entre vous assisteront malheureusement à une dissolution de leur famille ; on se dispute pour une banale question d'argent qui, avec de la bonne volonté, aurait pu être rapidement réglée.

Puis, Jupiter sera en Gémeaux de juillet 2000 à juillet 2001 dans le cinquième signe de votre ascendant ; les tensions se calmeront et progressivement tout rentrera dans l'ordre. Si vous êtes célibataire, sous Jupiter en Gémeaux, vous ferez la rencontre d'une personne ouverte, jasante, qui n'a rien à cacher et qui sera beaucoup plus jeune ou plus âgée que vous. Votre ascendant Verseau vous donne le goût des voyages ; si vous pensiez l'avoir perdu, il est de retour ; la fixité vous ennuie, il y a trop à voir pour vous contenter de ce qui se passe autour de la maison ou dans le quartier. Peut-être avez-vous clamé que vous étiez fauché ? Qu'importe, vous trouverez l'argent parce qu'il est urgent de partir sous d'autres cieux, d'y retrouver de vieux amis. Si vous êtes un artiste, un inventeur et quel que soit votre domaine à condition qu'il ne soit pas routinier, vous êtes reparti et vous apporterez un produit ou un service inédit et payant. En tant que commerçant, vous offrirez un service spécial, vous trouverez une manière efficace d'attirer l'attention et de faire plus d'argent. Si vous êtes joueur, vous aurez aussi plus de chance dans les jeux de hasard.

SCORPION ASCENDANT POISSONS

Vous êtes un double signe d'eau ou l'aventurier à la recherche d'émotions fortes. Votre Soleil dans le neuvième signe de votre ascendant fait de vous un être à part, un marginal et un exalté. Si vous vous confinez dans une vie où vous minimisez les risques, si vous résistez à votre créativité, sans doute n'avez-vous aucun plaisir, ou si peu. Vous avez cette énorme capacité d'aimer un métier autant que votre famille, vos enfants et la terre entière. Vous détestez le mensonge et les gens qui ne sont que des façades. Pourtant, vous en rencontrez souvent et chaque fois, vous êtes confronté entre le fait de croire en vous ou tomber dans le même panneau qu'eux, c'est-à-dire porter un masque et faire semblant. Vous êtes changeant; Neptune qui régit votre ascendant ne manque pas de vous faire voir vos rêves et votre réalité; quand cette dernière frappe durement, vous devenez déprimé mais, fort heureusement, cela ne dure pas longtemps. Vous n'êtes pas démuni d'orgueil, loin de là.

De la mi-février à la fin de juin, Jupiter est en Taureau dans le troisième signe de votre ascendant et dans le septième signe du Scorpion. Nous avons alors une alliance entre Mercure et Vénus, entre la communication et la créativité. Comment pourriez-vous passer à côté? Le monde vous appelle, ceux qui vivent différemment de vous à l'autre bout de la planète vous font signe. Si, par exemple, vous êtes un internaute, vous découvrirez un site particulier sur lequel vous apprendrez ce que vous aviez besoin de connaître pour votre bien-être personnel, émotionnel; il y a en vous une recherche constante d'une preuve de la vie après la mort ou vous avez un désir d'immortalité qui n'est non pas religieux, mais qui vous a été transmis génétiquement. Mais vous devrez être circonspect, analytique et ne pas vous laisser entraîner par un mouvement extrémiste. Si toutefois vous trouvez une cause à défendre comme la protection de l'air, de la terre et de l'environnement, il est même possible que vous fassiez un voyage pour rencontrer ces gens qui ont pris comme vous la décision de protéger la terre contre sa destruction qui, chaque jour, devient de plus en plus évidente.

Sous Jupiter en Taureau, les occasions de vous mêler d'affaires publiques et de protection des droits humains ne manqueront pas. Faites-vous partie de ceux qui se contentent de regarder ce que font les autres? Sous Jupiter en Taureau, vous aurez de quoi bavarder, mais cette sensation de stérilité, parce que vous ne levez pas un doigt pour qui que ce soit, sera en l'an 2000 plus oppressante, plus angoissante. Le temps vous suggère de passer à l'action, de jouer votre rôle qui vous plaît. Jupiter passera en Gémeaux dans le quatrième signe de votre ascendant de juillet 2000 à juillet 2001. Pour les uns, c'est la venue d'un enfant dans la famille; pour d'autres, c'est une séparation entre parents à cause d'une dispute d'opinions politiques ou idéologiques. Si vous avez un talent d'écrivain, vous produirez, vous trouverez l'énergie nécessaire pour aller au bout d'un projet qui vous tient à cœur. Pour rater cet an 2000, c'est bien simple: isolez-vous, critiquez, plaignez-vous du système, ne faites rien, accusez votre âge, concentrez-vous sur votre personne. Maux et déprime vous accompagneront et vous ne trouverez personne pour écouter vos lamentations.

JANVIER

TRAVAIL. Saturne est en face de votre signe et, peu à peu, il transforme l'ancien pour du neuf. Il déstabilise ce qu'on pensait qui allait durer jusqu'à la retraite. Si, par exemple, vous êtes au même emploi depuis longtemps, il est possible que l'entreprise vous offre de remplir une autre fonction que celle à laquelle vous êtes accoutumé. Mars, la planète qui régit votre signe, est en Poissons; elle est bien placée par rapport à vous, elle vous attire faveurs et bénéfices; le mois est excellent s'il s'agit de défendre vos droits. Vous n'aurez aucun mal à prouver le bien-fondé de votre action ainsi que votre honnêteté face à une situation que quelques personnes jugent durement. Vous êtes un être patient et s'il vous faut faire un détour pour atteindre le but, cela ne vous gêne nullement. De toute manière, prendre une sortie plutôt qu'une autre, n'est-ce pas acquérir de l'expérience et vous donner le temps de songer à votre stratégie commerciale avant destination?

SANS TRAVAIL. Vous pouvez vous donner mille raisons pour ne pas travailler si vous êtes en bonne santé et vous plaindre de n'avoir pas assez d'argent pour vivre. Vous pouvez aussi accuser vos angoisses et rester à la maison. Mais ces peurs dont vous parlez ne sont-elles pas votre propre création? La pensée n'affecte-t-elle pas les émotions? Pourquoi constamment affirmer l'inverse? Il est aussi possible que vous soyez à la retraite; pour occuper votre temps mais plus encore pour rester productif, vous songerez sérieusement à faire du bénévolat: vous avez ce profond désir de continuer à être utile à la société. Si vous cherchez un emploi, vous trouverez là où on vous avait d'abord dit non.

AMOUR. Jusqu'au 24, Vénus est en Sagittaire dans le deuxième signe du vôtre; il y a parmi vous des calculateurs qui exigent que leur partenaire paie ses dépenses alors même qu'il ne peut pas. Il y a ceux qui courent derrière les célibataires fortunés afin d'en retirer le plus possible. Mais ces derniers risquent d'être déçus. Ce partenaire soi-disant riche ne l'est pas ou il est radin. Des Scorpion s'éloigneront de leur amoureux; ils ont besoin de prendre de l'air afin de réfléchir à leur vie de couple qui ne ressemble pas du tout à leur rêve d'amour ou au bonheur que l'autre avait promis de leur apporter. Ils en sont à un point où ils préfèrent s'en aller plutôt que de souffrir d'autant de désillusions. Ils ont envie d'une vraie vie avec quelqu'un d'authentique. Il est rare que le bonheur soit total dans la vie d'un Scorpion; par contre, s'il est assez sage pour s'en apercevoir, il appréciera les qualités de l'autre et réussira même à faire abstraction de ce qui l'agace.

FAMILLE. Bien des changements se produisent dans votre famille et un de vos enfants qui entame une vie nouvelle fonde son propre foyer; si vous êtes un parent *baby-boomer*, plusieurs deviennent des grands-parents et, étrangement, ils se sentent aussi responsables du nouveau-né que si celui-ci était le leur. Le Scorpion a un mal à fou à couper le cordon. Si un de ses enfants a l'âge de quitter le nid familial, le parent Scorpion, généralement indépendant, vit difficilement ce vide laissé par ce départ. Il y a parmi vous de jeunes parents conscients de leur rôle et de leur influence sur leurs petits. Ils sont présents, affectueux et plus aimants que leurs parents ne l'étaient pour eux.

SANTÉ. Vous serez fatigué, mais il vous suffit d'une bonne nuit de sommeil pour récupérer. Les Scorpion les plus malades ou qui souffrent d'un tas de malaises sont généralement des déprimés et des obsessifs. Quand vous laissez le découragement vous gagner, votre corps s'en plaint.

RÊVES ET MAL À L'ÂME. Le Nœud Nord est encore en Lion dans le dixième signe du vôtre ; il représente votre devoir envers la société et votre famille. Il symbolise l'ambition et les rêves de succès, mais il vous avise de voir où sont vos limites, où s'arrête votre pouvoir. Le Nœud Nord est en Lion depuis la fin d'octobre 1998 et lentement, vous avez modifié le cours de votre destin professionnel ainsi que l'idée que vous en aviez. Peut-être avez-vous été injuste ou vous a-t-on trompé à quelques reprises depuis cette période. Vous avez appris une leçon : tout ce qui brille n'est pas or et des gens soi-disant bien intentionnés vous ont trahi. Vos cours ne sont pas terminés, ne donnez pas votre confiance au premier venu. Ça fait toujours mal d'être trompé.

FÉVRIER

TRAVAIL. Si vous avez accepté un travail et que vous n'y êtes pas à l'aise, vous aurez l'audace d'en discuter. Vous serez fin diplomate et persuasif à tel point qu'on vous redonnera le poste que vous occupiez au départ. Sans faire trop de bruit, vous déplacez de l'air dans le milieu où vous êtes engagé. Vous faites la preuve d'un talent plus grand que vos juges et que vos patrons. C'est surtout à partir du milieu du mois, quand Jupiter entre en Taureau, que les choses reprennent un cours plus intéressant financièrement et intellectuellement. On vous enviera, on essaiera de vous mettre les bâtons dans les roues, mais vous voyez venir l'ennemi et vous possédez un don pour l'écarter sans qu'il y ait la moindre déclaration de guerre. Si vous êtes en affaires, vous augmenterez vos profits et pour bon nombre, il sera sérieusement question d'association. La prudence s'impose, ne signez aucun chèque sans une garantie en retour.

SANS TRAVAIL. Si vous cherchez un emploi dans un domaine mécanique, vous avez toutes les chances de trouver selon vos compétences et le salaire que vous espériez recevoir. Si vous ne travaillez pas parce que vous défendez vos droits – par exemple, on vous a congédié sous un faux prétexte, sans raison valable –, vous aurez sans doute besoin des conseils d'un avocat pour gagner votre cause.

AMOUR. Jusqu'au 18, sous Vénus en Capricorne, si les uns prennent une distance, d'autres au contraire sont si près et si attentifs à l'amoureux que ce dernier finit par manquer d'espace. Vous aurez aussi de la difficulté à exprimer vos véritables émotions comme si votre engagement n'était pas entier et que vous vous réserviez une porte de sortie. Sous Vénus en Capricorne, vous êtes analytique et peut-être prêterez-vous à l'amoureux des idées qu'il n'a pas. Soyez à l'écoute, vous n'êtes pas devin. Mais il est aussi possible que certains d'entre vous subissent la critique d'un partenaire qui, depuis toujours ou déjà trop longtemps, ne parle que de ses insatisfactions. Si tel est le cas, vous lui direz que vous n'en pouvez plus et que, comme le bonheur et le plaisir vous paraissent interdits, il est inutile de continuer. Si votre partenaire est malade, on ne trouve pas meilleure personne pour soutenir le moral d'un autre et pour l'encourager à se battre pour la vie.

FAMILLE. À partir du 19, sous l'influence de Vénus, d'Uranus et de Neptune en Verseau, sans doute aurez-vous la visite d'amis de vos enfants; on se confie à vous parce qu'on sait que vous êtes tolérant et que vous proposez des solutions efficaces, ou encore vos suggestions sont telles que cet ami d'un des vôtres sait où il doit aller ou ce qu'il ne faut pas faire dans l'instant. Si, par exemple, vous êtes le préféré d'un de vos neveux, celui-ci se racontera tout en sachant que ses confidences ne seront jamais répétées à qui que ce soit. Si vous êtes un sage Scorpion, vous aiderez peut-être plusieurs parents et amis à régler leurs problèmes.

SANTÉ. Si vous avez des engourdissements ou une toux qui n'en finit plus, consultez un médecin et exigez qu'on vous fasse un examen médical complet. Le ciel avise le Scorpion qui a tendance à prendre du poids facilement à suivre son régime conseillé par le médecin ou le naturopathe. Refaire sa garde-robe, ça coûte cher.

RÊVES ET MAL À L'ÂME. Si vous aimez la vie, si vous avez la foi, si vous êtes capable de dire à ceux qui veulent vous contrôler de s'en aller dès qu'ils font intrusion, si vous êtes indépendant, remerciez le ciel. Si, à l'inverse, votre signe fixe s'est accroché les pieds dans une image fausse de lui-même et qu'il s'accorde le droit de dire aux autres quoi faire, quoi penser, quoi dire, etc., ceux qui vous écoutaient vous déserteront. La solitude vous attend. Mais il n'est jamais trop tard pour changer.

MARS

TRAVAIL. Si vous vous acharnez à un nouveau projet, si vous vous êtes adapté au modernisme et, surtout, si vous travaillez dans le domaine des communications, vous obtiendrez en ce mois des résultats supérieurs à ceux que vous attendiez. Certains termineront des études afin d'accéder à un poste plus valorisant et plus payant. Si vous êtes dans un domaine comptable, vous découvrirez qu'une personne avec qui vous travaillez depuis longtemps a commis quelques fraudes ; elle vous a volé et vous sévirez comme un Scorpion en l'éliminant de la course. Si vous avez un esprit vengeur, vous lui barrerez la route partout où elle ira durant les prochains mois ; ce petit jeu du chat et de la souris peut même durer jusqu'à la fin de juin. Vous remplacerez des absents, vous ferez de nouvelles expériences professionnelles dont vous serez non seulement satisfait mais qui vous apporteront un plus côté carrière.

SANS TRAVAIL. Avec Mars dans le sixième signe du vôtre, si vous êtes en santé et si vous cherchez un emploi, deux offres vous seront faites. Choisissez ce qui peut vous conduire à votre idéal, n'acceptez pas un travail uniquement en fonction du salaire ; de toute manière, la différence ne serait pas énorme. Si vous êtes en congé de maladie, vous trouverez le temps long et, avant la fin du mois, vous aurez vu tous les films à la télé. Étrangement, l'ennui vous guérit plus vite que votre médecin ne vous l'avait dit.

AMOUR. Votre indépendance prend diverses formes. Vous vous absentez sans dire où vous allez. Vous vous mettez en colère alors que, jusqu'à présent, vous avez tout accepté de l'autre. Durant les deux premières semaines du mois, il est possible que vous partiez en vacances seul ou que vous disiez à l'autre, dans un seul souffle, tout ce qui vous pèse sur le cœur depuis quelques années. Dans une situation extrême, vous demanderez une séparation temporaire, sauf que, dans l'esprit d'un Scorpion, le mot « temporaire » n'a que très peu de valeur. Êtes-vous follement amoureux ? Si vous sentez votre partenaire se retirer dans une solitude où il n'est pas heureux, vous aurez une réaction surprenante : vous lui suggérerez une destination exotique et si vous n'avez jamais fait ce genre de proposition, non seulement étonnerez-vous votre amoureux, mais il n'aura plus qu'une idée, découvrir cette nouvelle personne que vous devenez.

FAMILLE. Jupiter et Saturne sont en face de votre signe ; s'il y a un décès dans votre famille, un héritage à se partager, n'allez surtout pas croire qu'il se fera dans la paix. S'il est possible de vous faire représenter plutôt que d'être en face de parents qui se disputent, optez pour cette solution, sauvegardez votre paix d'esprit et ménagez vos énergies. Si l'un de vos parents est âgé et malade, un des vôtres qui se dit plus près de ce parent insiste pour en prendre soin. Pour vous, la proximité se passe bien au-delà de l'acte de tenir la main de quelqu'un. Lorsque vous aimez, vous pouvez le faire à distance, qu'on soit ou non en bonne santé. Saturne et Jupiter ont aussi un étrange effet : si, par exemple, vous avez perdu la trace d'un parent, d'un frère ou d'une sœur, ou si vous ne les avez jamais connus, sous ce ciel, les possibilités de retrouvailles sont énormes à condition que vous ayez cherché.

SANTÉ. C'est surtout sous la Lune en Balance ou en Bélier que vous aurez des chutes de vitalité ; les accumulations de stress se produisent durant ces jours. S'il vous est alors possible de vous reposer, faites-le et si vous pouvez prendre congé, c'est encore mieux.

RÊVES ET MAL À L'ÂME. Méfiez-vous de vos tensions qui, en fait, sont les fruits de vos pensées négatives. Pluton qui régit votre signe symbolise votre subconscient ou ce que vous retenez, ce qui y est contenu, ce à quoi vous ne réfléchissez pas dès qu'un sombre souvenir vous revient en mémoire ; vos refus du réel vous épuisent plus que vous ne l'imaginez. La fatigue et un moral à plat vont très bien ensemble. Le Nœud Nord est encore en Lion ; son passage s'achève, mais il insiste, si telle est votre nature, pour que vous relâchiez votre emprise sur autrui.

AVRIL

TRAVAIL. Cette fois, Mars, Saturne et Jupiter sont en face de votre signe et Uranus est tendu. Mais ne craignez rien, ce ciel présage une foule de changements que vous avez préparés minutieusement, lentement et sûrement. Si vous êtes en affaires, il sera question d'association et de signature de contrat ou d'entente, et il est important que vous soyez attentif. Si vous doutez de la bonne foi d'un de vos futurs associés, votre grande sensibilité vous a permis de ressentir la fumisterie ou la tromperie en cours. Avant d'être officiellement lié, demandez les conseils d'un avocat et modifiez le cours du temps. Celui qu'on voyait perdant se voit accorder la médaille d'honneur. Il arrive premier à la course. Si vous êtes en commerce, pendant que des Scorpion doublent leurs avoirs, d'autres pensent à vendre. Quelle que soit votre décision, vous irez au bout de votre idée ; si vous achetez, vous négocierez jusqu'au moment où vous aurez votre prix. Si vous vendez, vous n'essuierez aucune perte ; au contraire, vous réaliserez un profit au-delà de ce que vous espériez.

SANS TRAVAIL. Les paresseux sont rares sous votre signe. Mais il arrive qu'il y ait des périodes plus difficiles que d'autres et qui semblent interminables. Mais en ce mois, si vous avez fait des démarches, au moment où vous êtes découragé, soudainement, on vous offre un emploi et justement celui que vous vouliez le plus. La bonne nouvelle peut vous parvenir dès le début du mois. Les trois planètes en Taureau en face de votre signe ont deux effets très différents : la stimulation, l'ambition, la prise de conscience de l'importance de son indépendance économique et émotionnelle ou, au contraire, la déprime et la passivité qui ne rendent service à personne.

AMOUR. À partir du 7, sous l'influence de Vénus en Bélier, il peut y avoir un coup de foudre, ce qui précède une tornade dévastatrice. Si vous êtes en mal d'aimer et d'être aimé, vous devenez une proie facile, plus manipulable que vous ne l'imaginez. Si vous êtes aimé, vous affichez une indépendance qui ne vous ressemble pas. Vous vous retenez de dire à l'amoureux à quel point vous tenez à lui. Vous cessez de lui donner des attentions alors que vous avez envie de lui faire plaisir. Mais qui vous a dit que pour retenir quelqu'un il fallait garder ses distances? Cette personne qui vous a mal conseillé est-elle heureuse? Il est vrai aussi que le travail sépare les amoureux, il reste le téléphone pour garder le contact.

FAMILLE. Si vous vivez dans une famille reconstituée, si les enfants de l'un et de l'autre habitent ensemble, l'un d'eux peut déclarer qu'il est injustement traité. Si c'est faux dans quelques familles, c'est vrai pour d'autres. Si vous n'êtes pas directement responsable de l'isolement que vivent des enfants, les vôtres ou ceux de l'autre, sans doute devriez-vous réfléchir au sujet de votre union. Ce qui était au départ accepté comme allant de soi ne l'est plus. Croyez-vous que cette situation soit saine ou même normale? Attendez-vous la fuite de l'un pour réagir? Si vous ne trouvez pas une solution, ayez la sagesse de consulter un psychologue ou tout autre thérapeute qui vous inspire confiance.

SANTÉ. Votre digestion est capricieuse. Il est possible que votre stress soit la raison de vos maux de ventre ou, chez les femmes, d'un dérèglement hormonal. N'attendez pas qu'on soit obligé d'appeler une ambulance si les malaises persistent; insistez auprès de votre médecin pour subir un examen complet de la région douloureuse.

RÊVES ET MAL À L'ÂME. À partir du 10, le Nœud Nord entre en Cancer dans le neuvième signe du vôtre où il devient symbole de sagesse ou d'aspirations à celle-ci. Automatiquement, le Nœud Sud est en Capricorne dans le troisième signe du Scorpion, ce qui signifie que les connaissances accumulées ainsi que vos diverses expériences sont maintenant utiles à la fois pour un mieux-être ou pour améliorer votre situation sur le plan professionnel. Commencent aussi pour vous une période de détachement, une meilleure compréhension des réactions d'autrui ainsi qu'une tolérance envers la bêtise humaine que vous pensiez ne pas posséder.

MAI

TRAVAIL. Au début du mois et plus particulièrement le 4, il y aura six planètes en Taureau en face de votre signe; certaines seront sous tension avec Uranus, d'autres avec Neptune en Verseau. Si ces dernières sont à l'opposé et en carré à votre signe, les premières sont aussi complémentaires et vous signifient sérieusement d'aller au bout de ce que vous entreprenez; les carrés qui se forment incitent à prendre des décisions si fermes qu'il devient impossible de reculer. Pour plusieurs, il s'agit de renouveau professionnel, d'une réorientation de carrière, de l'obtention d'un poste dont ils rêvent depuis longtemps. En affaires, le ciel présage une association avec une entreprise influente et puissante. Il est dans ce cas important de ne pas y perdre sa part de pouvoir décisionnel. Il est aussi possible que le siège social de la compagnie déménage et vous entraîne loin du lieu où vous habitez présentement. C'est comme si, à partir de maintenant, tout allait se modifier à une allure plus rapide.

SANS TRAVAIL. C'est souvent lors d'une crise sociale ou économique que vous montrez vos vraies couleurs. Quand vous êtes au défi ou au pied du mur, vous avez des ressources surprenantes et une capacité de réagir hors de l'ordinaire. Vos solutions vous viennent d'une intuition, d'un pressentiment. Si vous n'avez pas d'emploi et si vous êtes en santé, si vous avez vraiment besoin d'argent pour vous-même et pour votre famille, en moins de deux, vous trouverez le moyen de gagner votre vie et de faire plus d'argent qu'auparavant.

AMOUR. Si vous ne pouvez définir votre bonheur, peut-être n'a-t-il même jamais existé. Malgré cette absence de joies, vous êtes resté, puisque le jour où vous avez dit oui, c'était pour le meilleur et pour le pire. Vous n'avez pas l'habitude de rompre vos engagements, mais il arrive à certains Scorpion de tromper, de tricher, d'avoir des aventures ; si vous êtes de ceux-là, sous ce ciel de mai, vous serez persuadé de n'avoir jamais été aussi séduisant, et comment résister à cette splendeur quand l'amour s'offre. Mais il y a aussi le Scorpion qui refuse de jouer à cache-cache et qui repousse toute promiscuité. Heureux ou malheureux, il n'irait jamais à l'encontre de sa promesse ; pour celui-ci, même si l'autre avait pris ses distances, il y a soudainement un tendre rapprochement. Si vous êtes jeune, en amour, en âge d'être un parent, la nature vous lance un appel auquel vous répondrez ; ce sera un premier, un deuxième ou un troisième enfant. En tant que célibataire, votre magnétisme est si puissant qu'il faudrait fermer les yeux pour ne pas croiser ces regards de désir qui se posent sur vous.

FAMILLE. Si vous prévoyez déménager, si vous avez une maison à vendre, la transaction peut se faire si rapidement que vous emménagerez dans un appartement qui ne fera pas vraiment votre affaire. Mais la situation est temporaire et vous trouverez un peu plus tard ce qui convient à votre famille. Il est important que vous vous rapprochiez de la nature, par exemple avoir un jardin, juste ce qu'il faut pour vous réénergiser. Si vous êtes au milieu d'un débat au sujet d'un héritage, ce ciel ne présage aucun règlement rapide.

SANTÉ. Ce ciel astral sous la signature du Taureau vous met en garde contre des repas pris à toute vitesse sur le coin de la table. Vous pourriez avoir une montée d'acidité ou, pis encore, un ulcère qui s'annoncera par des maux de dos peu de temps après que vous aurez mangé. Une alimentation saine est nécessaire pour préserver votre énergie.

RÊVES ET MAL À L'ÂME. Si vous entretenez des rancunes, vous aurez l'impression que ces trahisons ou ces événements traumatisants survenus il y a parfois bien des années sont aussi vivants que s'ils se produisaient maintenant. Ce n'est pas facile de passer l'éponge quand on a une aussi bonne mémoire que la vôtre. Pourtant, il vous faudra traverser cette étape pour votre mieux-être, pour une meilleure qualité de vie et pour votre paix d'esprit.

JUIN

TRAVAIL. Jusqu'au 16, avisez ceux qui travaillent avec vous de ne vous déranger que lorsque c'est vraiment nécessaire. Vous ne tolérerez ni ceux qui parlent pour ne rien dire ni ceux qui n'ont rien à vous apprendre; on est prié de s'abstenir quand vous êtes occupé. Vous serez concentré, acharné à votre objectif. Vous ferez plus d'heures qu'à l'accoutumée, vous ne verrez pas le temps passer. Lorsque vous négocierez, vous serez ferme à un point tel que non seulement on n'osera pas vous contredire, mais on ne le pourra pas. Vous ne perdrez en aucun temps votre sang-froid, vous serez logique sans être dur, vous serez confiant sans être dédaigneux ou hautain. Il y a certaines personnes que vous refuserez de voir parce que vous savez qu'elles veulent beaucoup de vous, mais n'ont rien à offrir en retour. Vous devenez sélectif non pas uniquement par intérêt, mais aussi par intuition. Vous avez décidé d'éloigner les manipulateurs et les paresseux. C'est le genre de ménage auquel il vous faut procéder pour régler toutes vos affaires en cours et pour progresser.

SANS TRAVAIL. Si vous avez fait des démarches, vous n'aurez pas qu'une seule offre d'emploi mais au moins deux. Si vous avez perdu votre travail à la suite de compressions budgétaires d'une entreprise, si vous songez à lancer votre propre affaire pour ne plus dépendre de personne, en peu de temps, vous rallierez les bons individus qui seront emballés par vos idées et par votre méthode de rémunération.

AMOUR. Il est difficile de ne pas plaire avec tout ce charme dont vous disposez. Vous attirerez une personne avec laquelle vous aurez une grande différence d'âge. Si cela vous inquiète au début, l'amour l'emporte sur les convenances et les traditions. Vous n'aurez que faire des bavardages sur votre compte. Vous vous direz simplement que vous êtes devenu drôlement intéressant et tout à la fois inquiétant pour ces quelques amis offensés par votre nouveau couple. Vous êtes entré dans une zone où de nombreux Scorpion deviennent marginaux. Si votre union se poursuit depuis 10 ou 20 ans, si les beaux sentiments glissent encore de l'un à l'autre, vous aurez follement envie de fêter et sans doute partirez-vous en voyage avec votre partenaire. Plusieurs choisiront un lieu de pèlerinage ou un lieu sacré par besoin de contact entre le ciel et la terre qui les ont si bien servis jusqu'à présent.

FAMILLE. S'il y a encore au-dessus de votre tête cet héritage et des parents qui se disputent les restes d'un défunt comme l'oiseau de proie au-dessus d'un cimetière à ciel ouvert, vous prendrez une plus grande distance vis-à-vis d'eux sans toutefois renoncer à ce qui vous revient. Votre méthode est douce et sans violence, vous savez fort bien que ce qui vous appartient vous sera remis. En tant que parent, si vous appartenez au clan des possessifs, si vous êtes dictateur, sous Neptune et, surtout, sous Uranus en Verseau, vos enfants, s'ils ont l'âge de contester, vous en feront voir de toutes les couleurs et pas les plus jolies. Par ailleurs, si vous avez toujours respecté leurs choix, il est possible que l'un d'eux qui avait cessé d'étudier vous demande votre aide afin de terminer un cours dans un domaine qu'il avait abandonné parce qu'il n'était plus sûr d'être sur le bon chemin. Vous vous dévouerez et sans le lui dire, vous trouverez l'argent lui permettant son retour aux études.

SANTÉ. Avec tous ces changements que vous effectuez ici et là, à l'extérieur et en dedans de vous, même si vous êtes parfaitement lucide, votre foie subit des chocs; si, de plus, vous ne vous nourrissez pas bien, vous serez obligé d'adopter une discipline alimentaire qui ne vous plaira pas tous les jours.

RÊVES ET MAL À L'ÂME. Le Nœud Nord en Cancer vous change, vous adoucit, panse vos peines et vous fait prendre conscience que le passé restera toujours ce qu'il a été mais que le futur vous appartient. Ces tristes pensées et ces déprimes qui survenaient sans avis avaient une raison d'être: vous faire réfléchir à votre chance et à la force morale reçues en cadeau à votre naissance.

JUILLET

TRAVAIL. Jupiter est entré en Gémeaux, huitième signe du vôtre, et y restera jusqu'en juillet 2001. Vous ferez de meilleures affaires que durant les mois précédents, vous serez encore plus audacieux. Après tout, pourquoi s'arrêter alors que tout est en progression? Mais il y a un vieux proverbe qui dit que l'ambition tue son maître. Si vous étiez sur cette voie, quelques signaux seront émis dans votre direction, par exemple ralentir ou, du moins, modifier vos méthodes de production; cela ne vous fera pas perdre quoi que ce soit, mais vous vous ferez des amis plus influents que ceux que vous avez. Si vous faites commerce avec l'étranger, pendant que bien des gens sont en vacances, vous ferez vos valises pour conclure une négociation et enfin rencontrer ces gens avec lesquels les communications furent généralement par Internet ou par téléphone. Vous serez vous-même surpris de la vitesse avec laquelle vous transigez.

SANS TRAVAIL. Si vous cherchez un emploi, vous en trouverez; les domaines suivants sont les plus favorisés: la restauration, les meubles, l'ébénisterie, la médecine douce, l'alimentation naturelle, l'écologie, le commerce d'eau potable et les appareils de purification d'air.

AMOUR. À partir du 14, sous l'influence de Vénus en Lion qui, à son entrée, est en face de Neptune et qui se retrouvera lentement face à Uranus, s'il y a des tensions dans votre couple, elles risquent d'occuper votre esprit; vous imaginerez par tous les moyens comment vous pourriez rétablir la paix. Si vous êtes avec le même partenaire depuis des années, vous réussirez à vous faire entendre; si toutefois l'union est récente, l'autre et vous parlerez de conditions et non pas de compromis. Vous êtes généralement assez intuitif pour voir venir la tempête; celle-ci vous secouera et vous devrez trouver un abri en attendant qu'elle se calme. Il y a des mots qui sont inutiles. Si l'amoureux est emballé et en colère, ne pouvant résister bien longtemps à ce remous intérieur, si vous avez eu la bonne idée de ne pas perdre patience, à la fin du mois, les explications se feront paisiblement et, de préférence, choisissez un terrain neutre pour parler. En tant que célibataire, ne vous laissez pas tromper par les apparences, ce qui brille n'est pas nécessairement or et si quelqu'un vous semble ne pas avoir de passé, vous vous trompez. Sur quelques ascendants, les planètes mentionnées précédemment présagent une maladie ou un mal physique pour l'amoureux; vous êtes avec votre conjoint par amour et ce n'est certainement pas dans ce genre de situation que vous le laisserez tomber.

FAMILLE. Sous l'influence de Jupiter en Gémeaux, de Neptune et d'Uranus en Verseau, il est possible qu'un ami vous dise quoi faire au sujet de vos problèmes familiaux alors qu'il n'a ni conjoint ni enfant; il n'est pas non plus psychologue, mais il vous propose une méthode disciplinaire pour vos enfants qu'il n'aurait jamais lui-même appliquée. Faites-vous le plaisir de le congédier.

SANTÉ. Si vous avez des problèmes circulatoires et des engourdissements aussi passagers et de courte durée soient-ils, passez un examen médical.

RÊVES ET MAL À L'ÂME. À partir du 17, Mars sera conjoint au Nœud Nord en Cancer et vous vous poserez des questions sur votre rôle parental. Êtes-vous un bon parent? Vous rencontrerez des personnes qui s'amuseront à vous faire douter de votre amour pour votre famille et plus encore de celui que vous donnez à vos enfants. Fermez les écoutilles, ne laissez pas ces paroles polluées s'infiltrer en vous. Il est possible que vous reconnaissiez que vous avez été trop ou pas assez sévère; quel que soit l'âge de vos enfants, vous aurez une conversation avec chacun d'eux; vous avez besoin de savoir ce que vous avez fait de bien et ce qui leur a manqué. Quant aux manquements, même si vous ne pouvez refaire le passé, il est toujours temps de vous rattraper, et ce, quoi qu'en disent les professionnels de la santé mentale. Si les souvenirs sont aussi tenaces que les mauvaises herbes, le futur est une terre neuve que vous pouvez ensemencer comme vous le voulez.

AOÛT

TRAVAIL. Mars, la planète qui régit votre signe, est en Lion dans le dixième signe du Scorpion; pendant que bien des gens sont en vacances, vous travaillez pour deux, vous remplacez des absents ou vous avez accepté de faire des heures supplémentaires plutôt que de ne pas avoir de travail du tout. Même si on ne vous avait pas mis au pied du mur, vous seriez aussi dévoué. Certains s'acharneront à un projet spécial commandé pour la mi-septembre. C'est une course contre la montre et vous avez bien l'intention d'être le premier à la ligne d'arrivée. Ne soyez pas étonné que quelques envieux vous fassent une mauvaise réputation; ils jalousent votre énergie et vos capacités. Ce que vos ennemis ne savent pas, c'est que plus vous avancez, moins ils ont de pouvoir sur vous. Si vous êtes en affaires, en commerce, à la mi-août, il est possible que vous fassiez une nouvelle acquisition ou que vous ayez une entente, ou encore un échange de services avec des gens qui exercent une profession semblable à la vôtre. Si vous êtes poursuivi, si, par exemple, quelqu'un demande une compensation financière pour un tort que vous êtes censé lui avoir fait, vous réglerez et vous vous en tirerez à bon prix, ou encore vous vous organiserez pour que le problème en question se retourne contre l'autre. Vous êtes toujours plus astucieux que vous n'en avez l'air.

SANS TRAVAIL. Si votre médecin vous a conseillé le repos, il faut l'écouter. Si vous retournez au travail trop rapidement, vous aurez une rechute et rien de plus choquant pour un Scorpion que de constater sa propre limite. Si vous faites un travail manuel, respectez les règlements et les mesures de prudence que l'entreprise impose. Mars en Lion vous bouscule; vous voulez tout faire trop vite et vous risquez une blessure.

AMOUR. À partir du 7, avec Vénus en Vierge, c'est le calme après la tempête quand il y a eu une dispute ou une forte tension dans votre couple. Entre le 13 et le 18, vous serez porté à prendre vos distances vis-à-vis de l'amoureux; vous avez besoin de repos, de silence; plutôt que de partir sans rien dire, expliquez-lui à quel point il est important de vous ressourcer seul, ne serait-ce que pour une journée. Votre partenaire comprendra et, par la même occasion, il est possible qu'il vous annonce qu'il a lui aussi besoin de décompresser sans vous. En tant que célibataire, votre charme est toujours aussi efficace, mais vous ne voyez pas qui vous fait les yeux doux, vous choisissez de ne pas voir.

FAMILLE. Par les temps qui courent, des gens qui s'introduisent dans votre vie intime et que vous n'aimez pas particulièrement retourneront d'où ils sont venus et sans doute iront-ils en harceler d'autres. Quant à vous, vous ne les supportez plus, ce que vous leur direz sans ménagement pour être certain qu'ils ont compris. Sous ce ciel d'août, vous clarifierez votre situation familiale, surtout si vous vivez dans une famille reconstituée, si votre partenaire et vous avez des *ex* qui ne cessent de vouloir vous arracher à votre présent bonheur. S'il y a des enfants au milieu de tout ça, assez grands pour comprendre, vous expliquerez sans détour ce que vous avez vécu, ce que vous vivez et ce que vous avez l'intention de vivre dans l'avenir avec eux et votre partenaire actuel. Rien de mieux que la vérité pour calmer tout le monde.

SANTÉ. Si vous exercez un sport de vitesse, par exemple la bicyclette ou le patin à roues alignées, soyez prudent et si un beau matin vous vous levez avec l'intuition que vous pourriez faire une chute, écoutez-vous et annulez votre activité. Il va de soi que l'alcool au volant, c'est criminel. Malgré ce sérieux avertissement, certaines gens conduisent en état d'ébriété et si vous êtes tenté de boire, de grâce, ne prenez pas votre voiture!

RÊVES ET MAL À L'ÂME. Il y a toujours un temps où l'on ne se reconnaît plus. Vous êtes en plein dans cette période. Vous n'avez plus les mêmes désirs, votre ambition semble s'être enfuie, vous n'avez plus cet orgueil qui vous allait comme un gant. La passion vous a déserté, les amis fous et les marginaux ont disparu, les sérieux et les vrais sont restés ; quelque part au fond de vous-même, vous vous dites que ce n'est pas possible d'avoir autant changé. Le Nœud Nord en Cancer poursuit son œuvre d'épuration. Vous mûrissez en sagesse et cela ne s'est pas fait à toute vitesse. Il a fallu des épreuves pour y arriver et, en ce mois, vous n'avez pas oublié à quel point vous avez souffert intérieurement.

SEPTEMBRE

TRAVAIL. C'est toujours la course vers le sommet ; plus vous montez, plus vous vous sentez seul ; dites-vous qu'il y a bien des gens en bas et que c'est normal d'avoir moins d'amis une fois en haut. L'escalade demande un effort soutenu, du souffle, de la ténacité, et vous possédez toutes ces qualités ; si vous vous contentez de dorloter vos angoisses et vos peurs, vous menez une vie stérile et même si vous avez un emploi, vous n'êtes jamais satisfait. Si vous travaillez en collaboration avec un membre de votre famille, si depuis plusieurs années vous êtes en affaires, si vous possédez un commerce, les résultats sont de plus en plus satisfaisants et vos idées d'expansion plus nombreuses que jamais. Si vous êtes cet audacieux qui part de zéro ou presque pour ensuite grimper dans la hiérarchie d'une entreprise ou si vous êtes à votre compte et que vous faites des profits de plus en plus intéressants, dites-vous que ces bénédictions et ce succès sont mérités. Sous ce ciel de septembre, si, dans le passé, vous avez remis sur pied une entreprise qui était sur le point de fermer ses portes, la même offre vous sera faite. Les années ont passé, vous avez de l'expérience et, cette fois, vous vous ferez payer suffisamment pour recouvrer ce que vous n'avez pu gagner quelques années plus tôt.

SANS TRAVAIL. Si vous ne faites aucune démarche et que vous désirez un emploi, si vous attendez qu'on frappe à votre porte et qu'une offre vous soit faite, vous vous trompez. Sous ce ciel, rien de plus facile que de travailler : il vous suffit de regarder les petites annonces, de faire quelques appels téléphoniques, d'obtenir un rendez-vous, et c'est gagné. Si vous n'avez pas la compétence pour être président d'une compagnie, cessez de l'espérer. Par contre, si vous commencez au bas de l'échelle, vous aurez toujours la possibilité de grimper.

AMOUR. Paix en amour, amour paisible et tendre, promesses que chacun se fait dans le non-dit. Silences qui en disent plus long que tous les discours et escapades romantiques pour mieux se retrouver, pour se regarder dans le regard de l'autre. Voilà, en bref, l'influence que Vénus en Balance exerce sur vous. Servir l'autre quand vous vous savez aimé vous fait plaisir, et c'est dans un tel climat que l'amour se déroule et que les amoureux redeviennent des amants. En tant que célibataire, si vous êtes encore seul, nul doute que vous avez choisi de le rester. Une conquête vous fait du bien, mais elle ne vous engage pas. Une aventure vous égaie, mais vous ne courez pas le risque de tomber amoureux par peur d'être enchaîné.

FAMILLE. Si vous avez des enfants et, surtout, des petits-enfants, vous ne savez plus quoi leur donner pour qu'ils soient plus heureux ; sans doute ont-ils reçu tant d'amour que le reste leur paraît superficiel. Mais il y a des Scorpion qui s'imaginent que l'éducation d'un enfant ne peut se faire que par une discipline de fer. Si vous êtes de ceux-là, il est possible qu'on aille jusqu'à porter plainte contre vous. Sous votre signe, il y a le vrai parent, le donnant, et l'autre qui possède ses enfants comme des choses à mettre en place.

SANTÉ. Du 18 jusqu'à la fin du mois, Mars fait d'abord un aspect dur à Saturne, puis un autre à Jupiter. Protégez votre dos. Votre foie, plus particulièrement si vous êtes au-dessus du poids normal, sonnera l'alerte générale ; si vous avez parfois des étourdissements, passez donc un examen, ne serait-ce que pour vous entendre dire par votre médecin que vous devez absolument suivre un régime.

RÊVES ET MAL À L'ÂME. C'est votre mois de réparations. Si vous avez commis une faute envers autrui, vous vous en excuserez. Si vous avez été injuste envers une personne qui vous a toujours soutenu dans le meilleur comme dans le pire, vous corrigerez la situation en la remerciant comme elle le mérite. Si toutefois vous êtes en colère contre vous tout en accusant le monde entier d'être responsable de votre insuccès, vous aurez cette fois l'occasion de faire autrement, de vous réconcilier avec vos parents qui ont été pendant déjà trop longtemps vos ennemis.

OCTOBRE

TRAVAIL. Ces jours qui précèdent votre anniversaire ne vous épargnent pas les corvées. Vous travaillerez comme un forcené, comme quelqu'un qui a peur que quelque chose lui échappe. Vous ne serez pas de tout repos pour vos collègues ou pour vos collaborateurs. Il est possible que dans votre milieu de travail, surtout durant les deux premières semaines du mois, des changements s'opèrent et que vous soyez le dernier avisé. Si vous êtes en commerce, si vous vendez ou achetez d'un ami, il est important de faire les choses en règle, exactement comme s'il s'agissait d'un inconnu. Il y a danger que vous perdiez de l'argent en faisant confiance à quelqu'un que vous pensiez connaître. Il est également à souhaiter que vous ayez un système d'alarme et, si possible, une caméra témoin ; ainsi protégé, vous éloignerez les voleurs et si vous êtes visité, les images vidéo vaudront mille mots et preuves. Si vous avez l'habitude de transiger par Internet ou par téléphone, en ce mois, ne vous fiez pas trop aux promesses mécaniques, elles peuvent être trompeuses.

SANS TRAVAIL. Si vous aviez un travail spécialisé et qu'on a supprimé votre poste parce que l'entreprise utilisera désormais un robot à votre place, plutôt que de vous mettre en colère contre le modernisme, pourquoi ne pas retourner aux études! Mercure est dans votre signe et fera un aspect dur à Uranus puis à Neptune, pour ensuite en faire un autre à Uranus. Si vous espérez revenir au bon vieux temps, vous vous leurrez. On n'arrêtera pas la machine payante pour vous faire plaisir. Il ne vous reste qu'à vous adapter. Si vous trouvez une excuse après l'autre pour ne pas travailler, en ce mois, pour vous nourrir et pour payer votre loyer, vous accepterez un emploi qui sera en dessous de vos compétences mais qui, tout de même, vous donnera la chance de vous remettre dans la course.

AMOUR. Il y a des périodes où vous êtes jaloux. Vous soupçonnez votre partenaire d'infidélité alors que rien n'est changé dans son comportement. Il est même plus attentif à vous qu'il ne l'a jamais été. Il vous complimente, il vous fait plaisir et plutôt que d'apprécier ces attentions, vous gâchez le temps passé en sa compagnie. Mais il y a des Scorpion sages; ce sont des aigles, des indicateurs qui, du haut des airs, avisent quand il y a danger; aimant et attaché, vous préviendrez votre conjoint d'un danger qui le guette; si les uns ont de l'intuition, d'autres rêvent de l'événement menaçant comme s'ils y étaient. Vous faites souvent de la télépathie avec cet autre que vous aimez et respectez comme s'il était une partie de vous-même. Comme dans chacun des signes, il y a des manipulateurs. Ils ne pensent qu'à une chose: prendre. Si vous vous reconnaissez comme étant une personne incapable d'aimer et habile à soutirer le maximum de qui vous aime, au début de ce mois, ce petit jeu ne fonctionne pas et vous serez éconduit.

FAMILLE. Plus vous serez proche de votre anniversaire, meilleures seront vos relations familiales. Si vous avez des enfants, vous prendrez congé pour être proche de l'un d'eux; vous pressentez qu'il a besoin de vos attentions, de votre tendresse et d'une réassurance. Il veut savoir si vous l'aimez toujours autant. Si les petits agissent ainsi, les grands le font aussi. Quant à ces enfants devenus des adultes, ils veulent lever le voile sur le mystère qui vous entoure; si, pour eux, vous êtes un être fort, ils veulent vos trucs et votre recette.

SANTÉ. Si vous avez une discipline alimentaire, advenant un problème digestif, il sera rapidement éliminé. Si vous faites des allergies, si vous avez des maux chroniques, durant les deux premières semaines du mois, gardez vos médicaments prescrits sur vous; ne partez jamais sans eux. Il s'agit là d'une élémentaire prudence.

RÊVES ET MAL À L'ÂME. Octobre est votre mois de réflexion sur votre existence, du moins jusqu'au 23 et surtout en ce qui concerne la famille, vos enfants. Si vous n'en avez pas, peut-être prenez-vous soin de celui d'un autre ou de vos parents, de vos neveux, de vos nièces, etc. Si vous êtes dévoué, vous serez fier de ce que vous avez accompli. Si toutefois vous n'avez encore rien fait pour qui que ce soit, vous serez gonflé de culpabilité et plus encore des souffrances que votre isolement vous font subir. Quel que soit votre âge, il est toujours temps de sortir de votre coquille, d'autant plus qu'elle est devenue très étroite.

NOVEMBRE

TRAVAIL. En cet avant-dernier mois de l'année, zone anniversaire, vous êtes sur votre élan. Ce qui a été entrepris les mois précédents porte des fruits. Si vous faites le bilan, vous vous rendez compte que tout a changé ou presque, mais que vous êtes encore là et surchargé de travail, sauf que vous êtes moins stressé qu'auparavant. Si vous êtes en commerce, si vous êtes en relation directe avec le public, des clients seront collants et mielleux. Sous prétexte que vous les connaissez bien et qu'ils vous ont fait faire de l'argent alors que votre marge de profits a toujours été minimale avec eux, ils veulent un gros rabais ou vous demandent de leur faire crédit. Soyez méfiant, car si vous acceptez, ils pourraient disparaître sans laisser de traces, si ce n'est qu'un trou dans votre budget.

SANS TRAVAIL. Si vous cherchez du travail, là où vous êtes le plus susceptible de trouver, c'est dans un domaine hospitalier, qu'importe le genre d'emploi ; vos compétences sont requises dans les pharmacies quel que soit votre titre ; les milieux tels que l'esthétique, la couture, la mode, la fabrication de vêtements et l'informatique ont besoin de vous. Si vous êtes sans emploi et en santé, et si vous ne cherchez pas, vous aurez le temps de songer à un moyen malhonnête pour avoir des fonds. Un vol de banque ou quelque fraude que ce soit vous sont fortement déconseillés, vous seriez pris la main dans le sac. Mars en Balance est symbole de justice et, en ce qui vous concerne, la sanction pourrait être sévère.

AMOUR. Si vous êtes un être logique qui croit que l'amour doit être pensé, planifié, organisé, prévu, vous n'y êtes pas. Les sentiments sont semblables à l'eau : ils sont informes, constamment en mouvement. L'amour qui possède risque de se perdre. Le jaloux finit par avoir raison quand il est trompé. Vous possédez un puissant magnétisme et, en ce mois de novembre, vos pensées se projettent et se jettent devant vous ; elles se concrétisent. Ne pensez pas à n'importe quoi, et surtout pas au pire que vous finiriez par provoquer.

FAMILLE. On ne peut nier que des drames se produisent dans certaines familles ; la maladie et la mort existent même si notre monde occidental veut qu'elles soient abstraction ou inexistence. Jupiter en Gémeaux vous fait réfléchir à des événements passés et traumatisants, mais il vous invite aussi à regarder en face et à voir que la vie continue malgré les épreuves. Un de vos enfants, un frère ou une sœur traverse une zone grise, mais il a la chance que vous soyez là pour lui tenir la main alors qu'il a perdu l'équilibre. Quand un tel accident se produit, il n'y a personne à accuser. Considérez la maladie comme une étape, une acceptation de vos propres limites.

SANTÉ. Vu votre stress, votre pression sanguine peut varier. Si toutefois vous êtes constamment fatigué, un examen médical complet s'impose. Sous votre signe, il n'est pas rare que votre thyroïde soit en détresse.

RÊVES ET MAL À L'ÂME. Jamais vous ne ferez plaisir à tout le monde et à vous-même, et ce, malgré toute votre volonté. Vous vous apercevrez en ce mois que des gens que vous fréquentez depuis longtemps sont insatiables et continuellement mécontents. Vous avez fait tout ce qu'il y avait en votre pouvoir pour leur faciliter la vie, mais ils sont au même point qu'il y a des années. Vous êtes un signe fixe; il n'est jamais facile de vous séparer des gens, même de ceux qui en ce moment vous nuisent ou minent votre bonheur, mais vous trouverez le courage de leur dire adieu parce qu'une bonne part de votre survie émotionnelle en dépend.

DÉCEMBRE

TRAVAIL. Ce n'est pas facile d'être humble quand on est fier comme un paon. En ce mois, vous mettrez votre orgueil de côté quand on vous chargera de tâches ingrates, bien en dessous de vos compétences mais nécessaires à la bonne marche de l'entreprise. Si vous pensiez pouvoir partir en vacances pour les fêtes, sans doute devrez-vous remettre votre voyage à plus tard. Il y a des urgences auxquelles vous devez répondre et il y va souvent de votre emploi. Si, par peur de manquer d'argent, vous travaillez à deux endroits, quand les deux vous demanderont de faire des heures supplémentaires, vous serez obligé de choisir. Dans votre milieu professionnel, comme chaque année, des fêtes sont organisées. Vous aurez bien envie de vous en abstenir, mais ce ne serait pas une bonne idée. Si vous travaillez dans le domaine des services publics, on aura besoin constamment de vous.

SANS TRAVAIL. Si vous êtes en santé et si vous n'avez pas trouvé d'emploi, c'est sans doute parce que vous n'avez pas suffisamment cherché ou que, pour chaque offre, vous avez fait en sorte qu'on ne retienne pas votre candidature. Il y a un tas de planètes sous votre ciel qui favorisent le secteur professionnel.

AMOUR. Aimer l'autre n'est pas simple parce qu'il est si différent de soi. Dès l'instant où vous pensez le connaître, dès la minute où vous êtes certain d'être compris, une question vous est posée et c'est justement celle qui vous révèle que vous êtes un inconnu en face d'un autre inconnu. Pourtant, les beaux sentiments se faufilent entre vous et tissent une toile magique; ils vous permettent de vous réinventer constamment afin de demeurer séduisant pour cet inconnu et de lui donner l'occasion de faire votre conquête. Votre union tient souvent au fait que votre partenaire ne sait pas qui vous êtes, et vous entretenez le mythe et le mystère. En ce mois de décembre, vous ferez voir le ciel et l'enfer à votre partenaire. Vous serez celui en qui on peut croire, mais dont on peut douter. C'est là un jeu dangereux. Sera-t-on fasciné ou, au contraire, découragé que vous soyez aussi hors d'atteinte et si proche à la fois?

FAMILLE. C'est le mois des réunions familiales, celles auxquelles vous adorez participer et les autres que vous avez envie de fuir. Vous ferez un grand pas dans votre histoire, puisque vous refuserez d'aller chez ce membre de votre famille avec lequel vous ne vous entendez pas depuis belle lurette et dont vous n'avez jamais senti la proximité. Vous cesserez de vous sentir obligé et, en ce mois, vous n'avez pas le sens du sacrifice. Si vous êtes de ceux qu'on a déserté ou abandonné, les raisons étant aussi nombreuses qu'il y a de Scorpion, si vous êtes seul durant la dernière semaine du mois, sans enfant, sans parent, sans chien ni chat, personne à qui souhaiter Joyeux Noël et Bonne Année, plutôt que de déprimer, pourquoi ne pas joindre un groupe de gens qui se trouvent dans une situation semblable à la vôtre! Terminez l'an 2000 et commencez 2001 dans cette indépendance d'esprit.

SANTÉ. Les bonnes tables vous font saliver, vous avez de l'appétit et encore plus quand vous êtes reçu. Il y a un prix à payer pour vos abus. Vous aurez mal aux reins à cause d'aliments difficiles à assimiler, trop chimifiés, trop assaisonnés, ou vous aurez des brûlures d'estomac qui vous feront terriblement souffrir après vos abus de table. Prévenez, les salles d'urgence sont remplies durant les fêtes et votre médecin est en vacances.

RÊVES ET MAL À L'ÂME. C'est le dernier mois de l'année. Sur le plan matériel, vous avez gagné plus. Sur le plan émotif, vous avez compris que ce que vous faisiez souffrir à autrui vous faisait aussi très mal. Le Nœud Nord est encore en Cancer, l'accent est sur la famille, sur vos jeunes enfants, sur l'importance de votre influence ou sur vos grands qui sont la manifestation de ce que vous leur avez transmis. Vous êtes devenu plus sage, plus patient, plus détaché; vous êtes une meilleure personne que vous ne l'étiez l'an dernier. La route ne s'arrête pas avec la fin de l'année: il y a encore un grand chemin à parcourir, d'autres épreuves et d'autres joies. Maintenant, vous êtes prêt à vivre les deux parce qu'elles font partie de la vie.

SAGITTAIRE

23 novembre au 21 décembre

ILS SONT PASSIONNÉS, SURVOLTÉS, EXTRÊME-
MENT CURIEUX, INFORMÉS, AUDACIEUX, JAMAIS ENNUYEUX,
TOUJOURS INTÉRESSANTS. ILS SONT DRÔLES, ENCOURA-
GEANTS, DYNAMISANTS, ET QUELQUE CHOSE ME FAIT DIRE
QU'ILS SONT TOUS DES ARISTOCRATES. À ÉVELYNE ABITBOL,
JUAN CARLOS AGUIRRÉ, ALAIN PICHET, NATHALY LEMIEUX,
MARIE-CLAUDE SAVARD, MYRIAM THERRIEN, DENIS GRONDIN,
ROBERT MARLEAU, DIANNE RIOUX ET ROLLAND LAUZON.

Votre signe est régi par Jupiter, une planète qui irradie 10 fois plus que le
Soleil. Vous êtes la colonne de feu qui s'élève dans le ciel pour éclairer les hommes,
pour leur montrer le chemin; vous êtes moitié-homme, moitié-cheval, mi-
domestique, mi-sauvage. Vous êtes symboliquement le juge et la décision finale,
condamné ou acquitté. Vous êtes un signe de feu et le jour où la patience a été dis-
tribuée, vous n'y étiez pas. Vous étiez déjà parti à l'aventure, à la recherche d'un
monde idyllique, magique, amusant, changeant, mystique ou mystérieux. Vous
voulez toucher le lointain, vous courez d'un coucher de soleil à un autre, vous êtes
la personne sans frontières toujours certain que son destin est ailleurs. Vous êtes le
symbole du savoir universitaire, vous jonglez avec les mots et les idées des autres
avec une telle dextérité qu'on les croirait vôtres. Vous êtes le professeur avec qui on
ne s'ennuie jamais parce qu'il va au-delà de sa matière, il rend le cours plus intéressant, plus vivant. Avec vous, les élèves ont l'impression de planer au-dessus d'un
monde de féeries.

Vous êtes aussi le provocateur afin qu'éclate la vérité; cependant, celle-ci ne
doit jamais vous entacher, elle ne peut être sue que si elle flatte votre ego. L'insulte
est insupportable; né de Jupiter, vous êtes capable de déclencher l'orage et de jeter

sur le coupable de violents éclairs. Vous êtes le symbole de l'anti-ennemi parce que vous savez comment le neutraliser. Et s'il n'a pas d'emprise sur vous, c'est parce qu'il ne vous a pas trouvé. Si Neptune est une représentation symbolique du pape, Jupiter qui régit votre signe est celle de l'archevêque. Les petites fonctions n'ont que peu d'intérêt pour vous; Jupiter vous donne le goût d'un rôle social signifiant. Il est toujours animé de bonnes intentions, mais il arrive que, pour vous rendre à l'objectif, il vous faille donner des coups de sabots: le cheval est devenu fou et vous déclinez toute responsabilité.

PLUTON EN SAGITTAIRE

La position des planètes lourdes à travers les signes nous change peu à peu. Pluton vous fait faire un voyage au cœur de vous-même, que la vue vous plaise ou non. Pluton en Sagittaire, c'est un face-à-face avec votre ombre. Il vient parfois tout détruire, ce qui vous permet ainsi de rebâtir sur des bases plus solides. On dit que Pluton est la mort psychique; il est aussi la mort que vous frôlez à travers la maladie ou la perte d'un être cher, vous faisant ainsi comprendre que vous n'êtes pas immortel et que vous êtes là pour apprécier la vie pendant que vous y êtes. Il y a votre vie, mais il y a celle des autres qui vaut autant que la vôtre. Si vous êtes coincé dans le sacrifice de vous-même, Pluton vous demande de voir les regards tristes qui se posent sur vous et demandez-vous pourquoi vous réfléchissez constamment à vos malheurs. Les joies se partagent agréablement, mais votre peine se propage elle aussi; elle est cependant semblable à un virus assassin. Souffrir, c'est aussi faire mourir le bonheur qui ne demande qu'à naître de vous et autour de vous. Pluton sera dans votre signe jusqu'en 2008, et c'est au cours de ces années que vous vivrez votre plus beau mûrissement ou que vous organiserez votre défaite personnelle.

JUPITER EN TAUREAU

De la mi-février à la fin de juin, Jupiter est en Taureau dans le sixième signe du vôtre. Sous ce ciel, vous compilerez vos six dernières années: qu'avez-vous appris, retenu, changé en vous et en dehors de vous? Personne ne remplira le questionnaire à votre place, vous seul possédez les réponses. Jupiter est dans un signe vénusien, sixième maison astrologique, représentation symbolique de Mercure; il s'agit là d'un amour éclair ou d'un amour calculé par Mercure. Cette sixième maison où séjourne Jupiter en Taureau, c'est aussi la maladie d'amour, le mal-être, l'attente de l'autre et ne rien vouloir lui donner, ou ce sera le don de soi sans mesure parce qu'on a cru au messager de Mercure qui vous a soufflé combien il était bon et sain d'aimer et d'être aimé.

Sous Jupiter en Taureau, vous étudierez tantôt pour obtenir un diplôme vous accordant le droit d'exercer une profession, tantôt pour le simple plaisir d'apprendre; la connaissance est une jouissance pour l'esprit et une excitation mentale qui, poussée à son maximum, devient créatrice. Le Taureau est un signe fixe et sous l'influence de Jupiter mal vécu, vous stopperez toute formation intellectuelle, vous vous donnerez l'air de quelqu'un qui en sait déjà suffisamment mais qui se dit que plus on en sait, plus on se sent ignorant. Le Taureau est aussi le symbole du veau d'or, de l'adoration d'un humain par un autre ; Jupiter en Taureau est la secte qui vous retient après vous avoir tout pris, même votre personnalité. Né de Jupiter, vous êtes à la recherche du grandiose ; vous voudriez être le plus près possible de Dieu, aussi êtes-vous le signe le plus susceptible d'adhérer à des croyances, à des philosophies qui, au fond, limitent votre vision. Si vous rencontrez quelqu'un qui vous dit qu'un trop grand savoir est un danger, fuyez, car vous êtes en danger. Vous qui étiez à la recherche d'une illumination, vous pourriez vous retrouver en cage. Dans le monde de la matière, Jupiter en Taureau promet non seulement une continuité, mais aussi une progression à celui qui travaille. Dans le domaine de la spiritualité, Jupiter en Taureau, c'est souvent de la poudre aux yeux.

JUPITER EN GÉMEAUX

De juillet 2000 à juillet 2001, Jupiter est en Gémeaux dans le septième signe du vôtre ; pendant 12 mois, il fera face à votre Soleil ainsi qu'à Pluton en Sagittaire. Jupiter est en domicile dans votre signe, mais il est en exil en Gémeaux. Le domicile de Jupiter signifie le confort, une sorte d'assurance que la terre et le ciel se rejoignent, que le feu et l'eau sont deux nécessités pour la survie de l'homme. Jupiter en Gémeaux va maintenant tenter de refaire les grandes lois de la vie. Il voudra trouver une raison pour tout ce qui est. S'il est la science il peut aussi être le mensonge de la science. Jupiter en Gémeaux, c'est rencontrer le médecin charmant, mais qui fait un mauvais diagnostic. Si vous êtes malade entre juillet 2000 et juillet 2001, si le verdict tombe, si on vous annonce une maladie grave, avant de grimper dans les rideaux et de désespérer, demandez une deuxième et même une troisième opinion. Si on vous a dit la vérité et si vous êtes déclaré incurable, la nature est à votre disposition ; qui peut être mieux placé que vous pour relever le défi et pour démontrer que cette mort vient beaucoup trop tôt. Jupiter en Gémeaux n'est pas qu'une course avec la montre, mais aussi une course où il y aura un vainqueur : vous.

Jupiter en Gémeaux, c'est la venue des beaux parleurs, des prêcheurs et des disciples, des vendeurs de courants d'air. Jupiter en Gémeaux est un excellent commerçant, et plus encore quand il est en face de vous, car vous représentez pour lui son plus grand défi ou le client le plus récalcitrant. Jupiter en Gémeaux sera parfois une proposition de mariage, une deuxième ou une troisième union, qu'importe, on vous fait la promesse de vous aimer toujours à condition que, de temps à autre, vous laissiez filer votre partenaire sous d'autres cieux ou qu'il vous laisse partir quand vous avez envie d'être seul. Jupiter en Gémeaux, c'est la rencontre avec l'autre plus intellectuel que soi, du moins en apparence ; c'est la rencontre avec l'homme-enfant, l'homme-adolescent ou la femme-enfant ou la femme-adolescente qui recherche un paravent de force pour être protégé des tempêtes de la vie. Jupiter en

Gémeaux, c'est aussi votre miroir, votre maturité inachevée; vous vous croyez obligé de partager avec l'autre pour parachever sa forme et sa couleur.

Jupiter en Gémeaux, c'est aussi le courage de quitter une relation dont on ne retire plus rien, qui nous rend malheureux depuis parfois plusieurs années. Jupiter en Gémeaux, c'est la décision soudaine et le grand départ avec un autre qui, croirez-vous, comblera votre vide d'amour. Jupiter en Gémeaux, c'est votre conquête, une découverte, un espoir pour une vie meilleure. C'est votre liberté retrouvée et celle que vous rendez à l'autre à qui vous avez pourtant fait tant de promesses. Mais vous vous retournerez et vous n'entendrez pas ses pleurs. Jupiter en Gémeaux, c'est votre indépendance d'esprit et le dernier train qui passe aujourd'hui : vous n'avez surtout pas l'intention de le rater.

SATURNE EN GÉMEAUX

Entre le 11 août et le 16 octobre, Saturne sera en Gémeaux dans le septième signe du vôtre. Son court passage signalera à certains d'entre vous, qu'il est temps de vous séparer de votre famille pour ne plus subir son influence. En tant que parent de grands enfants, le temps est venu de faire la véritable coupure et de les laisser voler de leurs propres ailes. Mais peut-être n'avez-vous pas été un parent attentionné ou affectueux? Vos enfants font des erreurs pour vous attirer vers eux. Ils vous lancent des cris de détresse. Avez-vous mené une vie impeccable et sans tracas? Voilà que votre progéniture vous déçoit. Saturne en Gémeaux souffle sur la poussière que vous aviez entassée sous le tapis. Il ne se contente pas des apparences, il veut la vérité; vos enfants veulent savoir ce que vous leur avez caché, mais ils veulent surtout que vous les aimiez sans condition.

Ce Saturne en Gémeaux, c'est une autre étape où il est possible que vous rompiez vos promesses. Vos convictions n'étaient que pure fabrication mentale sans lien avec les vraies intentions du cœur qui, lui, palpite sans compter les tours. C'est un retour à votre case départ. Il est aussi possible que vous soyez celui à qui on dit : «Adieu, je n'en peux plus d'autant d'autorité et de contrôle dans mon quotidien!» Entre la mi-août et le début de septembre, tout peut basculer, mais tout a été précédemment réfléchi. Quand vous êtes quitté, n'est-ce pas le résultat que vous souhaitiez secrètement afin de vous retrouver libre? Ceux qui partent le feront rarement seuls; la passion a pris une autre forme, l'inconnu exerce sur eux un attrait auquel il est difficile de résister. Si vous êtes un *baby-boomer*, sous l'influence de Jupiter et de Saturne en Gémeaux, alors que vous avez l'âge d'être des grands-parents, vous fouillez, vous cherchez les restes de votre jeunesse. Vous voulez cette adolescence que vous pensez n'avoir jamais vécue, mais elle ne reviendra plus; vous n'effacerez pas vos expériences heureuses et malheureuses; mais peut-être ce désir de jeunesse vous sortira-t-il de vos habitudes qui étaient sur le point de faire de vous un «grogneux»?

Sous Jupiter en Taureau d'abord, en Gémeaux ensuite, vous apprendrez à dire non quand vous en aurez envie. Vous cesserez de vous excuser pour ces bêtises que vous êtes censé avoir dites sans réfléchir. Vos paroles avaient bel et bien le sens que vous leur donniez. Ce n'est certes pas sous Jupiter en Gémeaux que vous modérerez vos emportements, bien au contraire. Ce que vous êtes est mis en lumière. Ne perdez pas de vue que Jupiter irradie 10 fois plus que le Soleil et, ainsi positionné face à votre signe, vous êtes en plein dans l'éclairage. Pendant 12 mois, vous ne tolérerez aucune cachotterie. Vous ne supporterez pas le moindre petit mensonge et si vous êtes tenté de vous cacher, le Gémeaux, le messager des dieux le plus bavard, révélera ce qu'il a vu et entendu, ce que vous avez dit et fait de bien ou de mal et, pour confirmer ses notes, Saturne lui servira de témoin.

SAGITTAIRE ASCENDANT BÉLIER

Vous êtes né de Jupiter et de Mars à l'ascendant. Quand vous n'êtes pas le premier, vous êtes assurément insatisfait de vous. En 1999, Jupiter a été en Bélier et y est encore jusqu'au 14 février 2000 ; il occupe votre maison un et sans doute avez-eu la chance de vous tailler une place au soleil ou de vous retrouver là où vous le désiriez depuis longtemps. Vous avez le sens de l'entreprise, de l'audace à revendre, un don particulier pour vous faire de bons contacts, et toutes ces démarches que vous avez faites pour décrocher la lune seront payantes, surtout entre le 15 février et la fin de juin puisque Jupiter sera en Taureau dans le deuxième signe de votre ascendant où il signifie l'argent. En tant que double signe de feu, il est possible que vous fassiez un gain à la loterie. Si cela se produit, méfiez-vous du vilain loup et des amis qui apparaissent soudainement pour vous rendre service alors qu'ils n'ont jamais été présents, pas même le jour où vous étiez en difficulté et que vous ne demandiez qu'à vous faire tenir la main. Quelle que soit votre fortune, Jupiter en Taureau vous met en garde contre des investissements et des gens qui s'improvisent investisseurs. Ne perdez pas de vue que si Jupiter en Taureau veut pour vous plus de confort matériel, il fera un aspect dur à Neptune, puis à Uranus, ce qui indique qu'un ami n'est peut-être pas aussi bien intentionné qu'il en a l'air. Les marchés boursiers seront fluctuants, ne mettez pas tous vos œufs dans le même panier.

Certains parmi vous feront l'acquisition d'une propriété, ce qui est bien, mais avant de signer quoi que ce soit, informez-vous sur votre vendeur et sur la maison de courtage qu'il représente, surtout si elle est nouvelle. Un aspect étrange plane sous ce ciel : vous pourriez, par exemple, devenir propriétaire d'une maison sans toutefois avoir le droit d'y être. Vérifiez titres et précédents propriétaires, remontez dans le temps, allez jusqu'aux années 70. Peut-être découvrirez-vous, avant qu'il soit trop tard, que vos démarches vous ont permis de réaliser une sérieuse économie et un débat juridique. Si vous êtes en commerce, vous prendrez de l'expansion, et plus encore si vous êtes à votre compte. Si vous travaillez pour une entreprise et que vous n'y êtes qu'à temps partiel ou non permanent, sous Jupiter en Taureau, on vous accordera ce que vous espérez.

Puis, de juillet 2000 à juillet 2001, Jupiter est en Gémeaux dans le troisième signe de votre ascendant, mais il sera en face de Pluton et de votre signe ; si vous avez fait de l'argent les mois précédents, ce n'est pas le temps de prendre des risques et encore moins de croire ceux qui vous disent qu'ils peuvent vous faire gagner davantage. Vous avez du flair, une intuition qui vous a jusqu'à présent toujours bien servi. Votre petit doigt vous suggérera de vous éloigner, de ne pas écouter leurs suggestions. Vous ne serez guère romantique au cours de l'an 2000, la matière retient votre attention plus que l'amour. Si on s'en plaint, il n'y a pas de quoi vous étonner. Chacun notre tour, nous traversons ce genre d'étape où on ressent l'urgence de se mettre financièrement à l'abri, et c'est ce que vous ferez. Vous pouvez atteindre un sommet de carrière, mais il faut aussi du temps et de l'énergie pour solidifier le sol sous vos pieds.

SAGITTAIRE ASCENDANT TAUREAU

C'est de la mi-février à la fin de juin que Jupiter est en Taureau sur votre ascendant. Bien que vous soyez idéaliste, vous êtes également réaliste. Si le mystère et l'invisible vous intéressent, vous avez quand même les pieds sur terre. Votre Soleil est dans le huitième signe de votre ascendant, il y a là un attrait pour le domaine de l'astrologie et de l'ésotérisme en général. Que vous en fassiez une profession ou que ce soit un loisir, sous Jupiter en Taureau, vous vous poserez des questions davantage sur la valeur des sciences divinatoires. Si vous êtes, par exemple, psychologue, thérapeute, vous ferez d'autres études sur le genre humain. Qu'est-ce qui peut bien le déséquilibrer autant? Il ne s'agit pas uniquement du changement de siècle, mais plutôt d'une évolution qui ne s'est pas faite comme on se l'imaginait à la fin des années 60. Et puis, ne faut-il pas dire adieu à cette ère de loisirs qu'on nous prédisait? Durant le passage de Jupiter en Taureau, vous réviserez votre statut professionnel, et certains d'entre vous choisiront d'exercer une autre carrière. Vous serez sans doute parmi les plus nombreux à faire un retour à la terre, à la campagne.

Parmi vous se trouvent des défenseurs des droits humains, des écologistes, des chercheurs, des médecins, des avocats, en somme, vous êtes fait pour un travail difficile; vous êtes à l'aise là où il y a quelque chose à réformer, à changer, à modifier. Si toutefois vous êtes resté inactif, si vous avez adopté un mode de vie passif, avec votre Soleil dans le huitième signe de votre ascendant, si vous avez choisi de ne pas participer à la vie en communauté, vous êtes isolé, malheureux et probablement dépressif. Jupiter en Taureau vous secouera et insistera pour que vous sortiez de votre torpeur, pour que vous vous fassiez du bien. Il est impossible d'être bon pour les autres quand on ne l'est pas pour soi-même. On ne peut donner ce qu'on ne possède pas. Sous votre signe et ascendant, il y a l'actif qui réussit ce qu'il entreprend, et l'immobile qui ne rend service à personne.

Puis, de juillet 2000 à juillet 2001, Jupiter sera en Gémeaux dans le deuxième signe de votre ascendant. Si, par exemple, vous êtes artiste, vous ferez enfin de l'argent: on achète votre œuvre, votre talent. Durant cette période, il sera important de surveiller vos dépenses; vous serez porté à faire plaisir à tout le monde et, si vous n'êtes pas riche, vous avez là une très bonne raison pour ne pas prêter le peu d'argent que vous possédez. Mais peut-être n'avez-vous pas encore fait un choix de carrière? Si tel est votre cas, le hasard ou le destin vous mettra en face de gens qui vous donneront les réponses que vous avez besoin d'entendre pour vous décider à vous réaliser dans ce domaine que vous serez enfin en mesure de préciser. Si votre vie de couple est stable, si l'amour a traversé le temps, les tempêtes et les épreuves qui ne manquent généralement pas dans votre vie, si vous êtes amoureux de votre partenaire même après plusieurs décennies, vous lui proposerez un voyage. Il n'hésitera pas à vous suivre. Si vous avez un emploi la semaine et un autre la fin de semaine, ce qui n'est pas rare, sous ce ciel de l'an 2000, vous vous modérerez avant d'être totalement épuisé.

SAGITTAIRE ASCENDANT GÉMEAUX

Vous êtes un double signe double régi par Jupiter et par Mercure; si l'amour est important pour vous, le contact avec autrui l'est tout autant. Vous avez généralement bien du mal à vivre seul. Vous avez besoin de quelqu'un pour vous répondre quand vous parlez et vous avez tant à raconter. De la mi-février à la fin de juin, Jupiter est en Taureau dans le douzième signe de votre ascendant; Jupiter est en période de réflexion, le silence est requis. Jupiter en Taureau correspond à la préparation d'une nouvelle carrière, à un retrait afin d'étudier, d'apprendre ce qu'il est nécessaire de savoir pour bien exercer cette profession dans laquelle vous avez choisi de vous réaliser. Jupiter en Taureau présage la maladie d'un proche, d'un parent mais également votre dévouement envers celui-ci. Si toutefois vous avez des problèmes de santé, des malaises répétitifs, ne faites pas celui qui se porte à merveille en faisant l'invincible. Peut-être qu'après un examen, on vous dira qu'il s'agit d'une mauvaise digestion ou d'un foie trop chargé. Il vous suffira alors de suivre un régime alimentaire plus sain, plus épuré, plus léger.

Si vous êtes au même emploi depuis plusieurs années, Jupiter en Taureau annonce un changement dans vos fonctions ou un horaire différent. Si vous êtes en commerce, sous Jupiter en Taureau, vous aurez l'impression qu'on vous montre un film au ralenti; tenez bon, ne vous impatientez pas. Jupiter entre en Gémeaux et y sera de juillet 2000 à juillet 2001 sur votre descendant en face de votre Soleil et de Pluton. Vous aurez alors 12 mois pour clarifier une situation amoureuse qui laisse à désirer; 12 mois pour relancer une affaire ou la modifier de manière qu'elle rapporte. Jupiter en Gémeaux signifie une rencontre pour le célibataire, aussi méfiant soit-il. Si vous ne prenez pas la fuite, si vous ne passez pas votre temps à discourir sur des défauts qu'il pourrait avoir, si vous le laissez parler plutôt que d'essayer de deviner ses intentions, vous vous donnerez la chance de le connaître. Jupiter en Gémeaux est semblable à un excitant; il vous porte à précipiter vos décisions en affaires comme en amour.

Après le passage de Jupiter en Taureau où vous avez dû patienter, sous Jupiter en Gémeaux, vous aurez l'impression de sortir de prison. Mais peut-être vous comporterez-vous comme quelqu'un qu'on aurait faussement accusé et qui court sans cesse les médias pour alerter la population de l'injustice ou de l'erreur commise envers lui ? Il est possible qu'à trop vous défendre, vous souleviez l'opinion publique ; étrangement, vous redevenez l'accusé. Ce petit scénario a pour but de vous démontrer qu'en tout temps et avec chacun, vous ne devrez agir qu'avec une extrême prudence. Si vous révélez vos secrets, des bavards s'en emparent. Même si Jupiter en Gémeaux favorise votre succès, il est important de surveiller vos finances, vos placements, vos dépenses ainsi que ceux avec qui vous négociez. Jupiter est un justicier capable de vous sortir du pétrin si vous vous y mettez les pieds. Mais plutôt que de devoir faire ce détour, grâce à votre vigilance, vous irez directement au but avec, pour associé, un Jupiter en Gémeaux bénéfique qui vous appuie dans toutes vos démarches.

SAGITTAIRE ASCENDANT CANCER

Vous êtes né de Jupiter et de la Lune ; vous aimez les enfants, vous avez un talent pour leur enseigner ; vous êtes rigueur et douceur, discipline et permissivité, mais vous êtes aussi liberté et enfermement, indépendance et dépendance affective. On se demande parfois de quel nuage vous êtes tombé. L'intrigue plane autour de vous ou vous auréole. Une chose est certaine : vous êtes travaillant, vous avez le sens du devoir, vous êtes serviable et généreux envers autrui. Il y a chez vous ce petit côté missionnaire et défenseur de la veuve et de l'orphelin. De la mi-février à la fin de juin, Jupiter est en Taureau et fait un bon aspect à votre ascendant. Il occupe alors votre onzième maison astrologique, celle où on se fait de nouveaux amis. Vous aurez aussi des idées originales, vous serez plus créatif, innovateur même. On vous retrouve souvent dans le domaine des communications verbales et écrites, en théâtre, en dessin, en peinture, etc. ; il y a en vous un artiste qui a besoin d'exprimer son art, et plus encore sous l'influence de Jupiter en Taureau. Le moment est venu de vous mettre à l'œuvre, le plus difficile est d'aller jusqu'au bout ; avec votre signe double et la Lune à l'ascendant, quand vous refusez de faire une chose, quand vous niez votre talent ou votre don, vous avez mille et une bonnes raisons à donner, sauf que, sous Jupiter en Taureau, aucune n'est acceptable.

Jupiter en Taureau concerne aussi les amis de vos enfants. C'est également un jugement que vous portez sur la jeunesse sans parfois vraiment la connaître. Sous Jupiter en Taureau, si les vôtres commettent une bêtise à cause de fréquentations douteuses, vous vous en voudrez d'avoir fermé la porte à ces vilains. Vous auriez rapidement découvert leurs intentions et, témoin de leur malfaisance, vous auriez mis un point final à leurs manigances ou vous auriez déjoué ces mauvais plans qui impliquaient les vôtres. Dès que vous saurez qu'un des vôtres a un comportement répréhensible, tenez une conversation avec lui et demandez-lui ce qui ne va pas. Si vous ne savez comment vous y prendre, voyez un thérapeute spécialisé en relations familiales.

Puis, Jupiter sera en Gémeaux de juillet 2000 à juillet 2001 dans le douzième signe de votre ascendant, face au Sagittaire et à Pluton. Plusieurs événements sont possibles au cours de ces 12 prochains mois. L'entreprise qui emploie vos services peut suspendre temporairement des employés et il est possible que vous soyez du groupe. Votre partenaire peut avoir des malaises et, pis encore, être hospitalisé; vous serez là pour l'encourager, pour le soutenir dans l'épreuve qu'il traverse. À vouloir tout faire, vous aurez aussi une chute de vitalité. Jupiter en Gémeaux vous invite à une réflexion avant l'action, longue période où vous élaborerez vos projets et rencontrerez des partenaires d'affaires pour songer à la meilleure stratégie afin de promouvoir votre produit ou vos services. Sous Jupiter en Gémeaux, après avoir vécu un événement dramatique, vous serez porté à réorienter vos convictions religieuses ou vous chercherez quelqu'un qui se dit capable de miracles pour qu'il intervienne pour vous ou pour quelqu'un que vous affectionnez. Si vous n'y prenez garde, vous pourriez être absorbé par une secte ou un culte qui vous dépossédera de vos biens et de votre personnalité.

SAGITTAIRE ASCENDANT LION

Vous êtes un magnifique double signe de feu; vous êtes né de Jupiter et du Soleil, il n'y a rien ou presque que vous ne puissiez faire. Vous êtes d'abord la vie, puis l'amour de la vie. Vous avez souvent choisi un métier artistique pour vous réaliser et si vous êtes en affaires, vous ne restez jamais derrière, vous faites parler de vous. Vous êtes chanceux et les arrêts de travail, quand il y en a, tombent toujours à point, juste au moment où il vous était nécessaire de faire une halte. De la mi-février à la fin de juin, Jupiter est en Taureau dans le dixième signe de votre ascendant. Il sera question d'atteindre un autre sommet de carrière, une expérience professionnelle différente mais fort intéressante. Si vous êtes dans la même entreprise depuis longtemps, il est possible qu'une retraite vous soit proposée. Vous ne l'accepterez qu'à condition de pouvoir remplir quelques mandats pour celle-ci dans les années à venir pour vous permettre de partir progressivement et ainsi de prendre le temps de vous adapter à ce congé payé. Jupiter en Taureau dans le dixième signe de votre ascendant symbolise votre rôle parental ainsi que vos responsabilités familiales que vous prenez très au sérieux. Avec l'amoureux, si vous n'avez pas encore d'enfant, il sera question de fonder un foyer; pour d'autres, ce sera le moment d'avoir leur second enfant. Et si vous êtes un *baby-boomer*, vous serez sans doute grand-papa ou grand-maman.

Si votre carrière prend de l'expansion, la famille a elle aussi tendance à s'élargir. Si vous êtes monoparental, vous trouverez la tâche ardue entre le travail et les soins à donner aux enfants; quand vous serez au boulot, vous vous sentirez coupable de ne pas être auprès de vos enfants et quand vous serez avec eux, vous ne songerez qu'au travail qu'il y a à terminer. Jupiter en Taureau vous signale que vous devez faire une trace entre ces deux impératifs. Lentement, au fil des mois, vous apprendrez à n'être qu'à un seul endroit à la fois. Puis, de juillet 2000 à juillet 2001, Jupiter est en Gémeaux dans le onzième signe de votre ascendant et signifie des voyages par air ou de nombreux déplacements par la route ; vous allez à la rencontre des clients ou vous partez pour exécuter un travail qui ne peut se faire qu'à l'étranger. Vous ferez sans doute plus d'argent, mais vous serez moins présent à votre famille ; il est possible que votre partenaire vous le reproche. Jupiter en Gémeaux, s'il occupe votre onzième signe, est aussi en face du Sagittaire et indique les réactions de l'autre qui pense parfois que vous ne prenez de temps que pour vous et jamais pour lui.

Mais ce Jupiter en Gémeaux peut aussi vous pousser à aller travailler pendant quelques années dans un autre pays et, dans un tel cas, c'est toute la famille qui déménage avec vous. Si vos enfants ont l'âge de vous répondre et principalement s'ils sont des adolescents, ils contesteront constamment ce que vous êtes et ce que vous faites. Après tout, qui de mieux qu'un parent pour apprendre à se mesurer à autrui ? Ces enfants se rapprochent de l'âge adulte, mais ils n'y sont pas et ils se sentent coincés ; leur croissance est rapide, mais leur liberté est encore limitée. Durant le passage de Jupiter en Taureau et en Gémeaux, surveillez vos petits espiègles de plus près, ils ne sont pas toujours prudents et vous avez le devoir de les protéger.

SAGITTAIRE ASCENDANT VIERGE

Vous êtes né de Jupiter et de Mercure, l'intelligence est vive, brillante, vous avez le verbe facile et la réplique toujours prête. Vous êtes d'une grande sensibilité, mais vous vous drapez de logique et vous prenez vos distances pour qu'on ne sache pas à quel point vous êtes vulnérable. Vous êtes un bon communicateur ; vous possédez souvent plusieurs talents artistiques ou vous plongez carrément dans la recherche scientifique. Votre ascendant Vierge est l'indice d'une santé fragile et, en conséquence, de fréquentes visites chez votre médecin. Cependant, votre attitude mentale joue un grand rôle, votre bien-être physique dépend de ce que vous pensez de vous-même. Pendant que Jupiter fait de la vantardise, la Vierge se fait humble. Vous êtes donc aux prises entre ces deux opposés et il vous faut trouver un juste milieu. En 1999, Jupiter était en Bélier et a traversé le huitième signe de votre ascendant, il vous invitait alors à une grande prudence sur le plan financier ; il est à souhaiter que vous n'ayez fait aucun achat sur un coup de tête. Jupiter reste en Bélier jusqu'au 14 février ; si vous relevez un défi, en tout temps restez prudent, évitez ces emprunts que vous ne pourriez rembourser. Du 15 février à la fin de juin, Jupiter est en Taureau dans le neuvième signe de votre ascendant où il est confortable. C'est sous cet aspect que vous pouvez maintenant lancer une affaire, mettre un projet en marche ou prendre de l'expansion avec ce qui est en cours.

Si vous avez des parents qui habitent à l'étranger, sous Jupiter en Taureau, il y a toutes les chances du monde pour qu'ils vous annoncent leur visite ou c'est vous qui irez à leur rencontre. Sous ce ciel, si vous allez à l'étranger, vous joindrez l'utile à l'agréable et vous explorerez un moyen d'exporter vos produits ou d'en importer afin de les mettre en marché. Jupiter en Taureau est un bon indice concernant le travail ; il est possible que certains d'entre vous retournent à un emploi qu'ils ont quitté quelques années auparavant ou reprennent une idée qu'ils avaient abandonnée. Si vous êtes amoureux, si vous êtes avec la même personne depuis quelques années, sous Jupiter en Taureau, il sera question de vie commune et parfois même de mariage. Si vous êtes célibataire, vous ferez une rencontre hors de l'ordinaire qui vous fascinera par ses origines et sa culture différentes de la vôtre ; l'autre, de son côté, sera épaté d'avoir autant à apprendre de vous.

Puis, de juillet 2000 à juillet 2001, Jupiter sera en Gémeaux dans le dixième signe de votre ascendant. La planète ainsi positionnée solidifie vos projets et peut aussi les doubler. Ne perdez pas de vue que Jupiter en Gémeaux est en face de votre Soleil et de Pluton : vous devrez surveiller vos finances, les rentrées d'argent et les dépenses. Ce n'est pas parce que vous avez gagné plus que vous êtes obligé de perdre. Sous Jupiter en Gémeaux, s'il y a autour de vous des gens qui vous donnent de bons conseils, d'autres seront tout simplement là pour vous arracher des biens et des faveurs. Jupiter en Gémeaux laisse entrevoir des problèmes avec un frère, une sœur, un beau-frère, une belle-sœur, etc. On essaiera de se placer sous votre aile pour être protégé. Si, dans le passé, ce genre d'événement s'est produit et n'a eu aucun résultat positif, ne recommencez pas. Si vous avez des parents âgés et malades, l'un d'eux sonnera l'alerte à plusieurs reprises.

SAGITTAIRE ASCENDANT BALANCE

Vous êtes né de Jupiter et de Vénus dans un signe d'air. Votre Soleil est dans le troisième signe de votre ascendant. Vous êtes sociable mais très sélectif, vous parlez beaucoup mais rarement de vous. Ce qui vous rend aussi attirant, c'est votre manière galante de vous informer d'autrui et de les faire parler d'eux-mêmes. Vous leur donnez beaucoup d'attentions, tel le journaliste qui interroge et écoute ce qu'on lui raconte. Vous êtes à la recherche du bonheur parfait, votre quête pourrait durer toute une vie et en cours de route, peut-être ferez-vous une dépression. La réalité est loin de votre rêve ; vous avez construit vos châteaux sur le sable ; il a suffi d'une seule vague pour les faire disparaître. En 1999, Jupiter a traversé le Bélier et ne le quittera que le 14 ; il est dans le septième signe de votre ascendant et, en principe, il aurait dû vous présenter l'amour. Mais peut-être avez-vous eu le courage de quitter une relation où vous n'étiez pas heureux.

Du 15 février à la fin de juin, Jupiter est en Taureau dans le huitième signe de votre ascendant ; il secoue vos certitudes, vos croyances, vos superstitions ; il vous en débarrasse afin que vous fassiez peau neuve. Sous Jupiter en Taureau, vous aurez des chutes de vitalité et pour les prévenir, il sera important de vous nourrir sainement chaque jour. Si votre médecin vous conseille un régime, ayez le courage de le suivre. Sous Jupiter en Taureau, s'il est question d'héritage à partager entre parents, il est à souhaiter que le testament a été bien fait, sinon une longue querelle peut déchirer une famille qui, jusqu'à présent, a toujours été unie. Le passage de Jupiter en Taureau correspond à un profond changement psychique. Une vérité qui était enfouie en vous sous des couches et des couches de souvenirs émerge et vous fait prendre conscience de votre véritable valeur et de votre rôle social. Sous Jupiter en Taureau, un secret de famille peut vous être révélé, ce qui vous permet enfin d'expliquer un de vos comportements pour lequel vous n'aviez aucune explication.

Puis, de juillet 2000 à juillet 2001, Jupiter est en Gémeaux dans le neuvième signe de votre ascendant et occupe une position favorable concernant les voyages; la chance elle-même sera au rendez-vous pendant 12 mois. Si vous êtes célibataire et ouvert à l'amour, prêt à aimer et à être aimé, inscrivez-vous à des cours de littérature, de langues ou de danse, à un sport intérieur ou à un cercle de poésie; dès l'instant où vous sortirez de chez vous pour vous rendre dans un endroit où vous allez apprendre, découvrir, vous croiserez le regard de cet autre qui sera plus intéressé par vous que par ce que le professeur enseigne. Entre juillet 2000 et juillet 2001, vous transformerez progressivement votre maison ou votre appartement, vous commencez une vie nouvelle, vous vous débarrassez de vos souvenirs, vous ferez le vide pour faire de la place à du neuf. Vous modifierez votre style vestimentaire, vous serez sans doute moins traditionnel, vos oserez porter des couleurs ou, du moins, des accessoires visibles et inusités pour les observateurs. À la fin du passage de Jupiter en Gémeaux, vos amis vous diront qu'ils ne vous reconnaissent plus, mais peut-être est-ce parce qu'ils ne vous ont jamais vraiment connu tel que vous êtes.

SAGITTAIRE ASCENDANT SCORPION

Vous êtes né de Jupiter, de Mars et de Pluton, toute cette passion et ces peurs sont lourdes à porter. Ce besoin constant que vous avez de bouger, d'explorer, d'expérimenter peut étourdir les observateurs. Si vous êtes à la recherche de la stabilité, dans un même temps, elle vous ennuie. Pendant que Jupiter fait la fête, Mars et Pluton sont angoissés, apeurés par l'avenir. Le déchirement est constant. Coupable de vous amuser ou coupable de ne pas vous amuser. Jupiter est généreux, Mars et Pluton font de vous un calculateur. Jupiter voit grand, Mars et Pluton aiment le pouvoir. Vous possédez l'ascendant le plus dur à vivre, car il ne vous exempte pas d'épreuves. Si certains en sortent plus sages, d'autres se révoltent en faisant des gaffes comme s'il leur fallait continuer à se punir d'être ce qu'ils sont. Mars et Pluton à l'ascendant peuvent vous entraîner en enfer, sauf qu'étant né de Jupiter, vous pouvez choisir de monter vers la lumière.

À partir de la mi-février jusqu'à la fin de juin, Jupiter est en Taureau dans le septième signe de votre ascendant et dans le sixième du Sagittaire. Jupiter en Taureau, c'est pour vous une rencontre dans votre milieu de travail : c'est l'amour fou et un déménagement peu après. Sous Jupiter en Taureau, vous recherchez cet autre qui vous offrira ce bonheur que vous ne trouvez pas en vous-même. Vous serez attiré par l'artiste parce qu'il n'y a que lui qui puisse vous sortir de votre ennui, ou vous chercherez une personne sérieuse qui vous donnera cette stabilité financière dont vous avez tant besoin. Et si vous trouviez les deux dans une seule personne, l'artiste riche ou l'administrateur grand admirateur de l'art? Jupiter en Taureau mettra un baume sur vos plaies; c'est une petite douceur dans ce monde trop dur et trop injuste.

Puis, de juillet 2000 à juillet 2001, Jupiter sera en Gémeaux dans le huitième signe de votre ascendant en face de votre Soleil et de Pluton en Sagittaire. Vous aurez envie de tout lâcher à certains moments; vous irez de l'euphorie à la déprime, de l'économie à de folles dépenses. Votre identité est remise en question. Sous Jupiter en Gémeaux, vous vous apercevez que vous n'avez plus à faire semblant et ne pouvez plus jouer à cache-cache. Vous voulez être reconnu pour ce que vous êtes et non pas pour ce que vous avez voulu faire croire. Jupiter en Gémeaux sera comme un long tremblement de terre avec des éboulements, des crevasses dont sortiront vos démons et vos anges protecteurs. Jupiter en Gémeaux, c'est la dispute autour d'un héritage ou d'une somme d'argent que vous considérez comme étant vôtre. Jupiter en Gémeaux, c'est une colère contre votre partenaire que vous accusez pour n'avoir pas fait ce qui vous plaisait depuis parfois plusieurs années. Jupiter en Gémeaux vous fera comprendre que vous avez créé vos propres limites et que votre épuisement moral est le résultat d'un esprit rempli de sombres pensées et d'un manque de confiance en vous. Sous Jupiter en Gémeaux, vous devrez faire attention à votre santé; un manque de fer peut avoir des effets désastreux sur votre système nerveux. Il est important que vous fassiez analyser votre sang avant de vous soigner. Si vous jouez au médecin, vous pourriez vous tromper.

SAGITTAIRE ASCENDANT SAGITTAIRE

Il s'agit ici de Jupiter et de Jupiter. Nous savons qu'il irradie dix fois plus que le Soleil. Imaginons maintenant ce signe et ascendant vingt fois plus gros que le Soleil. Nous pouvons déduire qu'il vous est impossible de passer inaperçu. Vous êtes à la poursuite d'une vie idéale, d'un monde parfait et juste; vous vous engagez à fond dans tout ce que vous faites et à un point tel que dès que vous avez le nez dans une affaire, elle prendra de l'expansion. Quand vous défendez une cause, quand vous prenez parti, vous n'y allez pas de main morte. Rien ne vous effraie si ce n'est vous-même parce que vous savez que viendra un moment où vous dépasserez les limites qu'on vous impose. Lorsque vous êtes heureux, personne ne peut l'être plus que vous; lorsque vous êtes malheureux, là encore vous êtes inégalable. S'il survient une malchance, une perte, une maladie, une peine, etc., Jupiter/Jupiter étant 20 fois plus exalté que la normale humaine, vous ne vous endormez pas sur votre malheur ou votre douleur, vous mettez un temps de réflexion, rapide en général, et en vingt secondes vous ressuscitez. Qui peut courir plus vite qu'un cheval à deux têtes et à huit pattes? Qui peut se vanter d'autant de force de propulsion si ce n'est un autre Sagittaire/Sagittaire?

De la mi-février à la fin de juin, Jupiter est en Taureau dans le sixième signe de votre ascendant; il est ici principalement question de travail, de santé, de services à autrui, d'œuvres bénévoles pour sauver des âmes, des corps en détresse, des mal-aimés, des mal-nourris, en somme les laissés-pour-compte de la société. Si vous êtes partout à la fois ou presque, il n'est pas étonnant que vous vous épuisiez. Jupiter dans le signe du Taureau vous met en garde contre une alimentation trop riche ou trop pauvre et contre l'abus de vos forces. Jupiter/Jupiter est d'une puissance qu'on ne peut égaler, mais il lui arrive d'aller au-delà de sa résistance physique. Vous êtes généralement des explorateurs; un voyage n'est jamais banal et, partout où vous allez, c'est à la fois pour y travailler et pour vous amuser. Évitez les pays où l'eau n'est pas potable, où la nourriture risque d'être empoisonnée à cause d'un arrosage inadéquat, là où on use de pesticides sans considération pour les habitants et là où on emprisonne les gens pour un oui ou pour un non. J'espère vous avoir effrayé. En fait, cet avis est sérieux et va au-delà de 2001. Si vous sentez l'irrésistible besoin de faire du bien, faites-le à distance, par correspondance, utilisez la voie de l'Internet. Si vous rentrez malade ou blessé d'un voyage en enfer, vous pourrez toujours en faire un compte rendu ou écrire vos mémoires. Il y a beaucoup à changer là où vous êtes, nul besoin de prendre l'avion à moins que vous ne soyez un Spielberg avec un tas de garde-corps autour de vous.

De juillet 2000 à juillet 2001, Jupiter est en Gémeaux dans le septième signe de votre ascendant. Certains se marieront ou se remarieront après quelques mois d'hésitation. D'autres mettront fin à une union parce qu'ils y sont malheureux depuis déjà trop longtemps; à la vitesse d'un Jupiter/Jupiter, ils seront déjà passionnément amoureux et sérieusement engagés. Jupiter en Gémeaux correspond à un important passage de création artistique, et plus précisément littéraire. Jupiter en Gémeaux est une compilation de toutes vos connaissances acquises et mûries à point. Il est rare qu'il n'y ait pas de complications avec vos enfants, quand vous en avez. Sous Jupiter en Gémeaux, il y aura ceux qui clarifieront la situation et ceux qui accepteront que tout rapprochement, vu les circonstances, est impossible. Tout l'un ou tout l'autre. Pendant que la moitié des Sagittaire/Sagittaire applaudit à la réussite d'un ou de leurs enfants, l'autre moitié doit s'incliner devant le gaspillage que ceux-ci font des possibilités qui leur sont offertes en l'an 2000. Jupiter en Gémeaux est une grande réflexion sur sa vie, sur la nature, sur les diverses philosophies et religions et sur les rôles que vous vous êtes attribués; pour votre paix d'esprit, n'est-il pas nécessaire d'en supprimer un ou deux? N'est-ce pas suffisant pour une seule personne?

SAGITTAIRE ASCENDANT CAPRICORNE

Vous êtes né de Jupiter et de Saturne. Le premier croit, le second doute. Ensemble, ces planètes ne prennent rien à la légère. Jupiter veut rire, mais Saturne lui dit qu'il ne faut pas. Jupiter qui régit votre signe est pressé, Saturne est prudent et prend son temps. Jupiter aime le risque, Saturne le déteste. Jupiter est dépensier, Saturne est économe à l'excès. Jupiter aime la marginalité, Saturne est traditionnel. Jupiter est expansion, Saturne est rétraction. Puisque vous êtes ainsi né, vous êtes habitué à ces contradictions, contrastes et contraires. En principe, votre Soleil doit être dominant. Si vous agissez comme un Capricorne, c'est probablement que vous vous conformez à l'idée qu'on s'est faite de vous. Votre réalité profonde est jupitérienne, l'image que vous projetez est capricornienne. Votre Soleil positionné dans le douzième signe de votre ascendant peut avoir deux effets différents : victime et esclave d'autrui, ou libre comme l'air. Si votre vie est semblable à une prison, sous l'influence de Jupiter en Taureau de la mi-février à la fin de juin, vous scierez les barreaux. Vous avez suffisamment servi et il est clair que c'est à votre tour d'être servi.

Si, par exemple, vous êtes célibataire depuis longtemps, la dernière rupture ayant été si cruelle que vous avez juré de ne plus jamais tomber amoureux, sous Jupiter en Taureau, vous changerez d'avis. Celui à qui vous plairez aura assez de patience pour vous apprivoiser, pour vous donner le temps de comprendre que le bonheur existe, que la vie est belle et qu'elle mérite qu'on l'explore à deux. Si vous êtes amoureux, si vous désirez un premier, un deuxième ou un troisième enfant, votre vœu sera exaucé. Vous aurez cette maternité ou cette paternité tant désirée. Si vous êtes un *baby-boomer*, vos enfants ont généralement atteint l'âge adulte et il est possible que l'un d'eux vous annonce que vous serez grand-papa ou grand-maman. Sous l'influence de Jupiter en Taureau, vous serez chanceux au jeu et à divers tirages.

Puis, de juillet 2000 à juillet 2001, Jupiter sera en Gémeaux dans le sixième signe de votre ascendant ; si vous faites des allergies, si vous avez des irritations cutanées, n'étant habitué ni au bonheur ni à votre liberté, votre corps réagit, il a du mal à apprécier, il doute ; pour vous rappeler à votre ancienne vie, vous recréez vos anciennes douleurs. Mais peut-être y a-t-il autour de vous des gens que vous ne vous ne voulez plus voir ? Vous les endurez, leur présence est blessante et c'est bien évident ! Il faudra pourtant que vous fassiez un choix. Après tout, que perdriez-vous en leur disant de ne plus revenir ? Et que gagneriez-vous s'ils ne se montraient plus le bout du nez ? N'auriez-vous pas une meilleure qualité de vie ? Jupiter en Gémeaux concerne aussi votre travail. Vos patrons savent qu'ils peuvent se fier à vous et pendant 12 mois, ils demanderont toujours plus ; si vous ne discutez pas de votre rémunération, ils ne vous offriront rien de plus. Vous devrez donc insister pour être mieux payé. Et puis, ce n'est que juste. Si vous êtes en commerce, vous ferez plus d'argent, mais vous travaillerez aussi beaucoup plus. Jupiter en Gémeaux laisse présager une maladie pour un frère ou pour une sœur, parfois mais plus rarement, pour votre partenaire; vous serez là pour l'aider à traverser l'épreuve.

SAGITTAIRE ASCENDANT VERSEAU

Vous êtes né de Jupiter et d'Uranus, vous êtes une boîte à surprises même pour vous, et surtout par les temps qui courent. Uranus et Neptune sont sur votre ascendant; dès qu'ils font des aspects à certaines planètes dans le ciel astral, ils provoquent chez vous des réactions parfois bizarres. Vous pouvez rire pendant que tout le monde se dispute ou pleurer alors qu'on vous raconte une banalité, ou encore crier quand il n'y a rien d'effrayant, foncer quand ce n'est pas urgent et prendre votre temps alors que ça presse. Vous êtes une personne colorée, on ne s'ennuie pas avec vous. Jupiter sera en Taureau de la mi-février à la fin de juin dans le quatrième signe de votre ascendant. À la maison, vous aurez envie de tout changer, de vivre dans un nouveau décor, d'autres meubles, de la tapisserie, des tapis si vous n'en avez pas, et si vous marchez sur les mêmes depuis longtemps, vous les enlèverez, vous avez besoin de ressentir autre chose sous vos pieds. Il est possible que vous déménagiez ou que vous achetiez une maison secondaire, ou encore que vous investissiez en achetant des terrains. Si vous êtes de la ville, vous aurez envie d'aller vivre à la campagne; si vous êtes de la campagne, la vie urbaine vous fera un clin d'œil auquel vous ne résisterez pas.

Jupiter est en Taureau, signe fixe; si vous sortez des traditions, vous en conserverez quand même une partie, aussi minime soit-elle, vous avez encore besoin de ce rappel de vos racines. Si votre vie de couple est secouée par des tempêtes ou, du moins, par de grands coups de vent, sous Jupiter en Taureau, vous ferez de moins en moins d'efforts pour avoir la paix. Peut-être attendez-vous une tornade pour faire vos valises ou pour dire à l'autre de partir? Si l'amour a disparu de votre union, un flirt vous fera rêver et, du même coup, vous fera réfléchir au fait que vous plaisez toujours autant. Il n'est pas non plus impossible que vous ayez une aventure. Si vous vivez tout le contraire de ce qui vient d'être décrit, vous êtes en amour pour la première fois et vous voulez un enfant avec votre partenaire. Qu'il en soit fait selon votre vœu.

Puis, Jupiter sera en Gémeaux dans le cinquième signe de votre ascendant et en face du Sagittaire et de Pluton. Jupiter en Gémeaux parle encore de vos amours; cette fois, ils sont deux à vous aimer ou vous en aimez deux. Sous votre signe, il y a le Sagittaire/Verseau heureux en amour et qui, en plus, sera chanceux au jeu; au travail, il obtiendra un poste plus valorisant et plus payant. Il y a aussi le Sagittaire/Verseau qui pense constamment que son bonheur est à l'autre bout du monde où jamais il ne se rendra. En attendant, il va de fleur en fleur, d'une aventure à une autre; dès la minute où il pressent qu'on aimerait le connaître mieux, il se sauve. Il se plaît à répéter qu'il n'est pas chanceux en amour; cependant, quand il a la chance de tomber amoureux, il fuit comme la peste. Il est marié avec sa liberté et avec un travail qui lui permet de voyager par avion ou en voiture, et qui, en plus, lui donne l'occasion de croiser des inconnus qu'il pourra aimer le temps de son passage. Rien de trop engageant. Un Sagittaire/Verseau aime les enfants et il arrive qu'il se retrouve avec ceux des autres, ceux d'un second partenaire, ce qui pourrait fort bien se produire sous Jupiter en Gémeaux.

SAGITTAIRE ASCENDANT POISSONS

Vous êtes né de Jupiter et de Neptune. Comment pourriez-vous être méchant avec un tel signe et ascendant? C'est quasi impossible. Jupiter se préoccupe du bien-être de l'humanité et Neptune de la pureté de son âme. Votre Soleil est toutefois positionné dans le dixième signe de votre ascendant, une maison saturnienne dont les défauts sont un désir d'ascension et de reconnaissance publique parfois excessif. Mais le temps faisant son œuvre, la sagesse l'emporte et vous modérez votre appétit pour la puissance. Toutefois, certains mettent toutes leurs énergies sur leur famille; ils se privent de tout plaisir pour donner aux leurs, et une déprime s'ensuit. Comme tout bon Sagittaire, après la prise de conscience, ils retrouvent leur vie et, surtout, leurs désirs profonds et leur véritable but. Un Sagittaire/Poissons est un être mystique, croyant, un missionnaire capable de se départir de ses biens pour les donner à autrui. Il y a toujours l'exception qui fait la règle, et quand il s'agit d'exception, ce Sagittaire est mesquin, radin, égocentrique et tout simplement insupportable parce qu'il n'est que calcul et méfiance.

De la mi-février à la fin de juin, Jupiter est en Taureau dans le troisième signe de votre ascendant et sixième signe du Sagittaire. Ces maisons astrologiques concernent les études, un nouvel apprentissage, une curiosité intellectuelle qui éveille le mental à d'autres connaissances. Jupiter en Taureau est une ouverture sur le monde, un rattrapage scolaire, une formation professionnelle afin d'exercer un métier qui vous a toujours fasciné. En cet an 2000, vous êtes prêt et s'il vous faut supprimer loisirs ou activités, vous le ferez. Vous pouvez aussi dormir sous Jupiter en Taureau et vous faire croire que les autres seront toujours là pour vous dépanner. Vous vous trompez si vous avez une telle pensée.

Après le passage de Jupiter en Taureau, Jupiter sera en Gémeaux de juillet 2000 à juillet 2001 en face de votre signe, dans le quatrième de votre ascendant, ce qui risque de défaire vos plans de secours provenant d'autrui. Jupiter en Gémeaux indique un avis de vous prendre en charge si ce n'est pas ce que vous faites. Mais si vous êtes autonome, fort malgré vos épreuves et vos déboires, Jupiter en Gémeaux vous offre une vie nouvelle. Il présage un déménagement, des voisins agréables, de l'aide quand vous en avez besoin, du travail si vous n'en avez pas et si vous êtes aux études, une meilleure mémoire, une grande facilité d'apprendre ce qu'on vous enseigne. Jupiter en Gémeaux ainsi positionné a un rapport direct avec votre famille. Si vous avez des enfants qui ont l'âge de vous répondre, si, par exemple, vous avez été trop permissif, il est possible que l'un d'eux veuille encore plus de liberté mais qu'il ne sache pas bien l'utiliser. Si vous vivez une telle situation, sans doute faut-il la corriger le plus tôt possible et si vous ne savez comment vous y prendre, demandez l'aide d'un professionnel. Si vous êtes amoureux, sans enfant ou peut-être en désirez-vous un deuxième ou un troisième, sous Jupiter en Gémeaux, vous serez comblé. Il est possible que vous désiriez vous séparer d'un membre de votre famille qui ne cesse de demander et qui ne vous remercie jamais. Il vous faudra du courage pour agir. En le laissant se débrouiller, vous lui rendrez service et vous aurez la paix d'esprit.

JANVIER

TRAVAIL. Des tâches inhabituelles, des absents à remplacer, de la lenteur dans les changements annoncés, des appareils en panne et parfois un patron qui insiste pour que les commandes soient remplies malgré des défectuosités dans la machinerie. Durant la deuxième semaine, il y aura des contestataires, des gens qui se plaignent et sans véritable raison. Tout ceci peut paraître lourd ; cependant, consolez-vous : ce sont surtout ceux qui vous entourent qui voient la vie en noir et gris. Vos déprimes sont de courte durée comparativement à bien d'autres. De plus et en général, vos affaires se portent bien ; vous avez une sécurité d'emploi et personne ne vous l'enlèvera. Vos projets principaux sont en voie de réalisation ; vous avez toutefois à faire face à une foule de détails désagréables. Lorsqu'un collègue se lamente sur son sort, éloignez-vous, dites que vous avez autre chose à faire. Ce genre d'excuse n'est jamais très difficile à trouver pour vous.

SANS TRAVAIL. Vous êtes né sous le signe de la débrouillardise et si vous n'avez pas d'emploi, c'est parce que vous ne cherchez pas. Si toutefois vous n'êtes pas en bonne santé et que vous avez été dans l'obligation de prendre congé, ne vous en faites pas. L'angoisse ne ferait qu'accentuer le problème et retarder votre guérison.

AMOUR. Jusqu'au 24, Vénus est dans votre signe et vous êtes plus attirant que jamais. Une mise en garde s'impose : si vous vivez avec le même partenaire depuis quelques années, si vous êtes heureux, évitez le piège de l'aventure sans lendemain. Vous ne pourriez vous empêcher d'en parler à l'amoureux et finalement, pour une peccadille, vous détruiriez ce que vous avez mis tant de temps à construire. Si vous avez des enfants en bas âge, songez aux conséquences d'une séparation et à la guerre qui éclaterait au sujet de la garde, sans oublier toutes les bêtises que vous vous diriez l'un à l'autre. Le bonheur n'est jamais tout à fait ce qu'on avait imaginé, il faut composer avec les déceptions. Quelques planètes dans ce ciel vous provoquent à avoir raison même pour ces petites choses insignifiantes qui ne changent rien à votre destin. Vous aimez la discussion, mais Mars dans le signe du Poissons peut la porter jusqu'à l'opposition.

FAMILLE. Ce Mars dans le signe du Poissons est dans le quatrième signe du vôtre et concerne vos enfants de 18 ans et plus qui vivent avec vous. Il est possible qu'ils ne soient pas très ordonnés, qu'ils fouillent dans vos affaires, qu'ils ne rentrent pas à l'heure de votre couvre-feu, en somme, ils font tout, selon vous, pour vous déplaire. Méfiez-vous de votre tendance à exagérer et à exiger, alors qu'eux-mêmes traversent une période difficile dont ils ne vous parlent pas. Si vos enfants sont petits, soit que la patience vous manque, soit que vous êtes inquiet pour leur santé.

SANTÉ. Rhume, bronchite ou sinusite sont les maux les plus fréquents ; en fait, ils sont des expressions de votre stress et de vos tensions. Vos chevilles sont plus faibles, ne courez pas, marchez.

RÊVES ET MAL À L'ÂME. Les guerres vous offensent, vous êtes né de Jupiter, donc pour la vie ; lorsqu'il y a guerres et morts à cause de la colère et de la folie des hommes, vous êtes profondément touché parce que la plupart d'entre vous communiquent harmonieusement avec l'Univers. En conséquence, vous en êtes le gardien. Le Nœud Nord est en Lion dans le neuvième signe du vôtre et, en ce mois, il est en face de Neptune ; vous n'êtes pas responsable des drames qui surviennent aux quatre coins de la planète ; pourtant, votre impuissance face à ces vagues de violence vous choque. Cessez de vous tourmenter ; regarder au loin pour l'instant et empêcher que les gens se disputent autour de vous, c'est déjà une grande œuvre.

FÉVRIER

TRAVAIL. En hiver, la lumière vous manque, vous vous rendez au travail en rêvant du soleil et vous n'êtes pas le seul à imaginer vous prélasser sur le sable chaud d'une plage exotique. L'attitude de vos collègues s'est modifiée ; ils ont passé de la constatation au silence à un point tel que vous avez l'impression qu'ils ont abdiqué, qu'ils n'ont plus aucun intérêt sauf leur petite personne. Chacun pour soi et il n'y a plus d'esprit d'équipe. C'est à n'y rien comprendre. À partir du 6, sous l'influence de Mercure en Poissons qui fait une mauvaise réception à Pluton dans votre signe, lorsqu'on vous fait des messages, il est possible qu'ils soient fréquemment incomplets et parfois faux. Ayez la prudence de les vérifier, surtout si vous êtes celui qui, en général, a la responsabilité des communications de l'entreprise en cours. À la fin du mois, vous ferez plusieurs sorties à la fois par plaisir et par obligation, et vous assisterez à des réceptions où votre présence est importante. Si vous faites commerce avec l'étranger, il est essentiel de vérifier toutes vos sources et de vous assurer de recevoir ce que vous avez commandé. Les erreurs seront plus nombreuses, il faut simplement plus de vigilance pour les prévenir.

SANS TRAVAIL. Le 13, Mars entre en Bélier et le 15, Jupiter entre en Taureau : ces deux planètes sont extrêmement favorables à l'embauche. Si, par exemple, vous avez un talent mécanique, offrez vos services, on en a un urgent besoin.

AMOUR. Le 19, Vénus entre en Verseau indiquant qu'un bon ami peut vous démontrer des sentiments plus affectueux qu'il ne l'a fait précédemment. Intuitivement, vous savez si vous devez accepter cette démonstration amoureuse ou repousser ses avances. Si vous avez une vie de couple, ne laissez aucun membre de votre famille vous dire quoi faire ou ne pas faire et, surtout, avec qui vivre. Vous êtes adulte et vous le savez fort bien.

FAMILLE. Si vous êtes d'un naturel accueillant, si vous avez des enfants, votre maison sera envahie par leurs amis et les voilà qu'ils fêtent comme ils ne l'ont pas fait à Noël et au jour de l'An. S'ils ont l'âge de faire le ménage après les festivités et qu'ils ne le font pas, prenez garde à votre colère : vous pourriez dire des mots qui dépassent votre pensée. Si vous avez des enfants en très bas âge, il est possible qu'un d'eux retienne votre attention à cause d'une petite maladie qu'il a contractée à l'école. Un mal d'oreille doit être pris au sérieux et traité dans un bref délai. Avez-vous des parents âgés et malades ? À partir de l'entrée de Jupiter en Taureau le 15 et vu son aspect négatif à Neptune, il est possible que vous soyez avisé au travail que votre père ou votre mère a dû être hospitalisé.

SANTÉ. Surveillez votre foie, vous avez tendance à manger sur le coin de la table et à toute vitesse ; sous ce ciel, gare à l'enflure à cause d'un rein trop lent ou qui élimine mal les toxines que vous lui faites avaler !

RÊVES ET MAL À L'ÂME. Le Nœud Nord en Lion a pour but de transformer vos croyances, vos valeurs, et encore plus ce mois-ci parce qu'il est dans le neuvième signe du vôtre et bien positionné ; en principe, vos transmutations devraient se faire en douceur. Si vous succombez aux aspects durs qu'il fait à Jupiter (carré) à Neptune et à Vénus (opposition), il n'y aura ni partage ni bonheur. Si pour vous la vie se résume à votre petit bien-être sans considération pour celui d'autrui, votre malaise est immense, profond ; dans un tel cas, vous ne survivez que grâce à vos anciens malheurs, à vos peurs, à ces peines que certaines gens vous ont causées ; vous vous repliez sur vos regrets. Jupiter ne fait pas son devoir, vous êtes seul et vous combattez une déprime ; plutôt que de chercher une issue, vous refaites sans cesse le chemin qui vous y a conduit et vous vous retrouvez constamment dans le même cul-de-sac.

MARS

TRAVAIL. Saturne et Jupiter sont en Taureau dans le sixième signe de votre ascendant et le 24, Mars le rejoindra. En ce qui vous concerne, il s'agit de la réalisation ou de la mise en marche d'un de vos projets. Si vous œuvrez dans le domaine des communications, vous êtes la meilleure personne-ressource. Vous n'avez pas l'habitude de certaines tâches, mais vous savez comment vous y prendre et vous dépannerez des gens qui ont pourtant une grande expérience dans le secteur où vous travaillez. Mars, dans le signe du Bélier durant une grande partie du mois, non seulement fait pression sur vous mais, de plus, il vous permet de trouver spontanément des solutions là où vos collègues n'y voient que du feu... et le feu, ça vous connaît. Rien de mieux que d'être au pied du mur pour que vous soyez magnifiquement efficace. Si vous travaillez avec des jeunes qui ont le droit de vote, leur dynamisme prend une tournure quasi constitutionnelle ; ils se prétendent victimes d'une machine gouvernementale injuste envers leurs droits fondamentaux.

SANS TRAVAIL. Si vous cherchez un travail en relation avec les enfants, vous n'aurez aucune difficulté à en trouver. Si vous êtes dans le domaine des relations publiques, vous rencontrerez des gens qui auront absolument besoin de vos services ; il en va de même avec ce qui concerne les services publicitaires ou d'infographie.

AMOUR. Entre le 2 et le 13, votre partenaire et vous aurez l'impression de ne pas parler la même langue. Entre le 19 et le 26, la situation risque de s'envenimer s'il est question de voyage ; vous voulez bien partir tous les deux, mais vous n'avez pas l'intention de prendre vos vacances au même endroit. Entre le 19 et le 26, Vénus est en Poissons et fait un aspect dur à Pluton en Sagittaire, ce qui vous laisse soupçonneux, inquiet, parfois jaloux sans raison valable, ou vous transférez vos frustrations sur l'amoureux qui ne peut s'en défendre qu'en ayant soudainement plus d'activités qu'à l'accoutumée. Malgré ces périodes d'obstination et de petites querelles, votre couple survit. Ce serait plus agréable si vous ne faisiez pas un drame pour les contretemps de la vie quotidienne. En tant que célibataire, si vous mettez votre flirt au défi, si vous entreprenez une relation en fixant vos conditions et en insistant sur le fait que votre liberté est primordiale, il y a peu de chances pour qu'un amour se développe. Vous faites fuir quelqu'un qui pourrait vous aimer et qui, au fond, vous attire beaucoup.

FAMILLE. Mercure est en Poissons tout le mois et, le 14, Vénus entre dans ce signe : ces deux planètes se retrouvent dans le quatrième signe du vôtre et font une mauvaise réception à Pluton en Sagittaire. Ces aspects présagent de l'inquiétude par rapport à la santé d'un parent. Si vos enfants rejettent la discipline que vous tentez de leur imposer, peut-être devriez-vous changer votre méthode de récompenses et de punitions. Si vos enfants sont petits, lors des passages de Vénus et de Mercure en Poissons, si l'un des vôtres souffre d'asthme, ayez ses médicaments prescrits à portée de la main. Pollution et climat peuvent déclencher des malaises respiratoires.

SANTÉ. Si votre médecin vous a conseillé un régime alimentaire, il est important d'écouter ses recommandations, surtout si vous avez déjà des problèmes intestinaux ou d'estomac.

RÊVES ET MAL À L'ÂME. Sous votre signe, une vie idéale ou satisfaisante vient plus du fait de vos accomplissements que de l'argent que vous amassez. Dès l'instant où vous exercez un métier qui vous comble spirituellement et intellectuellement, vous ne manquez de rien. C'est la loi de Jupiter. Si toutefois vous vous contentez de la superficialité des choses, si vous ne mettez l'accent que sur le paraître et sur la recherche de la sécurité garantie, vous vous étourdissez et il est à parier que la majeure partie de vos pensées ne sont pas joyeuses quand vous n'êtes pas carrément dépressif.

AVRIL

TRAVAIL. Durant tout le mois, Mars, Saturne et Jupiter sont en Taureau dans le sixième signe du vôtre, ce qui suppose beaucoup de travail dans le secteur où vous êtes engagé. Si vous faites commerce avec l'étranger, si vous avez élaboré des projets qui rejoignent d'autres pays, vous aurez enfin les résultats escomptés. Si vous n'avez pas à vous déplacer pour rencontrer vos collaborateurs, les téléphones et les communications par télécopieur seront innombrables. Si vous êtes dans un domaine de recherche, quel que soit le sujet, vous passerez le mois tel un savant dans son laboratoire et n'en sortirez que lorsque le produit sera fini ou que vous aurez toutes les informations qu'on vous avait demandé de produire. Si vous travaillez pour un secteur du gouvernement, il est possible qu'on procède à des compressions budgétaires ou on vous confiera le double de tâches pour le même salaire.

SANS TRAVAIL. Si vous cherchez un emploi, on vous en offre peut-être un en dessous de vos compétences, mais consolez-vous, avant la fin du mois, vous occuperez le poste que vous aviez demandé au départ. Il y a des temps dans cette vie où il est préférable de ne pas être difficile et de faire acte d'humilité.

AMOUR. À partir du 7 avec l'entrée de Vénus en Bélier en bonne réception à Pluton en Sagittaire, vous voyez clairement où vous en êtes dans votre vie amoureuse et, cette fois, vous vous mettez d'accord sur à peu près tout. Avec tout le travail à faire, vous êtes moins présent à l'amoureux, c'est du moins l'impression qu'il a. Il vous suffit alors de donner un coup de fil de temps à autre pour le rassurer, mais également pour maintenir ce précieux lien entre lui et vous. Mais peut-être êtes-vous le plus craintif des deux? Peut-être avez-vous peur qu'il vous abandonne? Si tels sont vos sentiments, pourquoi ne pas en parler! Il est possible que l'amoureux ne vous ait pas perçu aussi fragile, aussi vulnérable. En général, vous donnez une impression de force et vous manifestez une telle indépendance qu'il peut croire que vous n'avez besoin que d'un minimum d'attention. En tant que célibataire, le ciel est clair à partir du 7; une rencontre peut se produire dans un endroit agréable, lors d'une visite à un musée, à une exposition quelconque ou lors de l'exercice d'un sport.

FAMILLE. À partir du Sagittaire, vos jeunes enfants sont symboliquement représentés par Neptune ou par le Poissons, le quatrième signe du vôtre; jusqu'au 9, Neptune est en face du Nœud Nord en Lion et fait un aspect difficile à Jupiter; il est nécessaire de leur enseigner la discipline; cependant, celle-ci doit être accompagnée de votre affection que vous pouvez manifester en jouant avec eux quand vous en avez le temps. Au début du mois, cachez vos outils, il est possible qu'ils en fassent un mauvais usage. Si vos enfants ont atteint l'adolescence, le symbole qui les représente est celui du Bélier ; à partir du 7 avec Vénus dans ce signe, ils voudront s'habiller en neuf, être à la mode. Si vous avez les moyens de leur offrir des fantaisies vestimentaires, il n'y a aucun problème. Mais si votre budget est serré, vous aurez bien du mal à leur faire comprendre, surtout s'ils n'ont jamais travaillé, que l'argent ne pousse pas dans les arbres !

SANTÉ. Si vous êtes continuellement fatigué, pourquoi ne pas demander à votre médecin de vous faire faire une analyse sanguine. Peut-être qu'il ne vous manque qu'un seul élément essentiel à votre équilibre physique. En tant que signe de feu, il arrive que, de temps à autre, vous n'absorbiez pas votre fer.

RÊVES ET MAL À L'ÂME. À partir du 10, le Nœud Nord entre en Cancer dans le huitième signe du vôtre et y restera jusqu'en octobre 2001. Commence pour vous une autre série de transformations intérieures et d'innombrables questions existentielles. Le Nœud Nord en Cancer concerne votre famille, principalement vos enfants et vos parents. En tant qu'adulte, vous procéderez lentement au détachement final, à la rupture du cordon ombilical et si vos enfants sont grands, c'est la prise de conscience et l'acceptation de les voir partir ou de faire des choix qui ne seront pas toujours en accord avec les vôtres. Si vous êtes jeune et si vous voulez un enfant, si vous faites une carrière, vous vous demanderez comment tout réussir dans un seul élan.

MAI

TRAVAIL. Le 4, six planètes seront en Taureau dans le sixième signe du vôtre ; pendant que la moitié d'entre vous deviennent des mère Teresa dans leur milieu de travail et se portent à la défense des droits de leurs collègues, les autres s'en lavent les mains et agissent comme s'ils étaient seuls même quand ils travaillent pour une entreprise qui embauche des milliers de gens. Attention à une attitude trop radicale en ce mois ! Si vous êtes touché par les intérêts d'autrui, prenez aussi soin des vôtres. Si toutefois vous êtes isolé parce que vous n'avez pas l'esprit d'équipe, vous serez dans de beaux draps. Pour un Jupitérien, ce n'est jamais facile de trouver le juste milieu ; pourtant, en ce mois de mai, il est important de le chercher et de le trouver. Ce ciel indique que les contestations sociales seront nombreuses, et les domaines de l'éducation, de l'alimentation, de la médecine, de la recherche et de la pharmacologie sont les plus touchés. Sachez où est votre place et quel rôle vous devez y jouer.

SANS TRAVAIL. Vu les tensions un peu partout, si vous avez un emploi, dire au revoir sur un coup de tête n'est pas une bonne idée et une bien mauvaise solution à votre problème. Si vous cherchez du travail dans un domaine où vous pouvez rouler, tels le taxi, le camionnage, les messageries, la téléphonie, l'informatique, etc., vous trouverez aisément.

AMOUR. Soit que c'est l'amoureux qui doit vous soigner, soit que c'est à vous d'en prendre soin. Si, par exemple, vous êtes avec un autre Sagittaire, vous vous soignerez mutuellement. C'est un mois un peu étrange concernant les sentiments amoureux ; c'est un peu comme si vous disiez oui et non en même temps, vous vous engagez tout en voulant garder votre liberté. À certains moments, vous aurez l'impression d'être exploité par l'autre ; à d'autres, vous vous sentirez coupable de trop demander à l'amoureux. Si votre partenaire change soudainement ses habitudes, vous le soupçonnez du pire alors qu'il peut tout simplement avoir envie de vivre autre chose que la routine. Ne dramatisez pas des événements simples, ne transformez pas des paroles banales comme s'il s'agissait de déclarations dramatiques. Vous vous poserez des questions sur l'amour que vous donnez et sur celui que vous recevez. Est-ce vraiment possible de faire une juste évaluation dans le domaine des sentiments ?

FAMILLE. Pendant que les planètes en Taureau s'acharnent à préserver une tradition en voie de disparition, Uranus qui fait des aspects durs à Saturne et à Jupiter se charge de rompre avec elle. Si vous avez une famille reconstituée, ce n'est guère paisible en ce moment, il y a un tiraillement entre les droits de l'un et de l'autre sur les enfants ou une querelle en rapport avec leur éducation, leurs études. Il est aussi possible que la maladie d'un proche alerte toute la parenté et on se dispute déjà son héritage. Ce ciel est froid dans les questions d'argent et de budget familial. Ou on vous réclame ce que vous ne pouvez donner, ou vous demandez ce à quoi vous n'avez pas droit.

SANTÉ. Le stress affecte votre système nerveux, la fatigue vous gagne facilement ; pour y parer, nourrissez-vous sainement et dormez suffisamment. Chez les femmes très tendues, il peut y avoir un dérèglement hormonal et si des douleurs persistent, si un mal de ventre ne vous donne aucun répit, consultez votre médecin.

RÊVES ET MAL À L'ÂME. Le ciel astral n'est pas tranquille, la planète bouge, les politiques changent comme le vent et vous êtes au milieu de tout ça. Vous pouvez rester calme, subir la déprime collective ou pleurer sur votre sort que vous n'aimez pas, ou encore réagir positivement. N'oubliez jamais que lorsque le soleil se couche ici, il se lève ailleurs. Le Nœud Nord en Cancer se fait maintenant sentir plus intensément et vous invite à modifier des croyances et des valeurs ; surtout, ne succombez pas aux paroles d'un prêcheur qui vous hypnotise au point de vous faire croire qu'il peut accomplir des miracles pour vous.

JUIN

TRAVAIL. Vous êtes un peu plus calme en ce mois, vous vous ravisez sur certaines de vos décisions. S'il est question de modifications dans l'entreprise en cours, de compressions budgétaires, de congédiements, etc., comme vous êtes moins tranchant, vous êtes prêt à écouter ce qu'on a à vous proposer afin de sauvegarder votre emploi. Si vous faites un travail de communicateur, vous utiliserez les moyens dont vous disposez pour changer ce qui peut l'être dans votre communauté. Si les uns acceptent vos idées, d'autres s'y opposent, mais que voulez-vous, on ne peut plaire à tout le monde !

SANS TRAVAIL. Vous pouvez vous faufiler dans divers milieux, vous n'êtes jamais à court d'idées. Étant mi-homme, mi-cheval, dès l'instant où vous avez décidé de vous tailler une place dans une entreprise de votre choix, tout devient possible à condition que certains d'entre vous consentent à démarrer au bas de l'échelle, là où vous ne resterez pas.

AMOUR. Jusqu'au 18, Vénus est en Gémeaux en face de votre signe et Mars s'y trouve aussi jusqu'au 16 ; il s'agit là de symboles planétaires de passion, d'attraction spontanée et, pour certains, d'une tromperie conjugale de votre part ou de votre conjoint. Si vous n'avez pu résister à une aventure, vous trouverez mille raisons pour la rendre acceptable. Vous aurez sans doute oublié que dans l'amour, il y a une part de responsabilité, de volonté ; personne ne vous a obligé à tromper, vous étiez libre d'accepter ou de refuser les charmes qui se sont offerts à vous. Votre pulsion sexuelle est le plus souvent une manière de contester l'engagement que vous avez pris ou la recherche d'un amour qui vous offrirait un « toujours ». Mais avant de tomber dans le panneau du « si c'était mieux ailleurs », demandez-vous si ce désir n'est pas qu'un recul, un enfantillage, une illusion d'adolescent. Si vous avez des enfants, songez à l'effet qu'une querelle entre leurs parents provoquerait sur eux. Si vous subissez la tromperie et qu'en plus on vous dise que ce n'est pas la première fois, pourquoi continuer à vivre dans la peur que demain l'autre pourrait vous quitter. Si vous nagez dans le bonheur, ne le quittez pas des yeux, gardez-le près de votre cœur et appréciez le fait d'aimer et d'être aimé.

FAMILLE. Bientôt les vacances de vos enfants. Vous vous demanderez ce que vous pourrez leur offrir et ce qu'il vous est impossible de leur donner. Sous l'influence de Mercure en Cancer dans le huitième signe du vôtre, si votre partenaire et vous êtes séparé, si vos enfants ont l'âge de choisir chez qui ils veulent vivre leur été et si vous savez qu'ils seront en sécurité avec votre *ex*, pourquoi vous opposer ? Est-ce un jeu de pouvoir dont vos enfants font les frais ? À partir du 19, si vous avez de jeunes enfants, ne les laissez pas sans surveillance près d'un cours d'eau. Le ciel donne des indices de danger de noyade. Évitez-vous cette épreuve dont vous vous sentiriez coupable pendant bien longtemps.

SANTÉ. Juin avise les femmes qui ont des problèmes gynécologiques de consulter un médecin, de passer une examen complet. Quant aux hommes qui ont horreur de montrer leurs faiblesses et leurs limites physiques, s'ils ont une douleur tenace, et s'il le faut sans le dire à personne, qu'ils s'astreignent au moins à des prises de sang afin de savoir ce qu'ils doivent faire pour retrouver leurs forces.

RÊVES ET MAL À L'ÂME. Si vous vivez des épreuves familiales, c'est tout votre moi qui est blessé. Si vous pressentez ne pas pouvoir en sortir seul, mettez votre orgueil de côté et demandez l'aide d'un professionnel ou, du moins, parlez à un de vos amis qui vous comprend bien. Si vous avez perdu un parent bien-aimé, vous vivez votre deuil et dites-vous que vous ne l'oublierez jamais ; cependant, avec les mois et parfois les années, vous passerez progressivement à la phase de l'acceptation.

JUILLET

TRAVAIL. Avant de prendre des vacances, vous aurez beaucoup à faire ; dès le début du mois, ce sera une urgence après l'autre. Jupiter entre en Gémeaux en face de votre signe et, pour plusieurs, cela signifie une offre dans un autre secteur de l'entreprise, une promotion, une importante modification de vos tâches, de votre horaire, ou vous accepterez d'aller travailler pour un compétiteur. Jusqu'au 13, le Nœud Nord et quatre luminaires sont en Cancer dans le huitième signe du vôtre ; si vous avez votre bureau à la maison, si vous y faites du travail à la chaîne, alors que vous pensiez vous relaxer et en faire moins, on vous demandera de remplir des mandats qui vous accapareront au point où vous n'aurez que peu de temps libre à vous accorder. Le 14, très lentement, les choses reviendront à la normale.

SANS TRAVAIL. Si, depuis le début de l'année, vous n'avez cherché aucun emploi et si vous cherchez maintenant, sous Jupiter en Gémeaux, vous trouverez mais, cette fois, il vous faudra sans doute accepter un travail en dessous de vos compétences. Certains prendront la décision de retourner aux études afin de terminer une formation professionnelle ou d'apprendre un métier.

AMOUR. Jusqu'au 13, il est possible qu'une histoire de garde d'enfant ou de pension alimentaire vienne troubler l'union que vous vivez présentement. Le 14, Vénus entre en Lion et fait une bonne réception à Pluton en Sagittaire ; en tant que célibataire, vous rencontrerez une personne fort agréable, souvent d'une nationalité étrangère à la vôtre. Vu Vénus en Lion face à Neptune puis à Uranus en Verseau, certains s'amouracheront de quelqu'un qui est déjà marié ou qui vit sans pièces d'identité depuis parfois bien des années. Les Sagittaire les plus susceptibles de croiser le très grand amour sont ceux qui sont divorcés depuis des années et qui ont fait les difficiles. Ils attendaient la bonne occasion. Et ils seront en face de cette personne qui semblait n'exister que dans leurs rêves.

FAMILLE. Si vous vivez dans une famille reconstituée, ce qui est fréquent pour un grand nombre de Sagittaire, que vous soyez abandonné par vos enfants ou que vous les ayez totalement sous votre charge, ce genre de situation n'a rien de drôle et ne va pas sans que des conflits éclatent ici et là. Vous êtes en zone où les explications sont nécessaires, surtout si vos enfants sont des adolescents ou des adultes ; s'ils veulent connaître la vérité au sujet de votre séparation, même si vous n'êtes pas obligé de tout leur dire, pour leur paix d'esprit et pour la vôtre, il est important qu'ils sachent pourquoi leur autre parent et vous ne vous entendiez pas. N'oubliez pas que le Nœud Nord est en Cancer et qu'il vous invite à purifier le secteur familial. Les mensonges ne sont plus admis.

SANTÉ. C'est encore votre digestion qui est en jeu. Au cours de ce mois, ne mangez pas n'importe quoi et si vous soupçonnez que des aliments défraîchis vous sont servis, ne les consommez pas. Si vous décidez de partir et que vous allez dans un pays exotique où l'alimentation est très différente de la nôtre, méfiez-vous, votre système n'est pas aussi résistant que vous ne l'imaginez. Il en va de même de l'eau, assurez-vous qu'elle soit pure.

RÊVES ET MAL À L'ÂME. Il y a des moments dans la vie où on a l'impression d'être inconsolable. Sous ce ciel, plusieurs parmi vous ont en mémoire leurs récentes et vieilles blessures ; ils craignent l'avenir, ils ont peur d'être malades, de souffrir, de manquer d'argent. Mais si vous ne pensez qu'aux malheurs, vous passez à côté du bonheur et du plaisir. Il faudra laisser ces bagages de douleurs de côté, ils vous empêchent de voir le soleil. Lorsque vous n'êtes pas heureux, vous ne faites le bonheur de personne. Ne succombez pas à cette publicité qui prend toutes sortes de formes et qui vous vend du malheur avec, en prime, la solution.

AOÛT

TRAVAIL. Vous vous sentirez plus léger en ce mois, des troubles professionnels qui durent depuis parfois deux mois se règlent enfin. S'il y a un débat juridique concernant vos droits et vos bénéfices, au milieu du mois, une entente sera signée. Il ne faut pas vous attendre à une vie tranquille d'ici juillet 2001. Vous ne serez pas exempt de méli-mélo qui se produisent non seulement dans votre secteur d'entreprise, mais qui se répandent également à l'échelle planétaire. Les Sagittaire les plus sujets à subir des changements importants sont ceux qui occupent une fonction au sein d'un des gouvernements. S'il n'y a pas de perte d'emploi, il leur faudra se plier à de nouvelles règles et parfois à des pressions plus lourdes qu'auparavant.

SANS TRAVAIL. Si vous n'avez pas trouvé d'emploi, vous ressentirez un brin de découragement, une période de démission, mais sans doute est-ce pour mieux y penser. Naître Sagittaire signifie action, entreprise, recherche du nouveau, aventure... vous n'êtes vraiment pas fait pour l'inertie. Sous l'influence de Mars en Lion et de Pluton en Sagittaire, vous ne resterez pas longtemps dans l'ombre de vous-même. Il vous suffira d'une rencontre pour que vous décidiez aussitôt de trouver, et sans devoir chercher bien longtemps.

AMOUR. Votre horaire de travail peut nuire à la paix familiale, mais il s'agira surtout de l'heure où les jeunes enfants rentreront de l'école et de votre propre retour. Cela peut être le sujet principal entre vous et votre partenaire ainsi que la raison de vos discussions. Il est rare que l'amour soit parfait, ça ne se passe pas ou presque jamais comme dans les films américains et s'il doit y avoir une fin, elle n'est ni agréable ni pacifique. Un conflit ne veut pas nécessairement dire séparation. Il a parfois un effet bénéfique, il remet les choses à l'ordre et redonne à chacun des partenaires la place qu'il doit occuper, le rôle qu'il doit jouer. Si toutefois vous avez récemment découvert l'amour, quelques aspects célestes vous font douter de cette union parce que, tout à coup, vous trouvez des défauts à l'autre; par contre, vous oubliez ses qualités. Ne craignez-vous pas l'engagement? Il reste encore des Sagittaire qui aiment leur partenaire comme aux premiers jours. Ils sont généralement joyeux et tolérants au point de faire abstraction de ce qui les contrarie chez l'autre.

FAMILLE. Si vous avez vécu la maladie d'un proche ou même sa mort, non seulement devez-vous supporter un deuil mais, de plus, certains parents ne cessent de vous reprocher votre manière de guérir votre peine qui, selon eux, semble légère. Si on vous juge ainsi, c'est qu'on ne vous connaît pas bien. Vous êtes un signe de feu et, pour ne déranger personne, vous brûlez votre peine du dedans; la manifestation extérieure de votre souffrance n'est pas pour les voyeurs. Certains parmi vous sont demeurés trop protecteurs alors que leurs enfants sont des adultes autonomes. Si l'amour parental n'a jamais de fin, vient un moment où il est nécessaire de prendre des distances; si vous insistez pour vous immiscer dans la vie sentimentale de l'un des vôtres, vous serez éjecté, ce qu'au fond vous auriez dû faire de vous-même.

SANTÉ. Certains maux résultent de l'isolement ou de la sensation de ne pas faire partie de la vie de qui que ce soit. Il y a un remède, vous engager dans votre communauté. Le contact avec autrui et votre participation sont votre guérison.

RÊVES ET MAL À L'ÂME. Le Nœud Nord est en Cancer, son voyage ne fait que commencer et il vous remue déjà profondément. Qui suis-je? Où vais-je? Il n'y a pas d'âge précis pour se poser des questions. Certains s'interrogent à 15 ans, d'autres à 70. Tout dépend du chemin choisi et des petites routes qu'on a dû emprunter à cause d'obligations et de responsabilités qu'on n'a pas voulu fuir ni éviter.

SEPTEMBRE

TRAVAIL. Vous êtes dans le mois de la diplomatie, des compromis. Si vous êtes en commerce, vous devrez vous plier à la demande du client qui pourrait aller se faire servir ailleurs si vous n'acceptez pas ses conditions. La situation est momentanée; en somme, vous subissez une forme de chantage mais comme on est satisfait de vos services et produits, lors de la prochaine transaction, vous serez le premier avec qui on voudra faire affaire. Votre compétiteur aura probablement monté ses prix ou fermé ses portes. Certains signeront des papiers importants au cours de la deuxième semaine du mois, un contrat de travail ou d'achat; vous êtes persuasif et vous obtiendrez dans le premier cas un gain, et dans le second un rabais important. Dans l'ensemble, sur le plan professionnel, il y a une accalmie, de l'ordre et la paix.

SANS TRAVAIL. Il vous est plus facile de trouver un emploi d'ici le 17. Après, vous rencontrerez des employeurs plus exigeants et que vous aurez du mal à impressionner. Si vous êtes un créateur, si vous attendez des nouvelles d'un projet auquel vous vous êtes acharné tout en ayant l'air, selon votre entourage, de ne rien faire, vous apprendrez enfin qu'on retient vos idées et vos services, ce qui laisse présager que vous ferez de l'argent.

AMOUR. Jusqu'au 24, vous êtes sous l'influence de Vénus en Balance dans le onzième signe du vôtre. Un ami devient un amour, tout comme votre amoureux peut vous annoncer qu'il préfère vous garder comme ami, ce que vous aviez pressenti. En tant que célibataire, si vous partez en voyage, une rencontre à l'aller ou au retour peut changer votre destin. Si vous êtes amoureux depuis quelques années déjà, vous aurez envie de fêter le fait d'avoir cette chance d'aimer et d'être aimé de retour. L'autre et vous prendrez quelques jours de congé ou vous organiserez vos fins de semaine pour être seuls et pour renouveler les promesses que vous vous êtes faites l'un à l'autre, ou encore vous revivrez ces moments intenses que vous avez connus et que vous continuez encore de ressentir.

FAMILLE. Jupiter et Saturne sont en face de Pluton en Sagittaire et font du nettoyage. La vie elle-même se charge de vous faire comprendre que certains membres de votre famille sont des trouble-fêtes, des gens tristes qui ne changeront jamais; malgré l'aide que vous leur avez apportée, ils en sont toujours au même point. Il y a, parmi vous, ceux qui approchent de la trentaine et qui traversent « le retour de Saturne » qui n'est que bien rarement une période facile. Cette zone céleste correspond à une prise de conscience qu'on est maintenant soi-même un adulte avec des responsabilités; de plus, il est nécessaire de se détacher de l'influence de ses parents. Cela ne veut pas dire de ne plus les aimer, mais plutôt de s'en distinguer, d'être soi, de ne plus ressembler à l'image qu'ils ont voulu que vous soyez. Ils n'ont plus à vous dicter votre conduite, vous êtes assez grand pour décider ce qui est bien et ce qui ne l'est pas pour vous. Vous n'avez pas non plus à vous plier à leurs caprices ou à leur chantage généralement si subtil qu'on s'en rend à peine compte. Le moment est venu de ne pas leur ressembler si la vie qu'ils ont menée ne ressemble pas à celle que vous avez choisie.

SANTÉ. À partir du 18, que vous fassiez du sport, que vous déplaciez des meubles, qu'importe votre activité, si elle demande un effort physique, votre dos est à surveiller. Ne surestimez pas vos forces, vous pourriez vous blesser.

RÊVES ET MAL À L'ÂME. Jupiter et Saturne sont en face de votre signe et vous signalent tous les changements à faire dans votre vie intime et familiale. Certains ne seront pas faciles, par exemple dire à un parent qui fait régulièrement intrusion dans votre foyer et que désormais, avant d'arriver, il doit s'annoncer. Le Nœud Nord en Cancer ne fait qu'accentuer ces aspects comme s'il insistait.

OCTOBRE

TRAVAIL. Sous l'influence de Mars en Vierge dans le dixième signe du vôtre, c'est la course vers le sommet ou le dépassement de soi-même. C'est également l'obstacle, l'épreuve à vaincre, les critiques qu'il faut taire et celles qu'il faut faire et la distinction entre ce qui est bon à dire et ce qui ne l'est pas. Mercure est en Scorpion tout le mois dans le douzième signe du vôtre : au travail, tournez-vous la langue sept fois avant de parler. Mais il s'agit aussi d'un symbole de travail supplémentaire, de recherche, d'inspiration artistique ou de stratégie commerciale. Le moment est venu de déjouer le compétiteur, de le dépasser en proposant des idées hors de l'ordinaire ou de faire un détour pour éliminer une personne malhonnête, envieuse et jalouse. Octobre est néfaste pour ceux qui essaieront d'en faire le moins possible. Il est toutefois favorable pour ceux qui peuvent travailler sans compter les heures parce qu'ils poursuivent leurs idéaux.

SANS TRAVAIL. Il y a du travail pour les intellos et pour les gens qui ont développé une spécialité au maximum, et ce, quel que soit leur domaine. Ceux qui construisent, qui réparent sont aussi très en demande. Si, au départ, on ne leur offre que du travail à temps partiel, ce n'est pas à dédaigner, la permanence n'est pas loin.

AMOUR. Jusqu'au 19 sous l'influence de Vénus en Scorpion, sans doute serez-vous jaloux sans trop savoir pourquoi ou, au contraire, vous vous détacherez d'une personne avec qui vous vivez depuis parfois longtemps ; s'il en est ainsi, c'est parce que vous avez rencontré quelqu'un d'autre. Pour plusieurs, ce temps correspond à un changement sentimental tantôt choisi, tantôt créé par le hasard et par un goût d'aventure. Si votre partenaire travaille beaucoup et que vous avez bien du temps libre, il vous arrivera d'être désagréable, ce qui sera le plus souvent une fausse représentation de votre indépendance. Un ami commun à votre partenaire et vous est malade ; étrangement, ce triste événement aura pour effet de vous rapprocher l'un de l'autre.

FAMILLE. Mars en Vierge concerne non seulement votre vie professionnelle mais également votre famille. Il peut toucher un parent âgé et malade que vous vous sentirez obligé de soigner, que vous visiterez plus souvent que jamais vous ne l'avez fait auparavant. Si toutefois vous avez subi le chantage d'un membre de votre famille, lequel vous a fait des emprunts qu'il n'a pas remboursés, que vous avez hébergé sans qu'il vous remercie de quelque manière que ce soit, vous mettrez fin à cette situation que vous ne supportez plus. Mais il peut arriver qu'un autre s'excuse, ce qui semble pour vous équilibrer cette vie familiale. Sous votre signe, il est fréquent que vous soyez l'enfant laissé à lui-même ou le parent si préoccupé par sa propre survie qu'il lui faut un jour se rendre compte qu'un de ses enfants a un vide à combler. Il faut compter sur le temps pour prendre conscience de ces faits qui n'apparaissent pas même à la lumière du jour.

SANTÉ. Vous donnez l'impression d'être expressif, mais vous avez des secrets comme tout le monde et certains sont lourds à porter. Puis vient ce temps où le corps exprime ses frustrations et ses malheurs, ce corps qu'il faut soigner et presque toujours quand il est en état d'urgence. Si un mal vous attaque, vous y réagissez et, né de Jupiter, vous récupérez rapidement.

RÊVES ET MAL À L'ÂME. On peut avoir mal à la tête, aux pieds, au ventre, mais quand il s'agit d'un mal-être, c'est plus difficile à saisir d'autant plus que son origine se perd dans la nuit des temps. En ce mois, vous ferez des rêves prémonitoires ; vous saurez à l'avance ce qui peut se produire, mais vous pourrez également stopper un événement négatif en vous enlevant du chemin comme s'il s'agissait d'une voiture qui fonce sur vous. Vos cauchemars ne sont pas que le fruit de ramassis de mauvais souvenirs, mais d'éléments susceptibles d'arriver dans un proche avenir. Intuitivement, vous serez en mesure de les décortiquer.

NOVEMBRE

TRAVAIL. Il y aura d'heureuses surprises dans votre milieu de travail, par exemple une promotion ou on vous confiera des tâches spéciales qui vous permettront, et vous le savez, de vous hisser vers un autre sommet. Il vous suffisait de faire la preuve de vos compétences et vous n'avez pas raté votre chance. Si vous avez des amis influents, ils seront là pour vous aider alors que vous n'avez rien demandé ; ils savent qu'ils ont une dette envers vous et ils la paient. Si vous travaillez à des projets spéciaux, vous ne devrez rien divulguer, c'est un peu comme si les murs avaient des oreilles ce mois-ci. La discrétion vous est sérieusement recommandée en tout temps et avec tout le monde ; les espions ne font pas étalage de leur métier. Au début du mois, si vous commercez avec l'étranger, il est possible que vous fassiez vos valises à toute vitesse car on vous réclame. Une association vous sera proposée ; avant de signer quoi que ce soit, informez-vous sur ces gens avec qui vous négociez et ne faites aucun chèque sans en avoir parlé à votre comptable.

SANS TRAVAIL. Si vous cherchez un emploi dans un domaine juridique ou le monde des relations publiques, la vente par exemple, vous êtes assuré de trouver. À partir du 14, quand vous ferez vos démarches, ne rajoutez rien à votre curriculum vitæ ; si vous étalez des compétences que vous ne possédez pas réellement, vous perdrez toutes vos chances d'embauche.

AMOUR. Si les uns commandent dans leur couple, d'autres se soumettent aux ordres de leur partenaire. Il y a sous ce ciel un avis où vous pourriez exagérer dans un sens comme dans l'autre : ou vous serez la victime, ou le bourreau. C'est comme si vous aviez plus de difficulté à discuter de ce qui vous intéresse vraiment, vous ne savez plus comment dire ce qui vous plaît ou ce qui vous déplaît. Si, par exemple, vous êtes allé vivre avec votre amoureux ces derniers mois, novembre correspond à une zone de réajustements où il serait vraiment important de donner votre opinion et d'écouter celle de l'autre. L'argent peut aussi se placer au milieu de votre couple, surtout que votre budget est serré. Si l'un de vous est excessivement dépensier, l'économe sera inquiet et sans doute pour de bonnes raisons. Si la comptabilité n'est pas un idéal, elle est toutefois importante pour ceux qui vivent ensemble, puisque leur confort en dépend.

FAMILLE. Ce n'est qu'au milieu du mois que commenceront les discussions concernant les prochaines réceptions des fêtes. Qui reçoit qui ? Qui ne voulez-vous plus visiter ? Si vous vivez dans une famille reconstituée, comme chaque année, les discussions au sujet des visites des enfants reprennent. Quand ils sont assez grands pour choisir de fêter avec leurs amis, n'êtes-vous pas offensé ? Et si votre réponse est oui, avez-vous vraiment raison de l'être ? Pourquoi ne serait-ce pas différent en cet an 2000 ? Pourquoi n'apprendriez-vous pas dès maintenant que les traditions finissent par s'émousser et s'émoussent encore plus rapidement quand vous insistez ?

SANTÉ. Protégez-vous du froid, gardez les pieds au chaud et au sec, et évitez les aliments qui surchargent votre foie. Prévenez, vous vous éviterez ainsi plein de petits malaises.

RÊVES ET MAL À L'ÂME. Il serait temps de reprendre contact avec ces gens que vous aimez depuis toujours, ces amis qui ne vous ont jamais déçu et dont vous vous êtes éloigné sans vous en rendre compte. Vous avez besoin de leur présence rafraîchissante et dynamisante ; une fois pour toutes, cessez de fréquenter ceux qui ne parlent que de leurs maladies ou de leur carrière. Mettez de la philosophie et du rire au menu quelques jours par semaine. Vous en avez besoin. Le chemin à parcourir est encore long ; la vie vous réserve d'autres surprises dont certaines n'ont rien d'agréable, aussi pourquoi ne pas vous lier à ceux qui transportent de la joie !

DÉCEMBRE

TRAVAIL. C'est un mois agréable dans l'ensemble, quelques réussites dépassent vos espérances. En commerce, votre clientèle s'accroît en même temps que vos profits. Si vous avez un emploi régulier, la communication avec vos collègues s'améliore, vous vous faites même de nouveaux amis. Si vous êtes un créateur, quelques planètes sont comme une poussée, vous avez du génie. Si vous avez mis des projets sur pied, s'ils sont présentement en pleine réalisation, vous avez du succès et d'autres commandes. On reconnaît votre efficacité et votre originalité. Si votre travail vous oblige à voyager, vous ferez souvent vos valises, vous ne vous reposerez que le 24, satisfait du devoir accompli et du progrès que vous avez fait en peu de temps.

Ce serait difficile de rater ce mois. Il vous suffirait de passer votre temps à vous plaindre alors que ça n'a jamais été aussi bien depuis longtemps.

SANS TRAVAIL. Si vous êtes un communicateur, un vendeur, un relationniste, un artiste, il vous suffit de quelques appels téléphoniques pour que vous trouviez du travail à votre goût et bien payant.

AMOUR. À partir du 9, l'aspect amitié-amour revient, et plus sérieusement que les mois précédents. S'il y a déjà des tensions dans votre couple, même en ce mois de décembre, vous ne serez nullement gêné de déménager pour aller vivre avec cet ami dont vous êtes tombé amoureux. Si vous vivez le grand amour et si vous n'habitez pas encore avec l'autre, il en sera sérieusement question et certains d'entre vous annonceront leurs fiançailles pour Noël. Pour ces derniers, ce sera la fête à la vie!

FAMILLE. Le mois se déroule agréablement entre les membres de la famille, de la veille de Noël et jusqu'au jour de l'An, le feu couve; chez ceux qui ont fait semblant que tout allait pour le mieux, durant cette dernière semaine du mois, il peut y avoir explosion. Si le mois dernier, en raison de la garde partagée des enfants, vous avez pris la décision de passer les fêtes autrement que par les années passées, vous éviterez l'obstination. Si vos enfants ont l'âge de fêter sans vous parce qu'ils préfèrent la compagnie de leurs amis et que vous leur avez accordé la permission, ceux-ci vous demanderont si vous ne pourriez pas recevoir leurs copains et copines à la maison. Si vous êtes d'une nature accueillante, vous vous ferez un plaisir de jouer au père ou à la mère Noël.

SANTÉ. Si vous avez fait attention à votre alimentation depuis le début de l'année, vous êtes maintenant plus énergique, et ce, malgré les débordements d'activités qu'occasionnent les fêtes. Si vous aimez un peu trop le vin, entre Noël et le jour de l'An, vous regretterez d'en avoir trop consommé et vous conclurez que la modération avait tellement meilleur goût.

RÊVES ET MAL À L'ÂME. Vous avez vécu l'an 2000 sous l'influence du Nœud Nord en Lion puis en Cancer dont on dit qu'il est le lieu où l'âme prend sa forme terrestre. Il va de soi qu'elle ne va pas sans ces questions existentielles auxquelles chacun de nous est confronté. Vous êtes en plein dans cette zone où il faut aussi procéder à des renoncements, à des détachements. L'ego, ce gros ego qui nous fait croire que nous sommes mieux que quiconque, va commencer à se déformer pour ensuite se dissiper et faire place à un soi authentique et sans frayeur face à l'inconnu. Ce Nœud Nord en Cancer est pour vous une initiation où l'impalpable sera incompatible et complice de la matière.

♑ CAPRICORNE

22 décembre au 19 janvier

À MON GENDRE PAUL CHAPUT, UN ÊTRE EXTRA-
ORDINAIREMENT GÉNÉREUX. À MES AMIS LES PLUS DISCRETS
ET LES PLUS TÉLÉPATHES. À SOLANGE BRIEN, FRANÇOIS
MARÉCHAL, PAUL MARTEL, FRANCE HARTON, SONIA OUIMET,
MONIQUE DESAUTELS, NATALIE SUZANNE, JEAN-PIERRE CHAR-
BONNEAU, GINETTE FORTIN, ET À L'ADORABLE GENTILHOMME
FRANCIS BÉLAND.

Lorsque vous évoluez positivement dans votre signe, plus le temps passe, plus il se dégage de vous puissance, force, logique, intelligence; vous gardez toutefois une certaine distance, sorte d'indépendance derrière laquelle vous cachez votre immense sensibilité. Vous vous sentez touché par le sort humain. Vous êtes le dixième signe du zodiaque ou l'accomplissement dans la matière avec le gros bon sens comme le veut votre signe de terre. Vous êtes généralement pratique, seule l'exception fait la règle.

Quand vous aimez, votre attachement s'inscrit dans votre mémoire pour ne plus jamais s'effacer. Vous êtes capable de partager les rires et les peines de vos amis. Vous avez une profonde compréhension de la complexité de l'esprit humain; vous restez souvent en retrait, vous savez que le temps arrange les choses et qu'il n'est pas sain de vous placer en travers du destin des uns et des autres. Vous respectez l'intimité d'autrui; vous avez un sens critique d'une telle justesse que vous êtes admirable parce que vous ne l'utilisez pas pour détruire; bien au contraire, vous savez à quel point il est difficile d'atteindre le sommet et quand vous y êtes, vous en reconnaissez la fragilité. Pour vous, rien n'est acquis définitivement, c'est pourquoi il est si rare de trouver des prétentieux chez les Capricorne.

Lorsque vous évoluez négativement, ce n'est pas joli à voir. Saturne qui régit votre signe me fait alors penser à quelqu'un qui s'est installé dans une bulle opaque espérant ainsi être à l'abri de toutes les tempêtes de la vie. Saturne s'est fait vieux bien avant son temps; il ne songe plus qu'à sa sécurité ou à son pouvoir et, cette fois, celui-ci n'a aucun respect envers les vivants puisqu'il se sent lui-même plus mort que vif. S'il ne supporte aucune intrusion, il n'est nullement gêné et s'invite chez vous sans y avoir été invité. Quand Saturne force votre porte, quand il envahit votre maison et qu'il y fait toutes les règles, quand il ne tient nullement compte des besoins de ceux qui l'entourent, c'est qu'il n'est évidemment pas sage comme le voudrait ce dixième signe. Quand Saturne est rigide, quand il a toujours raison, il est automatiquement égoïste et pour arriver à ses fins, tous les moyens sont bons.

SATURNE ET L'ENFANT TRAUMATISÉ

Vous êtes les plus nombreux à avoir eu une enfance traumatisante à cause de parents autoritaires qui exigeaient que vous soyez un adulte alors que vous suciez encore votre pouce. Ils voyaient en vous un être responsable; aussi vous a-t-on demandé de donner l'exemple, d'être celui qui devait en tout temps aider, ou vous aviez l'âge d'aller jouer avec vos amis et on vous tenait un grand discours sur votre future carrière, ou encore vous étiez chargé de travaux ménagers pendant que vos frères et sœurs avaient le droit de s'amuser. Et pour vous faire aimer, que n'au- riez-vous pas fait? Ce genre d'éducation a pu produire sur vous deux effets: l'un a développé une culpabilité maladive, il s'est conformé à tout ce qu'on exigeait, il s'est soumis, s'est incliné pour finir par se dévaloriser. Pour lui, la vie est un poids et il transporte sa déprime sur ses épaules. L'autre Capricorne mal aimé part à la re- cherche du pouvoir, de la gloire; il veut prouver qu'il est le meilleur, il refuse d'être contrôlé, il fait le maximum pour être le contrôlant, peu importe la méthode. Ces Capricorne exploités par leurs parents refusent généralement de voir le tort qu'on leur a fait. Quand il n'a rien réussi, il excuse l'ignorance de ses parents, il leur trouve mille raisons d'avoir agi comme ils l'ont fait. Quand un Capricorne a du succès, il fait l'éloge de ses parents qui l'ont poussé. Ces Capricorne ne sont pas heu- reux et ne font pas non plus le bonheur des autres, puisque personne ne leur a ap- pris.

JUPITER EN TAUREAU

De la mi-février à la fin de juin, Jupiter est en Taureau dans le cinquième signe du vôtre; vous avez devant vous quelques mois pour remettre les pendules à l'heure et pour faire la lumière sur vous, sur votre vie et sur vos choix. Jupiter en Taureau vous donne une vue parfaite sur votre réalité. Vous savez que vous pouvez dire non à ce qui ne vous plaît pas et dire oui au plaisir sans vous sentir coupable. Jupiter en Taureau vous donne la chance de sortir de votre carcan réel ou imagi- naire. Jupiter éveille votre optimisme, votre fierté et votre indépendance. Vous ne vous sauverez pas de vos responsabilités, mais vous les doserez mieux. Vous serez sélectif, vous n'agirez pas uniquement par devoir mais plutôt par conviction.

Si vous êtes amoureux, Jupiter en Taureau vous fera faire une autre lune de miel. Si vous n'avez pas encore d'enfant, si vous avez hésité au cours des deux dernières années, vous vous sentez prêt à fonder un foyer. Si vous avez des enfants qui ont l'âge de faire de vous des grands-parents, vous vous réjouirez de l'annonce de la naissance d'un petit-fils ou d'une petite-fille. Si vous êtes célibataire et réceptif à l'amour, la rencontre sera agréable et semblable à la plus douce des musiques. Vous serez enfin aimé et vous vous donnerez le droit d'aimer sans craindre que l'autre ne vous abandonne ; sous Jupiter en Taureau, vous découvrez que vous êtes digne d'être aimé.

Quant au monde de la matière et du travail, Jupiter en Taureau, c'est la porte ouverte vers un autre sommet de carrière, c'est l'homme ou la femme d'affaires qui manifeste son talent ou l'artiste qui réussit au-delà de ce qu'il espérait. Plusieurs portes s'ouvrent et il y a en vous tant de possibilités que c'est l'émerveillement. Vous pouvez enfin vous dire que vous avez de la chance.

JUPITER EN GÉMEAUX

De juillet 2000 à juillet 2001, Jupiter est en Gémeaux dans le sixième signe du vôtre ; vous poursuivrez ce que vous avez entrepris sous Jupiter en Taureau avec plus d'acharnement ; cette fois, ce sont des heures supplémentaires qu'on vous demande de faire. Vous avez tellement bien démontré vos talents et vos forces que chacun s'arrache vos services. Si vous êtes en commerce, vous augmenterez considérablement vos profits. Si vous lancez une affaire, vous trouverez toutes les cordes utiles de manière que tout fonctionne à la perfection. L'orchestre sera au grand complet. Jupiter en Gémeaux vous donne cette souplesse d'esprit et cette capacité de vous adapter à toute nouvelle situation. En tant qu'employé, il est possible que l'entreprise qui vous embauche apporte d'importantes transformations ; il peut s'agir de fusion ou, à l'inverse, de vente ; mais qu'importe le mouvement, il ne nuit pas, bien au contraire, c'est une autre porte qui s'ouvre et qui vous permet de vivre une nouvelle expérience. Sous Jupiter en Gémeaux, si votre travail vous fait voyager, vous partirez plus souvent. Si vous avez des projets d'échange avec l'étranger, vous les réaliserez.

L'effet Jupiter en Gémeaux n'est pas que parfait. Si, par exemple, vous ne faites pas attention à votre santé, si vous abusez de vos forces, de temps à autre, vous ressentirez une immense fatigue, signal qu'il faut vous arrêter et prendre le temps de vous ressourcer. Si vous dépassez vos limites, vos voies respiratoires seront affectées. Si, durant cette période, vous avez une toux qui n'en finit plus, consultez un médecin. Jupiter en Gémeaux dans son aspect négatif représente votre système nerveux qui ne supporte plus la surcharge. Même si le succès est intéressant, comme il n'est jamais acquis sans effort, il faut savoir qu'il n'y a aucune faute à prendre des vacances. Le *burnout* est un mal populaire, n'attendez pas ce diagnostic pour faire un arrêt.

Le Gémeaux représente vos adolescents; sous Jupiter dans ce signe, sans doute serez-vous plus nerveux comme éducateur puisqu'on va maintenant contester votre autorité ou se révolter contre les valeurs que vous avez imposées. Si vous en êtes là, je vous conseille d'aller consulter la section psychologie dans les librairies; vous y trouverez des ouvrages vous expliquant les comportements de ces enfants que vous ne reconnaissez plus tant ils ne ressemblent plus à ceux que vous appeliez vos petits anges.

URANUS ET NEPTUNE EN VERSEAU

Uranus et Neptune sont dans le deuxième signe du vôtre pour encore plusieurs années. Ces planètes provoquent diverses réactions chez les Capricorne. Ils peuvent tout dépenser et ne jamais trouver le moyen d'économiser le moindre sou. Ils achètent compulsivement à un point tel que leurs proches ne les reconnaissent plus. Uranus et Neptune portent quelques Capricorne à croire au premier vendeur de rêves pour lesquels il faut payer pendant beaucoup d'années. S'il a été prudent jusqu'à maintenant, il est possible que, sous les influences d'Uranus et de Neptune, il acquière une assurance qui pourrait se révéler sans valeur en bout de ligne. S'il ne s'y connaît pas bien dans ce domaine, il devrait demander à un ami informé de le guider. Il en va de même pour ses placements. Il y a, à l'inverse, le Capricorne qui n'en a jamais assez et qui est prêt à toutes sortes de manigances pour payer le moins cher possible; habile manipulateur, il veut tout avoir et fait des victimes. Comme autre excessif, nous trouvons le Capricorne qui économise sur tout et qui n'a plus de qualité de vie; il ne s'offre jamais aucun plaisir, aucune fantaisie tant il craint pour ses vieux jours. En résumé, Uranus et Neptune en Verseau peuvent donner des comportements hors norme à certains Capricorne. Si ces derniers ne se rendent pas compte de ce qu'ils font, leurs amis sont là pour leur dire ou pour les prévenir, mais il n'y a pas plus sourd que celui qui ne veut rien entendre.

VUE D'ENSEMBLE

L'an 2000 est prometteur pour le Capricorne; pour le gâcher, il faut presque le faire exprès. Jupiter en Taureau est semblable à une supervitamine; par exemple, si vous avez été malade en 1999, vous récupérez maintenant vos énergies qu'il faudra désormais préserver en vous alimentant mieux, en évitant quelques excès et en supprimant des habitudes nuisibles à votre santé. Si vous ne le faites pas, sous Jupiter en Gémeaux, vous serez dans l'obligation de vous faire soigner et, cette fois, sans doute votre médecin froncera-t-il les sourcils en vous donnant ses recommandations. Si vous cherchez un emploi, vous trouverez sous Jupiter en Taureau; vos compétences seront en demande et, sous Jupiter en Gémeaux, la suite veut que vous progressiez, que vous fassiez plus d'argent à moins que vous ne viviez l'effet adverse de Jupiter en Gémeaux : contester et vous plaindre de tout alors que vous n'avez jamais eu autant depuis bien des années !

Sous Jupiter en Taureau, l'amour vient droit sur vous ; sous Jupiter en Gémeaux, si vous persistez à ne trouver que des défauts à votre partenaire, il aura parfaitement le droit de se lasser et de se fâcher contre vous. Vous avez devant vous 18 mois pouvant vous apporter plus que jamais vous n'avez souhaité ; vous aurez des occasions en or, des protecteurs, des faveurs, des bénéfices. Dites-vous que rien n'est jamais acquis et qu'après avoir récolté quelques bienfaits, il faudra continuer ; comme on ne voyage pas seul dans cette vie, il est important d'entretenir de bonnes relations avec vos collègues et toutes ces nouvelles gens que vous rencontrerez si vous voulez qu'ils soient là au prochain tournant.

CAPRICORNE ASCENDANT BÉLIER

Tout peut arriver au cours de la prochaine année. Mais comment avez-vous vécu Jupiter en Bélier sur votre ascendant en 1999? En avez-vous profité pour vous tailler une place au soleil ou avez-vous passé votre temps à contester? Vous êtes-vous éparpillé ou avez-vous concentré vos efforts en direction de votre but? De la mi-février à la fin de juin, Jupiter est en Taureau dans le deuxième signe de votre ascendant; il présage une grosse récolte financière si en 1999 vous avez mis les efforts nécessaires. Pour plusieurs, le moment est venu d'acquérir une propriété ou de vendre celle qu'ils possèdent pour en acheter une autre convenant mieux à leurs besoins. Si vous lancez une affaire, l'entreprise progressera à un tel rythme que vous en serez vous-même surpris. Si vous cherchez un emploi, vous trouverez rapidement et selon vos compétences. Jupiter en Taureau dans le deuxième signe de votre ascendant laisse aussi supposer qu'il y a pour certains un partage d'héritage. Si, pour les uns, tout se passe bien parce que le testament a été convenablement rédigé et appliqué, pour d'autres, c'est le début d'une querelle entre les membres d'une même famille.

Si Jupiter en Taureau vous fait gagner à la loterie, ce que je vous souhaite, vous devrez cependant être sur vos gardes parce que, tout à coup, vous vous apercevrez que vous avez une foule de nouveaux amis. Bien que Jupiter en Taureau soit surtout annonciateur de profits, d'argent, il ne vous exempte pas de l'élémentaire prudence: durant les mois d'avril et de mai surtout, il y aura autour de vous plein de bonnes gens qui, chacun à leur manière, auront quelque chose à vous offrir en échange de quelques chèques. Sans oublier qu'il y aura plus d'emprunteurs que jamais qui frapperont à votre porte. Le gros bon sens vous suggère de les éloigner. Puis, de juillet 2000 à juillet 2001, Jupiter sera en Gémeaux dans le troisième signe de votre ascendant; il appuie ici le côté commercial. Si vous êtes à votre compte, vous élargirez votre territoire et si vous négociez avec d'autres villes ou d'autres pays, vous serez fréquemment obligé de faire vos valises et d'aller à la rencontre des clients. Jupiter en Gémeaux stimulera un grand nombre à faire un retour aux études ou à parfaire une formation qui leur permettra d'accéder à un poste plus intéressant et plus payant. Sous votre double signe cardinal, certains jours vous êtes prompt au point de perdre sérieusement votre sang-froid et il est possible que sous Jupiter en Gémeaux vous soyez encore moins patient. Vos colères laissent généralement des traces, elles font une bien mauvaise impression; vous pouvez corriger ce comportement qui est fort nuisible. Si Jupiter en Gémeaux a un effet d'irritabilité, il est aussi l'occasion de vous en défaire, que ce soit à l'aide d'une psychothérapie ou grâce à vos efforts personnels. Vous êtes généralement ambitieux en tant que Capricorne/Bélier ; accéder ou être au sommet a son prix, puisqu'il exige d'être continuellement attentif et stratégique. Il y a toujours un temps où il est nécessaire de faire des compromis et pour ne rien perdre de vos acquis, vous devrez en faire quelques-uns sous Jupiter en Gémeaux.

CAPRICORNE ASCENDANT TAUREAU

Vous êtes un double signe de terre ; vous êtes régi par Saturne le rigide mais assisté par Vénus la tendre. Voilà donc une belle association entre votre signe et votre ascendant. Vous êtes un signe d'hiver réchauffé par l'éternel printemps de Vénus. Vous avez le cœur sur la main pour ceux que vous aimez. Votre Soleil étant dans le neuvième signe de votre ascendant, vous bénéficiez d'une extraordinaire énergie physique et d'un moral qui ne peut s'effondrer que pendant quelques minutes pour ensuite retrouver toutes les bonnes raisons pour croire en la vie. Vous êtes toujours plus intuitif que vous ne le laissez paraître et plus sage qu'on ne le croit. Il faut de très mauvais aspects dans votre thème natal pour que vous vous effondriez devant l'obstacle ou que vous ayez travaillé comme un forcené pendant des mois sans prendre le moindre repos. En général, on vous demande beaucoup parce qu'on sait que vous ne pouvez jamais dire non ou presque. Mais bien des choses changeront au cours de la prochaine année. De la mi-février à la fin de juin, Jupiter est en Taureau sur votre ascendant ; votre Vénus est bonne, mais elle voit tellement clair qu'elle ne tolère plus l'intolérable. Avis aux intéressés et à ceux qui ne le sont pas, cet aspect signale une grande fertilité. Si vous avez le désir d'avoir un enfant, votre vœu sera exaucé.

Tout au long du passage de Jupiter en Taureau, il sera question d'acquérir une maison, plus souvent à la campagne ou en banlieue qu'à la ville ; cependant, ce désir ne pourrait se réaliser que sous Jupiter en Gémeaux entre juillet 2000 et juillet 2001. Par ailleurs, sous Jupiter en Taureau, il ne faut prendre aucune décision précipitée concernant l'argent, un achat ou des placements, et si vous hésitez, vous avez raison ; l'idéal est de demander l'avis d'un professionnel ou d'un ami qui a de l'expérience dans le domaine financier. Sous Jupiter en Taureau, il y a présage d'avancement dans l'entreprise en cours et d'une augmentation de salaire. Si vous êtes à votre compte, vous concevrez un autre produit que vous commercialiserez et qui sera rapidement adopté et acheté par le grand public. Il y a en vous un côté à la fois pratique et avant-gardiste que vous découvrirez au fil des mois, et plus particulièrement sous Jupiter en Taureau, puis sous Jupiter en Gémeaux. Cette dernière position planétaire laisse prévoir au moins un voyage comme jamais vous n'avez fait auparavant, une exploration agréable et un élargissement de vos connaissances.

Entre juillet 2000 et juillet 2001, vous aurez l'idée de terminer des études que vous aviez entreprises et que, à cause d'événements indépendants de votre volonté, vous n'aviez pu poursuivre. Cette fois, vous en avez la possibilité et, pour certains, c'est l'entreprise qui emploie leurs services qui offrira de parfaire leur formation. L'an 2000, c'est en somme la redécouverte de potentiels qui s'étaient endormis ou d'un but qu'on ne pouvait atteindre pour autant de raisons qu'il y a de Capricorne/ Taureau. Mais voilà que les occasions sont là, l'argent et le temps sont à leur disposition. Le célibataire réceptif à l'amour se retrouvera soudainement face à cet autre ; tous les deux, comme si une vie de couple allait de soi, s'engageront ; étrangement, tout se déroulera dans un irrémédiable ou un incontournable consentement mutuel.

CAPRICORNE ASCENDANT GÉMEAUX

De la mi-février à la fin de juin, Jupiter en Taureau sera dans le douzième signe de votre ascendant. Il occupe une zone étrange, mystique, parfois à tonalités dramatiques ; il réserve des surprises qui, au départ, ne sont pas agréables et qui, chemin faisant, le temps passant, se révèlent avoir été à l'origine d'un recommencement qui nous effrayait et qu'on remettait sans cesse au lendemain ; Jupiter en Taureau fait le grand ménage. Des gens répétaient constamment qu'ils étaient vos amis, mais voilà qu'un problème surgit et que soudainement personne n'est là pour vous donner un coup de main ni pour vous soutenir le moral. Si vous avez de l'argent, plusieurs emprunteurs sonneront à votre porte et, pour la première fois, vous oserez refuser de leur en prêter ; ils n'y comprendront rien et, pis encore, vous aurez droit à un tas de bêtises et vous vous ferez traiter d'égoïste alors que vous avez été présent dans leurs pires moments. Jupiter en Taureau, bien qu'il fasse un bon aspect au Capricorne, vous invite à suivre le régime ou le traitement que vous a recommandé votre médecin. Ne pas vous conformer à ses conseils sages et professionnels, c'est amplifier vos malaises et jouer avec votre santé.

Jupiter en Taureau correspond à de profonds changements psychiques, à une réflexion au sujet des buts que vous poursuivez, des relations que vous entretenez, de l'amour qui vous fait joyeusement mûrir ou terriblement souffrir. Jupiter en Taureau, c'est l'acceptation d'un talent qu'on a toujours possédé et l'exécution de celui-ci. Jupiter en Taureau risque de rendre malades les Capricorne/Gémeaux qui refusent de vivre selon leurs véritables aspirations. Mais il y a aussi des événements sur lesquels vous n'avez aucun contrôle sinon que de vous incliner, telle la maladie d'un être bien-aimé ; si vos enfants ont l'âge de voler de leurs propres ailes et si, jusqu'à présent, vous avez cru qu'ils seraient toujours à vos côtés, vous devez accepter leur départ et leur façon de vivre qui est différente de la vôtre.

Puis, de juillet 2000 à juillet 2001, Jupiter est en Gémeaux ; il est alors sur votre ascendant, position qui apporte des honneurs, un succès inattendu ; votre sens de l'entreprise se développe, votre idéal vous apparaît dans toute sa lumière ou l'argent se gagne plus facilement. Jupiter en Gémeaux, pendant 12 mois, était à la fois sur votre ascendant et dans votre sixième signe; il est impératif que vous preniez soin de vous, que vous changiez votre alimentation si vous ne l'avez pas fait sous Jupiter en Taureau; on apprécie mieux les bonnes choses si on est en forme. Le pire de Jupiter en Gémeaux serait que vous deveniez prétentieux, que vous regardiez autrui de haut comme s'il n'était rien et que vous étiez tout. Si vous avez un statut social et la fortune, Jupiter en Gémeaux mal vécu vous rend critique et vous détestez vous occuper de ce que vous nommez le petit peuple. Mais peut-être voulez-vous oublier vos origines et vous faire croire que vous êtes de sang royal? Jupiter en Gémeaux vécu positivement présage l'amour; cependant, si vous êtes arrogant, imbu de vous-même, ne comptez pas sur l'appui d'un partenaire qui n'en peut plus de supporter vos sautes d'humeur.

CAPRICORNE ASCENDANT CANCER

Vous multiplierez vos projets, vos amis, vos avoirs, vous voyagerez et vous vous direz entre la mi-février et la fin de juin que l'ennui, vous ne connaissez pas cela. Durant cette période, Jupiter sera en Taureau dans le onzième signe de votre ascendant, maison astrologique qui vous donne non seulement le goût de tout changer, mais également l'audace de passer à l'action. Vous avez le sens de la famille; quand vous avez des enfants, ils passent au premier plan, ils peuvent même occuper tout votre temps, toutes vos énergies et toutes vos pensées, c'est un peu comme si vous ne vous apparteniez plus. Ils sont les lutins ou les magiciens qui vous ont transformé et pour ça, vous ne cessez de les remercier. Si vos enfants sont de jeunes adultes, ils peuvent maintenant se passer de vos attentions, de vos services, et peut-être en ont-ils assez de votre omniprésence. Si telle est la situation, vos enfants à qui vous avez appris à dire la vérité vous avoueront carrément qu'ils n'ont plus besoin de votre protection.

Si, jusqu'à présent, votre travail a été routinier, si vous occupez les mêmes fonctions depuis longtemps, entre la mi-février et la fin de juin, l'entreprise vous proposera une nouvelle expérience que vous accueillerez d'ailleurs avec beaucoup de joie. Si vous avez un loisir ou une activité qui vous passionne depuis longtemps, vous trouverez plus de temps à lui consacrer. Si toutefois vous adorez les sports dangereux, si vous aimez le risque, si vous êtes un joueur, cette passion portée à l'extrême peut vous jouer un mauvais tour. Les amis qui partagent votre vice vous pousseront plus loin sur cette route où vous essayez sans cesse de dompter le destin, sur ce chemin où vous espérez contrôler le hasard. Gare à vous, vous y perdriez et plus que vous ne l'imaginez! Si, par exemple, vos papiers ne sont pas en ordre, si vous essayez de tromper les percepteurs d'impôt, vous ne le pourrez pas, ils ont les dents longues et des bras de géant. Sous Jupiter en Taureau, tout doit être en ordre.

Puis, de juillet 2000 à juillet 2001, vous serez sous l'influence de Jupiter en Gémeaux dans le douzième signe de votre ascendant. Si, précédemment, vous avez commis des abus, vous devez maintenant payer la facture, les arrérages ainsi que les intérêts. Après une période d'action sous Jupiter en Taureau, avec Jupiter en Gémeaux, vous entrez en zone de réflexion, de compilation. Après une multitude d'expériences nouvelles, vous faites le bilan. Si vous êtes un penseur, un créatif, Jupiter en Gémeaux vous fait pénétrer dans un monde d'idées. Vous ferez le lien entre ce que vous connaissez et ce qu'il y a encore à découvrir. Jupiter en Gémeaux, c'est la différence entre votre foi, vos croyances, vos superstitions, vos valeurs, etc. Sous Jupiter en Gémeaux, il faut parfois s'incliner devant l'inévitable vieillesse et le déclin de ses parents ou de ceux de votre partenaire. Il est alors la prise de conscience de notre passage éphémère mais combien important pour ceux qui seront encore là après nous. Si vous avez la jeunesse, Jupiter en Gémeaux vous fait réfléchir deux fois plutôt qu'une au but que vous poursuivez, à votre vie familiale, à vos jeunes enfants et aux bagages psychiques que vous transférez sur eux. On ne se change pas en un jour, il faut du temps et vous avez 12 mois importants devant vous.

CAPRICORNE ASCENDANT LION

Vous êtes né de Saturne et du Soleil, il s'agit là de deux gigantesques besoins d'affirmation de soi et d'authenticité. Vous détestez passer inaperçu ; par contre, si on vous regarde avec un drôle d'air, vous montez sur vos grands chevaux. Vous êtes affamé d'amour : vous avez une capacité d'aimer qui est à la fois un don de vous-même et une possession de l'autre. Si vous êtes complexe, vous êtes aussi très coloré. Il y a de nombreux artistes sous ce signe et ascendant parce que ces derniers représentent des sommets. De la mi-février à la fin de juin, Jupiter en Taureau dans le dixième signe de votre ascendant laisse présager une série de transformations dans votre famille. Certaines seront fort heureuses, d'autres moins, surtout quand il s'agira de secrets de famille qu'on pensait enfouis à tout jamais ou de problèmes qu'on croyait régler pour toujours et qui surgissent de nouveau. Jupiter en Taureau, c'est aussi l'ascension de votre carrière ou un important tournant qui modifie votre façon de vivre et qui peut, dans certains cas, vous obliger à déménager dans une autre ville ou un autre pays. Si vous avez un partenaire, il est possible que votre promotion ne fasse pas son bonheur, car cela l'oblige à vous suivre et à changer son orientation professionnelle.

En tant qu'adulte, il est possible qu'un de vos parents soit malade et, comme il est généralement facile de vous culpabiliser, on se tournera vers vous pour recevoir de l'aide. Un emprunteur, membre de votre famille que vous connaissez bien, se présente une fois de plus et vous réclame de l'argent ; ayez la sagesse de lui dire non, surtout durant les mois d'avril et de mai, car si vous lui en prêtez, vous ne serez pas remboursé de sitôt. De juillet 2000 à juillet 2001, Jupiter est en Gémeaux dans le signe de votre ascendant. Jupiter n'est plus dans une maison astrologique aussi rigide, c'est comme si vous pouviez reconnaître vos droits et votre liberté; quand vous sentirez qu'il faut dire non à une demande, vous n'hésiterez plus. Prenez soin de votre santé. Si, par exemple, vous avez des problèmes de circulation sanguine, plus particulièrement des engourdissements, ne négligez pas ce malaise et consultez immédiatement un médecin.

Si Jupiter en Gémeaux vous apporte plus de chances dans divers secteurs de votre vie, travail, carrière, argent, nouvelles relations aussi agréables qu'utiles, toutes ces excitations et ce progrès peuvent fatiguer votre organisme; si vous ne mangez pas sainement, si vous ne prenez que trop rarement votre heure de dîner, si vous ne dormez pas suffisamment, il y aura des conséquences désagréables à tous ces excès. Entre juillet 2000 et juillet 20001, il est également possible que vous déménagiez, que vous choisissiez un appartement ou une maison non loin d'un lieu où des amis que vous appréciez habitent. Certains parmi vous retourneront aux études sous Jupiter en Gémeaux; si, pour les uns, il s'agit d'un cours où ils s'engageront pour quelques années avant d'obtenir un diplôme, pour d'autres, il sera question d'acquérir rapidement une formation afin d'exercer un métier ayant un lien avec le milieu informatique, électronique ou électrique.

CAPRICORNE ASCENDANT VIERGE

Vous êtes régi par Saturne et par Mercure, les deux plus grands calculateurs du zodiaque. Ces deux signes de terre ne supportent ni l'un ni l'autre l'insécurité matérielle et cherchent des certitudes et des garanties. Travailler pour rien ne vous convient pas; ce n'est pas dans vos plans et sans doute avez-vous raison de penser que tout travail mérite une rémunération. Un problème survient de temps à autre, votre évaluation dépasse largement celle qu'on vous a attribuée. Votre Soleil dans le cinquième signe de votre ascendant fait tout de même de vous une personne généreuse envers vos proches et ceux que vous aimez. Vous êtes capable d'un grand dévouement quand l'un d'eux a besoin de votre aide et même de votre argent. De la mi-février à la fin de juin, Jupiter est en Taureau dans le neuvième signe de votre ascendant où il est favorablement positionné à la fois sur votre signe et sur votre ascendant. Jupiter en Taureau annonce des voyages par affaires ou on vous en offrira un en cadeau. Si vous êtes en commerce, vous élargirez votre territoire, vous repousserez les frontières et il est fort possible que certains prennent la décision d'aller vivre dans un autre pays, dans une autre province ou, du moins, dans une autre ville.

En tant que célibataire, Jupiter en Taureau présage une heureuse rencontre qui peut avoir lieu dans un aéroport, un avion, à un arrêt d'autobus, en prenant le taxi; en somme, tout ce qui roule, qui vole, qui flotte s'avère des occasions de croiser votre futur partenaire. Les sports de plein air sont aussi d'excellentes façons d'entrer en contact avec votre âme sœur; les activités physiques et intellectuelles les mieux représentées sont l'équitation, l'escalade, le golf, le cyclisme, le tourisme, les musées, les salles de concert, les pièces de théâtre (à l'entracte), les librairies et les salles de cours. Puis, Jupiter passe en Gémeaux de juillet 2000 à juillet 2001 dans le dixième signe de votre ascendant, symbole de votre carrière ou du but à atteindre. Il n'est pas rare que le Capricorne/Vierge soit dans le domaine des communications écrites ou parlées, tel le journalisme, tout comme on y trouve un grand nombre d'agents de voyages et de commerçants. Cette dixième maison astrologique en Gémeaux dénote un puissant besoin de tout savoir des autres et de ce qui se passe un peu partout dans le monde.

Il est fréquent que vous occupiez deux emplois ou que votre travail vous oblige à diverses fonctions; vous évitez ainsi l'ennui et, surtout, la routine. Le tout est naturellement négocié et bien rémunéré. Si Jupiter en Gémeaux laisse prévoir une ou d'autres étapes professionnelles intéressantes, il n'est cependant pas très aimable pour votre famille. Si, par exemple, vous avez des frères et des sœurs, l'un d'eux peut se trouver en difficulté financière ou vivre un *burnout*, ou peut-être qu'il a envie de donner sa démission afin d'abandonner ce monde compétitif avec lequel il ne peut composer. Qui appellera-t-on à l'aide? Vous, qui êtes considéré comme fort, raisonnable, généreux, etc. Votre thème natal peut aussi indiquer la santé chancelante de vos parents. Entre juillet 2000 et juillet 2001, vous vous sentirez perdu si vos enfants sont des adolescents ou des grands. Vous devriez vous réjouir de les voir prendre des décisions: n'avez-vous pas fait de même quand vous aviez leur âge?

CAPRICORNE ASCENDANT BALANCE

Vous êtes un double signe cardinal. Vous êtes régi par Saturne et par Vénus dans un signe d'air. Vous ne vous laissez pas attendrir facilement, et surtout pas par les inconnus. Vos proches et plus spécialement vos enfants, quand vous en avez, réussissent toujours à vous convaincre de leur donner ce qu'ils demandent. Vous êtes même à leur service. Il arrive que vous ne viviez que pour eux, pour leur confort, pour leur sécurité, pour leur offrir la meilleure éducation possible (ce qui n'a rien de répréhensible); ce dont vous ne vous rendez pas compte, c'est le contrôle que vous exercez sur eux et que, de toute manière, vous manifestez presque ouvertement; vous n'êtes pas toujours conscient de votre attitude de propriétaire. Si vos enfants ont l'âge de vous répondre, entre la mi-février et la fin de juin, sous l'influence de Jupiter en Taureau dans le huitième signe de votre ascendant, sans doute vos grands seront-ils moins sages que lorsqu'ils étaient petits. Jupiter en Taureau vous invite à mettre de l'ordre dans votre comptabilité, à payer vos comptes à temps et, si possible, à ne pas contracter d'autres dettes. Si vous faites l'achat d'une voiture, d'une maison ou même d'une assurance-vie, examinez deux fois ce que vous êtes sur le point de signer; si des clauses du contrat vous échappent, demandez à un ami ou à un professionnel de bien vous expliquer ce dans quoi vous vous engagez.

Jupiter peut également représenter un gain dans un jeu de hasard ou il sera question d'un partage d'héritage, ce qui sous-entend malheureusement le décès d'un parent. Jupiter en Taureau représente pour plusieurs un important tournant de carrière. Si quelques Capricorne/Balance l'ont choisi, d'autres se voient obligés d'accepter un travail qui les éloignera temporairement de leur but premier. De juillet 2000 à juillet 2001, Jupiter est en Gémeaux dans le neuvième signe de votre ascendant et dans le sixième signe du Capricorne. Il s'agit d'un Jupiter intellectuellement bien positionné. Si, par exemple, vous ne saviez plus que faire comme profession, la question ne se pose plus: la réponse vous viendra par hasard, à travers une rencontre intéressante. Mais peut-être cherchiez-vous une nouvelle raison de vivre? Vous serez tout à coup engagé dans un groupe humaniste ou vous vous porterez à la défense d'une cause politique, écologique ou religieuse. Votre nouvel engagement social vous prendra votre temps et vous énergisera plus que vous ne l'imaginez.

Entre juillet 2000 et juillet 2001, sous Jupiter en Gémeaux, vous sortez du carcan familial pour vous affirmer tel que vous êtes et non plus selon ce qu'on a voulu que vous soyez. Si vous êtes célibataire depuis longtemps, si vous refusez l'amour sous prétexte qu'il finit toujours par vous faire souffrir, un déclic intérieur se fera à la suite d'une rencontre hors de l'ordinaire; vous apprendrez à vous laisser aimer et à aimer sans toutes ces peurs que vous aviez autrefois. Votre définition du mot « liberté » prend un autre sens, elle peut être partagée. Sous Jupiter en Gémeaux, vous serez plus explorateur; pour les uns, il s'agira d'un premier grand voyage, pour d'autres, d'un déménagement dans une autre ville, parfois dans un autre pays. Sous Jupiter en Gémeaux, vous comprenez que vos seules limites sont celles que vous vous étiez imposées.

CAPRICORNE ASCENDANT SCORPION

Vous êtes né de Saturne, de Mars et de Pluton, que de questions qui restent sans réponses! Que de peurs inexprimées! Et sans cesse vous reviennent et vous hantent ces désirs de vous dépasser, de comprendre la vie au-delà de toutes ses apparences. Votre recherche ne fait toujours que commencer, ce qui rend votre quotidien intéressant. Plus les années passent, plus vos intérêts se multiplient. Après une large exploration de vos potentiels et plusieurs années d'études ou de cours qui ne semblaient pas toujours avoir de liens entre eux, sous l'influence de Jupiter en Taureau entre la mi-février et la fin de juin, une sorte de glissement heureux se produit; la lumière se lève après des jours et des jours d'obscurité, vous trouverez votre centre d'équilibre. Votre véritable chemin de vie se dessine; parmi toutes vos connaissances, un sujet retiendra davantage votre attention et vous vous y consacrerez comme on entre en religion.

On ne peut négliger la part de l'amour en cette première partie de l'an 2000. Si vous êtes seul depuis longtemps, cet être que vous souhaitiez rencontrer au plus profond de vous-même sera devant vous ; lentement, vous lui ouvrirez votre cœur et vous le laisserez vous connaître afin qu'il puisse mieux vous aimer. Ce trop-plein d'amour, vous lui retournerez. Si vous vivez avec la même personne depuis de nombreuses années, sans doute partirez-vous ensemble comme pour rendre hommage à cet amour qui a traversé des tempêtes mais qui s'est toujours retrouvé intact. Puis, de juillet 2000 à juillet 2001, Jupiter est en Gémeaux dans le huitième signe de votre ascendant. Vous vous engagerez encore plus profondément en affaires et en amour. Si vous avez des parents âgés, s'ils sont malades, vous serez malheureusement appelés souvent à leur chevet.

Sous Jupiter en Gémeaux dans le huitième signe de votre ascendant, la mort peut venir chercher un parent que vous affectionnez. On a beau savoir qu'un jour elle arrivera, l'évidence n'est pas moins un choc ; on prend aussi conscience de son propre passage éphémère mais combien important pour ceux qui nous suivront. S'il y a un partage d'héritage, tout se passe bien pour certains mais, pour d'autres, c'est un début d'hostilités familiales. On peut se quereller pour des sommes d'argent ou des souvenirs. C'est étrangement dans une telle situation que vous verrez qui sont les vôtres ; ils manifestent leurs souffrances en voulant posséder une partie des biens du défunt, un peu comme s'ils voulaient l'arracher à sa mort mais, du même coup, ils vous montrent leur moins beau visage, l'ombre qui se cachait en eux. Né de Saturne, de Mars et de Pluton, vous comprenez que la vie se perpétue au-delà de toute matière. Sagement, vous vous éloignerez de cette guerre qui n'est pas la vôtre parce que vous croyez en la vie éternelle. En tant que parent, vos enfants ont peut-être l'âge de quitter le nid familial. Vous pensiez être prêt à vivre cet événement quand il surviendrait, mais même si vous semblez vous incliner devant leur départ, il vous faudra plusieurs mois pour l'accepter. Vos attachements ne sont jamais superficiels, ils vous prennent aux tripes. Si vous vivez un tel passage, souvent celui des *baby-boomers*, vous trouverez mille raisons pour rendre ce départ facile, et seul le temps finira par vous rassurer sur cette situation inévitable.

CAPRICORNE ASCENDANT SAGITTAIRE

Vous êtes né de Saturne et de Jupiter, une composition planétaire qui veut que vous apparaissiez fort et indépendant aux regards d'autrui. Qui êtes-vous quand une partie de votre âme part en voyage d'explorateur et que l'autre reste soudée à sa maison, à sa famille, à ce qu'elle connaît ? Saturne vous maintient dans vos habitudes, dans votre passé, dans vos traditions ; Jupiter vous pousse vers l'avant, vers les nouvelles connaissances, vers le désir d'expérimenter. Votre Soleil est dans le deuxième signe de votre ascendant : l'argent peut devenir une obsession ou vous confondez sécurité affective et sécurité matérielle ; il peut aussi vous arriver de prendre vos sensations pour des sentiments. De la mi-février à la fin de juin, Jupiter est en Taureau dans le sixième signe de votre ascendant et occupe une position importante concernant l'amour qu'on rencontre sur les lieux du travail ou aux alentours. Si vous avez une vie de couple, il est possible que l'aventure fasse des signaux que vous ne pourrez ignorer ; si vous flanchez, soyez prudent parce que Jupiter dans le sixième signe de votre ascendant vous rend vulnérable aux maladies comme les MTS.

Jupiter en Taureau vous avise de vous arrêter lorsque vous êtes fatigué, n'essayez pas d'être partout à la fois ; limitez vos sorties et plutôt que de vous retrouver au milieu des foules ou d'aller à toutes ces fêtes auxquelles vous serez convié, trouvez une excuse et isolez-vous afin de refaire vos énergies ou, du moins, soyez plus sélectif et n'allez que là où vous savez que vous serez bien. Fuyez les endroits qui vous éloignent de la sérénité. Jupiter en Taureau vous invite à étudier, à lire, à entrer en vous-même et à retrouver votre équilibre pour mieux voir où vous allez ou pour trouver votre idéal si vous ne l'avez pas encore découvert. Puis, de juillet 2000 à juillet 2001, Jupiter est en Gémeaux dans le septième signe de votre ascendant et laisse présager quelques changements dans l'organisation de l'entreprise en cours. Si on vous offre un nouveau contrat de travail, dès l'instant où vous aurez des doutes, avant de le signer, informez-vous sur ce qui semble manquer de clarté.

Si vous êtes à votre compte, si vous avez un associé, sous Jupiter en Gémeaux, ne le laissez pas prendre toutes les décisions financières et consultez votre comptable avant de faire une acquisition ou de prendre de l'expansion. Si vous ne vous êtes pas reposé sous Jupiter en Taureau, cette fois, sous Jupiter en Gémeaux, vous y serez obligé parce que votre fatigue sera immense. Il est important d'entreprendre un régime alimentaire différent, plus énergisant. Il suffit de lire quelques ouvrages sur le sujet pour comprendre vos faiblesses organiques et pour y parer. Si vous êtes tombé amoureux sous Jupiter en Taureau, Jupiter en Gémeaux vous offre la continuité ; vous aurez cependant des doutes et probablement peur de vous engager plus à fond dans la relation : vous vous rendez compte à quel point l'amour a changé vos habitudes et que vous devez maintenant faire à nouveau des compromis. Si vous êtes attaché à l'autre et amoureux, ne rompez pas sur un coup de tête ; par contre, si vous êtes terriblement malheureux, cessez la relation, le bonheur est bien évidemment ailleurs.

CAPRICORNE ASCENDANT CAPRICORNE

Vous êtes né de Saturne et de Saturne. Vous êtes le dixième signe du zodiaque, celui qui veut et sent qu'il doit se réaliser en faisant quelque chose de grandiose, de remarquable. Vous êtes un sage et votre principal intérêt est de rendre la vie des autres confortable, plus facile que la vôtre, et de faire leur bonheur. Si vous êtes un ambitieux et que votre seul but est d'être ce quelqu'un qu'on regarde avec des yeux de désir et d'envie, si vous mettez toutes vos énergies à vous faire respecter pour ce que vous faites parce que vous avez réussi, vous n'êtes généralement pas heureux et dans votre intimité, vous contrôlez ceux qui vous entourent. Quand vous êtes le patron, vous l'êtes partout et vous ne protégez que ceux qui se soumettent à votre volonté. Ce portrait guère flatteur ressemble à quelques Capricorne/Capricorne qui ont comme seuls objectifs le sommet, la gloire, la fortune, et tout ça pour calmer leurs nombreuses angoisses de Saturne. Soyez rassuré, le pouvoir vous sera donné sous Jupiter en Taureau entre la mi-février et la fin de juin. Si vous commencez une nouvelle carrière, vous prendrez votre envol, vous ferez un immense saut vers le haut. Vous récolterez des honneurs qui vous donneront une illusion de bonheur.

Si vous appartenez à l'autre clan Capricorne/Capricorne, celui des sages, Jupiter en Taureau a de belles et douces surprises à vous offrir : l'amour d'abord ou le retour de l'amour. Quand il y aura une rencontre, vous aurez l'impression d'avoir toujours connu cette personne, vous aurez cette certitude d'amour que peut-être vous n'avez encore jamais connue. Si vous êtes jeune amoureux et sans enfant, votre vœu de maternité ou de paternité sera sans doute exaucé. Et si vous avez l'âge d'être des grands-parents, il est possible que vous le soyez pour la première ou la seconde fois. Si vous avez un talent artistique, Jupiter en Taureau vous ouvre le chemin et vous donne la chance de faire reconnaître votre œuvre. Puis, Jupiter sera en Gémeaux de juillet 2000 à juillet 2001 dans le sixième signe de votre ascendant : vous terminerez tout ce que vous avez précédemment entrepris. Si vous êtes en commerce, en affaires, vous doublerez vos profits, c'est maintenant que le travail rapporte. Certains d'entre vous reviendront à un métier qu'ils avaient mis de côté par choix personnel ou parce que la situation les y obligeait. D'autres termineront des études qu'ils n'avaient pu poursuivre quelques années auparavant ou reprendront une cause humanitaire à laquelle ils ont sérieusement réfléchi, ou encore défendront les droits de la communauté dont ils font partie.

En somme, il y a un retour au monde et cette prise de conscience dont il suffit pour que changent une société, un peuple, un système politique, etc. Si vous avez un talent d'écrivain, sous Jupiter en Gémeaux, vous serez inspiré ; vos observations vous amènent à une conclusion, à un besoin de boucler la boucle ; il s'agit d'une étape où il vous est nécessaire d'aller au bout d'une idée, d'un idéal, d'un ou de plusieurs objectifs. Jupiter en Gémeaux vous sort aussi d'un rêve et vous fait plonger dans votre réalité. Si vous vous êtes raconté des histoires impossibles, vous acceptez l'impossibilité. Pensez-vous être dans un cul-de-sac ? Sous Jupiter en Gémeaux, beaucoup de résolutions seront finales. Vous prenez la sortie vers un monde meilleur pour ceux qui vous entourent et vous.

CAPRICORNE ASCENDANT VERSEAU

Vous êtes né de Saturne et d'Uranus. Saturne aime la continuité, Uranus la surprise ; Saturne est conformiste, Uranus est marginal ; Saturne est familial,

Uranus ne l'est pas; Saturne vous donne le pouvoir de décider de votre destin, Uranus ébranle vos certitudes et vous soumet aux divers mouvements des époques et des modes que vous traversez. Uranus et Neptune sont en Verseau sur votre ascendant et vous invitent à la modération; Uranus vous donne l'envie de tout changer, tandis que Neptune peut vous figer dans un rêve ou une illusion dont vous sortirez brutalement ou peu à peu entre la mi-février et la fin de juin alors que vous serez sous l'influence de Jupiter en Taureau. Durant la première moitié de l'année, votre famille sera secouée. Ce sera tantôt une belle surprise, tantôt une nouvelle décevante ou triste. Si, par exemple, vous avez de très jeunes enfants, sous Jupiter en Taureau, surveillez leurs jeux de plus près, rangez vos outils, vos produits toxiques, etc. Si vos enfants sont des adolescents et si vous vous apercevez qu'ils ont des fréquentations peu recommandables, avant qu'ils se laissent entraîner à commettre une bêtise, ayez une sérieuse conversation avec eux. Mais il est aussi possible que, comme parent, vous dramatisiez les faits et gestes de vos enfants; si vous vous reconnaissez, peut-être est-il temps que vous appreniez à faire confiance à votre progéniture. En somme, ce qu'il faut surveiller, c'est l'excès dans lequel pour pourriez tomber: ou vous êtes trop permissif, ou vous ne l'êtes pas assez.

Certains parmi vous décideront d'acheter une maison; avant de fixer votre choix, examinez bien ce voisinage dans lequel vous aurez à vivre pendant plusieurs années. De juillet 2000 à juillet 2001, Jupiter sera en Gémeaux dans le cinquième signe de votre ascendant et il concerne aussi vos enfants; cette fois, il révèle que si l'un d'eux a un talent particulier, tout l'honneur qu'il reçoit retombe aussi sur vous. Si vos enfants ont l'âge de faire des choix, sans doute l'un d'eux manifestera-t-il le désir d'étudier dans un domaine particulier qui ne vous a jamais effleuré l'esprit, ce qui vous demandera de faire quelques sacrifices financiers puisqu'il devra aller dans une école privée. Si vous êtes jeune, amoureux et sans enfant, si vous désirez fonder un foyer, votre partenaire sera prêt lui aussi et vous apprendrez qu'il attendait que vous soyez le premier à en parler.

En tant que célibataire, Jupiter en Gémeaux vous donne le choix entre deux belles et bonnes personnes. Il est fort probable que 12 mois s'écoulent avant que vous puissiez prendre une décision. D'ici là, ne faites de promesse ni à l'un ni à l'autre de vos prétendants. Sous Jupiter en Gémeaux, vous aurez l'impression de sortir d'un long sommeil et, comme première réaction, vous transformerez votre maison ou votre appartement, vous décorerez dans des couleurs qui ressemblent à la nouvelle vie qui vous anime. Puis, vous changerez votre façon de vous habiller, vous rajeunirez votre style et, enfin, vous cesserez de demander à ceux qui vous entourent ce qu'ils pensent de tout ça. Vous sortirez davantage, vous vous mêlerez à la vie en société, vous retrouverez des amis que vous aviez mis de côté et vous vous en ferez de nouveaux. Vous aimez jouer à la loterie et vous serez beaucoup plus chanceux entre juillet 2000 et juillet 2001.

CAPRICORNE ASCENDANT POISSONS

Vivre et laisser vivre. Vous avez cette capacité d'abandonner vos peurs et de faire toute la place à la joie de vivre. Votre Soleil est positionné dans le onzième signe de votre ascendant; dès que vous avez atteint la quarantaine, commence pour vous une longue période de rajeunissement et de bien-être moral. Votre ascendant ne vous épargne pas les peines et les souffrances; par contre, il n'a aucune rancune puisque tout a une raison d'être ou d'avoir été. Si vous n'oubliez rien comme le veut Saturne qui régit votre signe, Neptune passe l'éponge sur vos fautes et sur des malheurs qui ont été trop souvent le résultat des bêtises d'autrui. De la mi-février à la fin de juin, vous êtes sous l'influence de Jupiter en Taureau dans le troisième signe de votre ascendant; malgré la pesanteur du Taureau, vous aurez une sensation de légèreté parce que vous cesserez de porter le monde sur vos épaules. Vous vous occuperez davantage de vos intérêts, vous refuserez de prendre des responsabilités qui, en fait, n'ont jamais été les vôtres. Cela vous demandera du courage, mais vu l'effet bénéfique de vos décisions à la fois sur votre vie et sur celle de celui qui se prend en main, vous vous réjouirez de ce détachement nécessaire pour l'équilibre émotionnel de chacun.

Certains retourneront aux études, d'autres les termineront après quelques années d'arrêt; il s'agira parfois de suivre un cours rapide afin de parfaire une formation ou d'apprendre un métier. L'aspect voyage est hautement représenté. Si, par exemple, vous n'avez pas pris de vacances depuis longtemps, vous ne vous sentez plus coupable de vous reposer et vous partirez probablement à deux reprises. Sans être un joueur fou, vous aimez bien risquer quelques dollars dans les jeux de hasard et entre la mi-février et la fin de juin, vous avez plus de chances que jamais de gagner. Il vous suffit d'un seul billet, de un ou de deux dollars pour faire de vous un millionnaire généreux. Puis, de juillet 2000 à juillet 2001, Jupiter est en Gémeaux dans le quatrième signe de votre ascendant; durant 12 mois, pour vous éviter des problèmes de digestion, vous devrez vous plier à une discipline alimentaire. Il y a tant à faire que c'est à peine si vous prenez le temps de manger ou vous vous nourrissez d'aliments pauvres en éléments nutritifs.

Sous Jupiter en Gémeaux, vous aurez continuellement envie de bouger; attention, si vous déménagez trop vite en juillet, au beau milieu du bail en l'an 2001, vous serez fortement tenté par un autre quartier, une autre maison ou un autre appartement, ou vous aurez sans cesse envie de changer la couleur des murs ou encore de déplacer les meubles! Si vous êtes amoureux, si vous êtes jeune et sans enfant, il en sera question et l'accord sera mutuel. Avez-vous l'âge d'être grand-papa ou grand-maman? Ce sera votre tour. Votre descendance est assurée. Sous Jupiter en Gémeaux, un talent que vous avez laissé dormir s'éveille et c'est la passion pour votre art; vos amis s'émerveilleront devant vos œuvres. Vous ne serez pas raisonnable. Vous pourriez même manquer de sommeil tant vous serez pris par votre art. Vous êtes sans doute heureux, mais il serait sage de rester en santé. Dès le début de l'an 2000, vous serez en pleine redécouverte de vous-même ; vous vous affirmerez tel que vous le vouliez il y a parfois quelques années. Votre vie est vôtre et personne ne décidera à votre place.

JANVIER

TRAVAIL. Du 5 janvier au 12 février, Mars est en Poissons dans le troisième signe du vôtre, vous serez donc en mouvement, constamment occupé, plus qu'à l'accoutumée, un peu nerveux tout de même, surtout si vous ne dormez pas suffisamment. D'autres planètes indiquent une indépendance d'esprit, un sens de l'initiative et un puissant désir d'entreprendre du nouveau. Si vous lancez une affaire, un commerce, vous n'aurez aucun mal à trouver un associé et du financement. Si vous êtes un voyageur et si votre travail vous oblige à des déplacements, vos départs seront plus fréquents et votre absence plus longue pour chaque mandat qu'on vous confiera. Si vous êtes chef de file, on ne marche pas aussi vite que vous ; soyez tolérant envers ceux qui n'ont ni votre capacité, ni votre motivation, ni votre ambition, ni votre ténacité.

SANS TRAVAIL. Si vous êtes sans emploi depuis longtemps, peut-être est-ce à cause d'une maladie ? Avez-vous passé au moulinet des compressions budgétaires d'une entreprise ? Qu'importe, le ciel est favorable à votre retour sur le marché du travail. Si, au départ, vous n'occupez pas le poste désiré, gardez le moral, une place se libérera sous peu et vous serez là où vous le désirez. Parmi vous, bien des Capricorne s'inscriront à un cours qui, dans quelques mois, leur permettra de pratiquer un métier qui a de l'avenir.

AMOUR. Si votre vie professionnelle se présente bien, votre vie sentimentale, elle, n'est pas aussi claire et si vous faites partie de ceux qui sont continuellement sur la route ou dans les airs, votre partenaire vous annoncera qu'il perd patience et qu'il a de moins en moins envie de vous attendre. Si, au contraire, vous êtes possessif à l'excès, l'amoureux aura envie de fuir ou, du moins, de s'éloigner pour réfléchir. Pour un bon nombre, le temps est venu d'avoir une conversation sérieuse avec le bien-aimé. On ne peut négliger ceux qui sont profondément amoureux : ils voudront fêter leur bonheur et partir en voyage pour une fin de semaine ou plusieurs semaines, s'ils en ont les moyens. Puis, il y a les jeunes tourtereaux encore sans enfant qui, souvent dans un non-dit, s'entendent pour avoir un bébé.

FAMILLE. Si vous avez vécu l'an dernier la perte d'un être cher tel qu'un parent, votre deuil n'est pas terminé et peut-être avez-vous besoin d'aide pour surmonter l'épreuve. Si tel est votre cas, mettez votre orgueil de côté et consultez. Jupiter est encore en Bélier dans le quatrième signe du vôtre ; il chatouille les points faibles de la parenté et il est possible qu'un oncle ou une tante se permette de vous dire quoi faire sur à peu près tout, mais cette fois vous en avez assez. Un de vos enfants n'est pas sage comme une image et votre autorité est contestée. Il faut y voir là une affirmation de lui-même ou il est peut-être en train d'évaluer ce qu'est la tolérance et jusqu'où celle-ci peut aller. La patience et la compréhension n'excluent pas la discipline.

SANTÉ. Si vous savez que vous êtes facilement déprimé, ne fréquentez ni les pessimistes ni les gens qui passent leur temps à critiquer : il n'y a rien de plus démotivant que cela. Pour garder la forme, sans trop tricher votre régime, ici et là, offrez-vous un repas gastronomique. Rien de mieux qu'une petite douceur au palais pour retrouver votre bonne humeur.

RÊVES ET MAL À L'ÂME. Vient un temps où on se rend compte qu'on a fait quelques rêves impossibles et qu'il faudra bien se décider à en mettre quelques-uns de côté ; au beau milieu de ce renoncement, vous vous découvrez d'autres ressources, une force ou un talent auquel vous vous appliquerez avec toute cette passion que vous avez contenue depuis parfois bien des années.

FÉVRIER

TRAVAIL. Ne vous attendez pas à ralentir, surtout pas à partir du milieu du mois et plus particulièrement si vous travaillez dans un domaine où l'habileté manuelle est requise. On aura constamment besoin de vous, soyez très prudent avec l'outillage. Si vous travaillez dans le domaine médical, vous serez aussi très en demande. À partir du 14, Jupiter entre en Taureau en bon aspect à votre signe ; Saturne est aussi dans ce signe, ce qui augure une chance d'avancement, une promotion ; si vous êtes en commerce, vous songerez à une nouvelle stratégie commerciale et vous mettrez peu de temps à trouver la formule gagnante qui vous viendra spontanément à l'esprit. L'artiste de ce signe est plus productif qu'il ne l'a jamais été. Jupiter en Taureau indique la signature d'un important contrat. Si vous défendez vos droits ou si vous représentez ceux d'une communauté, vous serez plutôt féroce ; si vous ne laissez pas un bon souvenir à vos adversaires, on se rappellera comment vous êtes parvenu à la victoire.

SANS TRAVAIL. Si vous avez les moyens de ne pas travailler, si, par exemple, vous êtes à la retraite, vous ne serez pas oisif. Bien au contraire, vous vous engagerez davantage dans votre communauté ; peut-être ferez-vous du bénévolat ou vous adonnerez-vous à un art qui vous passionne.

AMOUR. Jusqu'au 18, Vénus est dans votre signe : votre magnétisme est puissant, vous êtes attirant ; il vous sera impossible d'ignorer ces gens qui font tout pour entrer en conversation avec vous. Vous êtes généralement timide, mais dès que vous avez l'assurance de plaire, vous faites ouvertement la cour. Si vous avez une vie de couple, si vous êtes heureux, votre partenaire et vous prendrez quelques jours de congé afin de vous retrouver, de vous rapprocher et de vous distancer tous deux de votre travail. Malgré les bons aspects, certains se laissent aller à cet aspect dur entre

Pluton et Mercure et ne manquent pas une occasion de critiquer leur partenaire ni de lui dire quoi faire alors qu'il est lui aussi suffisamment adulte pour prendre ses décisions. Ne tombez pas dans ce panneau que vous tendent ces planètes.

FAMILLE. En général, la famille et plus particulièrement vos enfants sont une priorité et, en ce mois, vous lui donnerez plus d'attention comme si quelque chose vous avait échappé, comme si vous aviez perdu du temps et que vous vouliez le rattraper. Vous aurez aussi le courage de dire non à tous ces services que frères, sœurs, père ou mère ne cessent de vous demander.

SANTÉ. Nous sommes en février et ce ciel indique que si vous avez tendance au rhume, pour l'éviter, vous devrez prendre quelques suppléments vitaminés. Si vous avez fait une bronchite ou, pis encore, une pneumonie, couvrez-vous quand il fait froid et gardez les pieds bien au sec. Il vous arrive de surestimer vos forces; à la mi-février, vous aurez des signaux d'alerte comme quoi il serait préférable de ralentir et de dormir suffisamment.

RÊVES ET MAL À L'ÂME. Le Nœud Nord est en Lion dans le huitième signe du vôtre pendant que le Nœud Sud est en Verseau dans le deuxième. Ils occupent des zones astrales où les uns ne mettent l'accent que sur le pouvoir de l'argent, et les autres le dépensent sans compter. Ce Nœud Nord et ce Nœud Sud vous portent à un de ces excès et, du même coup, vous invitent à y remédier.

MARS

TRAVAIL. Mercure qui représente le monde du commerce en bon aspect à votre signe fait tout de même un aspect dur à Pluton; vous devrez donc être plus méfiant lors de vos négociations, surtout si vous vous reconnaissez comme naïf. On pourrait ne pas vous dire toute la vérité au sujet d'une transaction que vous êtes sur le point de faire. Si vous achetez, exigez des garanties. Si toutefois vous avez un esprit critique et si vous donnez des conseils aux uns et aux autres alors qu'ils n'en ont nullement besoin, vous risquez de vous faire répondre ce que vous n'avez pas envie d'entendre. Mars est en Bélier jusqu'au 23 et vous êtes prompt dans des situations où vous devriez plutôt être souple, réceptif et tolérant. Jupiter et Saturne présagent de bonnes affaires; aussi, pour en profiter pleinement, surveillez votre attitude et restez calme même avec ces gens qui vous agacent.

SANS TRAVAIL. Si vous ne cherchez pas de travail, on ne viendra pas frapper à votre porte pour vous en offrir. Si vous faites une demande d'emploi, sous Mars en Bélier, vous pourriez demander plus que l'entreprise ne peut vous donner. Et peut-être faudra-t-il mettre votre orgueil de côté et accepter un poste qui n'est pas tout à fait selon vos compétences. Si vous êtes retraité, si vous n'avez aucun plan, aucune activité, vous trouverez le temps long et il est possible que vous soyez tenté de vous mettre le nez dans une affaire de famille qui ne vous concerne pas directement.

AMOUR. Un *ex* peut revenir vers vous et troubler votre nouveau couple; votre partenaire est choqué de l'intrusion de ce dernier et parce que vous acceptez de le revoir, mais peut-être a-t-il raison! En ne quittant pas votre passé, surtout si vous n'avez pas d'enfant avec votre *ex*, cela ne dénote-t-il pas votre peur de l'avenir? Si vous êtes présentement heureux, vous n'avez certainement pas besoin de ce genre de témoin de votre bonheur. En tant que célibataire, vous ferez une rencontre, et ce sera tout un choc! Mais vous resterez sur vos gardes et vous préciserez que vous ne cherchez pas l'amour mais l'amitié. Pourquoi vous protéger de votre passion? N'oubliez pas que Saturne qui régit votre signe met des obstacles entre l'autre et vous, que celui-ci peut voir comme étant infranchissables. De plus, vous perdrez l'occasion d'aimer et d'être aimé. Si vous êtes profondément engagé, si vous êtes amoureux et que vous savez exprimer vos sentiments, vous comblerez alors votre partenaire qui, à son tour, fera tout ce qui est en son pouvoir pour vous rendre la vie agréable. Donner à l'autre, c'est se donner à soi.

FAMILLE. Si vous êtes un chef de famille monoparentale, sous Mars en Bélier dans le quatrième signe du vôtre, vous ne serez guère patient avec les enfants. Si votre discipline est trop sévère, on la rejette, on se révolte et si toutefois, ce qui est plus rare, vous êtes permissif à l'excès, vos enfants pourraient avoir l'impression que vous ne leur donnez pas suffisamment d'attention. Qui a dit que c'était facile d'être parent?

SANTÉ. C'est surtout à partir du milieu du mois que vous avez moins d'énergie; l'hiver a fait ses ravages, le manque de soleil se fait durement sentir et votre système immunitaire est moins résistant. Il vous suffira pourtant de vous nourrir sainement pour que vous retrouviez rapidement vos forces. Un mal de dos qui ne passe pas doit être vu par un médecin; il peut être le signal d'une désorganisation de certaines de vos cellules. Prévenez, ne jouez pas au héros.

RÊVES ET MAL À L'ÂME. Il y a parmi vous des gens qui ont tout perdu ou presque l'an dernier et qui recommencent en cette année 2000. Si telle est votre situation, arrêtez-vous de temps à autre et félicitez-vous pour votre courage. Si toutefois vous vous êtes laissé gagner par le mal-être, secouez-vous: votre isolement ne fait de bien à personne.

AVRIL

TRAVAIL. Mars, Jupiter et Saturne sont en Taureau dans le cinquième signe du vôtre; on ne peut passer sous silence que la position de ces planètes vous met non seulement en évidence dans votre milieu professionnel, mais elle tend également à vous gonfler d'orgueil. Ne perdez pas de vue que votre succès, même si vous le devez d'abord à vous-même, est aussi le résultat d'une équipe qui travaille pour vous et qui prend vos intérêts à cœur. Ayez donc l'humilité de vous incliner devant ce fait et appréciez d'avoir la chance d'être aussi bien appuyé. Votre fierté est légitime; cependant, si vous dédaignez vos subalternes, si vous ne savez pas dire merci, vous en paierez la facture. Vous ne perdrez rien de votre respectabilité; toutefois, dans les coulisses de votre réussite, on ne chuchotera pas de bons mots à votre endroit. Uranus en Verseau, qui frappe assez durement les planètes en Taureau, est symbole d'amis que vous pourriez perdre à cause de votre attitude hautaine. Mais il y a des sages parmi vous, des Capricorne dévoués, aimants et à qui on n'a jamais rien à reprocher. On les admire pour leur générosité. Si vous êtes de ceux-là, dès qu'il y aura un pépin, un problème, on se fera un plaisir de vous aider à le résoudre.

SANS TRAVAIL. Ce ciel est invitant et facilite l'embauche si vous cherchez un travail et, cette fois, vous trouverez selon vos compétences. Vous aurez le don d'arriver au bon endroit, au bon moment. Si vous n'êtes pas en bonne santé mais si votre médecin ne vous a pas interdit le travail, un emploi à temps partiel vous aidera à vous rétablir plus vite que prévu. Vous êtes un signe de terre, aussi est-il important de vous sentir utile.

AMOUR. À partir du 7, Vénus entre en Bélier, Mercure rejoint cette planète le 14: elles sont toutes deux dans ce signe marsien à faire des aspects difficiles au Capricorne. Et deux scénarios se dessinent: soit que vous devenez possessif et jaloux, soit que vous vous détachez avant qu'on se détache de vous. Le dialogue est nécessaire durant ce mois; ne laissez pas le fossé se creuser entre votre partenaire et vous. Les Capricorne les plus sujets à une de ces attitudes auront généralement 30 ans et moins. Vous vivez peut-être l'enfer dans votre couple depuis quelques années, vous avez tout tenté et la situation ne s'est pas améliorée. Cette fois, vous trouverez le courage de faire votre bonheur ailleurs. Si vous êtes heureux, sans doute vivez-vous avec une personne qui comprend vos angoisses, vos peurs et qui, plutôt que de s'y attarder, renforce votre confiance en vous. Symboliquement, vous représentez le sommet d'une montagne; celui qui vous y a rejoint est assurément quelqu'un de bien spécial.

FAMILLE. En tant que parent, vous prenez votre rôle très au sérieux. Cependant, les planètes en Taureau dans le cinquième signe du vôtre sont représentatives de vos enfants qui vous donnent des leçons de vie et qui vous aident à rajeunir votre pensée et à transformer vos valeurs. Des Capricorne proposeront un voyage en famille, ce qui sera accueilli favorablement.

SANTÉ. Saturne, la planète qui régit votre signe, fait un aspect dur à Uranus et vous avise de prendre soin de vos os. Si vous avez mal au dos ou aux genoux, pourquoi souffrir? Il existe présentement une foule de traitements naturels dont certains réussissent même à rajeunir le squelette et parfois à le refaire alors que la médecine allopathique dit que c'est impossible. Il n'y a pas de miracle comme tel, rien ne se règle en un jour; si toutefois vous voulez être en forme, vous trouverez ces plantes qui soignent et qui guérissent.

RÊVES ET MAL À L'ÂME. Le 10, le Nœud Nord entre en Cancer et sera en face de votre signe. Il symbolise vos enfants, votre famille, votre père, votre mère. S'il annonce une foule de questions sur votre passé, sur ce que vous y avez vraiment vécu, le Nœud Nord en Cancer aiguise aussi votre désir d'avoir un enfant ou, selon votre thème natal, la paternité ou la maternité peut vous prendre par surprise, ce qui changerait alors toute votre vie.

MAI

TRAVAIL. Durant les premiers jours du mois, cinq planètes sont en Taureau; le 4, il y en aura six. Tout ça dans le cinquième signe du vôtre. Ce qui a été dit au sujet de votre attitude tyrannique ou dédaigneuse s'applique encore à quelques-uns d'entre vous. Mais le 4, Mars entre en Gémeaux et fait un bon aspect à Neptune, ce qui prédispose ceux qui sont obligés de voyager pour leur travail à devoir faire leurs valises plus souvent, et peut-être bien jusqu'au milieu du mois prochain. Si vous faites commerce avec l'étranger, vous pouvez vous attendre à une expansion; cela ne va pas sans travail, au contraire, vous ne compterez plus les heures mais les profits seront plus qu'intéressants d'autant plus qu'il s'agit d'un défi que vous vouliez relever depuis longtemps. Vous devez rester prudent dans les questions d'argent; si possible, suivez les conseils de votre comptable et avant de signer un chèque, assurez-vous que les produits commandés vous soient livrés à temps si vous desservez une clientèle qui a déjà payé pour ce que vous offrez.

SANS TRAVAIL. Si vous êtes arrogant dans votre milieu de travail, on pourrait vous suspendre ou vous mettre à la porte. Il y a sous votre signe des gens en colère pour des raisons aussi nombreuses qu'il y a de Capricorne, et si vous cherchez un emploi dans cet état, il y a peu de chances que vous en trouviez un. Saturne, la planète qui régit votre signe, fait un aspect dur à Uranus, ce qui indique qu'il peut y avoir des soulèvements de masse. Un bon conseil: restez à l'écart.

AMOUR. Jusqu'au 25, Vénus est en Taureau, signe de terre comme le vôtre; vous êtes immanquablement attirant même si vous en doutez. En tant que célibataire, une rencontre peut changer votre attitude ainsi que votre destin. Restez ouvert à l'amour qui s'offre, à l'amour que vous pourrez donner. Si vous êtes amoureux, sans doute verrez-vous à nouveau à quel point l'autre vous remplit. La confiance qu'il vous a donnée ne vous a-t-elle pas changé? N'êtes-vous pas mieux dans votre peau? N'avez-vous pas découvert votre véritable but? Et il y a ceux qui n'en peuvent plus, qui étouffent dans leur vie de couple; si vous avez hésité à quitter votre enfer, vous vous sentez prêt à empoigner votre bonheur; sous ce ciel, vous aurez le courage d'être vous-même et non plus l'ombre de l'autre.

FAMILLE. Si vous êtes de ceux qui s'apprêtent à se séparer, si vous avez des enfants, de longues discussions auront lieu au sujet de leur garde. Ne perdez pas votre calme, peut-être est-ce ce que veut votre partenaire ? Et s'il réussit à vous mettre en colère, n'aura-t-il pas une autre bonne raison pour limiter les visites ? Même si vos enfants sont grands, vous avez du mal à les voir en tant qu'adultes ; au fond, ne souhaitez-vous pas qu'ils aient encore besoin de vous ? Parmi vous se trouvent des *baby-boomers* qui doivent maintenant accepter que leurs enfants fassent des choix sans les consulter.

SANTÉ. Vous avez en général une grande résistance physique mais, à partir du 15 avec Mercure en Gémeaux et Mars dans ce signe, vous serez plus nerveux ; il est important que vous dormiez suffisamment afin de donner une chance à votre système nerveux de se refaire une santé.

RÊVES ET MAL À L'ÂME. Le Nœud Nord est en Cancer et y restera jusqu'en octobre 2001 pendant que le Nœud Sud sera en Capricorne et vous fera faire un voyage au cœur de vous-même ; vous passerez vos expériences en revue ; vous vous demanderez si vous avez subi ou choisi votre vie. La marge est souvent difficile à définir et on n'y tire que rarement un trait final. Si vous avez tendance à vous compliquer la vie, à voir le pire sans le meilleur, si vous êtes un mélancolique, demandez de l'aide ou parlez-en à des amis qui vous connaissent bien, surtout à ceux qui ont l'art de simplifier ce que vous voyez comme dramatique.

JUIN

TRAVAIL. En principe, il n'y a pas d'arrêt de travail, bien au contraire. Que vous soyez à votre compte ou employé dans une entreprise privée, vous ferez des heures supplémentaires parce que vous êtes incapable de dire non ni à vos clients ni à votre patron. Il faut produire davantage ce mois-ci. Si vous êtes obligé de vous déplacer par la route ou par avion soit pour assister à des réunions, soit pour rencontrer des associés, soit pour élargir votre compagnie ou pour prendre de l'expansion, votre projet, quel qu'il soit, a toutes les chances du monde de réussir. Si vous lancez une affaire, si vous débutez, alliez-vous à des gens positifs et dynamiques. N'embauchez pas des personnes qui sont découragées de tout. Elles finiraient par vous nuire et par vous ennuyer avec leurs histoires tristes qui n'en finissent plus.

SANS TRAVAIL. Si vous êtes étudiant, il vous sera assez facile de vous trouver un emploi d'été. Il faudrait vraiment que vous soyez contre le travail pour ne pas en trouver. Si vous êtes en santé et décidé à travailler, il y a pour vous un employeur qui a besoin de vos services. Il est possible que vous n'obteniez pas le salaire du président en commençant, puisqu'il faut d'abord faire ses preuves.

AMOUR. Durant la semaine du 11, pendant environ sept jours, vous serez plutôt sec avec votre partenaire ou si souvent absent que la seule façon pour lui de vous le dire sera de chialer. N'en soyez pas trop choqué et pour avoir la paix, de temps à autre, entre deux départs ou lors d'une journée de congé, organisez une sortie romantique dont il se souviendra jusqu'à la suivante. On peut aimer à distance ; vous êtes particulièrement doué pour cette formule, car elle vous permet de retrouver votre solitude ; vous êtes né de Saturne, l'isolement est une nécessité vous permettant de réfléchir à ce que vous vivez et, du même coup, vous refaites vos forces. Mais peut-être êtes-vous l'amoureux possessif qui veut tout savoir de l'autre et qui est parfois même jaloux de son passé ? Vous poserez tant de questions que vous finirez par irriter votre amoureux qui, à son tour, pourrait croire que vous n'avez pas confiance en lui.

FAMILLE. Vous êtes un chef de famille. Il est rare que vous ne preniez pas tout ou presque sur vos épaules. En tant que symbole de montagne, vous pouvez supporter beaucoup et pendant longtemps. En ce mois et concernant vos enfants, votre douceur se mêle à votre autorité. Que vous viviez en couple ou que vous soyez parent monoparental, vous sortirez plus souvent avec vos petits et vos « pas trop grands ». Vous vous rapprocherez d'eux pour les reconnaître une fois de plus ; vous vous apercevez qu'ils ont changé et que pour garder leur affection, vous vous devez d'être plus présent à leurs jeux et plus à l'écoute de leurs désirs et besoins qui ne sont pas nécessairement les vôtres.

SANTÉ. Votre système nerveux s'use rapidement en ce mois de juin ; vous donnez rarement l'impression d'être quelqu'un de stressé ; vous n'exprimez ni vos peurs ni vos angoisses, car ce serait pour vous un signe de faiblesse. Vous aurez des signaux d'alerte, vous vous sentirez plus fatigué qu'à l'accoutumée ; le soir, laissez tomber quelques sorties et couchez-vous plus tôt.

RÊVES ET MAL À L'ÂME. Je ne connais personne qui a tout dans la vie même s'il en donne l'impression. Chacun a ses propres peines et les vit à sa manière. Vous tentez de les cacher le plus possible. Mais vos proches vous connaissent ; ils sont là pour vous aider à retrouver votre bien-être intérieur. Ne les repoussez pas. Personne ne vous reprochera d'être humain.

JUILLET

TRAVAIL. Jupiter entre en Gémeaux, sixième signe du vôtre, et y restera pendant les 12 prochains mois. Il indique des heures supplémentaires, parfois deux emplois ; pour la plupart, l'objectif est de payer leurs comptes plus vite ou parce qu'ils ont décidé de s'offrir un luxe tel qu'un grand voyage ou de s'acheter une maison et d'emprunter le moins possible. Pour d'autres, l'argent gagné en surplus sera consacré à l'éducation de leurs enfants. En juillet, avec Mars et Mercure en Cancer en face de votre signe, sans doute y aura-t-il un léger ralentissement des affaires en cours. Bien des gens sont en vacances et vous avez beau téléphoner, jamais vous ne les joignez. Patience ! Si vous vous servez d'outils, vérifiez-les avant de les utiliser. Un accident bête pourrait survenir à cause d'une défectuosité. Lorsque vous serez sur la route, vous êtes prié de ralentir, l'aspect accident est fortement représenté; chaque fois que vous aurez un rendez-vous, partez plus tôt: vous serez moins nerveux au volant, attentif à la route et patient dans les embouteillages.

SANS TRAVAIL. Si vous passez trop souvent par-dessus les règlements de l'entreprise, vous risquez de perdre votre emploi. Parmi vous, des contestataires ne ratent pas une occasion de critiquer le système en place. Si vous avez choisi de ne pas travailler alors que vous êtes en santé, vous trouverez le mois long tout autant que ceux qui vous entourent. Jupiter vient d'entrer en Gémeaux et vous signale que s'il vous faut recommencer au bas de l'échelle, faites-le: vous n'y resterez pas longtemps.

AMOUR. Il y a parmi vous des romantiques, des êtres fortement attachés à ceux qu'ils ont apprivoisés, à ceux qu'ils aiment et de qui ils sont aimés en retour. Le ciel les regarde et trouve leur dévouement envers l'autre admirable. Si vous êtes célibataire et si vous appartenez à la catégorie des amants romantiques, vous rencontrerez votre perle rare. Vous avez l'habitude de garder vos distances au début d'une relation, c'est comme si vous testiez la patience de l'autre, vous voulez aussi savoir à quel point vous lui avez plu. Est-ce vraiment de l'indépendance ou vous sauvez-vous avant qu'on se sauve de vous? Si vous pressentez que vous pourriez vous attacher à cette personne que vous avez rencontrée, ne la faites pas trop attendre. Ne laissez pas l'amour filer quand il est aussi près et après l'avoir tant voulu.

FAMILLE. En tant que parent, surtout si les enfants sont jeunes, vous vous éveillez davantage à l'importance de votre rôle et à votre influence sur vos petits. Ils ont évidemment besoin de votre présence, vous êtes leur premier contact avec la vie, leur première vie sociale. L'affection que vous leur donnez, c'est ce qu'ils rechercheront chez autrui toute une vie durant. Mais il y a aussi des Capricorne qui ne sont pas des parents modèles; toutes ces planètes en Cancer les insécurisent et leurs peurs sont automatiquement transférées sur leurs enfants. En réaction et pour s'en défendre, ces enfants sont grouillants, ils n'écoutent pas leurs parents qui, de toute façon, se comportent en propriétaires plutôt qu'en éducateurs; ceux-ci feront face à leurs crises, une façon pour les enfants de montrer que leurs parents n'ont pas de sourire, qu'ils ne sont ni affectueux ni à l'écoute de leurs besoins.

SANTÉ. Ce mois-ci, votre estomac peut vous causer quelques difficultés, votre digestion ne se fait pas aussi bien. Avec toutes ces planètes en Cancer en face de votre signe, ne consommez pas des aliments dont vous doutez de la fraîcheur. Si vous allez à l'étranger, attention aux pays qui ne surveillent pas de très près la qualité de leur eau! Vous êtes sensible aux microbes qui viennent d'ailleurs.

RÊVES ET MAL À L'ÂME. Si la vie vous a séparé de votre amoureux, vous pouvez pleurer votre séparation. Si toutefois vous êtes dans un état de tristesse depuis bien des années, ne serait-il pas temps de vouloir en sortir? Pourquoi vous alanguir sur votre malheur quand il est encore possible d'être heureux ? Chercher le bonheur vous apporterait beaucoup plus que de vous rappeler sans cesse vos souffrances.

AOÛT

TRAVAIL. Du 11 au 16 octobre, Saturne va rejoindre Jupiter en Gémeaux et ces planètes seront côte à côte dans le sixième signe du vôtre. Il s'agit d'un mois important concernant votre carrière. Vous aurez l'occasion de faire un bond vers l'avant, de progresser encore plus, de prendre de l'expansion ou de lancer votre propre affaire si vous vous en sentez capable. Vous serez aussi sous l'influence de Mars en Lion dans le huitième signe du vôtre, ce qui vous porte à vous dévouer comme pas un, à prendre les bouchées doubles ; Mars en Lion accentue votre ambition et si vous pensiez l'avoir perdue, elle refait surface. Le 7, Mercure est en Lion et le 23, il passe en Vierge ; ces positions de Mercure sont stimulantes ; vous aurez de l'audace ; Mercure en Vierge vous aide à mesurer, à vous protéger, à rester dans certaines limites nécessaires pour l'instant.

SANS TRAVAIL. Si vous faites des démarches en vue d'obtenir un emploi, vous recevrez une bonne nouvelle au milieu du mois. Certains d'entre vous quitteront un emploi pendant quelques semaines parce qu'un autre les attend, mieux rémunéré et plus près de l'objectif qu'ils s'étaient donné. Nous sommes en l'an 2000, si vous faites partie de ceux qui comptent sur le gouvernement pour vivre, si vous êtes en santé, vous risquez d'être déçu des prestations sociales. Mais si vous pensiez aller étudier afin d'acquérir une formation, faites-le. N'hésitez plus et passez à l'action.

AMOUR. Une vie de couple, c'est un peu comme un balancier : tantôt vous aimez plus que l'autre, tantôt l'autre vous aime plus que vous ne l'aimez. Puis, pour continuer, il faut trouver le juste milieu, ce qu'il est possible de faire ce mois-ci. Si vous êtes heureux avec l'autre, pour préserver votre bonheur, pour le vivre plus intimement, vous planifierez un voyage. Il suffit parfois d'une fin de semaine pour se rapprocher, pour redire à l'autre à quel point on l'aime. En tant que célibataire, vous plaisez ; c'est toutefois plus difficile de choisir quand deux personnes vous attirent.

FAMILLE. Jupiter en Gémeaux et Saturne qui le rejoint jusqu'au 16 octobre concernent les parents d'adolescents qui prennent des libertés. Si vous avez toujours pris les décisions pour eux, s'ils n'ont jamais pu s'affirmer, sous Jupiter en Gémeaux, vous saurez clairement ce qu'ils pensent de votre autorité et de vos directives.

SANTÉ. Si vous avez des problèmes de circulation sanguine et de fréquents engourdissements, consultez votre médecin.

RÊVES ET MAL À L'ÂME. Chez certains, un malaise subsiste, car ils veulent en même temps faire carrière et être un parent attentif. Quand ils sont au travail, ils s'inquiètent constamment des enfants et quand ils sont à la maison, ils pensent à ce qu'il reste encore à faire au travail. Pourquoi ne pas être à un seul endroit à la fois ? Ce serait plus reposant pour l'esprit et pour le corps.

SEPTEMBRE

TRAVAIL. Si vous n'avez pas un poste de commandement, si vous n'êtes pas le patron, ne donnez pas d'ordre, vos collègues n'apprécieraient pas. Mais il est possible qu'on remplace le gérant ou toute autre personne d'autorité dans l'entreprise en cours. On sait qu'on peut vous faire confiance, surtout si vous êtes au même emploi depuis plusieurs années. Si vous signez un contrat, une entente, vous devez négocier et non pas accepter l'offre telle quelle ; veillez à ce que tous les bénéfices dont on vous a parlé soient notés. Et si vous avez du mal à comprendre la complexité des conditions qui vous sont imposées, demandez à quelqu'un qui a de l'expérience dans le domaine de vous aider à y voir clair. En général, ce mois se passe agréablement côté professionnel et selon vos plans, mais il faut simplement rester prudent avec la paperasse ainsi qu'avec vos placements.

SANS TRAVAIL. Si vous n'avez pas encore trouvé de travail, peut-être faut-il regarder les petites annonces d'autres villes environnantes. Tout indique qu'un emploi vous attend même s'il est loin de votre lieu d'habitation. Si vous faites un retour aux études, il est quand même possible que vous trouviez un emploi à temps partiel pour vous aider à améliorer votre qualité de vie.

AMOUR. Avec Vénus en Balance jusqu'au 24, c'est l'artiste qui se pose le plus de questions sur sa vie de couple. Il est si souvent parti qu'il se demande si l'amoureux aura la patience de l'attendre. Il est des amours qui, de plus en plus, se vivent à distance depuis l'avènement du monde des communications électroniques. S'il vous faut prendre l'avion pour pratiquer votre art ou pour exercer votre métier parce que c'est ainsi que tout fonctionne dans votre milieu, l'autre qui vous aime pour ce que vous êtes ne vous fera aucun reproche et sera là à votre retour. Si vous vivez avec une personne depuis presque une année, si vous pressentez qu'il est temps pour vous de fonder un foyer, vous n'aurez pas à en discuter longtemps : votre partenaire voulait que vous soyez le premier à en parler parce que, de son côté, il est prêt à vivre cette expérience.

FAMILLE. L'éducation que les enfants reçoivent n'est plus tout à fait celle dont bénéficiaient leurs parents et même leurs grands-parents. Certains parents songeront sérieusement à retenir les services d'un professeur privé afin qu'un de leurs enfants fasse le rattrapage dont il a besoin. Si vous avez des adolescents démotivés qui disent carrément qu'ils ne veulent pas en savoir plus long, vous devrez intervenir ; cependant, n'insistez qu'avec la plus grande subtilité afin qu'ils voient d'eux-mêmes à quel point il est important de terminer leurs études. Ne les obligez pas à suivre tel ou tel cours, écoutez-les. Laissez-les vous révéler leurs rêves, leurs projets d'avenir. Vous serez surpris d'apprendre qu'ils savent fort bien ce qu'ils veulent faire de leur futur.

SANTÉ. Entre le 17 et le 26, Mars fait un aspect dur à la planète qui régit votre signe : ne prenez aucun risque si vous faites un travail manuel. Au volant, ne dépassez pas la limite permise. Si vous êtes à la maison, ne soulevez rien qui soit trop lourd, car votre dos et vos genoux sont fragiles, surtout durant la période mentionnée précédemment.

RÊVES ET MAL À L'ÂME. Votre signe est régi par Saturne : votre sagesse ne s'acquiert qu'avec le temps ; si vous entamez la quarantaine, commencent pour vous une étape de rajeunissement de vos idées, l'adoption de nouvelles valeurs et la tolérance, qui a bien souvent fait défaut. Le Nœud Nord en Cancer et le Nœud Sud dans votre signe vous donnent la chance de vous voir tel que vous êtes et ainsi d'améliorer votre qualité de vie tout autant que votre bien-être intérieur.

OCTOBRE

TRAVAIL. Il ne faut pas oublier que la Lune Noire est dans votre signe à quelques degrés seulement du Nœud Sud en Capricorne. Cela signifie que vous aurez l'occasion de retourner à un métier que vous avez déjà exercé ; vous aurez le choix entre rester à l'emploi actuel ou réaliser cet idéal que vous aviez depuis parfois 18 ans. Quelques événements vous paraîtront étranges ; ils sont pourtant des signaux vous invitant à retourner à votre rêve. Expériences à l'appui, vous êtes prêt à vous élancer à sa conquête et à le matérialiser. Si vous êtes jeune, au début d'une carrière, si vous souffrez de cette peur de vous tromper ou de ne pas être à la hauteur des tâches qu'on vous confie, il faudra bien vite vous en guérir. Le temps vous somme d'aller de l'avant et de passer par-dessus les obstacles qui sont, la plupart du temps, le résultat d'un esprit qui voit plus en noir et blanc qu'en couleurs. Si vous êtes dans la vente et si vous allez à la rencontre de vos clients, vous serez continuellement sur la route et un peu plus riche à chaque retour.

SANS TRAVAIL. Pour obtenir le meilleur emploi, faites vos démarches avant le 20. Si vous cherchez un travail dans le domaine de l'écologie, de la protection de l'environnement ou du recyclage, vous en trouverez un convenant à vos compétences et vous obtiendrez un salaire décent.

AMOUR. En tant que célibataire, une amitié se modifie et prend la forme d'un grand amour. Ne refusez ni ces nouveaux sentiments ni ces battements de cœur que vous reconnaissez après avoir rencontré votre âme sœur. Vous êtes passé d'un rapport d'échange de confidences à une intimité qui devient alors un secret qui ne se partage qu'à deux et qui se passe de tout témoin et de tout jugement. Si vous êtes déjà en amour, savoir qu'un enfant est en route peut changer vos plans sans toutefois que votre couple soit contrarié. Au contraire, vous accueillez la nouvelle comme si ce cadeau venait tout droit du ciel. Il y a ceux pour qui rien ne va plus. Ils ont tout tenté: une thérapie, diverses consultations et des lectures les renseignant sur ce qu'il faut faire pour ne pas se séparer, mais ils en sont toujours au même point, le rapprochement est impossible. L'amour a perdu conscience et est maintenant un coma dont ni l'un ni l'autre ne peut sortir. Ces derniers doivent conclure; durant les deux premières semaines du mois, les dispositions seront prises afin de que chacun puisse poursuivre sa route.

FAMILLE. Le 17, Saturne fait un retour en Taureau, cinquième signe du vôtre, et y restera jusqu'au 20 avril 2001; il continue de mettre en évidence votre rôle parental, l'influence psychologique et morale que vous avez sur votre progéniture. Ce Saturne peut toutefois faire fuir un parent qui dit ne jamais s'être senti prêt pour la maternité ou la paternité. Dans un tel cas, ces enfants subissent le départ de l'un ou de l'autre et auront des réactions guère plaisantes pour celui qui reste. La vie d'un parent monoparental demande une somme d'énergie extraordinaire et de lourdes responsabilités. Vous trouverez en vous des ressources que vous ne pensiez jamais posséder. Il est aussi possible qu'en ce mois un parent qui croit tout savoir vous dise comment éduquer vos enfants, comment organiser votre maison, quoi acheter, sur quoi économiser, etc. De grâce, ne supportez pas l'intrus, vous êtes adulte et vous n'avez pas à suivre les directives de qui que ce soit!

SANTÉ. Si vous faites partie de ceux qui supportent les jugements d'autrui, qui se taisent alors qu'ils sont en colère, qui disent oui alors qu'ils pensent non, si vous jouez contre vos intérêts, si on vous piétine moralement et psychologiquement, ne soyez pas surpris d'être constamment fatigué.

RÊVES ET MAL À L'ÂME. Si, par exemple, vous apprenez que votre partenaire est malade, c'est une épreuve, un drame terrible. Si vous devez le soutenir, afin de résister à la pression et au stress, demandez l'aide d'un ami en bonne santé physique et morale ou de quelqu'un qui a déjà vécu une situation semblable à la vôtre. Vous pourrez alors vous confier et, surtout, ne pas vous sentir responsable ou coupable du mal dont l'amoureux souffre.

NOVEMBRE

TRAVAIL. En cet avant-dernier mois de l'année, à partir du 5, sous l'influence de Mars en Balance en aspect difficile à votre signe, il est ici question de justice. Mais attention, décider de ce qui est juste ou ne l'est pas, c'est une énorme responsabilité, surtout si vous représentez un groupe de gens qu'on ne traite pas bien, une communauté ou des travailleurs dont on ne respecte pas les droits. Vous aurez tendance à aller trop vite, à ne voir qu'une partie de la situation et non l'ensemble. Il vous est fortement conseillé de réviser vos positions avant toute décision. Il en va de même de vos affaires; si, de l'extérieur, tout a l'air parfait, il est possible qu'un problème se glisse entre vos négociateurs ou vos associés et vous. Si vous n'êtes pas attentif, vous serez le dernier à l'apprendre et le premier à y perdre là où, avec un peu de prudence, vous auriez tout gagné. Vous ne devez pas non plus être radical côté professionnel. Lorsqu'une situation ne fait pas votre bonheur, prenez le temps de l'examiner sous toutes ses coutures : vous trouverez le point faible et pourrez ainsi corriger la situation avant qu'une erreur soit commise de votre part ou par un collègue. Jupiter est dans le sixième signe du vôtre et fait face à Pluton dans le douzième signe du Capricorne. L'aspect entre ces planètes vous conseille de ralentir ou de spéculer en prenant un maximum de précautions.

SANS TRAVAIL. À partir du 15, Vénus est dans votre signe et, cette fois, elle fait une mauvaise réception à Mars, ce qui porte à refuser là où vous devez accepter ou, au contraire, à accepter là où vous devriez être plus exigeant. Si vous ne trouvez pas d'emploi dans le domaine dans lequel vous avez fait des études, si on ne vous offre pas le poste idéal, ayez l'humilité de travailler en coulisses. Au début de l'an 2001, vous recevrez enfin une bonne nouvelle.

AMOUR. Votre magnétisme est puissant, vous plaisez à plusieurs personnes à la fois, mais vous avez de la difficulté à choisir et il va de soi qu'un engagement vous effraie. Quelques Capricorne ont l'impression que s'ils consentent à sortir avec quelqu'un, ils perdront leur chère liberté. Pourquoi fuir ce qu'on a toujours désiré? Même si vous êtes en amour, vos absences répétées à cause du travail inquiètent quand même l'amoureux. Il suffit de petites attentions pour faire savoir à l'autre qu'on est toujours là à ses côtés et que la distance importe peu.

FAMILLE. En tant que parent d'enfants devenus adultes et soi-disant autonomes, vous êtes encore, sans vous en rendre compte, leur protecteur. Protection dont ils n'ont plus besoin et qui est probablement ressentie comme un poids ou un enfermement. Au milieu du mois, il est possible qu'on veuille vous le dire; on ne saura trop comment s'y prendre, on vous aime, on ne veut pas vous blesser, on ne veut pas vous perdre. La génération de parents *baby-boomers* a tendance à se donner des droits de propriété sur leur progéniture. Contrôler, c'est mal aimer, il faut qu'un jour quelqu'un vous le dise. Puis, il y a, à l'opposé, les permissifs qui craignent tellement le rejet de leurs enfants qu'ils en sont esclaves ou presque et, dans ce cas, ils sont en prison dans leur propre maison. Si vous êtes excessif, d'un côté ou de l'autre, cette part de vous-même émerge à travers des événements que vous n'aurez certainement pas choisi de vivre, mais qui ont pour but de vous faire voir votre réalité parentale.

SANTÉ. Vous possédez au départ une très grande résistance physique mais comme tout humain, vous avez des limites qu'il ne faut pas dépasser sous peine de sanction. Si vous avez des maux de dos et principalement dans la région rénale, éliminez les aliments chimifiés : au milieu du mois, votre organisme les rejette ; prévenez les douleurs et une souffrance physique ; volonté et discipline alimentaire sont vos sauve-qui-peut.

RÊVES ET MAL À L'ÂME. Sous l'influence du Nœud Nord en Cancer et du Nœud Sud en Capricorne, les leçons ne sont pas faciles à apprendre, surtout si jusqu'à présent vous avez cru pouvoir tout contrôler ou presque. Des situations désagréables vous ont fait voir clairement que si vous avez une influence sur votre propre destin, vous n'en avez pas sur celui d'autrui ni sur ses décisions qui, automatiquement, modifient le cours de votre vie. Il y a là matière à réflexion ; une méditation ou une prière vous réconcilierait avec le fait que vous n'êtes pas et ne serez jamais maître partout.

DÉCEMBRE

TRAVAIL. Jusqu'au 23, sur le plan professionnel, vous vous déployez, vous êtes ambitieux, la première place exerce un attrait particulier sur vous. Si vous êtes à votre compte, il est essentiel de respecter les règles d'entreprise établies ; il vous suffirait d'en enfreindre une, rien qu'une petite, pour qu'aussitôt vous soyez obligé de procéder à des congédiements, ce que vous n'avez pas l'intention de faire, surtout avant Noël. Si vous faites commerce avec l'étranger, si vous ne connaissez pas toutes les lois des pays en question, malgré votre bonne foi, il est possible que vous commettiez une erreur et vous ne serez pas exempté d'une sévère amende. Veuillez vous informer sur tout ce qui concerne importations ou exportations. Gens d'affaires et gens d'ici, si vous desservez le public, plus qu'à l'accoutumée, vos clients ont les mains longues et de grandes poches. Il est dans votre intérêt de mieux surveiller vos acheteurs. En tant qu'employé, alors que vous pensiez ralentir ou en faire moins en ce mois de décembre, le contraire se produit ; si vos heures supplémentaires vous rapportent plus, vous devez sacrifier des activités que vous aviez prévues en famille ou avec les amis, quand il n'est pas carrément question de reporter un voyage.

SANS TRAVAIL. Si vous n'avez pas trouvé d'emploi en cet an 2000, sans doute n'avez-vous pas suffisamment cherché ou demandiez-vous plus qu'on ne pouvait vous donner. Si vous êtes de ceux qui se plaignent des exigences de la plupart des entreprises, l'argent qui vient à manquer en ce dernier mois de l'année vous décidera à faire acte d'humilité et à accepter un emploi sans rechigner.

AMOUR. Entre le 20 et le 29, en tant que célibataire et en cette période des fêtes, un ami vous présentera à un autre parce qu'il pressent que vous vous entendrez immédiatement avec cette personne. Il n'aura pas tort. L'attirance sera spontanée. Vous aurez de nombreux points en commun et généralement une activité ou un loisir qui sera presque une passion tant pour l'un que pour l'autre. Vous aurez alors un signal de vous avancer et de ne pas laisser tomber cette relation sous prétexte que vous avez déjà beaucoup souffert. Si vous avez une vie de couple, si vous êtes ce moderne, s'il vous est permis de sociabiliser jusqu'à flirter, lorsque votre partenaire vous fera une colère, ne soyez pas surpris. Vous aurez couru après! La question argent peut soulever des arguments entre l'autre et vous. Ou c'est l'autre qui, selon vous, fait des folies, ou vous êtes le dépensier. Sous ce ciel de décembre, vous avez tendance à vous emballer pour une peccadille. Il est fort heureux qu'enfin le 24, des planètes vous soient favorables; vous retrouverez vos esprits, votre bonne humeur et vous serez plus détaché de ces détails qui ne font pas toute une vie.

FAMILLE. Ce n'est qu'à la toute fin du mois, soit à partir du 24, que vous trouvez toutes les bonnes raisons pour être près de ceux que vous aimez. Il peut y avoir un malade présent aux fêtes et vous serez là pour l'aider à apprécier ce temps de retrouvailles. Si, pour certains, il y a la maladie grave d'un parent, d'autres seront aux petits soins pour papa, maman, leur conjoint ou un enfant qui vit une chute de vitalité; vous devinerez que c'est le seul moyen qu'il a trouvé pour attirer votre attention. Si, l'an dernier, vous avez vécu une grosse épreuve familiale durant la période des fêtes, le souvenir encore frais dans votre mémoire vous empêchera de vous amuser comme vous le faisiez avant. Si vous avez perdu un être cher, demandez-vous s'il ne préférerait pas votre sourire à votre air de personne battue. Et si vous êtes séparé, n'y a-t-il pas d'autres gens à aimer autour de vous?

SANTÉ. Jusqu'à ce que votre période anniversaire arrive, il est possible que vous vous sentiez épuisé. Un bon conseil, alimentez-vous sainement, prévenez un rhume ou une sinusite. Et si vous avez des problèmes avec le sucre, il est préférable de suivre les recommandations de votre médecin.

RÊVES ET MAL À L'ÂME. Vous avez beaucoup changé depuis le début de l'année et c'est à peine si vous vous reconnaissez. Des événements hors de votre contrôle vous ont mûri; des gens qui se disaient vos amis ne le sont plus, ils n'ont pas accepté votre mutation et vous vous en êtes séparé. Par contre, de nouvelles personnes ont fait leur apparition comme des anges le feraient; elles vous ont donné confiance en vous comme jamais on ne l'avait fait auparavant. Vous vous transformerez encore et encore, vous expérimenterez, vous vous libérerez de liens, de valeurs ou de croyances, vous les remplacerez, puis ce sera un autre recommencement. Vous faites votre bilan en ce mois de décembre; s'il est lourd d'expériences, vous y avez appris une chose plus importante que toutes les autres: quoi que vous fassiez, tout se répercute dans cet Univers.

VERSEAU

20 janvier au 18 février

À CES GENS QUI ME SURPRENDRONT TOUJOURS PAR LEUR OPTIMISME FACE À L'AVENIR AINSI QUE PAR LEUR CAPACITÉ À CHANGER CE QUI DOIT L'ÊTRE.

À ANDRÉ ST-AMANT, PIERRE BORDUAS, ANDRÉE PÉPIN, CHRISTIANE BEAUPRÉ, MARIE-HÉLÈNE GAUTHIER, MARIO PÉPIN, GUY LACHANCE, MICHEL BELLEAU, MICHEL BACON, MICHEL W. DUGUAY, ET À YVONNE MORIN.

JE VIENS À PEINE DE COMMENCER CE SIGNE QUE MA FILLE A FAIT DE MOI UNE GRAND-MAMAN. MAIS IL Y A AUSSI L'AUTRE GRAND-MÈRE PATERNELLE, MARIE-JEANNE CHAPUT, UNE DOUCE VERSEAU. JE LA REMERCIE POUR SES ATTENTIONS ENVERS MA REINE, MA FILLE MARISOLEIL AUBRY, ET MA PRINCESSE JULIANNE CHAPUT, NÉE LE 9 JUILLET 1999, PREMIÈRE PETITE-FILLE POUR CHACUNE DE NOUS.

De la mi-février à la fin de juin, vous êtes sous l'influence de Jupiter en Taureau dans le quatrième signe du vôtre. Chaque année, Jupiter donne un rythme à votre vie; il n'est pas seul, il est aussi accompagné de Saturne en Taureau jusqu'au 10 août. Puis, du 11 août au 16 octobre, Saturne fera un saut en Gémeaux pour revenir en Taureau où il achèvera son séjour le 20 avril 2001. De juillet 2000 à juillet 2001, Jupiter est en Gémeaux; pendant 12 mois, votre rythme sera plus rapide et les notes plus joyeuses. Neptune et Uranus sont encore dans votre signe vous signifiant la préservation de votre précieuse liberté; Uranus est votre capacité de choisir, de prendre des décisions; Uranus est votre imagination débordante, votre audace quand il est question de mettre des idées originales à exécution, rien ne vous arrête. Pluton poursuit sa marche en Sagittaire et empêche tout ennemi d'avoir de l'emprise sur vous.

Ces planètes lourdes sont en fait le cœur de l'orchestre et, de temps à autre, il arrivera que certains musiciens ne connaissent pas bien leur partition, ce qui écorchera vos oreilles ou celles des gens qui sont dans l'assistance.

JUPITER EN TAUREAU

Jupiter sera en Taureau de la mi-février à la fin de juin dans le quatrième signe du vôtre. Cette position planétaire symbolise votre famille, vos enfants, vos parents et votre rôle au sein de cette communauté à l'intérieur de laquelle vous avez des responsabilités. Jupiter en Taureau concerne aussi les décisions que vous prendrez sans consulter vos proches qui n'auront plus qu'à se plier à votre bon vouloir; si vous rendez les uns heureux, d'autres seront fâchés de votre choix qui est loin de leur plaire.

Jupiter en Taureau, c'est votre maison par rapport à votre signe. Si les uns déménagent, vendent parce qu'il est temps pour eux d'aller vivre dans un plus petit appartement, d'autres emménageront pour la première fois dans une nouvelle propriété qui sera à la grandeur de leur rêve. Jupiter en Taureau, c'est parfois le retour à la maison de l'enfant prodigue qui était parti bien des années auparavant et toute une joie pour le Verseau. À l'inverse, c'est le départ des grands qui veulent voler de leurs propres ailes et une période d'acceptation de votre part.

Jupiter en Taureau, c'est parfois donner ou vendre à bon marché la maison familiale à un de ses enfants. Jupiter en Taureau peut aussi symboliser la venue d'un enfant qu'on n'attendait plus à cause de son âge ou parce que le médecin avait déclaré une stérilité pour le couple; cependant, la nature en a décidé autrement. Jupiter en Taureau, c'est sa maison qu'on transforme du tout au tout; on se débarrasse de l'ancien, on la remplit de nouveaux meubles, de préférence modernes. Quand il s'agit d'une grosse famille, c'est l'injustice que l'un ressent par rapport à l'autre à qui le parent fait un cadeau.

Jupiter en Taureau concerne l'éducation d'un jeune enfant et parfois un désaccord entre les parents qui vivent ensemble ou non. Pour le célibataire monoparental, c'est la rencontre d'un amoureux à qui on ouvre la porte de sa maison et qui y emménage, mais que le reste de la parenté critique sans vraiment le connaître. Jupiter en Taureau, c'est la porte ouverte non seulement à ses propres enfants, mais aussi à ceux des autres qu'on accueille comme s'ils étaient les siens.

Jupiter en Taureau, c'est la construction d'une maison telle qu'on l'avait imaginée depuis bien des années. C'est une grosse dépense et le sacrifice d'une part de sa qualité de vie, mais on sait à l'avance qu'on la récupérera un jour. Jupiter en Taureau, c'est parfois le Verseau qui n'est pas un parent et qui donne quand même des conseils à des membres de sa famille. Cette fois, ce Verseau risque de ne pas être très bien accueilli. Jupiter en Taureau est un lien direct avec ses enfants et s'ils sont petits, il faut les surveiller de plus près: le risque d'un accident, aussi banal soit-il, n'a rien d'agréable. Jupiter en Taureau, c'est le fait de ne prêter sa voiture que si le parent est bien certain que son adolescent est prudent au volant.

Pour conclure, Jupiter en Taureau est semblable à l'étranger qui entre dans votre maison; pour les uns, il est un ange qui vient y remettre de l'ordre; pour d'autres, c'est le démon qui désorganise et sème le chaos. Il faudra donc être attentif aux visiteurs.

JUPITER EN GÉMEAUX

Jupiter sera en Gémeaux dans le cinquième signe du vôtre de juillet 2000 à juillet 2001. Si, précédemment, il y a eu trop de tensions dans votre couple et qu'elles sont devenues intolérables, vous ferez votre valise ou vous chasserez celui qui n'a plus sa place. En tant que célibataire, Jupiter en Gémeaux est la rencontre avec son ange gardien, son complément ou quelqu'un qui vous ressemble au point où vous «télépathiserez» l'un avec l'autre plutôt que d'avoir d'interminables discussions; en fait, vous vous comprendrez par un geste, par un regard, l'amour n'a que rarement besoin de grands discours pour se faire entendre.

Jupiter en Gémeaux, c'est votre créativité à son meilleur, votre audace et votre goût de vous réaliser selon ce que vous êtes et non pas selon ce que votre entourage veut que vous soyez. C'est la prise de conscience officielle de votre indépendance de corps et d'esprit et votre liberté d'être là où vous voulez. Sous Jupiter en Gémeaux, des Verseau partiront à la conquête du monde et iront sous d'autres cieux, d'autres pays où ils pressentent qu'ils ont une expérience à vivre ou un rôle important à jouer.

Jupiter en Gémeaux appartient au monde des communications, il en est de même de votre signe. Si on allie la force de l'un et de l'autre, ils sont souvent à un recommencement de carrière ou à une ascension si rapide qu'il ne faudra quand même pas oublier l'élémentaire prudence qui, la plupart du temps, concerne la signature d'un contrat qui vise non seulement à protéger l'entreprise avec laquelle vous négociez, mais également vous-même. Quand on peut tout gagner, ce serait bête d'y perdre!

Jupiter en Gémeaux est souvent la représentation symbolique du parent dont un de ses enfants atteint un sommet professionnel ou réussit ce que le Verseau aurait voulu pour lui. Il s'incline et il applaudit à cette partie de lui-même qui monte sur ce podium.

Jupiter en Gémeaux, c'est aussi un voyage d'agrément, une fête qu'on s'offre à soi-même, un départ pour une plage à l'autre bout du monde et des rencontres avec des personnes de cultures diversifiées et toutes aussi intéressantes par la nouveauté qu'elles apportent à l'esprit curieux du Verseau.

Jupiter en Gémeaux est une création hors de l'ordinaire, une chance de monter dans la hiérarchie d'une entreprise, et plus particulièrement si elle est d'un des domaines de la communication moderne. Jupiter en Gémeaux, c'est une suite de cadeaux qu'on n'a même jamais espéré recevoir, des faveurs, des bénéfices qui vous sont offerts parce que jamais vous n'auriez osé demander quoi que ce soit.

En principe, tout s'enchaîne sur le zodiaque, les agissements qu'on aura eus sous telle position planétaire auront leurs répercussions sur le signe qui suit. Mais, en ce qui vous concerne, cela ressemble à deux vies dans une même année. La première partie de l'an 2000 peut être empreinte d'inquiétudes de toutes sortes, tandis que la seconde est un feu d'artifice, un arc-en-ciel magique qu'on peut admirer pendant 12 mois.

PLUTON EN SAGITTAIRE

On ne peut rien retenir contre vous. Vos ennemis, quand il y en a, n'ont aucune emprise sur vous et bien étrangement, des gens qui s'opposaient à un de vos projets changent soudainement d'avis et deviennent vos meilleurs alliés. Pluton en Sagittaire symbolise des désirs secrets qui se sont frayé un chemin et qui sont devenus si puissants que vous ne résisterez plus à l'envie de les mettre à exécution. Ces plans, que vous avez faits sans en parler à qui que ce soit, seront appuyés par des personnes auxquelles vous n'aviez jamais donné la moindre attention, ou de parfaits inconnus seront là pour vous aider à réaliser votre rêve.

URANUS ET NEPTUNE EN VERSEAU

Sous Neptune, vous cachez bien votre nervosité et vos peurs, mais Uranus les met à découvert de temps à autre et vous permet de les exprimer ouvertement, et c'est ainsi que vous maintenez votre équilibre mental et émotionnel. Quand Neptune vous fait perdre la tête, vous vous rattrapez aussitôt grâce à un ami qu'Uranus met sur votre route. De temps à autre, ceux qui vous observent ne comprennent pas ce que vous faites ni comment vous parviendrez à votre but. Par la magie de Neptune et d'Uranus, une part d'imagination et une part de hasard, vous atteignez l'objectif en plus grand et en plus gros que ce que vous aviez intérieurement visionné. Neptune ou Uranus seront, ici et là, sous tension. À certains moments, il faudra modérer vos emportements; si vous êtes protégé, si les ennemis n'ont pas d'emprise, il y aura des périodes où votre attention sera nécessaire parce qu'il est inutile d'en avoir même un seul dans votre camp, aussi peu dangereux soit-il. C'est là que votre intuition et votre sens de l'observation seront à l'œuvre, et ne faites pas comme s'ils n'existaient pas!

VERSEAU ASCENDANT BÉLIER

De la mi-février à la fin de Juin, Jupiter est en Taureau dans le deuxième signe de votre ascendant, il est localisé dans le secteur argent de votre thème natal. Est-ce de l'argent que vous gagnerez à force de travail? Peut-être ferez-vous un gain important à la loterie ou perdrez-vous à cause de votre imprudence et de votre empressement. Jupiter en Taureau peut aussi présager une querelle de famille à la suite d'un héritage et la contestation d'un testament que vous considérez comme injuste envers vous. Si vous avez de jeunes enfants qui ont l'âge de changer d'école, qu'il s'agisse du primaire, du secondaire, du collégial, de l'université ou d'une école privée spécialisée, il est alors question de débourser des sommes d'argent afin de leur donner une chance de fréquenter un bon établissement. Il est possible que votre partenaire et vous ne soyez pas d'accord sur le sacrifice à faire; vous aurez un budget plus serré, mais vous devrez également supprimer des activités parce qu'il devient alors impossible de tout avoir. Même après avoir pris la décision, les discussions se prolongeront et peuvent parfois atteindre des sommets qui dérangeront les voisins. Jupiter en Taureau peut être l'acquisition d'une propriété; pour les uns, il s'agit d'une première; pour d'autres, c'est peut-être la énième. Il faudra faire attention et vous assurer que de la cave au grenier, tout fonctionne comme il se doit. Si vous achetez une maison qui nécessite de multiples rénovations, révisez chacun de vos calculs, vous avez tendance à sous-estimer certains coûts de main-d'œuvre. Faites-vous aider si vous pensez ne pas y voir suffisamment clair.

De juillet 2000 à juillet 2001, Jupiter est en Gémeaux dans le troisième signe de votre ascendant; il y a présage d'un retour aux études, du moins d'une plus grande curiosité intellectuelle, d'un besoin de partir en voyage et, de temps à autre, de vous isoler pour échapper aux incessantes demandes familiales ou à un travail qui ne vous laisse pas une minute de repos. Jupiter en Gémeaux est également un aspect concernant vos frères ou vos sœurs; de juillet à la fin de l'année, il est possible que vous soyez celui sur qui on compte pour se sortir d'une mauvaise situation financière; l'un des vôtres peut aussi traverser une période émotionnellement difficile, peut-être une séparation et plus souvent, il rebondira chez vous pour un conseil ou du réconfort. Mais peut-être avez-vous été séparé de l'un de vos frères ou sœurs depuis plusieurs décennies? Si vous êtes à sa recherche, il y a toutes les chances du monde que vous le retrouviez.

Si vous êtes en commerce, Jupiter est de bon augure et indique que vous pourriez doubler votre clientèle ainsi que vos profits, ou vous ferez l'acquisition d'une autre entreprise, ou encore vous fusionnerez afin de réduire les dépenses et de devenir plus rentable qu'auparavant. Si votre travail vous oblige à voyager ou à vous déplacer par la route fréquemment, sous Jupiter en Gémeaux, vous serez constamment parti. Ce qui fait le bonheur de votre compte en banque ne fait pas nécessairement celui de vos proches à qui vous manquez. Si, en début d'année, il y a eu quelques épreuves, sous Jupiter en Gémeaux, elles disparaissent les unes après les autres. Place alors à la joie de vivre, au plaisir et à la satisfaction d'être ce que vous êtes et ce que vous faites!

VERSEAU ASCENDANT TAUREAU

De la mi-février à la fin de juin, Jupiter est en Taureau sur votre ascendant. Saturne y est aussi jusqu'au 10 août, puis il passe en Gémeaux et revient en Taureau le 16 octobre. Ces planètes en Taureau seront dominantes et vous serviront de balises ou de guides. Étant dans votre maison un, maison martienne, vous ne pourrez être immobile; il vous sera impossible de dormir sur ce qui est parce que tout est en changement. Vous adopterez d'autres valeurs, vous balaierez des croyances qui vous ont jusqu'à présent maintenu dans un carcan rigide. Sous ce signe et ascendant, la famille a eu une grande influence sur vos décisions et sans doute avez-vous été critiqué plus souvent qu'à votre tour. Si vous êtes patient, tolérant à l'extrême, en l'an 2000, vous atteindrez rapidement votre limite et si on ose la dépasser, vous ferez une crise dont on se souviendra. Vous transformerez votre maison ou votre appartement, vous en ferez votre royaume, aussi originaux puissent être vos goûts, vous les laisserez s'exprimer et tant pis pour ceux qui vous trouvent trop excentriques! Vous n'avez que faire de leurs opinions. Désormais, vous prenez le contrôle de votre vie. Il est possible que vous vous orientiez différemment côté carrière; s'il le faut, vous retournerez aux études. Certains obtiendront une promotion ou le poste qu'ils espéraient depuis parfois plusieurs années.

Sous ce ciel vénusien du Taureau, vous découvrirez qui sont vos vrais amis et qui ne vous fréquente que pour les avantages qu'on peut tirer de vous. Si vous avez un talent artistique, vous le développerez et vous suivrez peut-être des cours afin d'améliorer votre technique. Si vous avez fait un grand bout de chemin et que votre talent n'a pas été reconnu, l'an 2000 présage de la popularité dans le domaine où vous êtes engagé. Mais peut-être êtes-vous politisé? Dans ce cas, vous prendrez les devants, vous afficherez vos opinions, vous défendrez les droits de votre communauté, en somme, vous ferez bouger la bureaucratie. Puis, de juillet 2000 à juillet 2001, Jupiter est en Gémeaux dans le deuxième signe de votre ascendant, ce qui indique souvent deux sources d'argent, mais bien des moyens de le dépenser. Jupiter en Gémeaux peut vous donner une certaine naïveté concernant l'argent, et les emprunteurs le ressentent; si vous les connaissez parce que vous les avez toujours eus pour amis ou parce qu'ils sont parents, ayez la charité de ne plus les aider afin qu'ils apprennent à se débrouiller. Cet argent, ne l'avez-vous pas gagné à la sueur de votre front? Et pourquoi ne pourraient-ils pas en faire autant?

Sous Jupiter en Gémeaux, si vous avez une maison à vendre, à peine votre annonce sera-t-elle placée qu'aussitôt vous trouverez preneur; en moins de deux, vous serez obligé de vous trouver un logement ou une autre propriété. Même si tout va très vite, vous serez chanceux et vous aurez ce que vous cherchez et souvent ce que vous avez visionné depuis parfois plusieurs années. Si vous avez une vie de couple stable, si jusqu'à présent les affrontements ont été mineurs et sans grande importance, en l'an 2000 et surtout à partir de juillet, les discussions au sujet du budget tourneront de temps à autre au vinaigre. Pour maintenir l'harmonie qui avait régné jusqu'à présent, lors de la disposition des biens du couple, respectez vos besoins et tenez compte de ceux de chacun. La gentillesse et la logique sont nécessaires.

VERSEAU ASCENDANT GÉMEAUX

La première partie de l'année, plus précisément de la mi-février à la fin de juin, Jupiter est dans le douzième signe de votre ascendant et vous invite à une importante réflexion au sujet de vos comportements et de vos sautes d'humeur qui commencent sérieusement à déranger votre partenaire et vos enfants. Si ceux-ci ont l'âge de vous répondre et de claquer la porte lorsque vos réflexions dépassent leur seuil de tolérance, cela vous donnera un choc bénéfique, puisqu'il vous sert d'éveil. Durant cette période, vous êtes prié de ne prendre aucune décision sans consulter votre amoureux; il est possible que vos émotions vous aveuglent au point de ne pas voir où sont vos intérêts et où s'arrête votre crédit. Par exemple, en faisant un achat, telle une voiture de luxe, vous pénaliserez tous les membres de votre famille. Les paiements seront lourds et vous obligeront à supprimer quelques activités et loisirs, tant ceux de vos enfants que les vôtres. Durant la première moitié de l'année, ne tenez pas pour acquis votre chance, elle pourrait être en retard sur vos prévisions. Jupiter en Taureau est en zone de préparation avant votre grande sortie, avant que vous puissiez jouir du succès tant désiré.

En tant que double signe d'air, vous avez du mal à garder vos secrets et ceux des autres. Si vous divulguez un projet, un esprit malhonnête peut s'en emparer. Gardez-le pour vous. Viendra ce moment où vous pourrez appliquer vos idées même les plus folles. Tant que Jupiter est en Taureau, ne vous confiez pas à des bavards, abstenez-vous de critiquer l'autorité en place et dont vous dépendez. Ce serait comme si vous vous tireriez dans le pied et les murs ont des oreilles. Un de vos enfants pourrait vous inquiéter à cause d'un malaise ou d'une maladie qui nécessite des attentions régulières. En ce qui vous concerne, votre digestion est capricieuse, elle est plus difficile qu'à l'accoutumée. Le stress vous joue là un bien mauvais tour. Si des brûlures ne cessent de vous faire souffrir, voyez donc un médecin et laissez-le vous prescrire un médicament propre à vous soulager d'abord, puis à vous en guérir. Si vous attendez, rien de plus douloureux qu'un gros ulcère d'estomac.

Puis, de juillet 2000 à juillet 2001, Jupiter est en Gémeaux sur votre ascendant. Si vous avez été prudent, modéré, confiant, discret, comme la manne, les récompenses tomberont sur vous et vous n'aurez qu'à cueillir les divers bienfaits dont la vie vous fait cadeau. Jupiter sur votre maison un fait ressortir tout ce que vous êtes; il devient impossible de vous cacher: vous êtes à découvert. Si vous avez patiemment travaillé dans l'ombre sous Jupiter en Taureau, des événements hors de votre contrôle ainsi que des gens positifs et agréables seront là pour approuver vos plans et pour vous aider à les réaliser comme vous les avez pensés et voulus. Si vous avez vécu quelques affrontements avec vos enfants, si vous étiez là pour tenir la main d'un malade, la paix et la santé sont remis à qui de droit. En tant que célibataire, vous êtes tellement explosif sous Jupiter en Gémeaux que vous ne passerez pas inaperçu. Si, à tout hasard, vous vous êtes séparé sous Jupiter en Taureau, il y a une possibilité de réconciliation avec cette personne qui partage votre goût de la vie ainsi que vos désirs d'explorer et d'expérimenter.

VERSEAU ASCENDANT CANCER

Vous êtes né d'Uranus et de la Lune, une planète et un luminaire, ni l'un ni l'autre n'ont le goût d'une vie ordinaire. Vous possédez une grande imagination et quand vous avez une croyance, quelle qu'elle soit, il est quasi impossible de vous en dissuader. Si vous avez une capacité de chef, vous pouvez aussi être cette personne qui croit à la dernière idée en vogue. Vous êtes à la fois fort et fragile. Votre signe et votre ascendant vous conduisent généralement au monde des communications où, chacun le sait, la compétition est forte. En 1999, vous vous êtes écarté de votre voie, vous avez subi des compressions budgétaires ou la suppression de votre poste, mais il fallait bien gagner sa vie et vous vous êtes débrouillé comme vous avez pu. Vous avez gagné moins d'argent, vous avez réduit votre train de vie et peut-être vous a-t-il fallu emprunter pour survivre et pour donner à vos enfants ce dont ils avaient besoin.

En l'an 2000, de la mi-février à la fin de juin, après une année de dures leçons et d'épreuves que d'autres gens ont fait tomber sur vous comme une pluie glacée, sous Jupiter en Taureau, vous respirerez librement. Vous aurez l'impression d'avoir subi une interminable sinusite. Vous voilà guéri. Si vous cherchez un emploi spécialisé dans le domaine des communications, par exemple comme technicien, électronicien, informaticien, publiciste, vous trouverez un poste selon vos compétences avec le meilleur salaire que vous ayez eu depuis parfois plusieurs années. Durant le passage de Jupiter en Taureau, vous découvrirez qu'un de vos enfants a un talent hors de l'ordinaire; sans le pousser excessivement, après vos suggestions et son consentement, vous l'orienterez de manière qu'il se rende compte que son don est bel et bien réel. Si toutefois vous avez été un parent autoritaire et que vos enfants ont l'âge de vous répondre et de savoir ce qu'ils font, quand vous leur dicterez leur conduite, vous courez le risque qu'on vous claque la porte au nez et que tout dialogue devienne impossible. Si le bonheur est au parent généreux, la déception attend l'égoïste et celui qui se croit propriétaire de sa progéniture.

Puis, de juillet 2000 à juillet 2001, Jupiter est en Gémeaux dans le douzième signe de votre ascendant. Si vous avez un talent d'écrivain, si vous êtes un créateur, un inventeur, un chercheur, Jupiter en Gémeaux est comme une inspiration venant tout droit du ciel. Cette position planétaire représente une zone de réflexion au cours de laquelle l'action ne manque pas. Pendant 12 mois, c'est comme s'il vous fallait être constamment à deux endroits à la fois. Pour certains, cela laisse présager deux emplois ou un travail en même temps que la poursuite d'un idéal que même les amis proches ne connaissent pas. Si vous vous reconnaissez comme un être sensible et ouvert à la pratique religieuse, il sera nécessaire de vous surveiller : les faux prophètes frappent à votre porte et veulent faire de vous leur disciple. S'agira-t-il d'être disciple ou d'être discipliné au point de ne plus voir rien d'autre que le culte en question ? Sous Jupiter en Gémeaux, vous vivrez un passage où vous vous poserez de nombreuses questions sur votre foi. Vous possédez toutes les réponses et vous aurez la preuve que là-haut, on vous écoute.

VERSEAU ASCENDANT LION

Vous êtes né avec votre opposé ou votre complémentaire ; votre Soleil est dans le septième signe de votre ascendant. Vous voyez la réalité telle qu'elle est, mais il arrive que vous choisissiez de vous illusionner, que vous vous laissiez aveugler par la brillance des apparences léonines. Uranus qui régit votre signe déteste la routine, la banalité et tout ce qui vous emprisonne, tandis que le Soleil qui régit votre ascendant vous suggère d'être conforme à ce qu'on attend de vous. Il vous maintient dans le connu et vous indique que vos expériences ne doivent pas aller au-delà de ce qui est socialement accepté. Quel dilemme, quel tiraillement et souvent quelle souffrance, puisqu'il s'agit ici d'être ou de ne pas être ! Vous possédez généralement au moins un talent artistique. Mais la vie pleine de surprises vous aiguillonne souvent vers un domaine que vous n'avez pas choisi. Pour plaire à vos parents d'abord, vous vous pliez à la demande. Puis, pour ne pas déplaire, vous n'osez pas démontrer que vous pouvez plus que ce qu'on a reconnu en vous. L'an 2000 vous ouvre la porte et des occasions de vous réaliser comme vous l'avez toujours désiré. Si vous vous trouvez mille raisons pour ne pas agir, vous passerez la première moitié de l'année à vous plaindre et à essayer de vous faire plaindre. Sachez à l'avance que cette manière d'attirer l'attention n'aura aucun succès, au contraire, on s'éloignera de vous sans vous donner la moindre explication.

Si, pour les uns, la vie amoureuse est comblée et continuera à l'être, bien d'autres n'ont que des justifications et des explications égocentriques à se donner et dont ils parlent à tout un chacun pour leurs amours constamment décevantes. Entre la mi-février et la fin de juin, sous Jupiter en Taureau dans le dixième signe de votre ascendant, si certains prennent leur retraite, d'autres commencent une carrière et se trouvent immédiatement ou presque dans l'ascenseur qui mène en haut, juste à côté du bureau du patron. Mais quelques Verseau/Lion seront déchirés : doivent-ils consacrer leurs énergies à leur famille, à leurs enfants ou à leur profession ? La réponse n'appartient qu'à vous. Ne laissez personne influencer votre choix et votre décision. Demandez-vous où est votre bonheur. Et ce qui fait votre bonheur n'est-il pas aussi celui de vos enfants quand ils constatent que vous êtes heureux ? Avez-vous l'âge d'être grand-papa ou grand-maman ? Une bonne nouvelle vous comblera.

De juillet 2000 à juillet 2001, Jupiter est en Gémeaux dans le onzième signe de votre ascendant et symbolise une ouverture plus grande sur le monde, une action, un engagement social qui ne passe pas inaperçu, des voyages, parfois du bénévolat dans d'autres pays. Jupiter en Gémeaux vous prévient que des amis de vos enfants ne sont peut-être pas des anges. Vous vous en rendrez compte avant que l'année se termine ; si vous sentez que leurs mauvaises fréquentations risquent de les mettre en danger, vous trouverez un moyen de les éloigner des vilains. Vous deviendrez soudainement un fin psychologue et un parent fort stratégique. Peut-être faudra-t-il des années avant qu'on vous remercie. Qu'importe, le but est atteint et les enfants sont saufs. Sous Jupiter en Gémeaux, vous multiplierez les nouvelles connaissances, vous vous ferez des amis et il est fort possible que vous fassiez plusieurs voyages avec certains d'entre eux.

VERSEAU ASCENDANT VIERGE

Vous êtes né d'Uranus et de Mercure. Vous avez certainement du mal à vous endormir quand un problème n'est pas réglé à votre goût. C'est alors que votre mental s'agite et élabore diverses stratégies et solutions. Vous êtes un maître en ce qui concerne l'analyse et l'observation, vous êtes travaillant au point parfois de ne plus savoir quand vous arrêter. Il n'est pas rare que vous attendiez d'avoir des malaises ou de vous sentir complètement vidé avant de vous éloigner de ce qui vous tient à cœur. Vous êtes d'un double signe de communication ; pour les uns, l'écrit domine, pour les autres, il s'agit de verbaliser leurs pensées et de les partager avec autrui. L'année 1999 a apporté de nombreux changements ; il y a eu une augmentation de votre revenu, un travail plus intéressant, une promotion bien méritée, etc. Rares sont ceux qui ont chômé. De la mi-février à la fin de juin, vous êtes sous l'influence de Jupiter en Taureau dans le neuvième signe de votre ascendant. Logiquement, on dit qu'on fait sa chance. Mais il arrive que des événements hors de notre contrôle surviennent comme par magie et agrémentent notre vie au moment où nous n'attendions plus rien.

Jupiter en Taureau présage une autre étape d'expansion, d'autres stratégies commerciales, des ventes à profits et des achats à gros rabais, et ce sera fréquemment dans le domaine de l'immobilier. Si vous faites affaire avec l'étranger, vous étendrez votre pouvoir financier. Vous partirez plus souvent, par avion ou en voiture, et à chaque occasion vous allierez le plaisir au travail. Vous ferez des rencontres aussi agréables qu'intéressantes ; le hasard vous place sur le chemin de gens influents avec lesquels vous établirez un lien d'amitié. Vous aurez souvent l'impression de toujours les avoir connus. Si vous vous êtes débattu légalement pour vous défendre d'un arnaqueur ou parce que vous avez été injustement puni dans une cause civile, sous Jupiter en Taureau, vous obtiendrez une victoire et s'il était question de compensation financière, vous aurez plus que vous n'attendiez. De juillet 2000 à juillet 2001, Jupiter est en Gémeaux dans un signe de Mercure de même nature que votre ascendant, il est cependant plus rapide quand il s'agit de prendre une décision, plus imprudent aussi. Vous avez remporté des médailles sous Jupiter en Taureau, ce n'est pas le moment de devoir vous priver des suivantes à cause d'une distraction. Pendant 12 mois, à partir de juillet 2000, vous devrez rapidement et fréquemment prendre des décisions ; vous agissez dans le sens de vos intérêts et en fonction de ce que l'entreprise exige, mais il est possible que l'empressement vous fasse commettre des erreurs ; aussi, dès l'instant où vous ne saurez à quel saint vous vouer, dès le moment où vous ne saurez ce qu'il y a de mieux à faire, demandez l'avis de gens capables de se placer en dehors de votre problème et qui peuvent vous suggérer la meilleure solution.

Si, dans votre famille, il y a une personne âgée dont la santé décline, il est possible que vous vous rendiez très souvent à son chevet. Si, pendant votre visite, vous êtes inquiet et sombre comme quelqu'un qui veut souffrir à la place de l'autre, vous ne serez d'aucun secours. Si vous n'avez pas un talent de guérisseur, contentez-vous d'encourager ce parent à trouver sa propre force afin qu'il puisse passer à travers l'épreuve. Si vous avez vécu une séparation et que vous vous débattez pour la garde de vos enfants, sans doute vous faudra-t-il prouver à maintes reprises que vous êtes le parent le plus responsable. La bataille est loin d'être gagnée. Si vous n'êtes pas celui qui se remarie et qui fonde un nouveau foyer, il est possible que vous soyez témoin de l'union de votre *ex* et que vous ne soyez pas d'accord avec l'éducation qu'il donne à vos enfants à cause, bien sûr, de la présence de son nouveau partenaire. Si vous êtes en colère, celle-ci pourrait durer 18 mois. C'est long. Et qui écopera dans une histoire de pouvoir entre deux ex-conjoints ? Les enfants. Si vous ne pouvez vous faire à cette idée, pourquoi ne pas mettre votre orgueil de côté et consulter un thérapeute spécialisé dans les relations familiales.

VERSEAU ASCENDANT BALANCE

Vous êtes né d'Uranus et de Vénus. Uranus a tendance à contrôler, Vénus à se soumettre à la demande de l'amoureux; Uranus aime contrarier et adore sa liberté, Vénus a horreur de l'obstination et déteste qu'on s'éloigne; Vénus est patiente, Uranus ne l'est pas; Vénus est fidèle, Uranus ne l'est pas; Vénus s'attache, Uranus ne peut plus respirer. Avec deux planètes en Verseau dans le ciel astral, choisir entre rester ou partir n'est pas une mince tâche. Vous resterez dans une union si votre partenaire n'est pas routinier et que, de temps à autre, il veuille bien vous surprendre. Si toutefois l'autre essaie de vous dominer, vous le punirez. Sous votre signe, quand un conjoint a pendant longtemps tout décidé, au moment où il pense vous posséder, la sanction imposée est tout à fait uranienne: vous le fuyez. De la mi-février à la fin de juin, Jupiter est en Taureau dans le quatrième signe du vôtre et dans le huitième de votre ascendant. En associant ces deux maisons astrologiques, on obtient tantôt des conflits familiaux, tantôt la maladie, tantôt la mort subite d'un parent alors qu'on pensait qu'il allait vivre éternellement; ce peut être aussi une querelle au sujet d'un héritage ou un enfant qui a un problème léger ou grave avec la justice; ou encore l'un d'eux est malade et vous êtes alors constamment inquiet et aussi malade que lui; il peut également y avoir des problèmes sous la maison, comme la tuyauterie qui fait défaut, ou dans les murs, comme un mauvais circuit électrique qu'il faut faire réparer le plus vite possible.

Pour ce qui est des bonnes nouvelles de Jupiter en Taureau, pour certains, il s'agit d'un gain dans un jeu de hasard, de la vente ou de l'achat d'une propriété mais, surtout, d'une plus grande sagesse tant à travers les épreuves que les cadeaux que la vie apporte. Ce Jupiter en Taureau vous permettra de comprendre ce qui, au fond, vous a poussé à réussir ou à échouer, ou encore ce qui s'est passé pour que vous vous soyez jeté dans les bras d'un inconnu qui n'avait rien à vous offrir et qui, après plusieurs années d'une union vide de sens, en est au même point mort. Jupiter en Taureau vous ramène à la vie, à la vôtre et non plus selon les conditions et les valeurs d'autrui; désormais, ni famille, ni ami, ni amoureux n'aura le droit de choisir à votre place. Après cette crise, cette prise de conscience ou cette ouverture psychique vient Jupiter en Gémeaux de juillet 2000 à juillet 2001 dans le neuvième signe de votre ascendant où il occupe une zone sage et chanceuse.

Si, par exemple, vous êtes célibataire depuis longtemps, si vous avez réglé votre problème de peur de la proximité amoureuse, que vous y soyez arrivé seul ou à l'aide d'un thérapeute, au moment où vous entrez en phase de détachement et où vous savez que vous survivrez sans qu'on vous dise qui vous êtes, un être intéressant, indépendant, le plus souvent un voyageur, vous séduira. Cette fois, avant d'habiter sur son territoire, vous apprécierez votre célibat, votre liberté et cette manière d'être aimé à distance. Après des mois de fréquentations, vous serez flatté par une proposition de mariage ou, du moins, par la suggestion d'une vie commune et, à la fin de l'an 2000 ou au cours des quatre premiers mois de 2001, vous aurez accepté.

VERSEAU ASCENDANT SCORPION

De la mi-février à la fin de juin, Jupiter est en Taureau dans le septième signe de votre ascendant et dans le quatrième du vôtre. Vous êtes né sous un double signe fixe, les plus explosifs du zodiaque. Uranus qui vous régit se préoccupe de l'avenir et veut savoir où il va; Pluton qui régit votre ascendant fouille ses racines et veut comprendre d'où il vient. Voilà que Jupiter en Taureau vous souffle la vie pour la vie, l'amour pour l'amour, l'argent qui attire l'argent, un succès qui en amène un autre. Jupiter en Taureau vous suggère de ne pas vous poser plus de questions et d'accepter ce qui est bien tant en amour qu'en affaires. Uranus et Pluton insistent pour se faire expliquer le pourquoi du meilleur comme du pire. Il n'y a pas de réponse. Si vous n'acceptez pas la réalité, l'angoisse gagnera du terrain et, comme première conséquence, vous subirez une chute de vitalité. Vous êtes le maître de vos pensées qui, à leur tour, influencent vos réactions, votre santé tout autant que vos décisions. Pensez mal et vous ne récolterez que la peur du présent ainsi qu'une noire obsession : qu'est-ce qu'on a pu me faire quand j'étais petit pour que je sois aussi effrayé ? Mais il arrive que vous ayez des plaies à panser, par exemple la mort d'un être aimé ; un deuil n'est jamais facile, si celui qu'on a aimé n'est plus, que ce soit depuis un mois ou vingt ans, son souvenir reste aussi vivant que s'il était là. Qu'il soit décédé en riant ou en souffrant, il vous a donné une leçon et vous seul savez laquelle.

En l'an 2000, sous la poussée de Jupiter en Taureau, vous découvrirez de nouveau les beautés de la vie, vous sécherez vos larmes. Vous grimperez dans la hiérarchie de l'entreprise où vous êtes engagé. À certains d'entre vous, sans qu'il soit nécessaire de quitter la compagnie, on offrira un poste de contrôle parce qu'ils ont grimpé les échelons les uns après les autres et qu'ils connaissent parfaitement toutes les étapes et obligations de chacun des employés. De juillet 2000 à juillet 2001, Jupiter est en Gémeaux dans le huitième signe de votre ascendant et en bon aspect avec votre Soleil. Cette position astrologique présage une initiation, un apprentissage; si c'est la fin d'une carrière, c'est le commencement d'une autre. Si vous lancez votre propre entreprise, par prudence, consultez votre comptable; avant toute dépense, voyez avec lui comment vous pouvez minimiser les risques. Il est important de faire un plan, de choisir vos collaborateurs et vos associés.

Rien n'est parfait; si vos parents sont âgés et si l'un d'eux a eu ces dernières années des problèmes de santé, une autre alerte vous mettra en panique. Mais soyez sage et reconnaissez que tant que nous sommes humains, nous sommes faillibles et mortels. Si le Verseau a des doutes au sujet de la vie après la mort, le Scorpion n'en a pas. Pourquoi ne pas adopter l'idée qui donne le plus d'espoir ! Sous Jupiter en Gémeaux, il sera nécessaire de mieux se nourrir et, surtout, de supprimer des aliments qui encrassent votre foie. En tant que femme, s'il y a un dérèglement hormonal ou une douleur que vous ne reconnaissez pas, consultez votre médecin et demandez un examen complet, ne serait-ce que pour vous faire dire que vous êtes si stressée que votre centre d'équilibre physique est momentanément rompu. La science est à votre disposition tout comme la naturopathie.

VERSEAU ASCENDANT SAGITTAIRE

Vous êtes né d'Uranus et de Jupiter, association planétaire puissante, détonante, extravagante, etc. Il est rare que la vie de ce natif soit tranquille ou ordinaire. Les dédales sont nombreux, les surprises alternent, les bonnes et les mauvaises nouvelles arrivent presque toujours en même temps. À votre naissance, le ciel vous a donné une intelligence généralement au-dessus de la moyenne, un sens de l'observation inouï. Vous êtes à la fois intuitif et logique, rationnel et visionnaire. Si vous essayez de passer inaperçu, ça ne prend pas. Votre magnétisme est puissant et le peu que vous dites est parfois si songé que vous épatez vos témoins. De la mi-février à la fin de juin, Jupiter est en Taureau dans le sixième signe de votre ascendant, là où vous avez le plus à gagner. Cette zone céleste concerne particulièrement votre travail ; que vous soyez employé ou à votre compte, qu'importe votre profession, une ascension vous attend, une promotion, un gain supplémentaire, ou vous aurez le poste auquel vous aspirez depuis longtemps. Si, par exemple, vous êtes à temps partiel, sans doute vous offrira-t-on un travail à temps plein, du lundi au vendredi, et un contrat à long terme, sans oublier qu'on y inclura de nombreux avantages sociaux. Si vous êtes un intellectuel, vous ferez de la recherche dans un domaine qui vous fascine ; il est possible que vous écriviez sur le sujet et dès l'œuvre terminée, le hasard fera en sorte que vous croiserez un éditeur intéressé.

Sous Jupiter en Taureau, vous voyagerez tant pour vos affaires que pour votre plaisir. Si vous êtes vendeur et fréquemment sur la route, c'est tout juste si vous ne dormirez pas dans votre voiture tant il y aura de demandes. Si vous travaillez dans le domaine des communications modernes comme l'informatique, et quel que soit le monde médiatique avec lequel vous négociez, vous prendrez plus de place ; on aimera vos idées originales et audacieuses qui rapporteront beaucoup tant à vous qu'à l'entreprise qui vous a embauché. Sous Jupiter en Taureau, il n'y a pas que la profession, il y a aussi votre partenaire, les enfants et une autre vision de votre bonheur. Les moyens et les occasions d'être heureux sont plus nombreux. Même accaparé par une montagne de travail, vous trouverez le temps de donner et de recevoir amour et tendresse qui, à travers vos proches, sont plus vivants que jamais.

Puis, de juillet 2000 à juillet 2001, Jupiter est en Gémeaux dans le septième signe de votre ascendant et le cinquième du Verseau ; sous ce ciel, il n'y a aucune chance que la monotonie s'installe. L'action précédemment entreprise se poursuit avec une accélération que vous ne maîtrisez pas, puisque des événements hors de votre contrôle vous conduisent plus haut, plus loin. Le monde vous appartient ou presque. En tant que célibataire, vous ne serez plus seul bien longtemps ; le plus souvent, une personne rencontrée sous Jupiter en Taureau a l'effet de vous ouvrir les yeux ; soudainement, elle vous intéresse sérieusement et à un point tel que vous pourriez aller vivre ensemble avant juillet 2001. Ceux qui rateront les bénéfices que le ciel de l'an 2000 leur offre sont généralement des gens qui ne peuvent rien donner ; les perdants ou les moins gagnants vivent l'association de leur signe et ascendant comme s'ils savaient tout. Si vous donnez des conseils alors que personne ne vous en demande pas, l'isolement vous fera réfléchir.

VERSEAU ASCENDANT CAPRICORNE

Vous êtes d'Uranus et de Saturne, sans oublier que Saturne est en Verseau. En d'autres mots, vous êtes Uranus/Saturne/Saturne. Si Uranus vous dit de rompre avec la tradition, votre double Saturne s'y accroche ; Uranus aime l'aventure, Saturne veut tout prévoir ; Uranus aime le futur qui lui semble plus beau que n'importe quel moment présent, Saturne est coincé dans ses plus sombres souvenirs parce que s'il les oubliait, il ne saurait plus qui il est. Vous avez un talent particulier pour vous créer un univers unique, le vôtre qui ne ressemble jamais à celui d'un autre. Par exemple, vous achetez une maison ultramoderne, nouveau style, mais vous la meublez d'antiquités ou, du moins, y aura-t-il quelques pièces vous rappelant l'atmosphère dans laquelle vous avez vécu quand vous étiez jeune. Ou, au contraire, vous posséderez une vieille maison décorée, dernier cri de la mode, et vos gadgets impressionneront tous vos visiteurs qui ne sont que rarement invités à y séjourner. Vous détestez qu'on déplace vos effets et qu'on dérange vos habitudes. Uranus n'aime pas être seul, c'est un communicateur, un recevant, tandis que Saturne déteste les envahisseurs et apprécie sa solitude. Au départ, vous êtes complexe, puisque vous aimez tant la présence des gens que leur absence.

En l'an 2000, de la mi-février à la fin de juin, Jupiter en Taureau est dans le cinquième signe de votre ascendant et le quatrième du Verseau : vos enfants sont au premier plan. Pour les uns, il s'agit d'applaudir à la réussite de l'un, pour d'autres, il sera question d'un problème qu'un enfant ne peut régler seul : il a besoin de vous, de vos conseils, de vos attentions ; si vos enfants sont des adultes, il est possible qu'il y ait un rattrapage parental à faire. Si vous êtes en commerce et si vous désirez prendre de l'expansion, avant toute décision, demandez conseil à votre comptable et, si possible, attendez à juillet 2000 pour passer à l'action. Entre la mi-février et la fin de juin, sous Jupiter en Taureau, il est possible que vous découvriez que vous êtes volé et le plus souvent par un parent ou par un ami pour qui vous auriez mis votre main au feu. Si vous-même avez triché avec l'impôt, la visite d'un vérificateur peut ébranler vos opérations et vous obliger à remettre de l'ordre dans vos déclarations de revenus. On ne peut négliger la portion couple qui fait partie de votre vie. Si vous êtes en union avec la même personne depuis une dizaine d'années, la routine qui s'est installée est devenue insupportable. Vous aurez tendance à fuir toute discussion alors qu'il suffirait d'un face-à-face honnête pour vous apercevoir que l'autre ne la supporte pas plus que vous.

De juillet 2000 à juillet 2001, Jupiter est en Gémeaux dans le sixième signe de votre ascendant; si vous avez été honnête en affaires, vous pourrez doubler vos profits ou vous élargirez votre territoire commercial, ou encore vous entreprendrez une autre carrière. Jupiter en Gémeaux vous met en garde contre des excès : nourriture trop abondante, manque de sommeil, malaises répétitifs auxquels vous ne faites pas attention, etc. Si vous n'écoutez pas les signaux d'alerte, c'est à l'urgence que vous vous retrouverez et, cette fois, il faudra bien vous plier à une multitude d'examens et parfois à une médication nécessaire à votre survie.

VERSEAU ASCENDANT VERSEAU

Vous êtes un double signe d'air et non le moindre, puisque vous êtes régi par Uranus, planète des surprises et de l'anticonformisme. Êtes-vous l'humaniste ou le dictateur? Êtes-vous pour le partage, pour la justice et pour l'égalité ou pour le contrôle et pour le pouvoir? De la mi-février à la fin de juin, Jupiter est en Taureau dans le quatrième signe du vôtre et quatrième de votre ascendant. Pendant que la moitié d'entre vous fondera une famille, l'autre moitié s'en ira loin des siens à la recherche d'un autre monde où elle découvrira peut-être la pierre magique ou le secret de l'âme. Si, pour certains, il est question d'avoir des enfants, d'autres peuvent partir en mission pour sauver des enfants malades qui habitent à l'autre bout de la planète. En somme, vous changerez tout ou presque, en commençant par la communauté dont vous faites partie; il vous suffit d'un point de départ pour ensuite chambarder les choses à plus grande échelle. Une vie sans action n'a guère d'intérêt pour vous. Vous êtes généralement un être décisif, marginal et en cette première moitié de l'an 2000, vous ferez quelques démonstrations de ces capacités que vous possédez à transformer ce qui est autour de vous. Il sera fortement question de déménager; s'il ne s'agit pas simplement de changer de quartier, c'est parce que vous partez vers l'inconnu et plus les frontières sont reculées, plus vous vous sentez fort.

Sous Jupiter en Taureau, il est aussi possible que vous viviez des différends avec des parents ou que l'un d'eux soit malade; dans ce cas, vous serez plus présent que n'importe quel autre membre de votre famille. Sous Jupiter en Taureau, vous pourriez faire l'acquisition d'une propriété; si certains décident d'aller vivre à la campagne, d'autres feront l'expérience de la ville. Puis, Jupiter passera en Gémeaux de juillet 2000 à juillet 2001 : vous serez plus créatif que jamais dans le domaine où vous êtes engagé. Parmi vous, de futures célébrités feront sérieusement parler d'elles, surtout à partir de juillet. Durant 12 mois, vous serez chanceux comme si tout ce que vous touchiez devenait de l'or. Si vous êtes célibataire, même si vous êtes bien décidé à le rester, sous Jupiter en Gémeaux, vous rencontrerez une personne capable d'accepter ces périodes où vous alternez entre la fantaisie et le sérieux. Sans doute voyagerez-vous et si vous n'avez jamais pris l'avion, vous ne résisterez pas à l'envie d'aller visiter le monde.

Si Jupiter en Gémeaux met le monde à vos pieds, il y a un danger d'enflure de l'ego. C'est alors le meilleur moyen de tout rater. En principe, vous devriez multiplier les amis et, parmi eux, des gens influents. Si toutefois vous ne pensez qu'à vous, qu'à vos intérêts, si votre succès vous enlève toute considération pour ceux qui vous ont permis d'y accéder, après vous avoir tout donné ou presque, Jupiter en Gémeaux vous enlèvera ce que vous ne méritez pas. Ne perdez pas de vue que Jupiter récompense, mais il est punitif envers le fautif. Jupiter en Gémeaux, c'est aussi la réussite surprenante d'un enfant qu'on a toujours encouragé et qu'on a aimé. Si, par exemple, vous êtes de la génération des *baby-boomers*, il est possible que vous deveniez un grand-parent. Cet événement ne vous vieillira pas, au contraire, il vous permettra de rajeunir parce que vous reprendrez contact avec la vie.

VERSEAU ASCENDANT POISSONS

Vous êtes un drôle d'oiseau. Né d'Uranus et de Neptune, un Soleil généralement dans votre douzième maison astrologique, vous êtes humble, discret sauf quand vous sentez qu'il est nécessaire d'ameuter une population contre une injustice commise contre elle. Il n'est pas rare que vous optiez pour un travail dans le domaine médical parce que, sous ses plus beaux angles, Uranus et Neptune font de vous un humaniste, un défenseur des opprimés ; vous vous sentez touché non pas uniquement par ce qui se passe dans votre vie privée, mais également par toute la planète ; vous avez conscience que le bien de l'un est le bien de l'autre et que la misère est l'affaire de tout le monde. Vous êtes large d'esprit et tolérant jusqu'au moment où vous pressentez ou savez pertinemment qu'on a dépassé la limite du bon sens. De la mi-février à la fin de juin, Jupiter est en Taureau dans le troisième signe de votre ascendant ; il vous délie sérieusement la langue. Si vous représentez les droits de votre communauté, vous êtes le meilleur avocat qu'on puisse trouver, et il en va de même s'il s'agit des vôtres.

Sous Jupiter en Taureau, vous vous déciderez à faire ce voyage d'exploration dont vous rêvez depuis de nombreuses années. Certains retourneront aux études, termineront un cours afin de se spécialiser dans le domaine où ils sont engagés. Jupiter en Taureau vous met toutefois en garde contre les bavards. Vous avez beaucoup à raconter ; cependant, méfiez-vous de ceux qui vous répètent les secrets qu'on leur a confiés et qui osent vous dire tout bas de garder pour vous ce que vous venez d'entendre. Soyez assuré qu'avec ces gens, rien ne reste caché même quand ils ont juré sur la tête de leur mère d'être muets comme une tombe. Il est aussi possible qu'un frère ou une sœur ou un autre proche parent ait besoin de votre soutien moral. S'il se contente de se plaindre pour la énième fois et qu'il n'a rien tenté pour régler son problème, soyez bon envers vous-même et dites-lui gentiment mais fermement de consulter un professionnel de la santé mentale s'il est dépressif ou d'aller se confesser à un prêtre s'il veut l'absolution. Ne vous laissez pas prendre à ce piège que, par expérience, vous reconnaissez fort bien. Jupiter en Taureau a un effet bénéfique sur l'ensemble de votre vie; il vous ramène les pieds sur terre là où sont vos intérêts. Vous occuper de vous-même ne vous empêche pas de vivre en harmonie avec ceux que vous aimez.

Puis, de juillet 2000 à juillet 2001, vous serez sous l'influence de Jupiter en Gémeaux; si vous n'êtes pas propriétaire, vous aurez envie de vous offrir votre petite maison. Il est important de magasiner, de ne pas acheter sur un coup de tête, car vous risquez de payer trop cher. Sous Jupiter en Gémeaux, si vous ne déménagez pas, vous transformerez votre décor, vous changerez vos meubles, vous aurez envie de vivre dans des couleurs plus joyeuses, plus vives, plus invitantes et quand on vous visitera, on s'étonnera de tant d'audace de votre part. Vous vous donnerez l'impression d'être ailleurs, loin du connu chaque fois que vous rentrerez chez vous. Si vos enfants sont des adolescents, vous établirez de nouvelles règles, vous imposerez une discipline, de quoi les surprendre parce qu'ils n'ont pas l'habitude de vous voir aussi déterminé. Sous Jupiter en Gémeaux, vous serez aussi beaucoup plus créatif; par exemple, si vous avez une bonne plume, vous écrirez non pas uniquement pour vous-même, mais également dans le but d'être publié. La tâche est ardue, cependant, vous êtes différent et prêt à aller jusqu'au bout quel que soit l'objectif que vous vous êtes fixé. Si vous êtes musicien, vous vous exercerez davantage et certains apprendront à jouer de cet instrument dont ils rêvent depuis qu'ils sont enfants. Sous Jupiter en Gémeaux, ce sont les «placoteux» qu'il faut chasser de votre environnement, ceux qui parlent pour ne rien dire et qui critiquent pour le plaisir. Si vous reconnaissez certaines de ces personnes à travers cette dernière description, ne soyez pas tolérant et sortez-les de votre vie.

JANVIER

TRAVAIL. Si vous êtes acheteur, vérifiez votre marchandise avant d'en prendre possession. En tant que vendeur, vos clients sont nerveux et exigeants. À votre travail, vous ferez du remplacement : quand un collègue n'est pas malade, un autre prend des vacances et, au bout du mois, vous pourrez additionner bien des heures supplémentaires. Si vous travaillez dans le domaine de la santé, vous serez débordé et, à la troisième semaine du mois, plus fatigué ; tant dans votre intérêt que dans celui de vos patients, redoublez d'attention et si possible faites des journées normales. À partir du 17, si vous avez des associés que vous devez consulter avant de prendre des décisions, les discussions seront plus longues qu'à l'accoutumée. Si vous négociez avec l'étranger, dès après le jour de l'An, il sera fortement question de prendre l'avion et d'aller à la rencontre de vos clients.

SANS TRAVAIL. Vous ne serez sans travail que si vous le refusez. Il est possible qu'un ami d'un ami vous propose un emploi fort différent de tout ce que vous avez fait jusqu'à présent. C'est l'occasion pour vous de vivre une autre expérience professionnelle.

AMOUR. Jusqu'au 24, Vénus et Pluton sont en Sagittaire ; ces deux planètes dans le onzième signe du Verseau laissent présager que vous pourriez être séparé de votre amoureux pendant quelques jours ou quelques semaines à cause du travail qui oblige l'un de vous à aller dans une autre ville ou un autre pays. En tant que célibataire, dès ce début de l'année, vous serez en demande et attiré par une personne d'une autre nationalité que la vôtre ou fort indépendante qui voyage quasi constamment.

FAMILLE. Saturne, le représentant officiel de la famille ou du lien qui existe entre chacun des membres, fait un aspect difficile à Uranus ; si vous avez de nombreux frères et de nombreuses sœurs, une dispute peut éclater entre eux. À souhaiter que vous puissiez vous tenir en retrait, surtout si vous n'êtes pas directement touché. En tant que parent, vous direz subtilement à vos enfants ce qu'ils doivent faire pour réussir leur vie. Sans doute devriez-vous leur faire confiance. Ils se débrouilleront comme vous l'avez fait quand vous aviez leur âge.

SANTÉ. Vous aurez une digestion difficile et parfois des maux de ventre qui résultent d'un grand stress alors que vous étiez persuadé que tout était sous contrôle. C'est surtout entre le 17 et le 27 qu'il faut modérer ; si votre médecin vous a conseillé de supprimer quelques aliments, suivez ses instructions : vous éviterez des malaises.

RÊVES ET MAL À L'ÂME. Pendant que le Nœud Nord est encore en Lion, le Nœud Sud est dans votre signe et a tendance à vous faire revivre des expériences déjà vécues, certaines heureuses, d'autres pas. S'il peut raviver d'anciennes douleurs, il peut aussi vous éveiller à votre idéal et créer les occasions de vous réaliser.

FÉVRIER

TRAVAIL. Jusqu'au milieu du mois, Jupiter est en Bélier, puis le 15, il s'installe en Taureau, ce qui changera lentement le climat dans votre milieu de travail. Sous Jupiter en Taureau, les règles se resserreront, la tolérance risque de chuter ; les erreurs, les vôtres comme celles des autres, prendront des proportions souvent plus grosses que nature. D'autant plus que le 13, Mars entre en Bélier et rend plus prompt qu'on ne l'est déjà. En conséquence, si vous avez autour de vous des gens susceptibles, pour ne pas devoir subir leurs sautes d'humeur, la seule attitude raisonnable reste la patience et la non-provocation. À partir du 19, vous pouvez vous attendre à quelques modifications de vos tâches ; vous serez d'abord surpris mais, finalement, elles seront avantageuses à long terme et vous vous en réjouirez.

SANS TRAVAIL. Malheureusement, des Verseau subiront des compressions budgétaires et seront congédiés pour quelques semaines. Cependant, d'autres planètes indiquent que le Verseau qui a déjà travaillé à son compte songera sérieusement à remettre son entreprise sur pied. Si vous êtes à la maison en raison d'un congé de maladie, si vous êtes immobilisé ou presque, vous trouverez le temps si long qu'avant la fin du mois, vous vous serez découvert un talent particulier à développer en solitaire.

AMOUR. Il est rare que vous choisissiez la solitude, car vous avez besoin de communiquer, d'échanger ; cependant, il arrive que, dans votre vie couple, vous ne parliez pas de vos sentiments ; si tous les sujets y passent, vous ne pensez pas à rappeler à l'amoureux à quel point il est important pour vous, puis lentement un fossé se crée ; et vous êtes surpris lorsque vous constatez qu'il est infranchissable. Durant les deux dernières semaines du mois, votre partenaire cherchera par divers moyens à avoir une conversation avec vous non seulement sur ce que vous faites mais plutôt sur ce que vous ressentez face à lui. La fuite ne sera pas possible. De toute manière, vous ressentez vous aussi l'urgence de faire une mise au point. En tant que célibataire, si la peur de l'engagement et le désir de l'être se confondent, peut-être douleurs, plaisirs et bonheur ne sont-ils pas aussi bien identifiés que vous le supposez.

FAMILLE. La santé d'un des vôtres vous inquiétera, surtout si celui-ci a été hospitalisé à quelques reprises au cours des dernières années. Si la peur de la souffrance fait fuir les uns, des Verseau se consacrent à ce parent malade au point d'en perdre toute qualité de vie personnelle. Il y a un risque d'excès d'un côté comme de l'autre dans une telle situation. En tant que parent, il y a le Verseau qui prend ses distances même quand on réclame son aide et, à l'opposé de cela, il y a le Verseau qui devient ultra-protecteur et envahissant. Si des Verseau sont affectivement liés à leurs enfants, ils le sont aussi par droits parentaux, ce qui donne des individus responsables. D'autres Verseau n'y arrivent tout simplement pas, car ils ne possèdent pas cette fibre vibrante et amoureuse qui les retient à leurs créations.

SANTÉ. Vous êtes particulièrement doué pour faire abstraction de vos malaises; vous observez, vous pensez, vous bâtissez, mais vous n'êtes que bien peu à l'écoute des signaux que votre corps vous lance de temps à autre. Que diriez-vous de prévenir plutôt que de guérir?

RÊVES ET MAL À L'ÂME. C'est votre période anniversaire, pourquoi ne pas vous fêter! Pourquoi ne pas rendre hommage à la vie reçue! Vous avez des parents et des amis qui n'espèrent qu'une chose, vous remercier d'être leur ami depuis toujours, d'être celui qui a respecté leurs choix, approuvé l'adoption de leurs nouvelles valeurs et croyances. Ces amis qui n'ont jamais craint vos jugements et pour qui vos critiques ne furent que constructives, laissez-les vous aimer et laissez-vous aller à leur dire à quel point vous êtes plus attaché à eux que ça n'y paraît.

MARS

TRAVAIL. Avec Saturne et Jupiter en Taureau dans le quatrième signe du vôtre, si votre bureau est à la maison, vous aurez plus de contrats et vos profits augmenteront. À certains d'entre vous, on proposera de travailler à partir de leur foyer, ce qui naturellement obligera les autres membres de la famille à changer quelques-unes de leurs habitudes. Mais il suffira de vous asseoir avec vos proches, d'avoir une discussion sur le sujet, l'essentiel est de préserver l'emploi; on respectera cette transformation nécessaire parce qu'elle permet un salaire; de plus, chacun s'aperçoit de l'avantage que vous soyez à la maison. Si vous lancez une affaire, vos journées auront plus de huit heures de productivité. Avec la vitesse à laquelle vous procédez, vous serez le premier sur un marché compétitif.

SANS TRAVAIL. Si vous êtes en congé de maladie, si vous souffrez d'un *burn-out*, si vous faites une thérapie en même temps que vous suivez une médication et si vous ne vous sentez pas mieux après un ou deux mois de traitements, vous devez insister pour un examen plus approfondi ou changez de thérapeute. Sous ce ciel, si vous êtes travaillant, le fait de ne pouvoir exercer votre métier vous met à la torture. Si vous êtes en santé et si vous avez carrément démissionné parce que vous contestez le système, il est possible que le besoin d'argent vous oblige à réapprivoiser la vie en société.

AMOUR. Jusqu'au 12, il y a dans le ciel des aspects «coup de foudre». Cependant, rien n'assure qu'il puisse durer toujours. Si vous avez une vie de couple et qu'elle se compte maintenant en décennies, la routine s'est installée, elle ne convient généralement pas à votre nature de découvreur et certains d'entre vous seront tentés par l'aventure. Rien ne restera caché, attendez-vous à des réactions de la part de celui qui se sentira trahi. Même dans les couples où tout semble aller comme dans le meilleur des mondes, entre le 15 et le 23, les uns ont des sautes d'humeur, d'autres se retirent dans un silence inquiétant. Si nous sommes dans un monde de communications où vous êtes à l'aise, l'intimité et la proximité demeurent deux aspects troublants pour vous.

FAMILLE. Sous les influences de Jupiter et de Saturne en Taureau, quatrième signe du vôtre, tout laisse présager divers mouvements familiaux. Rien ne sera plus comme c'était; pour quelques parents Verseau dont les enfants sont maintenant des adultes, il y a aura une heureuse nouvelle: l'amour pour un des enfants ou l'annonce d'une naissance. Si les uns deviennent parents, d'autres se retrouvent grands-parents. Tout est possible sous ce ciel; une séparation peut se faire entre divers membres de la famille à cause, par exemple, de l'argent que l'un reçoit et qui choque les autres ou d'un héritage où chacun croit avoir droit à une plus grosse part du gâteau.

SANTÉ. Si vous êtes stressé, c'est surtout à la toute fin du mois que vous aurez tendance à contracter un rhume ou à faire une sinusite; évitez de surcharger votre foie sous ce ciel, il a du mal à vous pardonner vos écarts de table.

RÊVES ET MAL À L'ÂME. Il y a des prises de conscience qui ne se font que dans les difficultés; peut-être est-ce parce qu'à travers elles, on a une meilleure vue sur les bénédictions et les bienfaits auparavant reçus. Ou faut-il une plaie ouverte pour s'apercevoir qu'on a mal ou que d'autres ont mal? Faut-il mentir et être à découvert pour reconnaître qu'il est préférable de dire la vérité? Vous vous poserez des questions, mais vous ne trouverez pas toutes les réponses; sans doute est-il suffisant de réapprendre à se connaître petit à petit.

AVRIL

TRAVAIL. Il y a cette fois trois planètes importantes en Taureau dans le quatrième signe du vôtre: Mars, Jupiter et Saturne; entre le 15 et le 27, ces dernières font des aspects durs à Uranus qui régit votre signe. Pour certains, il s'agit de faire reconnaître leurs droits dans leur milieu de travail; d'autres doivent accepter des tâches qui sont en dessous de leurs compétences; d'autres encore sont tellement nerveux et soucieux de bien faire qu'ils commettent finalement des erreurs ou prennent des décisions qui ne sont pas dans leur intérêt. Si vous avez un emploi que vous aimez, bien qu'il y ait des bouleversements contre lesquels vous ne pouvez rien quand vous n'êtes pas le patron, inclinez-vous devant cette défectuosité temporaire. Dites-vous qu'en cet an 2000, bien des gens sont en panique, et vous n'êtes pas sans subir leur mécontentement ou les changements qu'ils imposent quand ils en ont le pouvoir.

SANS TRAVAIL. Si vous êtes en santé et si vous cherchez un travail, ne vous écrasez pas; retroussez vos manches et acceptez un emploi subalterne en attendant qu'une place se libère et que vous puissiez vous retrouver à un poste correspondant à vos compétences.

AMOUR. En tant que célibataire et surtout à partir du 7, vous garderez l'esprit ouvert et le cœur en alerte; quand on s'approchera de vous, vous ne froncerez pas les sourcils en soupçonnant le pire. On aura au moins une chance de vous apprivoiser. Si vous êtes amoureux, un vent de renouveau souffle dans votre direction. Votre partenaire et vous déciderez d'une nouvelle activité que vous exercerez ensemble, et c'est encore plus vrai pour ceux qui n'ont jamais eu aucun autre intérêt commun que celui d'éduquer ensemble leurs enfants. Il y a assurément parmi vous des Verseau qui se séparent parce qu'ils ont rencontré quelqu'un d'autre avec qui ils ont développé une relation d'amour. Ces derniers subissent un traumatisme, aucune séparation n'est facile même lorsqu'on sait que, de l'autre côté, on est aimé. Souvent, la culpabilité brouille temporairement leur bonheur, mais le brouillard finit toujours par se lever.

FAMILLE. Trois planètes en Taureau dans le quatrième signe du vôtre: famille, enfants, parenté sont fortement représentés. Si un drame s'est déclaré le mois précédent, s'il y a eu querelle entre parents, la guerre n'est pas terminée, et plus particulièrement s'il est question d'argent. Si un de vos enfants ou un parent que vous affectionnez est malade, vous serez constamment à ses côtés. Il est possible que certains quittent temporairement leur travail pour donner tout leur temps à cette personne qu'ils aiment. Si vous êtes jeune et amoureux, si vous n'avez pas encore d'enfant, vous n'aurez pas à en discuter longtemps, vous serez d'accord pour fonder un foyer avec votre amoureux.

SANTÉ. Votre digestion est encore capricieuse. Votre taux d'acidité est égal à votre inquiétude. Si vous avez un mal de ventre qui ne passe pas, n'attendez pas l'insupportable et demandez à passer un examen médical.

RÊVES ET MAL À L'ÂME. Il y a des mois dans cette vie qui semblent interminables. On pense que rien de particulier ne viendra troubler notre quiétude ou qu'enfin hier est passé et que ce sera mieux aujourd'hui. Mais voilà que nous attend une autre déception, puis on se met à dire qu'il n'y a plus que la malchance qui nous guette au détour. Attention à cette attitude qui mine le moral! S'il est question de vous relever d'une peine, de vous guérir d'une blessure d'amour, en ne voyant qu'un ciel gris, vous serez incapable d'imaginer que le soleil brille derrière et vous retarderez ainsi le processus qui vous permettra de retrouver votre bien-être.

MAI

TRAVAIL. Vous améliorerez vos conditions de travail; vous êtes non seulement défensif, mais également beaucoup plus entreprenant. Vous savez fort bien où vous mettez les pieds. Vous êtes prudent quand il est question de négocier; vous savez comment faire parler l'autre et dès qu'il croit vous avoir persuadé d'acheter à son prix, vous avez une contre-offre si brillante qu'on ne peut que consentir à ce que vous proposez. Si vous êtes à contrat, on le renouvellera avec des avantages supérieurs à ceux que vous aviez. Si vous faites commerce avec l'étranger, vous aurez à vous déplacer souvent et vous reviendrez, tels les anciens explorateurs, les bras pleins de trésors. Si vous travaillez dans le domaine des communications, à partir du 14, vous entrez dans une autre phase importante d'idées fort originales et d'inventions hors de l'ordinaire.

SANS TRAVAIL. Si vous êtes en santé et si vous ne travaillez pas, peut-être est-ce parce que vous ne cherchez pas. Il est fort possible que vous n'ayez d'autre choix que d'accepter un emploi qui, bien qu'au salaire minimum, vous permettra de vous réintégrer au marché du travail et lentement, progressivement, de vous tracer un chemin professionnel et personnel.

AMOUR. Entre le 2 et le 25, sous l'influence de Vénus en Taureau qui fera au début un aspect difficile à Neptune, ensuite à Uranus, il peut y avoir désillusion, puis désir de quitter la relation qui n'est pas encore trop engagée. Si vous avez fait une rencontre le mois précédent sous Vénus en Taureau, vous pourriez avoir le sentiment d'être en prison, d'avoir perdu votre liberté, d'être obligé de vous rapporter. Vénus en Taureau vous fait voir à la fois votre possessivité et celle de l'autre. C'est également une période où dans les couples qui sont sous tension depuis parfois plusieurs mois ou des années, l'un des deux aura une aventure, tout dépend de son ascendant. Il y a aussi un étrange aspect: vu Saturne en Taureau, ces deux planètes peuvent souder ceux qui s'aiment pour bien des années à venir.

FAMILLE. Pour un grand nombre, c'est plus calme que les deux mois précédents. S'il y a des tensions entre membres d'une même famille, au moins, on peut maintenant se parler entre adultes raisonnables. Si vos enfants sont des adolescents, ne vous attendez pas à ce qu'ils soient sages comme des images; par contre, ils vous surprendront par leur créativité. Il est aussi possible qu'un très jeune enfant démontre un talent remarquable en dessin, en musique, en mathématiques, etc. Qu'importe son don, l'essentiel est d'être attentif et de lui permettre de l'explorer autant qu'il le désire.

SANTÉ. Si vous avez été malade, vous récupérez rapidement; sans doute avez-vous changé votre alimentation et abandonné quelques mauvaises habitudes, par exemple manger trop vite ou n'importe quoi. Vous êtes meilleur envers vous-même et vous avez donc plus d'énergie.

RÊVES ET MAL À L'ÂME. Le Nœud Nord est passé en Cancer au début d'avril et occupe le sixième signe du vôtre ; il vous fait prendre conscience de l'importance de rester en santé pour demeurer utile et actif. Il met aussi l'accent sur votre famille ou sur celle qu'on est sur le point de fonder. Ce sont là les points de réflexion les plus importants jusqu'en octobre 2001. Ce Nœud Nord en Cancer, c'est aussi reconnaître que ce que nous sommes au présent, nous le devons souvent à notre passé, à ceux qui nous ont éduqué, à ceux qui nous ont donné la vie. Si vos parents n'étaient pas parfaits, si vous-même êtes parent, vous vous rendez parfaitement compte de ce que vous transmettez de l'héritage émotionnel et psychique qu'on vous a légué, mais aussi de ce que vous pouvez y changer.

JUIN

TRAVAIL. Avant les grandes vacances, vous aurez beaucoup à faire. Quand un travail est urgent, soyez certain que c'est à vous qu'on fait appel. Vous n'aurez que peu de temps libre et bien des heures supplémentaires à faire. En bout de ligne, votre revenu sera plus intéressant ; vous paierez des dettes plus rapidement ou vous vous offrirez du luxe, ou encore vous ferez des économies pour des vacances de rêve. Il y a toujours ici et là des semaines ou des mois plus difficiles ; on a alors l'impression d'être constamment en état d'alerte. Malgré les diverses urgences, vous vous sentez bien, vous êtes à l'aise parce que vous avez réglé le pire et, en ce moment, tout est si simple, surtout quand vous comparez avec le mois d'avril ; vous dépensez plus d'énergie, mais vous avez l'impression de ne jamais en manquer et même d'en avoir trop. Si rien n'est acquis, la force que vous déployez, le génie que vous manifestez dans toutes les situations et votre dévouement vous garantissent un succès d'ailleurs bien mérité.

SANS TRAVAIL. Il faut presque faire un effort pour ne pas travailler. Vous avez des fourmis dans les jambes, des idées et un sens des relations publiques qui vous surprend vous-même. Il vous suffit de vous présenter dans une entreprise qui réclame vos talents pour qu'aussitôt, et souvent moins d'une semaine après une entrevue, vous receviez une bonne nouvelle. Jusqu'au 10, il est possible que vous soyez désemparé ; il n'y a pas mille solutions, sinon vous mettre en action ; vous oublierez alors vos peurs et n'aurez qu'un but, une réussite pour une entrée triomphale dans ce siècle.

AMOUR. En tant que célibataire, une personne beaucoup jeune que vous attirera votre attention. Elle possédera une culture sans doute plus vaste que la vôtre ; vous saurez que vous avez beaucoup à apprendre d'elle. Un esprit Verseau déteste la limite. Et voici que non seulement vous élargirez vos connaissances mais, de plus, vous serez amoureux. Si vous formez une vie de couple, que vous soyez ou non en pleine découverte, sous le choc de la lune de miel ou au milieu d'habitudes que vous considérez comme agréables, l'autre et vous aurez un désir frénétique de vous enfuir, de partir à l'aventure afin de vous retrouver seuls, et bien avant que le mois se termine, vous aurez réservé vos billets d'avion.

FAMILLE. En tant que parent, vous n'avez jamais été aussi observateur en ce qui concerne l'influence que vous avez sur vos enfants. Votre clarté d'esprit face à votre progéniture vous permet d'adopter un comportement qui sied mieux à leur développement, c'est un peu comme si les règles du jeu avaient changé. Vous jetez les dés, vous avez gagné et quand ils ont gain de cause, vous respectez leurs choix, leurs décisions et vous consentez à participer à leurs jeux quand ils sont petits.

SANTÉ. À partir du 17, si vous avez des irrégularités intestinales, voyez par tous les moyens qui sont à votre disposition à rétablir votre élimination de manière à ce qu'elle soit normale. N'attendez pas de grandes souffrances pour réagir.

RÊVES ET MAL À L'ÂME. Vous êtes d'abord un être logique, mais il y a dans cette vie des moments et des événements contre lesquels nous n'avons aucun contrôle. Il y a des miracles et, par les temps qui courent, vous êtes en zone céleste pour en vivre un: ce peut être le rétablissement rapide de votre santé après une longue maladie, un emploi rêvé, le désir dont vous vous étiez détaché parce que vous pensiez qu'il vous était impossible à réaliser, ou encore un accident que vous évitez de justesse sans trop savoir comment il se fait qu'à cet instant même, vous avez été protégé. Un de ces événements hors de l'ordinaire vous fera réfléchir à ce quelque chose non identifiable, inexplicable et que vous pressentez comme étant l'œuvre d'une force divine.

JUILLET

TRAVAIL. Jupiter entre en Gémeaux pour les 12 prochains mois dans le cinquième signe du vôtre. C'est de très bon augure. Jupiter fait mousser ce qui est en cours. Il vous stimule à vous dépasser, à aller au bout de vos idées. Que vous soyez commerçant, médecin ou artiste, qu'importe votre carrière, vous êtes appelé à vous élever dans la hiérarchie de l'entreprise en cours. Si vous êtes à contrat, si vous travaillez de la maison, on vous en offrira un à long terme; vous terminerez plus rapidement que prévu ce qu'on vous commande et c'est ainsi que, d'une tâche à l'autre, vous travaillerez beaucoup plus et vos revenus seront, eux aussi, plus intéressants à comptabiliser.

SANS TRAVAIL. Si vous êtes en santé et sans emploi, si vous vous organisez pour être indisposé chaque fois qu'une offre vous est faite, peut-être avez-vous perdu votre courage ou même votre sociabilité. Tout se présente pourtant de manière très favorable en ce qui concerne le travail. Si vous ne cherchez pas avant le 14, ce sont des emplois temporaires ou à temps partiel que vous obtiendrez.

AMOUR. Dès l'instant où votre amoureux vous parlera, et tout en douceur, de certains de vos comportements qui lui déplaisent, vous aurez une sensation de rejet démesurée. Si les uns s'écrasent et imaginent déjà l'abandon, d'autres se mettent en colère et claquent la porte. Pour la majorité, la situation n'est pas tragique, c'est l'interprétation que vous en faites qui l'est. Et c'est sans doute un membre de votre famille que vous affectionnez qui vous fera comprendre qu'on vous aime, mais que ce défaut qui vous est reproché n'est pas négligeable puisqu'il mine considérablement l'harmonie dans votre couple. Si vous êtes à l'écoute, si vous vous donnez le temps de songer aux conseils qu'on vous donne, vous verrez plus clair en vous et il vous sera ainsi plus facile de laisser tomber ce masque dont vous vous parez pour impressionner l'autre mais qui, maintenant, n'a plus aucun effet sur lui. En tant que célibataire, vouloir l'amour et ne plus vouloir y croire, c'est nager en pleine contradiction. Trop aimer vous fait-il souffrir? Trop aimer, n'est-ce pas vous dépersonnaliser? Et si vous aimiez en restant vous-même? N'est-ce pas là la solution?

FAMILLE. Tout au long du mois, Mercure et Mars sont en Cancer dans le sixième signe du vôtre; cette position planétaire présage un petit accident pour un de vos jeunes enfants, par exemple une bicyclette qui se renverse, une égratignure, une coupure, en fait rien qui ne nécessite une intervention chirurgicale. Vos adolescents, s'ils habitent sous votre toit, sont chez eux mais étant donné qu'ils vivent en société, ils doivent être respectueux envers tous les membres de la communauté. Si ça ne leur vient pas naturellement, ils ont besoin d'une leçon, sans violence; vos paroles doivent être fermes et concises; à leur âge, ils n'ont que faire des grands discours. Si vous savez que l'un d'eux conduit votre voiture un peu trop vite, ne la lui prêtez pas ce mois-ci. Certaines réparations coûtent très cher.

SANTÉ. Si des maux de dos vous prennent soudainement, peut-être avez-vous fait un effort le mois dernier en soulevant un meuble sans demander de l'aide. Si telle est la situation, de grâce, voyez un chiropraticien!

RÊVES ET MAL À L'ÂME. Le Nœud Nord est en Cancer et, ce mois-ci, des souvenirs d'enfance jaillissent soudainement à votre esprit. Vous qui pensiez avoir tout oublié ou presque. Vous vous rendrez compte que des faits dont on vous avait parlé ont été embellis; la réalité est moins reluisante que ce qu'on vous a laissé croire. Vous comprenez maintenant le pourquoi de vos réactions négatives lors de ces situations qui ressemblaient à celles que vous aviez vécues ou subies.

AOÛT

TRAVAIL. Si vous avez lancé une entreprise, seul ou avec d'autres collaborateurs, vous verrez votre chiffre d'affaires monter, surtout à partir du milieu du mois. Sans doute établirez-vous des relations importantes avec d'autres compagnies avec lesquelles vous vous associerez pour créer une plus grande force compétitive. Si vous n'êtes pas en vacances, si vous tenez le fort, ne comptez pas vos heures, cela vous épuiserait. Mettez plutôt votre énergie sur votre idéal, sur le but à atteindre. Si vous êtes dans la vente, vous élargirez considérablement votre territoire. Si votre travail vous oblige à voyager, à prendre l'avion, à peine aurez-vous le temps de défaire votre valise qu'il faudra aussitôt la remplir à nouveau. Si vous êtes employé, on vous confiera de nouvelles responsabilités ou on vous mettra au défi dans le secteur que vous occupez. Si vous êtes un manuel, plusieurs parmi vous écourteront leurs vacances, beaucoup de travail les attend et comme c'est plus payant qu'à l'accoutumée, pourquoi s'en priver!

SANS TRAVAIL. Naître Verseau, c'est avoir reçu le sens de la débrouillardise. Il est possible qu'aucun emploi à temps plein ne vous soit offert; par contre, en accepter deux ou trois à temps partiel, ça remplit toute une semaine. Si vous cherchez du travail, ce n'est pas un seul que vous trouverez mais plusieurs. Si vous êtes malade et que, sur les conseils du médecin, vous deviez rester à la maison, il est possible que vous ne guérissiez pas rapidement. S'il vous est possible de garder un contact avec votre milieu de travail et de produire ne serait-ce que quelques heures par jour, vous récupérerez mieux. Vous êtes né sociable.

AMOUR. Entre le 6 et le 13, les uns ont l'impression d'être au service de l'autre, d'autres ne pensent qu'à une chose: se faire obéir de tous. Durant ces jours, il y a dans le ciel un aspect qui tend à vous rendre excessif. Il est possible aussi que dès que ça n'ira pas comme vous le voulez, vous accusiez votre partenaire ou vous lui fassiez sentir, par un regard, par un geste, qu'il est responsable de votre malchance. Détester les détails qui nous dérangent est très simple: il suffit d'être mécontent en tout temps et à propos de tout; insatisfait de n'avoir aucune réponse de ces insignifiants objets, vous vous en prenez à l'amoureux. Quand il y a des tensions, on les transfère sur ce partenaire qui nous aime. On se soulage, puis l'autre est malheureux. Il faut maintenant le sauver de sa tristesse et vous redevenez un héros. Pourquoi vous faut-il un tel chahut pour prendre conscience que vous êtes attaché à l'autre?

FAMILLE. En famille, lorsqu'il y a une réunion, on se parle directement mais sans animosité et s'il y a eu des tensions auparavant, vous êtes capable d'en parler lucidement de manière à recréer l'entente que tous ensemble vous avez déjà connue.

SANTÉ. Il ne faudra pas trop manger, votre foie est encore vulnérable et méfiez-vous d'aliments un peu trop arrosés de pesticides. Votre organisme n'en veut pas, ça le rend malade.

RÊVES ET MAL À L'ÂME. Si vous êtes pris par l'envie d'être un autre, si vous voulez ce que d'autres possèdent, ces désirs ne sont pas sains. Ils ne font mal à personne si ce n'est qu'à vous-même. Ces maux de l'âme ne se guérissent que lorsqu'on est soi.

SEPTEMBRE

TRAVAIL. Plus le mois avance et plus vous déployez d'énergie, plus vous grimpez et plus vous êtes ambitieux. Plus vous faites d'argent, plus vous en voulez. Plus grand est votre pouvoir, plus vous pensez puissance. Ce mois de septembre est un peu comme si vous aviez un moteur que vous ne contrôliez plus et il prend de la vitesse. Vous avez tant travaillé pour ce succès que vous ne le lâchez plus. Vous vous en nourrissez. Sans compter que vous subissez des pressions extérieures de la part de vos patrons qui veulent toujours plus de rentabilité. Vous ne serez pas calme ; ce n'est pas évident aux yeux de la plupart de gens qui vous côtoient mais, astrologiquement, ça l'est. Le ciel présage une promotion, une mutation, des avantages, mais pour tout ça, c'est du travail sans relâche.

SANS TRAVAIL. Si vous faites partie de ceux qui refusent le système sous prétexte que celui-ci n'a pas été conçu ni pour eux ni pour leurs besoins, l'isolement dans lequel vous vous trouvez n'est-il pas un vide absurde ? N'avez-vous pas constamment à l'esprit le souci de redevenir utile à la société et de reconquérir votre confiance en vous ? Si vous avez l'intention de retourner aux études et de terminer un cours afin de travailler dans un domaine qui vous a toujours attiré, prenez votre courage et faites ce geste, vous vous rendrez un grand service.

AMOUR. En tant que célibataire, vous ne passerez pas inaperçu en ce mois de septembre, vous êtes en beauté. Votre magnétisme est puissant et lorsque vous avez décidé de faire une conquête, vous savez tout de suite comment vous y prendre ; vous faites une cour sublime. Vous avez aussi beaucoup de flair ; entre deux belles personnes, vous choisirez la plus intelligente et celle qui possède et aime sa liberté. Si vous avez une vie de couple, s'il s'agit d'une seconde union, il est possible que des amis de votre partenaire soient souvent à la maison. Vous aurez la sensation de n'être plus chez vous. Vous vous sentirez envahi. Ne laissez pas ce malaise tourner à l'obsession et parlez-en. Peut-être apprendrez-vous que l'amoureux n'a pas lui non plus envie de les voir aussi souvent dans votre salon. Vous lui donnerez le courage de dire à ces gens qu'il connaît bien de respecter votre intimité. Et s'ils sont offusqués, tant pis et adieu ! Il y a encore l'autre, vous et votre intimité sauvegardée.

FAMILLE. Si vous vous êtes créé un cercle d'amis solide ou si vous avez fondé votre propre famille, il est normal que vous vous éloigniez de vos parents et vous avez mille raisons d'agir ainsi. Même si vous n'avez manqué de rien, il n'y avait pas d'amour dans la famille, seulement l'obligation d'être sage, gentil et de faire tout ce que vos parents vous demandaient. Une fois libéré de ce milieu trop restrictif pour un Verseau, vous n'y revenez que rarement. Vous ferez un court pèlerinage familial, une sorte de reconnaissance de vos racines et vous constaterez que vous ne ressemblez pas à votre parenté. Vous apprécierez la distance que vous avez prise vis-à-vis d'elle. Vous ne la reniez pas : vous n'en faites tout simplement plus partie, ou si rarement.

SANTÉ. À partir du 18 surtout, si des maux de ventre deviennent de plus en plus douloureux, passez un examen, ne serait-ce que pour vous assurer que vous n'êtes qu'un nerveux. Et s'il y a un problème, on vous donnera les moyens de vous en débarrasser, la souffrance n'a rien d'agréable ; recouvrer la santé est à votre portée.

RÊVES ET MAL À L'ÂME. Certains jours, les « bleus » de l'âme nous accaparent et nous enfoncent dans une solitude qui devient étouffante. Si c'est ainsi que vous vous sentez, secouez-vous, sortez-en au plus vite, la vie est devant et, de toute manière, vos souvenirs sont flous. En tant que Verseau, vous êtes né pour communiquer et pour aider les autres à communiquer entre eux. Qu'y a-t-il de pire que de ne pas remplir sa mission ?

OCTOBRE

TRAVAIL. Si vous étiez pressé le mois dernier, vous ne ralentirez pas en octobre. Tout va encore plus vite, sauf qu'il faudra vous défendre contre les envahisseurs, les parasites, les profiteurs et les menteurs. Si vous êtes en commerce, les clients affluent, mais assurez-vous de leur crédit quand ils achètent votre produit ou votre service. Le ciel indique que des malhonnêtes rôdent. Il serait prudent d'avoir un système d'alarme si vous n'en avez pas encore un : quand vous sortez, quand vous rentrez chez vous le soir, les filous sortent. Ne paniquez pas, mais si votre circuit électrique donne des signes de fatigue, n'attendez pas l'étincelle qui précéderait un feu et bien des problèmes. La vie est imparfaite, les mois se suivent mais ne se ressemblent pas. Et en octobre, il y a quelques aspects durs ; il vous suffit de prévenir. Si toutefois vous êtes visité par des voleurs, si vous avez pris les moyens qui s'imposent pour les prendre les mains dans le sac, leur arrestation ne vous fera pas pleurer. Vous êtes en général sur votre lancée, des précautions s'imposent pour ne rien y perdre. En affaires, soyez vigilant ; sans vivre les dents serrées, pour préserver vos acquis, soyez moins confiant ce mois-ci.

SANS TRAVAIL. Si vous êtes en santé et si vous continuez de refuser les emplois qui vous sont offerts, ou encore si chaque fois qu'on vous embauche, on vous congédie peu après, n'est-ce pas courir après votre misère ? Ne pas avoir un idéal n'a rien de normal pour un Verseau. Vous êtes le signe du progrès sous toutes ses formes. Quand on peut être génial, pourquoi faire le fou ?

AMOUR. Jusqu'au 19, vous êtes sous l'influence de Vénus et de Mercure en Scorpion ; ces planètes ne sont pas tendres envers Neptune et Uranus en Verseau et peut-être les transposerez-vous dans votre vie amoureuse. Certains réagiront par de la jalousie qui n'a aucune raison d'être. D'autres prendront la fuite et se réfugieront dans le silence comme s'ils vivaient seuls alors que leur amoureux attend un mot gentil. Un seul. Des Verseau vivent une seconde union, et leurs enfants ou ceux de l'autre les mettent à l'épreuve. Ne veulent-ils pas tous s'entendre dire qu'on tient à eux ? Si le Verseau impose une discipline de fer, il ne faudrait pas qu'il s'étonne de constater la nervosité de sa progéniture et le mécontentement de son amoureux. Il arrive souvent d'être amoureux de quelqu'un qui a un passé qui n'a pas toujours été heureux et qu'il transporte en lui. Mais ne l'avez-vous pas aimé pour ce qu'il était ? Pourquoi vouloir le changer ou l'obliger à éduquer ses enfants autrement ? Au début de la relation, n'aimiez-vous pas son équilibre et n'étiez-vous pas prêt à donner un coup de main à ses enfants ? En tant que célibataire, vous êtes très visible mais moins ouvert à l'amour.

FAMILLE. Papa et maman, belle-fille, gendre, enfants ou petits-enfants, oncles, tantes, frères, sœurs, etc., tout ce monde fait partie du vôtre de près ou de loin. Plus la famille est grosse, plus il y a de chances de trouver un parent qui sait tout, ou du moins le prétend-il, et qui se mêle de vous dire quoi faire dans telle situation, ou encore qui agit comme s'il vous connaissait mieux que vous ne vous connaissez. Pour le bien de tous, faites-vous un devoir de congédier ce contrôlant.

SANTÉ. Sous ce ciel, votre estomac s'acidifie parce que vous vous nourrissez vite et mal. Si vous êtes « granola » à l'extrême, si vous vous imposez une discipline alimentaire qui ne vous fait nullement saliver et qui ne satisfait jamais vos papilles gustatives, ne soyez pas étonné d'avoir des problèmes d'estomac ou de faire des allergies. Pour rester énergique, assurez-vous que votre saine alimentation soit un vrai plaisir.

RÊVES ET MAL À L'ÂME. Bien des gens vous taperont sur les nerfs. Faut-il leur donner autant d'importance ? Que diriez-vous de vaquer à vos affaires sans vous soucier de leurs opinions ? Si on a l'audace de vous donner des conseils, écoutez ; cependant, ne soyez pas troublé et ne prenez que ce qui vous convient.

NOVEMBRE

TRAVAIL. Si le travail n'est pas une fête, ce mois-ci, vous n'aurez aucun problème ou quand il y en aura, ils seront minimes. Vous serez moins stressé, mieux organisé et automatiquement plus sociable. En tant que créateur, artiste, avant-gardiste, inventeur, en fait, si vous œuvrez dans un domaine hors de l'ordinaire et si vous devez faire appel à votre logique et à votre imagination, vous serez des têtes d'affiche, des gens populaires dans votre milieu. Si votre emploi est routinier et, pis encore, si vous êtes isolé, sans véritable contact avec autrui, vous trouverez le mois bien long. Vous êtes très observateur par les temps qui courent ; si vous devez être minutieux à votre travail, on ne trouve pas mieux que vous. Si vous êtes appelé à voyager pour représenter les intérêts de l'entreprise dans d'autres villes ou d'autres pays, durant les deux premières semaines du mois, vous serez le représentant idéal.

Si vous faites commerce avec l'étranger, si vous avez déjà fait des échanges, vous élargirez votre territoire et étendrez votre pouvoir financier.

SANS TRAVAIL. Si vous cherchez de l'emploi, sous ce ciel, vous trouverez dans des domaines privilégiés : esthétique, restauration, vente de vêtements, couture, taxi, camionnage, informatique, droit, journalisme ou tout autre travail du monde médiatique. Si vous êtes à la retraite ou à la maison parce que vous avez les moyens de ne pas travailler, vous ne vous ennuierez pas ; vous répondrez à l'appel que vous lance un groupe de gens ayant besoin d'aide. L'humaniste fait une sortie.

AMOUR. Si la moitié du mois facilite la communication avec l'autre, la seconde indique un retour au silence et aux obligations envers l'autre. Pendant deux semaines, vous êtes chaleureux, généreux, ouvert, puis durant les deux dernières semaines du mois, vous vous demandez si vous n'en avez pas trop fait. Si tout va bien entre l'amoureux et vous, ne laissez pas l'argent du budget ruiner vos soirées. C'est parfois vous qui, selon votre partenaire, dépensez trop et, de votre côté, vous lui reprochez de ne pas savoir compter. Ce serait si simple si vous vous parliez avant de courir les magasins.

FAMILLE. Au milieu du mois commencent les discussions au sujet des prochaines fêtes de Noël. Chez qui irez-vous ? Qui recevrez-vous et à qui fermerez-vous la porte ? Si votre famille est unie, vous n'avez pas à craindre quelques aspects un peu durs qui porteront les uns et les autres à donner des ordres, sauf que personne n'écoutera parce que chacun est indépendant l'un de l'autre. Le pire revient à la famille reconstituée qui a des enfants des deux côtés : les parents qui ont de jeunes enfants ne sont pas assez raisonnables pour s'entendre sur les visites. Saturne est de retour en Taureau dans le quatrième signe du vôtre ; il symbolise le droit parental. Devoir parler à votre avocat pour décider de la garde d'un ou des enfants pour Noël et le jour de l'An, c'est une dépense que vous pourriez vous éviter en étant sensible aux besoins et aux désirs de votre progéniture.

SANTÉ. À partir du 14, si vous vous gavez, si vous commencez à fêter trop tôt, si vous ne choisissez ni vos aliments ni vos boissons, si vous ne vous habillez pas chaudement, si vous prenez froid par les pieds, vos reins vous feront de petites misères. Évitez-vous ce genre de souffrance et modérez.

RÊVES ET MAL À L'ÂME. Si, depuis le début de l'année, vous prenez tout au sérieux, si vous ne pouvez ni rire ni même sourire, si vous n'agissez que lorsque ça rapporte et que vous refusez de rendre service quand on appelle à l'aide, votre vie est misérable même si vous êtes riche. Si vous vous êtes bâti un château fort pour être certain que personne ne vienne vous déranger, vous êtes isolé. Demandez-vous si, de cette façon, vous êtes heureux.

DÉCEMBRE

TRAVAIL. C'est le dernier mois de l'année et non le moindre. Votre vie professionnelle a basculé, vous avez réalisé un rêve ou il est en bonne voie de l'être. L'argent accumulé vous permet de magasiner afin d'offrir des cadeaux à ceux que vous aimez, et sans doute seront-ils plus gros que ceux de l'an dernier. Si vous pensez vous la couler douce, c'est peut-être vrai. Mais seulement jusqu'au 8. Quelques planètes indiquent qu'une fois encore, vous devrez vous précipiter dans l'action, surtout si votre domaine concerne les communications modernes, le commerce, le service direct au public ; en tant que médecin, qu'il s'agisse d'allopathie ou de médecine naturelle, les malades seront nombreux, les grippes, les rhumes, les maux de gorge et les sinusites se propagent. Il faudra bien vous arrêter le 24.

SANS TRAVAIL. Du début du mois jusqu'à Noël, il est aisé de trouver un emploi si vous êtes en bonne santé. Si, depuis le début de l'an 2000, vous n'avez fait aucun effort, si vous vous êtes placé en attente tout en espérant qu'un miracle se produise, vous serez bien déçu le 24 quand vous constaterez que vous passez Noël fauché comme les blés. Si vous vous fiez sur le système pour vous nourrir et pour vous loger, ce système étant devenu moins généreux, sans doute réfléchirez-vous sérieusement aux moyens à prendre pour réintégrer le marché du travail. Jupiter favorise vos démarches ou le retour aux études jusqu'à la fin de juillet 2001.

AMOUR. À partir du 9, Vénus, Uranus et Neptune sont dans votre signe et font un excellent aspect à Pluton, à Mars jusqu'au 24, à Jupiter de même qu'à Mercure entre le 4 et le 23. Vous êtes choyé par ces positions planétaires. En tant que célibataire, il vous suffira d'accepter d'aller à une fête que donne un de vos amis pour que vous vous retrouviez en face d'une personne hors de l'ordinaire, tout simplement fascinante. Il est même possible qu'elle soit plus jeune que vous. Si vous êtes amoureux, si tout est presque comme dans le meilleur des mondes, remerciez le ciel d'autant d'amour reçu et donné. Pour ces heureux couples, la chance s'ajoute à leur bonheur.

FAMILLE. Si votre famille est unie et grosse, vous commencerez à fêter tôt, peut-être bien à partir du 4. Les plus chanceux feront leurs valises et celles de leurs enfants ; ils partiront sous des cieux plus ensoleillés et le plaisir est au rendez-vous. Si votre famille est divisée, la fête sera la même ; il y aura simplement moins de gens, sauf que vous serez entouré de ceux qui rient. Je ne veux pas gâcher votre bonheur familial de fin d'année, mais ce ciel laisse supposer qu'un parent pourrait tomber malade chez vous ou pendant que vous êtes chez lui. Si la fête ne se termine pas là, elle risque toutefois d'être plus terne.

SANTÉ. Si vous avez été malade, si vous avez fait tout ce qui était en votre pouvoir pour bien vous soigner, vous aurez une remontée spectaculaire. Ceux qui pensaient que vous ne sortiriez pas de vos problèmes physiques ont perdu leur pari.

Si vous consommez drogue ou alcool, vous êtes sur une pente raide et, entre Noël et le jour de l'An, vu Mars en Scorpion, il est possible que vous rentriez d'urgence à l'hôpital. Si vous aimez le sucre et si votre médecin vous a recommandé de ne pas en consommer, suivez ses instructions.

RÊVES ET MAL À L'ÂME. Le Nœud Nord est encore en Cancer et y restera jusqu'au 13 octobre 2001. Si vous possédez votre thème natal, si vous savez qu'Uranus s'y trouve, si la famille n'est pas éclatée, c'est sans doute que vous avez été sage. Son passage n'est pas encore terminé et, à certains moments, vous aurez envie de fuir ou vous aurez l'impression de n'être pas à la hauteur. En tant que parent, vous faites des pressions sur vos enfants dans le but de les rendre forts ; cependant, les presser comme des citrons n'est pas une méthode recommandée. Et si vous êtes autoritaire, si vos enfants sont des adolescents ou même des adultes, ils pourraient s'éloigner de vous et plus vous insisterez, plus ils résisteront. Si votre thème natal possède Pluton en Cancer, le Nœud Nord dans ce signe tend à vous éprouver côté familial, surtout si un proche est très malade. En ce qui vous concerne, Pluton et le Nœud Nord en Cancer augmentent votre intuition ; vous rêverez davantage et, d'instinct, vous saurez vous protéger. Pluton et le Nœud Nord en Cancer dans le sixième signe du vôtre vous permettent une réorientation de carrière, souvent un retour à ce que vous avez voulu faire il y a parfois bien des années.

♓ POISSONS

19 février au 20 mars

À MARISOLEIL, MA FILLE ADORÉE, MON GÉNIE, UNE FEMME AU TRAVAIL ET MAINTENANT MAMAN D'UNE PETITE FILLE. CONSÉQUENCE: ELLE FAIT DE MOI UNE GRAND-MAMAN BIENHEUREUSE. À MA TRÈS BONNE AMIE BÉATRIX MARIK. À MON NATUROPATHE JACQUES LESAGE. ET À MES AUTRES AMIS POISSONS, D'AUTRES MAGICIENS CHACUN À LEUR MANIÈRE: ANDRÉ BLAKE, CHRISTIANE CHAILLÉ, PIERRE DIONNE, CHANTAL DESLANDES, FRANCE CYR, MARCEL ST-PIERRE, PIERRE LECOURS, LISE PASCAL, YVES MOQUIN, MARIE-JOSÉE GAGNÉ, PIERRE NADEAU, ET À DANIEL FRENETTE.

Vous regardez le monde de loin, de près, d'en haut, d'en bas, de face, d'en arrière, puis de côté, et vous vous dites que c'est à n'y rien comprendre. Les gens s'entretuent là et se dévouent ici pour sauver des vies. Vous observez que si des individus travaillent jusqu'à en perdre le souffle, d'autres non seulement ne font rien pour leur prochain mais, pis encore, ils le parasitent. Il y a quelque chose d'extraordinaire chez le vrai Poissons: vous ne portez aucun jugement sur le genre humain, vous constatez. Un bon Poissons n'est pas moralisateur, il prêche par l'exemple. Vous êtes le dernier signe du zodiaque, le plus sage, du moins est-ce ainsi que vous devriez être. Et dans le meilleur des cas, vous intervenez avec les moyens dont vous disposez pour soulager des hommes et des femmes de leurs souffrances physiques ou morales. Jupiter, qui est exalté quand il traverse votre signe, est toujours très important par sa position sur le zodiaque en ce qui concerne votre destin. En l'an 2000, Jupiter traversera trois signes: le Bélier qui crie au secours, le Taureau qui fait tout ce qu'il peut pour être sauvé et le Gémeaux qui donne le maximum pour en savoir davantage et pour posséder plus d'argent pour ne dépendre de personne d'abord, ensuite pour s'offrir du luxe. Comme chacun de nous, vous serez sous son influence ou vous la subirez.

JUPITER: JUSTICIER ET ÉVEILLEUR DE CONSCIENCE

Jupiter est à la fois un justicier et un éveilleur de conscience. Il détermine votre degré de générosité par sa position, par la maison qu'il habite et par les aspects qu'il forme avec les autres planètes dans votre thème natal. Cette année, Jupiter en Bélier, en Taureau puis en Gémeaux se préoccupe davantage de votre économie que de vos sentiments. Il y a danger que vous renonciez, même si ce n'est que temporairement, à votre sensibilité. Si toutefois votre carte du ciel indique un bienheureux Neptune, vous ne ferez pas abstraction à votre bonté: elle est liée à votre logique et vous n'avez pas à craindre de représailles. Jupiter vous fera gagner plus et vous serez toujours aussi généreux envers ceux qui vous entourent.

SI VOUS ÊTES EN AFFAIRES

Durant le mois de janvier, vous subirez des retards en plus de promesses non tenues. En contrepoids, vous aurez alors des temps libres. Profitez-en pour remettre votre comptabilité à jour. Des erreurs ont pu se glisser et il est dans votre intérêt de les corriger. Le mois de janvier vous fait découvrir qui sont vos ennemis, qui sont sont vos vrais amis. En somme, jusqu'à la mi-février, Jupiter poursuit et achève son passage en Bélier et vous invite à vous occuper sérieusement de vos placements. Si, durant cette période, vous négociez, avant de signer un document, ayez la prudence de le faire vérifier par un expert dans le domaine qui vous concerne. Vu Mars en Poissons, toute décision spontanée doit être évitée, et même en amour.

Du 14 février à la fin de juin, Jupiter traverse le Taureau; il est alors dans le troisième signe du vôtre et présage dans l'ensemble un succès en commerce. Si vous n'êtes pas à votre compte, si vous y avez songé, sous Jupiter en Taureau, cherchez l'entreprise que vous pourriez acheter à un prix dérisoire. Vous voyagerez plus que vous ne l'avez fait durant les cinq dernières années. Si le ciel vous a financièrement choyé, il est possible que vous fassiez l'acquisition d'une propriété à revenus à l'étranger ou tout simplement partirez-vous vivre dans un autre pays. Si vous êtes dans la vente, vous serez presque continuellement sur la route et à la rencontre de nouveaux clients. Vous êtes en pleine prospérité; à votre compte, l'expansion est telle que vous avez besoin d'aide, il vous est nécessaire d'embaucher des employés.

Si vous avez une maison à vendre, si vous désirez en acheter une autre, dès l'instant où vous vous sentez prêt pour ce genre de transaction, vous trouvez selon vos moyens; si vous acquérez à bon prix, lors d'une vente, votre profit dépasse ce que vous espériez.

L'AMOUR

Jupiter est en Taureau, signe vénusien, et lors de son passage, si vous êtes célibataire, il est possible que vous rencontriez cette personne dont vous rêvez depuis longtemps alors que vous étiez certain qu'elle n'avait d'existence que dans votre imagination. Jupiter en Taureau peut vous précipiter dans une relation, vous vous devez d'être sélectif. Si vous êtes riche, n'être aimé que pour votre argent n'a rien de bien romantique. Certains Poissons sont calculateurs ; si vous l'êtes et que vous réussissez à vous faire épouser par une richissime personne que vous connaissez peu, avant que l'année soit terminée, vous serez désenchanté et profondément déçu ; si telle est la situation, vous aurez du mal à vous relever. Attention aux jeux de pouvoir entre votre partenaire et vous sous l'influence de Jupiter en Taureau ! Que vous vouliez contrôler ou qu'on tente de vous dominer, le bonheur s'éloigne pour faire place à deux personnes qui défendent le territoire sur lequel elles croient avoir un droit absolu.

JUPITER EN GÉMEAUX

À partir de juillet 2000 jusqu'à la mi-juillet 2001, Jupiter est en Gémeaux. Il s'agit là d'un très important passage planétaire en ce qui vous concerne ; Jupiter se trouve alors dans le quatrième signe du vôtre. La position de Jupiter en Gémeaux a plusieurs symboles : le principal est la transformation psychique. Comme tout le monde, tous les douze ans, cet aspect repasse dans votre thème natal ; bien qu'il prenne une forme différente, il continue de vous signifier le changement intérieur ou la prise de conscience de ce que vous êtes ; vous devez alors vous départir de votre masque et de votre costume d'acteur. Jupiter en Gémeaux vous convie à votre authenticité. Les événements se bousculent et vous obligent à vous découvrir et à vous redécouvrir.

Certains Poissons ne comprennent pas le message lancé par Jupiter en Gémeaux ; depuis parfois 12, 24 ou même 36 ans, ils ressassent le même problème et, pis encore, ils se font inconsciemment revivre des situations quasi identiques à celles qu'ils ont vécues auparavant. Jupiter en Gémeaux vous somme d'exprimer verbalement ce qui vous ennuie et d'en faire part aux personnes qui, selon vous, font partie du problème. Si vous savez que depuis longtemps vous êtes émotionnellement troublé, si vous n'avez personne à qui vous confier, ramassez votre courage et consultez un psychothérapeute. Vous cacher de votre trouble vous garantit des maux physiques ; quand Jupiter en Gémeaux vous secoue, c'est le plus souvent à travers une bronchite, un rhume qui n'en finit plus ou même une pneumonie. Jupiter en Gémeaux mal vécu détruit vos immunités ; l'estomac et les seins chez les femmes sont à surveiller ; à la moindre douleur ou anomalie, il faut passer un examen ; si vous êtes à fleur de peau, votre système nerveux peut aussi avoir des défaillances ; vous vous créerez alors une série de petits accidents qu'il faudra interpréter comme de sérieux avertissements : ralentir, réfléchir sur le fait que vous ne vivez plus en harmonie avec l'univers.

Sous Jupiter en Gémeaux, la prévention est essentielle dans plusieurs secteurs. Protégez votre maison. Par exemple, si votre système électrique est défectueux, si vous n'êtes pas expert dans ce domaine, n'attendez pas qu'un incendie se déclare pour faire réparer les mauvais contacts. Si vous quittez la maison durant plusieurs semaines, assurez-vous d'un bon système d'alarme : sous Jupiter en Gémeaux, vous êtes sujet au vol.

BONNES NOUVELLES

Jupiter en Gémeaux apporte aussi sa part de bénéfices, tel un héritage d'une tante ou d'un oncle que vous avez à peine connu. À noter qu'un parent âgé et malade peut décéder ; malgré la tristesse de l'événement, il est possible que le testament laissé par cette personne soit entièrement en votre faveur. Si vous aimez participer à des concours, dès qu'on fera tirer une maison, postez votre participation, il en va de même pour des voyages. Il y a parmi vous des Poissons extraordinaires pour leur logique, pour leur créativité et pour leur bonté d'âme. Le Poissons capable d'aimer se sent prêt à être aimé en retour. Le célibataire, en un temps record, se trouvera en face de son âme sœur. Peu après, il vivra avec son grand amour et, si le couple est jeune, un enfant sera conçu. Tout ça change une vie. Si vous avez dépassé l'âge d'avoir un bébé, si vous avez celui d'être grands-parents, vous serez béni. Le Poissons qui, malgré les épreuves, est resté bon et généreux reçoit ce à quoi il rêve depuis quelques années. Le bonheur est à sa portée. Le rire est au rendez-vous. Le succès lui appartient, il pourra même être honoré pour sa bravoure lors du sauvetage d'une personne en détresse.

POISSONS ASCENDANT BÉLIER

Jupiter traversera les premier, deuxième et troisième signes de votre ascendant, présage de développements rapides dans divers secteurs de votre vie. Au travail, les changements se succéderont les uns aux autres ; vous serez initié à une nouvelle technologie, à des tâches que vous ne pensiez jamais pouvoir faire. L'an 2000 est semblable à un retour aux études ou à un perfectionnement à l'intérieur même de vos compétences actuelles. En janvier, en février et en mars, sous l'influence de Mars qui traverse principalement votre ascendant, vous ne serez pas patient avec vos proches et sans trop vous en rendre compte, vous commanderez. Il est possible que des membres de votre famille réagissent mal et qu'ils vous affrontent à leur tour. Cette situation familiale se produira si, au travail, vous vous considérez comme une victime plutôt que comme une personne qui doit se battre ou s'adapter à d'autres règles pour préserver son emploi.

Si vous êtes en commerce, du 24 mars au 3 mai, soyez plus prudent avec vos finances ; lors de vos achats, des filous peuvent se coller et vous tromper ; ne signez rien sans une double vérification ; si vous êtes dans le commerce au détail, si les acheteurs sont plus nombreux, les petits voleurs le sont aussi. Pour vous éviter des pertes, augmentez votre surveillance. Si votre travail vous oblige à des déplacements, si vous faites de l'exportation, c'est surtout à partir du mois de mai que vos affaires prendront de l'expansion. Si vous êtes parent de petits enfants, du 17 juin et jusqu'à la fin de juillet, ayez-les à l'œil, surtout si vous avez une piscine derrière la maison ; par exemple, les jours où vous irez avec eux pour une baignade au lac, ne les quittez pas deux minutes. Si vos enfants sont maintenant des adolescents, posez des questions sur les nouveaux amis qu'ils se sont faits ou invitez-les chez vous ; ainsi, vous saurez avec qui ils sont et pourquoi ils affichent un comportement si différent que vous vous demandez ce qu'il leur arrive.

Si votre couple ne tourne pas rond, à partir du mois de mai, les explications que vous aurez avec l'autre ressemblent davantage à une confrontation qu'au rétablissement de la paix, de l'ordre et de l'harmonie. Quand deux partenaires veulent avoir raison et ne s'écoutent pas l'un et l'autre, il y a peu de chances qu'ils trouvent un terrain d'entente. Par contre, à la fin de juin, la position de quelques planètes vous permettront une vraie discussion, des résolutions et des solutions qui feront le bonheur de chacun. Si toutefois vous avez une vie de couple agréable, si, jusqu'à présent, vous n'avez pas beaucoup voyagé, si vous n'avez pris que peu de vacances, si vous avez mis de l'argent de côté, vous partirez en voyage avec votre conjoint tel un cadeau que vous vous offrez l'un à l'autre. En tant que célibataire affamé d'amour, méfiez-vous de votre impulsivité, de cette tendance que vous avez à entrer dans une relation sans vous demander si cette personne a des goûts, des idées, des désirs semblables aux vôtres. Les mois de juillet, d'août et de septembre sont les plus favorables à une rencontre avec le futur bien-aimé. Du 18 septembre au 4 novembre, Mars est en Vierge : avant toute association, vérifiez le crédit de l'éventuel associé et, durant cette période, surveillez davantage votre alimentation : votre organisme s'épuise plus vite sous l'effet du stress.

POISSONS ASCENDANT TAUREAU

Le 14 février, Jupiter achève son passage dans le douzième signe de votre ascendant. Il sera par la suite en Taureau jusqu'à la fin de juin et vous aidera à vous affirmer, à vous renouveler et à changer vos habitudes alimentaires ; vous serez émotionnellement moins vulnérable. On ne pourra plus se servir de vous et abuser de vos bontés : vous verrez venir les parasites et vous les stopperez avant qu'ils aient pu vous soutirer quoi que ce soit. Durant ce passage de Jupiter, vous reprendrez votre souffle, vous réfléchirez à votre idéal et aux moyens qu'il vous faut prendre pour le réaliser. Saturne est également sur votre ascendant jusqu'au 9 août. En somme, pendant que Saturne vous dit d'être prudent, Jupiter vous suggère fortement d'aller de l'avant. Ainsi, ne ferez-vous aucun geste, ne prendrez-vous aucune décision pouvant nuire à vos intérêts. Certains découvriront qu'ils sont habiles en affaires et que leur peur n'était que le résultat d'une éducation restrictive. Neptune et Uranus demeurent en Verseau dans le dixième signe de votre ascendant et douzième signe du Poissons pour encore quelques années, ce qui laisse présager que de nouvelles personnes entreront dans votre vie, mais elles ne seront que de passage.

Jusqu'à la mi-août, Saturne fera un aspect dur à Uranus. Des traditions auxquelles vous vous accrochez voleront en éclats, des objets pour lesquels vous aviez un attachement émotionnel perdront soudainement toute valeur à vos yeux, vous les donnerez ou les vendrez. Vous serez nombreux à vouloir acheter de nouveaux meubles quand ce n'est pas carrément changer de lieu de résidence afin de recommencer à neuf, ailleurs. Depuis le début du passage de Jupiter en Bélier, soit depuis 1999, si vous lancez une affaire, en l'an 2000, les développements seront si rapides que vous aurez besoin d'aide ; s'il est question d'embauche, assurez-vous de l'honnêteté de vos futurs employés et s'il s'agit de prendre un associé, demandez une enquête de crédit et vérifiez son passé, ses succès et les échecs qu'il a eus avant de signer quoi que ce soit avec lui. Après avoir mis autant d'efforts à réussir l'entreprise présente et pour ne rien y perdre, un maximum de prudence vous est recommandée.

L'an 2000 est une année de travail ; même si le besoin d'aimer et d'être aimé est toujours le même, votre survie économique vous préoccupe plus que votre relation amoureuse. Si la tension devient trop forte dans votre vie de couple, c'est surtout à partir de la mi-août que vous verrez clairement s'il est encore possible de s'entendre ou s'il faut procéder à une séparation. Si vous avez des problèmes de circulation sanguine et que votre médecin vous a recommandé de prendre des médicaments, suivez ses instructions ; en vous soignant seul vous pourriez commettre une erreur et aggraver votre malaise. Si, à la fin d'août ou au début de septembre, un parent âgé décède et qu'il est ensuite question de partage, il est à souhaiter que le testament de ce dernier ait été fait comme il se doit. Si les papiers ne sont pas en règle, une longue bataille pourrait commencer et ne se terminer qu'avec des poussières pour vous.

POISSONS ASCENDANT GÉMEAUX

De la mi-février jusqu'à la fin de juin, Jupiter est en Taureau dans le douzième signe du vôtre ; il vous invite à réfléchir, à méditer sur les divers rôles que vous vous êtes attribués. Comme parent, vous avez peut-être vécu une série de problèmes avec vos enfants ; vous vous demanderez jusqu'où vous pouvez ou devez intervenir dans leur vie, ou peut-être est-il temps d'apprendre à leur faire confiance. Vous repenserez aussi votre vie de couple, comme si tout à coup vous vous rendiez compte que vous n'avez pas pris votre place à l'intérieur de celui-ci. Si vous avez le même travail depuis plusieurs années, vous songerez à vous réorienter et avant que l'année se termine, vous serez inscrit à un cours qui vous préparera à une profession dont vous rêvez depuis longtemps. Si vous faites partie de ceux qui doivent prendre leur retraite, il est à souhaiter que vous sachiez ce que vous ferez de vos 30 prochaines années. En tant que double signe double, vous avez besoin d'action : ne rien faire peut vous rendre malade.

Si vous êtes en commerce, à votre compte, vous procéderez à des transformations ; grâce à votre méthode, il faut vous attendre à une progression rapide. Même si vous êtes généralement en mouvement, vous devrez trouver du temps pour vous reposer. La fatigue peut dégénérer en un trouble d'estomac ; ce sera alors le signal de faire vos réservations et de partir durant quelques jours ou quelques semaines si vous en avez les moyens. Le 1er juillet, Jupiter entre en Gémeaux et habitera votre ascendant jusqu'en juillet 2001. Du 11 août au 16 octobre, Saturne sera aussi en Gémeaux dans votre maison un. Jupiter et Saturne en Gémeaux auront un effet stimulant, vous aurez l'impression d'être constamment sur la caféine. Vos idées se multiplieront, vos talents ou vos dons vous apparaîtront plus clairement que jamais et si vous pensiez que le courage vous manquait, vous vous apercevrez que ce recul pris au début de l'année a plutôt été une période de mûrissement intérieur.

Si, par exemple, vous avez été sous l'emprise d'une personne qui, depuis parfois plus d'une année, vous dit quoi faire et comment penser, comment vivre, etc., vous vous rendez compte que ses suggestions et conseils ne sont en réalité qu'une manipulation de sa part ; cette personne qui se disait votre amie avait trouvé en vous une faille, des faiblesses émotionnelles et en vous dominant, elle pouvait nourrir son propre ego. Mais peut-être avez-vous fait partie d'un groupe de formation personnelle, spirituelle, d'un culte? Ou s'agissait-il d'un «psycho quelconque» ou d'un ministre, ou encore d'un conjoint? Qu'importe qui a pu penser à votre place, cette période entre maintenant dans votre histoire et s'additionne à vos expériences. Votre Soleil en Poissons est généralement positionné dans le dixième signe de votre ascendant Gémeaux; il est donc facile de vous culpabiliser et de vous faire douter de vos choix. Vous n'avez de compte à rendre à personne, sinon à vous-même. Votre bonheur, votre joie de vivre ne dépendent nullement de l'opinion qu'on a de vous. En l'an 2000, dès l'arrivée de Jupiter en Gémeaux, plusieurs trouveront leur véritable identité et, du même coup, s'accorderont le droit d'être comme ils l'entendent.

POISSONS ASCENDANT CANCER

L'an 2000 présage de belles et bonnes transformations. Si, en 1999, plusieurs de vos démarches ont été infructueuses malgré tous vos efforts, gardez espoir et si vous étiez sur le point de le perdre, retrouvez-le et accrochez un sourire à vos lèvres. À partir de janvier et jusqu'à la mi-février, vous croirez que rien n'arrivera, que rien ne se produira. Il faut persévérer dans cet engagement que vous avez pris vis-à-vis de vous-même: réussir là où vous en avez le désir, là où vous savez que vous gagnerez bien votre vie, dans ce rôle qui vous va comme un gant. Le 15 février, Jupiter s'installe en Taureau jusqu'à la fin de juin dans le onzième signe de votre ascendant en bon aspect avec ce dernier et votre Soleil; si votre volonté est plus puissante, votre magnétisme l'est tout autant. Dès l'instant où, par exemple, vous appellerez un client pour lui offrir vos services ou vos produits, il en voudra plus, il vous donnera plus. Vous pourriez être nommé à un poste alors que l'an dernier, on vous avait carrément dit non. Vous ferez sans doute plus d'un voyage; ce sera tantôt en raison du travail, tantôt par plaisir, et vous joindrez l'utile à l'agréable à plusieurs reprises.

Vous vous êtes fait des amis haut placés, vous ne leur avez jamais demandé aucune faveur; pourtant, si vous osiez cette année, ils seraient nombreux à vous répondre par l'affirmative. Vous êtes cette personne à qui on ne peut rien refuser durant la première moitié de l'année. À partir du 1er juillet avec l'entrée de Jupiter en Gémeaux dans le douzième signe du vôtre, vous travaillerez en coulisses sur ces projets mis précédemment en marche. Bien que vous soyez intense, vous ne ferez pas beaucoup de vagues dans les 12 prochains mois, soit jusqu'en juillet 2001. Pendant une année, tout en travaillant, vous repenserez votre philosophie de vie, vos rapports avec les gens, vos amis, vos parents, vos enfants, bref, tout sera passé au tamis. Vous serez plus sélectif, vous sortirez moins; par contre, à chacune de vos sorties, vous reviendrez avec de nouvelles informations ou vous serez stimulé par une rencontre.

Sous l'influence de Jupiter en Gémeaux, vous devrez d'abord changer votre régime alimentaire, l'épurer. Vos bronches seront aussi plus vulnérables; si vous contractez des rhumes, si vous toussez constamment, le mieux est de passer un examen médical et de demander à être soigné pour éviter que le malaise devienne une maladie. Vous vous engagerez davantage socialement, parfois politiquement alors qu'auparavant, vous vous étiez tenu loin de tout et des autres. Il est aussi possible que vous preniez des charges trop grosses pour vos épaules. Sous l'influence de Jupiter en Gémeaux, si l'amour a été et est encore décevant, une thérapie vous aidera à comprendre pourquoi vous allez toujours vers quelqu'un avec qui, au bout de quelques semaines ou de quelques mois, plus rien ne va. Le non-engagement sentimental vient-il uniquement de l'autre ou n'est-il pas inconsciemment désiré? En tant que parent, si vos enfants ont grandi, l'an 2000, sous l'influence de Jupiter en Gémeaux, vous entamez l'étape du détachement: vous acceptez que vos petits soient devenus des hommes et des femmes qui volent de leurs propres ailes. Et si vous êtes jeune, en amour, vous vous dites: « Ne suis-je pas prêt à fonder un foyer?»

POISSONS ASCENDANT LION

Depuis mars 1999, sous l'influence de Saturne en Taureau dans le dixième signe de votre ascendant, sans doute vous êtes-vous séparé de votre famille, physiquement ou psychologiquement, parce que votre bien-être en dépendait. Certains d'entre vous ont vécu des deuils. Il s'agissait parfois de renoncer à de vieilles croyances, à des valeurs qui n'en étaient plus. Vous avez à ce moment-là entamé une étape où vous n'avez plus supporté qu'on vous dise quoi faire; vous vous êtes soustrait aux influences extérieures, vous avez pris vos décisions et, avec elles, les conséquences. Les séparations psychiques ne s'opèrent que lentement, puisqu'on ne peut carrément oublier son vécu. Vous avez donc appris à bien vivre même avec vos tristes souvenirs. Cette fois, Jupiter est en Taureau de la mi-février jusqu'à la fin de juin. Si Saturne vous a fait hésiter à faire des gestes, Jupiter, lui, élimine vos derniers doutes. Le Taureau est le troisième signe du vôtre; Jupiter et Saturne qui s'y trouvent créent des occasions de vivre de nouvelles expériences sur le plan professionnel. Vous serez initié à d'autres technologies de pointe. Si vous faites un travail intellectuel, l'épuisement ne vient que lorsque le corps n'en peut plus: vos pensées sont claires, la tête se porte bien, mais cette dernière a besoin de se poser plus souvent sur une taie d'oreiller.

Pour décompresser et pour garder la forme, vous ferez plus d'exercice, vous vous adonnerez à un sport simplement pour vous relaxer, pour oublier vos soucis professionnels. Du 15 février au 8 avril, Jupiter fera un aspect dur à Neptune en Verseau, période où, malgré votre réussite, vous êtes difficile à satisfaire; vous aurez constamment l'impression que quelque chose vous manque, sans toutefois savoir quoi. Du 15 février au 8 avril, zone céleste, il est important de mieux vous protéger du vol. Vous ne devrez pas faire confiance au premier vendeur ou à l'acheteur qui pourrait vous signer un faux chèque et disparaître sans laisser de traces. En mars, il sera fortement question de déménager, d'acheter une propriété ; si vous en avez une à vendre, vous aurez votre prix.

En tant que parent et travailleur, vous vous sentirez débordé, il y aura des moments où vous vous croirez seul au monde. À partir de juillet 2000 et jusqu'en juillet 2001 commence pour vous une étape de réorganisation ; vous ferez la somme de tout ce que vous avez accompli, de ce que vous n'avez pu terminer, de ce que vous désirez poursuivre et de ce que vous pensez devoir stopper. Vous ferez des plans précis et intelligents, et vous les exécuterez les uns à la suite des autres. On a beau prévoir, on ne peut se soustraire totalement aux imprévus ; par contre, dès qu'ils se présenteront, vous les dépasserez avec courage, force et volonté. De juillet 2000 à juillet 2001, il est possible qu'un ami ou un parent auquel vous êtes attaché parte pour aller vivre à l'étranger. Il n'est pas exclu que ce soit vous qui alliez vivre dans une autre ville ou même un autre pays soit par attrait de l'inconnu, soit par esprit d'aventure, soit parce que votre carrière vous y conduit. Si ces 12 mois sont marqués par des départs, ils vous font aussi réfléchir à ce côté éphémère qu'est la vie elle-même et, du même coup, vous comprendrez l'importance de donner du temps aux gens qui vous entourent pendant qu'ils sont là.

POISSONS ASCENDANT VIERGE

Ne vivre que pour vous-même, c'est impensable et ne vivre que pour l'autre et les autres, c'est un don de soi qui finit par ne rien rapporter et qui, pis encore, coûte cher d'estime. C'est le principal travail que vous ferez au cours de l'an 2000 : trouver l'équilibre entre le fait d'aimer et d'être aimé en retour. Jusqu'en juillet, les aspects dominants sont ceux de l'amour et de la créativité. En tant que célibataire, vous rencontrerez une personne avec laquelle vous aurez beaucoup à partager, à échanger ; cela changera votre destin et l'idée même que vous vous étiez fait de votre avenir. Progressivement, tout s'illuminera. Ne cherchez pas, dès le début de la relation, à avoir des certitudes sur sa continuité ; laissez le temps vous lier à l'autre, donnez-vous le droit de le découvrir, réapprenez à faire confiance, à croire que le bonheur existe. Si vous êtes encore jeune, amoureux, si vous n'avez pas encore d'enfant, la question ne sera pas discutée longtemps, votre couple sentira qu'il est prêt à l'accueillir. Pour certains, il s'agira d'un deuxième ou même d'un troisième enfant. Si vos enfants sont élevés, il est tout de même possible que vous donniez bénévolement de votre temps à une œuvre pour aider les enfants des autres qui n'ont pas eu autant de chances que les vôtres.

Sur le plan de la créativité, si vous n'avez pas encore trouvé l'art dans lequel vous êtes à l'aise soit pour en faire un métier, soit pour une activité plaisante, vous vous reposerez mille fois la même question jusqu'au milieu de février, puis le voile se lèvera lentement: des situations seront telles que vous trouverez exactement ce que vous cherchez pour vous réaliser pleinement. De juillet 2000 à juillet 2001, Jupiter sera en Gémeaux dans le dixième signe de votre ascendant. Durant ces 12 mois, vous devrez vous tourner la langue sept fois avant de critiquer ceux qui vous entourent, principalement dans votre milieu de travail. Vous subirez une dés-organisation avant une réorganisation dans l'entreprise en cours. Les vieux mo-dèles disparaissent pour faire place à un renouveau: soit vous vous adapterez, soit vous devrez partir.

De la mi-août à la mi-octobre, en tant qu'employé, sans doute verrez-vous apparaître un nouveau patron qui travaillera très différemment du précédent. Au début, vous ne saurez trop quand il est sérieux et quand il est coquin et vous ne saurez sur quel pied danser, mais, au fur et à mesure que les mois passeront, vous apprendrez à le connaître et vous pourriez même développer une très belle compli-cité avec cette personne. Sous l'influence de Jupiter en Gémeaux, pendant 12 mois, abstenez-vous de transporter seul des objets lourds: attendez qu'on vous donne un coup de main pour déplacer ou pour déménager de gros meubles ou tout autre ap-pareil. Protégez vos vertèbres. Il faudra également éviter tout aliment dont vous doutez de la fraîcheur, car votre foie n'est pas aussi bien protégé qu'à l'accoutumée. Chaque fois que vous prendrez la route, dès l'instant où vous vous sentirez fatigué, arrêtez, reposez-vous avant de reprendre le volant. Même un accident léger est in-utile. Vous pouvez l'éviter en supprimant les risques.

POISSONS ASCENDANT BALANCE

Jupiter est en Taureau de la mi-février à la fin de juin et traversera le hui-tième signe de votre ascendant: ne prenez aucun risque financier. Si vous avez l'in-tention d'intenter un procès ou de poursuivre une personne ou une entreprise, avant de donner le mandat à votre avocat, demandez-lui combien il vous en coûtera et espérez qu'il ait l'honnêteté de vous dire si oui ou non il est possible que vous en retiriez des bénéfices. Tout indique un changement d'orientation professionnelle, un renouveau dans votre carrière. Par ailleurs, vous devriez étudier toutes les propo-sitions qui seront faites: certaines risquent de ne pas être payantes. Sous l'influence de Jupiter en Taureau, vous avez besoin de vous sentir appuyé, approuvé. Si vous vous sentez continuellement fatigué, avant que votre médecin vous signale que vous faites un *burnout*, faites-en moins. Il est peut-être temps de vous demander pour-quoi il vous faut toujours plaire aux autres, les servir alors que vous-même avez tel-lement besoin d'attention.

En août, en septembre, en octobre et au début de novembre, si vous avez des problèmes circulatoires, si vos mains ou vos bras engourdissent de temps à autre, de grâce, n'attendez pas un malaise cardiaque, exigez un examen complet et, s'il y a lieu, votre médecin vous aidera à prévenir un mal encore pire. En l'an 2000, si vous

vous activez trop alors qu'il serait préférable de prendre un recul, une chute de vitalité est à craindre. Vous serez à l'affût de nouvelles idées qui circulent sur la spiritualité, le mysticisme, la religion, etc., mais il faudra vous méfier des faux prophètes et clairvoyants qui pourraient vous prédire tout ce qu'il y a de plus troublant et, surtout, sans espoir. Pendant que Jupiter sera en Taureau, vous serez inquiet pour votre avenir; certaines gens peuvent profiter de votre peur et l'exploiter. De juillet 2000 à juillet 2001, Jupiter sera en Gémeaux dans le neuvième signe de votre ascendant: il vous invite aux voyages, aux études, à l'enseignement ou à la transmission de vos connaissances, par écrit ou oralement; il s'agit ici d'un aspect important concernant la réflexion et la philosophie. Vous aurez d'ailleurs 12 mois pour planifier ce travail, que vous exécuterez d'ailleurs à l'intérieur de cette période.

Certains Poissons/Balance auront à décider s'ils restent ou partent vivre à l'étranger, au soleil, les pieds dans l'eau. Même si cette perspective semble heureuse, ce n'est pas facile de quitter ce que l'on connaît; la vie est une aventure, vous en êtes parfaitement conscient. Pour d'autres, il est question d'un remariage après des années de fréquentations. Si vous êtes seul depuis longtemps, vous pourriez faire une rencontre hors de l'ordinaire; au moment où vous n'auriez jamais imaginé croiser l'amour, le miracle se produit, votre vœu le plus cher est exaucé. Si vous êtes jeune, amoureux, si vous avez un enfant, vous vous mettrez d'accord avec votre partenaire pour un second enfant. Vous n'aurez aucun mal à le convaincre. De juillet 2000 à juillet 2001, si vous avez un travail régulier dans une grande entreprise, vous aurez à vous adapter à une nouvelle technologie. Il est également possible que vous soyez victime de compressions budgétaires: vous pourriez passer d'un temps plein à un temps partiel. Toutefois, cette liberté est une bénédiction; elle vous permettra de retourner aux études.

POISSONS ASCENDANT SCORPION

Si 1999 était une consécration au travail, à l'accumulation de biens, si 1999 a couronné une carrière, en l'an 2000, il est bien évident que posséder ou gagner des galons ne fait pas votre bonheur. Il y a une nette distinction entre le plaisir et la joie de vivre, celle qui vous connecte à la fois à l'univers et à autrui; un univers sans âme qui vive serait insupportable. Pour qui le soleil brillerait-il donc? Vous êtes en phase de mutation, d'approfondissement; vous voulez vous dépasser, aller au-delà des apparences et vibrer plutôt que de simplement sentir et ressentir. Votre ascendant Scorpion fait constamment l'analyse du commencement de la vie; d'où vient-elle, où va-t-elle? Sous l'influence de Jupiter en Taureau dans le septième signe de votre ascendant de la mi-février à la fin de juin, vous trouverez en vous une réponse extraordinaire, la vie est création. Si vous n'avez pas d'enfant, si vous êtes amoureux, vous aurez ce désir qui n'a rien d'égoïste: vous prolonger avec l'autre, donner la vie à un enfant, lui donner votre temps, votre affection, sans condition, simplement parce que la vie est miracle et beauté pure. Si vous n'avez pas d'enfant, vous vous occuperez de ceux des autres ou vous participerez à une œuvre pour la protection des enfants et de la jeunesse.

Si vous êtes célibataire, vous ferez une rencontre hors de l'ordinaire, généralement une personne d'un milieu fort différent du vôtre et de laquelle vous avez beaucoup à apprendre. Rien n'étant parfait, comme mauvaise nouvelle, il peut y avoir la maladie d'un ami que vous affectionnez mais que le destin n'épargne pas. Vous serez présent tant dans ses moments d'espoir que dans le désespoir, et parfois assisterez-vous à son acceptation d'un non-retour à la santé; son déclin physique, sa lutte et sa sagesse quand il accueillera le verdict de l'inévitable mort, bref, cette traversée dans la douleur vous fera mieux apprécier ce que vous êtes, ce que vous avez. Il arrive qu'on ne devienne sage qu'après avoir beaucoup perdu, ce n'est pas cependant une matière obligatoire. Vous pouvez passer l'examen sans devoir vous appauvrir.

En l'an 2000, soyez prudent côté financier; si vous avez l'idée de vous associer, de lancer une affaire, prenez un maximum d'informations avant de signer vos papiers, avant de faire des emprunts, avant d'y engager tous vos biens. Qui ne risque rien n'a rien, mais de là à tout perdre... ce n'est vraiment pas nécessaire. De juillet 2000 à juillet 2001, si vous exercez un sport considéré comme dangereux, modérez, prenez un maximum de précautions. Il s'agit là de 12 mois où le risque d'un accident est plus grand qu'à l'accoutumée même si vous exercez cette discipline depuis 10 ou 20 ans. Si vous faites partie des Poissons/Scorpion très dépensiers, peu méfiants et peut-être trop confiants en son courtier, un bon conseil, penchez-vous plus sérieusement sur vos affaires. Il se peut que votre flair soit meilleur que celui qui fait des placements pour vous. En somme, en l'an 2000 et jusqu'en juillet 2001, le ciel vous avise de vous occuper de vous, de vos intérêts, surtout si, jusqu'à présent, vous vous êtes fié sur autrui pour toutes ces petites choses que vous n'aimez pas faire. Si vous achetez une maison, n'acceptez pas celle qu'un ami vous offre juste pour lui faire plaisir. Demandez-vous si vous voulez vraiment en faire l'acquisition.

POISSONS ASCENDANT SAGITTAIRE

En 1999, si vous avez participé à une œuvre, si vous avez mis du vôtre au sein de la communauté dont vous faites partie, la vie a certainement été plus généreuse que les années précédentes. Vous avez donné et vous avez reçu en argent sonnant, en bénéfices divers, en maturité, en autonomie et en confiance en soi. Si toutefois vous vous êtes agrippé à vos dollars et à vos peurs d'en manquer, vous avez probablement passé une année d'enfer. En l'an 2000, le ciel vous somme de ne pas rester inactif. Si vous êtes sans emploi et en bonne santé, il y a urgence que vous en cherchiez un à la fois pour vos finances et pour votre moral. En tant que double signe double, vous êtes mouvement, action, curiosité et expériences ; si vous refusez de vous servir de vos talents et de vos capacités, si vous vous retirez de la vie sociale, vous en perdrez ce qu'il vous reste d'assurance.

Du début de janvier jusqu'au 12 février, faites attention à votre santé et si vous avez un problème d'asthme ou d'angine, ne partez pas sans vos médicaments ; durant cette période, votre résistance physique est moindre. Quelques vitamines vous aideraient à renforcer votre système immunitaire. Du 5 mai au 16 juin, si vous êtes continuellement sur la route, redoublez de prudence et ne partez pas si votre voiture a des problèmes mécaniques. Du 17 juin à la fin de juillet, vous éprouverez quelques problèmes familiaux ou vous devrez supporter un parent qui traverse une zone grise. En tant que parent, en juin et en juillet, vous ne serez guère patient ; au moindre désordre de la part de vos grands et même de vos petits, vous vous emporterez. Du 17 septembre au 4 novembre, secteur professionnel, il y aura une compétition féroce qui, dans certains cas, risque d'être malhonnête.

À partir de juillet 2000 jusqu'en juillet 2001, Jupiter sera en Gémeaux dans le septième signe de votre ascendant ; il s'agit là d'une longue période de réajustements et de remises en question dans votre vie de couple. Si cet aspect ne signifie pas automatiquement une séparation, il est possible que, durant plusieurs semaines ou même des mois, vous y songiez sans pour autant passer à l'acte. De la mi-août au 15 octobre, vous ressentirez de fortes pressions ; si, par exemple, vous acceptez presque tout du partenaire, si vous faites continuellement ses caprices, vous commencerez à dire non et vous subirez son effet de surprise. Si, au contraire, c'est vous qui ne cessez de demander protection et faveurs à votre amoureux, il est possible qu'il se lasse et qu'il vous fasse savoir clairement qu'il n'est plus intéressé à ne vivre que selon vous. En tant que célibataire, si vous êtes isolé depuis longtemps, on réussira à attirer votre attention. Vous serez d'abord méfiant, mais au fil des mois, surtout entre juillet 2000 et juillet 2001, on réussira à faire votre conquête. Physiquement, c'est principalement de votre dos qu'il faudra prendre soin. Ne soulevez pas d'objet lourd sans aide, vous pourriez vous « écorcher » une vertèbre et souffrir d'une dislocation pendant quelques mois. Votre foie est également à surveiller. Si votre alimentation est trop riche, supprimer quelques aliments gras vous permettra d'avoir une taille fine et, du même coup, de ménager votre cœur.

POISSONS ASCENDANT CAPRICORNE

Si vous êtes amoureux, si vous n'avez pas encore d'enfant, il en sera sérieusement question. En tant que femme, même si vous ne vivez pas officiellement avec un homme, il est possible que vous décidiez de tomber enceinte sans consulter votre amoureux. Si vous faites partie de ceux qui font leur entrée sur le marché du travail, même si on ne vous assigne pas le poste rêvé, soyez patient : avant que l'année se termine, vous occuperez la fonction que vous aviez demandée au départ. Vous travaillerez beaucoup au cours des 12 prochains mois à moins que vous ne refusiez l'effort et la discipline qu'exige un emploi quotidien. Le ciel ne présage pas la facilité, mais la récompense financière et le succès: la seule condition est la détermination. Durant le mois de janvier et jusqu'à la mi-février, vous établirez de nouvelles relations, vous rencontrerez des gens spéciaux aussi utiles qu'agréables. Durant cette période, il serait bon de supprimer quelques dépenses, de ne pas succomber aux soldes et aux gadgets.

De la mi-février au 23 mars, si la famille vous dit quoi faire, avant de suivre ses instructions, examinez attentivement vos motifs et les leurs. Vous pourriez être victime de manipulations; des parents veulent vous garder à l'œil ou désirent que vous soyez disponible au cas où ils auraient besoin de vous. Du 24 mars au 3 mai, zone céleste favorable à une rencontre si vous êtes célibataire; vous ne devez quand même pas tomber dans les bras du premier venu; ne vous inquiétez pas, on se bousculera à votre porte. Du 4 mai au 1er août, en tant que communicateur, si vous êtes en affaires, vous ferez un pas de géant en direction de l'objectif, vous atteindrez les cibles que vous visez. Si vous faites commerce avec l'étranger, vous êtes en phase d'expansion. Du 2 août et jusqu'à la fin de l'année, il devient plus important de prendre soin de votre santé et, de temps à autre, nécessaire de faire un arrêt pour reprendre votre souffle et pour analyser tous ces changements voulus ou pas.

Si vous travaillez dans le domaine des communications modernes – informatique, cinéma, vidéo, télé, radio, photo –, vous êtes un grand gagnant pour tout travail qui vous permet d'entrer en contact avec le public; vous ferez des affaires en or. Si vous êtes jeune, plein d'énergie, les nuits blanches n'ont pour l'instant que peu d'effet négatif sur vous. Vous pouvez les supporter parce que dès que vous vous reposez, vous récupérez. Par contre, si vous avez un âge certain et que vous vous comportez comme si vous aviez 20 ans, si vous ne dormez pas suffisamment, si vous mangez irrégulièrement, vous courez le risque d'avoir des problèmes de santé. Des maux de jambes vous signalent des problèmes de circulation sanguine. Des étourdissements, aussi passagers soient-ils, ne sont pas normaux. Si cela se produit, voyez un médecin. Le ciel indique malheureusement quelques troubles veineux. Il sera nécessaire, que vous soyez dans la trentaine ou la cinquantaine, de partir en vacances, de tout lâcher afin de refaire le plein d'énergie. Certains parmi vous, les mieux nantis, achèteront une seconde propriété à l'étranger, histoire de se préparer à une éventuelle retraite, et c'est surtout vers la mi-août qu'ils auront l'occasion d'acheter à bon prix.

POISSONS ASCENDANT VERSEAU

Quelques bouleversements sont à prévoir dans la famille, un parent auquel vous êtes attaché peut tomber malade; c'est le genre d'épreuve que personne ne souhaite, mais auquel on ne se soustrait pas quand on a le sens du devoir; il arrive aussi que la vie ait de désagréables surprises, elle nous confronte. Sensible à l'extrême, bon comme du pain frais, vous écouterez votre cœur et prendrez soin de cette personne que vous affectionnez. Pendant cette période pouvant durer jusqu'à deux mois, peut-être en mars et en avril, il sera important de bien vous nourrir; si vous perdez votre énergie physique, vous ne serez pas d'un grand secours. Vous serez nombreux à opérer un changement d'orientation de carrière; vu Jupiter en Taureau de la mi-février à la fin de juin dans le quatrième signe de votre ascendant, cette transformation professionnelle sera souvent le résultat d'une offre difficile à refuser; elle sera faite par un parent et plus spécifiquement par papa ou maman, ou encore par les deux.

Vous serez plus nerveux; changer de carrière, d'horaire, adopter un budget autre que celui que vous avez connu pendant des années, travailler avec d'autres gens, etc., tout ça donne lieu à de multiples modifications; non seulement vous faut-il apprendre un autre métier, mais vous procédez en même temps à une réorganisation de votre vie privée. Votre signe et ascendant est le plus adaptable de tous. La peur peut vous prendre aux tripes, mais elle est normale. L'aventure n'est-elle pas synonyme d'inconnu? Le ciel ne présage pas une année de vacances. Bien au contraire, le défi vous sera lancé et vous le relèverez. En juillet, Jupiter entre en Gémeaux, puis Saturne le rejoint à la mi-août; ces deux planètes se trouvent alors dans le cinquième signe du vôtre. Si vous êtes célibataire, en plus de toutes ces nouveautés professionnelles, l'amour vrai se pointe; avant que l'an 2000 soit terminé, vous serez officiellement engagé avec cette personne et si vous n'avez jamais eu d'enfant, vous penserez à votre premier. Il est fort possible que vous ayez rencontré votre prince ou votre princesse lors du passage de Jupiter en Taureau à la mi-février, en mai ou en juin 1999. Si la rencontre a eu lieu en 1999, vous étiez probablement trop méfiant pour accepter que vous aviez devant vous votre perle rare. Ceux qui sont déjà amoureux, qui ont encore l'âge de concevoir, peut-être ont-ils déjà un enfant mais, dans une telle situation, le couple se sent prêt pour un autre bébé. Si toutefois votre famille est élevée, vos enfants sont grands, vous êtes libre, dans ce cas, le ciel prévoit au moins un grand voyage, celui dont vous rêvez depuis longtemps. D'autres, même s'ils sont retraités, décideront de retourner aux études au début de juillet 2000.

L'aspect le plus négatif concerne les rares Poissons/Verseau immobiles, stagnants; ceux-ci se posent continuellement des questions, mais ils s'organisent pour ne jamais trouver de réponse, et encore moins faire un geste en vue de réaliser un objectif; ils espèrent, d'un tirage à un autre, gagner le gros lot. Il n'y a aucun mal à acheter un billet de loterie ici et là; cependant, en faire une obsession, un but et une finalité, c'est le vide. Malheureusement pour eux, les effets des passages de Jupiter en Taureau puis en Gémeaux les précipiteront dans une profonde angoisse, une déprime et un isolement qu'ils diront n'avoir pas choisis.

POISSONS ASCENDANT POISSONS

Vous êtes un double signe double et d'eau. Si certains d'entre vous sont nés avec le Soleil en maison un, d'autres ont le Soleil en maison douze. Vous êtes divisé en deux clans fort différents. Si votre Soleil est en maison un, vous avez une personnalité détonnante, vous êtes libre comme l'air, personne ou presque ne peut influencer vos décisions, vous ne jugez pas les gens, vous ne les critiquez pas; vous êtes un sage observateur capable d'utiliser les leçons qu'autrui vous apprend. Vous êtes fier mais sans prétention. Vous avez le sens de l'entreprise, même si vous n'êtes pas toujours très pratique. Vous pouvez aimer à la folie à condition qu'on ne vous attache pas; vous ne pouvez vivre avec la même personne pendant longtemps que si celle-ci vous fait entièrement confiance. Votre clan Soleil en maison un étudiera beaucoup en l'an 2000; vous suivrez des cours de perfectionnement afin de mieux servir l'entreprise et pour être mieux rémunéré. Vous ferez quelques voyages, les uns par plaisir, d'autres pour le travail; ceux qui sont en commerce prendront une importante expansion. À la fin de l'an 2000, quelques Poissons ayant le Soleil en maison un décideront d'aller vivre à l'étranger et inviteront leur partenaire à les suivre. En fait, leur liberté passe avant l'amour. Ils ont lucidement choisi de vivre selon leurs besoins et leurs désirs. Même si ces derniers partent sans leur conjoint, ils ne resteront pas seuls.

Si votre Soleil est en maison douze, vous devrez vous méfier des beaux parleurs, des vendeurs de pacotilles, d'achats faits sur un coup de tête; en somme, de juillet 2000 à juillet 2001, si vous n'êtes pas prudent, vous aurez l'impression qu'aussitôt que vous avez de l'argent dans vos poches, il fond comme neige au soleil. Si vous reconnaissez votre naïveté, avant tout engagement financier, demandez conseil à votre comptable ou à un ami en qui vous avez confiance et qui s'y connaît dans le genre d'affaire que vous aimeriez conclure. En général, un Poissons ayant le Soleil en maison douze a plus fréquemment des problèmes de santé: il est sujet aux allergies, aux bronchites répétitives et, en l'an 2000, à une mauvaise circulation sanguine dans les jambes. Étrangement, une digestion difficile et des maux d'estomac seront les premiers signaux d'alerte; si vous ne changez pas votre alimentation, vous devrez vivre avec les conséquences.

Du 17 septembre au 4 novembre, si des douleurs au ventre se font de plus en plus aiguës, insistez auprès de votre médecin pour qu'il vous fasse passer un examen intestinal complet. Le Poissons/Poissons, Soleil en maison douze, devra se détacher de gens qui lui ont causé du tort, qui l'ont trahi. Il est temps d'admettre qu'on a fait confiance à des escrocs. Certains trouveront le courage de quitter un partenaire avec lequel ils n'ont eu que des misères. Ils prennent le risque de trouver le bonheur. Si toutefois vous êtes quitté, vous souffrirez certainement beaucoup; une séparation, qu'elle soit ou non choisie, n'a rien de réjouissant; par contre, ce sera l'occasion d'apprendre à vivre librement comme le font les Poissons/Poissons qui ont le Soleil en maison un. Un Soleil en maison douze cache souvent des réalités douloureuses; l'an 2000 oblige les natifs à regarder la vérité en face pour guérir leurs blessures morales, des plus récentes aux plus anciennes.

JANVIER

TRAVAIL. L'essentiel est de garder votre emploi et sans doute devrez-vous vous plier à de nouvelles règles, à un horaire qui ne fait pas nécessairement votre bonheur et parfois à des conditions de travail plus difficiles. Si vous avez votre propre entreprise, si vous faites des échanges commerciaux, assurez-vous de recevoir ce qui vous revient et spécifiez par écrit toutes les clauses de l'entente. La paperasse doit être lue et relue avec beaucoup d'attention. Il y a également un danger que vous ayez un client qui ne paie pas ses factures. Pour vous protéger au maximum des fraudeurs, avant de leur confier votre marchandise, vérifiez leur crédit. Avec Mars dans votre signe à partir du 5 et jusqu'au 12 février, vous serez porté à vous dépenser sans compter; au milieu de toute cette agitation, c'est important de rester attentif à l'argent que vous gagnez, et n'oubliez pas non plus de demander ce qui vous est dû.

SANS TRAVAIL. Que vous l'ayez choisi ou non, si vous êtes sans emploi, vos journées seront longues et truffées de moments d'extrême impatience envers les gens avec lesquels vous vivez votre quotidien. Mars dans votre signe active votre énergie solaire; vous pouvez soit en user sagement et le mettre à profit, soit retourner cette même masse d'énergie contre vous et, sans vous en rendre compte, contre ceux qui vous entourent. Plutôt que d'agir, vous tournez sur vous-même sans avancer d'un pouce. Si vous ne faites rien d'utile, si vous cultivez l'angoisse, vous ne pouvez en vouloir à personne. Si vous êtes en bonne santé et si vous regardez bien, vous trouverez un travail.

AMOUR. Jusqu'au 24 sous l'influence de Vénus en Sagittaire dans le dixième signe du vôtre, les plus occupés ne trouvent pas le temps de donner des attentions à leur amoureux. Aussitôt que leur partenaire manifeste le désir de sortir, comme par besoin de contrôler la situation, ils veulent aller ailleurs; de nombreux Poissons ont par les temps qui courent l'impression de n'avoir pas droit de paroles ou quand ils parlent, ils sont certains, avant que l'autre ait dit quoi que ce soit, qu'il aura des opinions contraires aux leurs. Pour plusieurs, le climat sentimental est tendu, il y a une tempête dans l'air. Les raisons sont aussi nombreuses qu'il y a de Poissons. Il ne faut pas tomber dans le panneau de l'agressivité ou de la rancœur. C'est toujours trop difficile d'en sortir une fois qu'on y est.

FAMILLE. En tant que parent, si vos enfants ne sont pas sages comme des images, dites-vous qu'ils sont normaux et avant que jeunesse soit passée, c'est de patience que vous devrez vous armer. Votre progéniture n'est pas sans ressentir votre stress. Si la tension persiste dans votre couple, ne laissez ni un ami ni un parent vous dire comment régler le problème. Nul ne peut être à votre place, car personne ne connaît votre vécu dans l'intimité.

SANTÉ. Entre le 20 et le 24, vous pourriez vous sentir fatigué, irrité, nerveux; votre digestion sera difficile et peut-être aurez-vous des maux de ventre. Pour prévenir, puisque votre santé dépend principalement de vous, dès le début du mois, tout de suite après le jour de l'An, prenez des repas raisonnables et suivez les règles d'une saine alimentation.

RÊVES ET MAL À L'ÂME. Les Poissons qui n'ont pas trouvé leur voie sont les plus malheureux; rien de pire que de ne pas se savoir utile. Si vous êtes dans un perpétuel état d'insatisfaction, si vous vous sentez étouffé par la peur de l'avenir, pourquoi ne pas faire une thérapie? Pour plusieurs, il suffira d'une ou de deux interventions extérieures pour vous éveiller à votre vraie nature.

FÉVRIER

TRAVAIL. Lorsque vous vous investissez dans votre travail, on ne trouve pas meilleur employé. En tant que patron, vous comprenez les difficultés que vivent des gens qui sont sous votre commandement et vous ménagerez tant leur sensibilité que leur susceptibilité. Lorsque vous êtes bien né, il vous est impossible de tyranniser qui que ce soit. Au milieu du mois, Jupiter en Taureau fera un carré ou un aspect dur à Neptune, planète qui régit votre signe mais qui se trouve encore en Verseau: un collègue peut tenter de vous écarter, car il veut votre poste ou le ciel présage un nouvel ordre dans l'entreprise en cours. Naturellement, le chaos le précède. Si vous occupez un poste de défenseur des droits des travailleurs, vous n'aurez pas la langue dans votre poche et tout laisse croire que vous serez un excellent avocat: les droits et les avantages de chacun seront saufs. Certains parmi vous devront étudier une deuxième ou une troisième langue afin de préserver leurs acquis, mais ce sera également dans le but d'avoir de l'avancement.

SANS TRAVAIL. On ne peut se cacher qu'il y a beaucoup de chômeurs, dont un grand nombre de diplômés. Si vous en faites partie, soyez courageux et s'il le faut, recommencez vos démarches. Votre entêtement plaira à l'employeur qui, lorsque vous aviez postulé, n'avait rien à vous offrir. Les plus favorisés sont les Poissons administrateurs ou les comptables.

AMOUR. C'est beaucoup plus calme que le mois dernier côté cœur. Les malentendus se règlent, les problèmes ont des solutions simples. Il suffisait de discuter calmement. En tant que célibataire, vous ferez une rencontre hors de l'ordinaire. On vous présentera l'ami d'un ami de la famille. Mais il est aussi possible qu'une personne que vous avez aimée dans le passé mais qui ne vous a pas donné de signaux d'intérêt change et, rapidement, on vous porte des attentions spéciales. Il ne vous restera qu'à y répondre par l'affirmative si vous n'êtes pas insulté par son indifférence passée.

FAMILLE. Si un parent vous doit de l'argent dont vous avez maintenant besoin, vous le presserez de vous rembourser, mais votre succès est ce qu'il y a de plus incertain. Sans doute faudra-t-il encore patienter. Si, au contraire, vous êtes l'emprunteur, vous serez dans l'obligation de trouver rapidement la somme que vous devez. Et si vous vous défilez, la loi interviendra.

SANTÉ. Vous éprouverez quelques problèmes de santé : un brin d'enflure telle une manifestation physique des pressions que vous subissez ; un mal de gorge pour vous empêcher de hurler votre mécontentement ; un foie sensible vous signifiant que vous êtes en colère et que vous ne supportez plus l'injustice à votre endroit.

RÊVES ET MAL À L'ÂME. Vous avez généralement le pardon facile, ce qui ne vous empêche pas d'avoir la mémoire longue. En ce mois, vous remettez en question ce côté moral et il est possible que, pour la première fois de votre vie, vous donniez une dure leçon à quelqu'un qui a déjà beaucoup abusé de votre patience et de vos bontés.

MARS

TRAVAIL. Rien de plus plaisant que de partir en voyage même s'il s'agit d'affaires. Si votre travail vous oblige à des déplacements, si vous faites souvent de la route, vous serez continuellement demandé par vos clients, ceux qui sont les plus éloignés du centre de l'entreprise en cours. Jupiter et Saturne sont en Taureau dans le troisième signe du vôtre ; ils laissent supposer des profits supérieurs, des ventes qui dépassent vos espoirs. Il est également possible que vous remplaciez votre patron pendant quelques semaines, le temps de prouver que vous faites aussi bien que lui. Entre le 1er et le 10, il est possible qu'un collègue fasse une erreur ; cependant, vous êtes coupable jusqu'au moment où vous démontrerez le contraire.

SANS TRAVAIL. Avec Mars en Bélier jusqu'au 23, si vous faites partie des chômeurs, vous ne serez pas de bonne humeur tous les jours. Vous critiquerez le système, ceux qui embauchent et qui, d'après vous, sont trop exigeants. Si vous avez une spécialité, plus particulièrement dans le domaine intellectuel, à partir du 14, le ciel vous suggère de faire plus de recherches et si vous déployez votre énergie, vous trouverez. Certains, sans travail, ont un rêve, celui d'être à leur compte ; si tel est votre cas, faites vos démarches et informez-vous sur la façon de lancer une entreprise dans le secteur qui vous intéresse.

AMOUR. En tant que célibataire, une amitié prendra une tournure différente, et de beaux sentiments se développent entre vous et l'autre ; la tendresse, l'affection glissent de l'un à l'autre, ce qui vous étonne. Il est inutile de résister ; l'attirance n'est plus uniquement émotionnelle, mais elle est aussi physique. Si vous avez une vie de couple, un renouveau se produit, et vous redécouvrez votre conjoint, surtout à partir du 14.

FAMILLE. Un membre de votre famille, votre père, votre beau-père ou un autre parent, peut insister pour que vous fassiez l'achat d'une voiture, d'une propriété ou d'un appareil dont les paiements seraient à long terme. Vous résisterez parce que vous n'avez nullement l'intention de vous engager dans l'aventure proposée; votre troisième œil ou votre sixième sens sait que ce n'est pas le moment d'investir à l'aveuglette. Par ailleurs, vous n'avez besoin de personne pour vous dire quoi faire et quand.

SANTÉ. Êtes-vous nerveux? Si oui, vous êtes quand même parfaitement lucide; le budget familial est votre principale irritation. Si vous avez contracté des dettes et que vous affichez du retard dans vos paiements, des allergies cutanées peuvent survenir. Vos finances, même au plus bas, ne sont pas des questions de vie et de mort. Reposez-vous et mangez calmement, votre digestion trop nerveuse occasionne des picotements au niveau de la peau.

RÊVES ET MAL À L'ÂME. Durant cette période de votre anniversaire qui a débuté le 19 février, vous souhaitez un miracle; vous désirez, par magie, vous soustraire à quelques obligations. Vouloir mais ne jamais agir, n'est-ce pas enfantin? Si vous vous identifiez à cette personne qui veut tout en étant persuadée qu'elle ne peut rien, vous auriez intérêt à consulter un psychologue ou un thérapeute de votre choix afin de voir clair et de quitter l'enfant pour enfin devenir un adulte responsable et conséquent.

AVRIL

TRAVAIL. Ce mois-ci, trois planètes sont en Taureau: Saturne, Mars et Jupiter; cela présage énormément de travail si vous êtes déjà lancé dans une aventure financière; que vous soyez un débutant à l'emploi actuel, que vous ayez de l'expérience, que vous soyez en commerce, à votre compte, qu'importe votre fonction dans la hiérarchie professionnelle, vous produirez à un rythme fou. Vous serez très créatif dans le domaine qui vous concerne. Quand un problème survient, vous avez instantanément la solution. Imagination et logique sont à égalité. Vous êtes un modèle d'efficacité, plus spécialement si vous êtes ascendant Taureau, Lion, Vierge, Capricorne, Scorpion. Si vous êtes ascendant Bélier, l'éveil se fait au milieu du mois et, à ce moment-là, attention à ces gens que vous considérez comme des lents! Ils se feront parler. Pour ceux-ci, vous aurez oublié la méthode douce et même la diplomatie. À partir du 21, redoublez de prudence lors de vos négociations; les filous ont ressorti leurs longs couteaux, ils vous envient. Gardez vos secrets d'affaires pour vous.

SANS TRAVAIL. Si vous ne voulez rien faire parce que vous êtes persuadé que le reste du monde doit vos procurer ce dont vous avez besoin pour vivre, vous serez bousculé au point où vous serez obligé de trouver un emploi. Si vous n'avez pas d'emploi et que vous êtes devenu agressif, pour réintégrer vos fonctions professionnelles, départissez-vous de cette attitude négative, stoppez vos critiques, sinon vous en resterez là où vous êtes et vous serez isolé.

AMOUR. Tout humain a parfois l'impression d'être mal aimé. Parfois vrai, parfois faux. À partir du 7, vous pourriez vous mettre à douter de votre charme ; dans un tel cas, vous serez jaloux dès que votre partenaire manifestera de l'attention à une personne que vous trouvez vous-même agréable ; certains tomberont dans le cynisme et accuseront leur amoureux d'infidélité. Vous avez tendance à vous sous- estimer et, si c'est le cas, quoi que fasse l'amoureux, vous le soupçonnez du pire. En tant que célibataire, si vous vous croyez indigne d'amour, il y a peu de chances que madame ou monsieur « correct » vous approche.

FAMILLE. Ce n'est pas une mince tâche que de prendre un parent malade en charge. Il vous faut alors renoncer à des activités ; même des amis fuient tellement qu'ils craignent que vous leur demandiez de vous soutenir dans l'épreuve. Ce mois présage que vous devrez vous transformer en thérapeute ; il est possible aussi que vous teniez la main d'un parent qui traverse une zone grise ou que vous l'aidiez financièrement, alors que vous n'êtes pas si riche que cela.

SANTÉ. La nourriture peut prendre une dimension plus importante. Non seulement vous nourrit-elle, mais elle vous procure aussi des moments de fuite et vous mangez trop. Vous prenez du poids, vous vous fabriquez une cuirasse pour établir une distance entre ceux qui vous blessent ou qui seraient tentés de le faire et vous. Si vous maintenez votre poids, si vous n'êtes pas gourmand, si vous avez un âge certain, votre circulation sanguine est quand même à surveiller. Au moindre engourdissement, les mains et le bout des doigts seront les premiers symptômes d'une dysfonction veineuse.

RÊVES ET MAL À L'ÂME. Vous êtes un grand émotif ; il vous est difficile de le cacher à vous-même et à autrui. De toute manière, il n'y a rien de mal aux « bleus » de l'âme, l'essentiel est de ne pas en faire une maladie. En ce mois, des lectures sur le problème émotionnel qui vous touche vous aideront à sortir de votre morosité, et plus rapidement que vous ne l'imaginez.

MAI

TRAVAIL. Le 4, six planètes sont en Taureau dans le troisième signe du vôtre. Il s'agit ici d'un phénomène unique et peu commun. En ce qui vous concerne, en principe, ce ciel active toutes vos facultés mentales. Vous voyez clairement ce qui vous entoure, tant le travail à faire que les gens qui le font. Vous êtes en mesure de définir votre rôle d'une manière spécifique ; vous reconnaissez votre valeur et l'importance de ce que vous produisez. Tout au long du mois, vous serez extraordinairement précis ; si vous faites de la création, vos idées seront géniales et payantes. Si vous avez des tâches routinières, si tout se répète d'un jour à l'autre, en ce mois de mai, attendez-vous à des modifications importantes, à un surcroît de vos responsabilités et à une augmentation substantielle de votre salaire. Ce mois est favorable pour voyager par affaires; cependant, lors de vos déplacements, vous ne raterez pas l'occasion de vous amuser.

SANS TRAVAIL. Si, jusqu'à présent, vous avez trouvé plein de bonnes raisons pour ne pas travailler, si vous êtes en bonne santé, le temps, les nouvelles lois et règles sociales vous pousseront à trouver un emploi: vous devez vous loger et vous nourrir pour survivre. Si le système politique en place ou le gouvernement ne peut plus vous subventionner, étant donné votre débrouillardise, et comme vous êtes aussi au pied du mur, vous trouvez du travail qu'on vous offrira au début à temps partiel. Au fur et à mesure des semaines, grâce à votre sens des responsabilités, un emploi à temps plein vous attend.

AMOUR. Si vous vivez avec une personne que vous aimez depuis plusieurs mois ou des années, c'est vous qui lui proposerez le mariage alors même que vous vous étiez juré de ne jamais tomber dans le piège de cet engagement à long terme. En tant que célibataire, vous ne resterez pas seul; la rencontre d'une personne avec qui vous communiquerez sans paroles et avec laquelle vous aurez un merveilleux échange intellectuel et sensuel vous fera sortir de votre célibat sans aucun regret. Si vous avez une famille reconstituée, si votre ex-conjoint vous harcèle depuis l'instant de la rupture, vous prendrez des moyens légaux pour qu'il cesse de troubler votre vie et parfois votre nouveau couple.

FAMILLE. Si vous avez de jeunes enfants, il est possible que vous soyez aidé par un membre de votre famille, qu'il s'agisse d'un besoin financier ou de la garde d'un bébé. Si vos enfants en sont à la préadolescence, s'ils sont de jeunes adultes, si vous avez du mal à leur imposer une discipline, un étranger ou quelqu'un que vous ne connaissez que depuis peu leur enseignera le respect du parent. Bizarrement, vos grands comprendront soudainement le sens des mots « responsabilité » et « conséquence ». Au cours du mois, vous ne vous gênerez pas pour mettre à la porte des membres de votre famille qui sèment continuellement la zizanie dès qu'ils se pointent chez vous. Adieu problèmes inutiles!

SANTÉ. Surveillez vos poumons et vos bronches; vous êtes plus sujet aux allergies et aux problèmes respiratoires; peut-être serez-vous les premiers à manifester contre les entreprises qui polluent l'air que nous respirons. Votre stress peut se manifester par des maux de dos. Certaines femmes sont sujettes à de soudains changements hormonaux et à des malaises qui, heureusement, seront passagers.

RÊVES ET MAL À L'ÂME. Rien n'est jamais tout à fait clair. Un jour, vous vous comprenez et vous vous redécouvrez; le lendemain, vous êtes une intrigue pour vous-même, vous êtes confus et avez l'impression d'avoir raté la sortie. Vous traverserez des moments de confusion émotionnelle. À vouloir bien faire et plaire à chacun, vous vous épuisez, vous vous videz. Un bon conseil : quand vous rendez service, demandez qu'on vous renvoie l'ascenseur. Établissez cette règle : je te donne ceci et tu me dois cela. N'ayez crainte, ça fonctionnera.

JUIN

TRAVAIL. Jusqu'au 17, vous serez dérangé ; les tâches habituelles sont chambardées par de nouvelles règles, un autre horaire, des employés supplémentaires mais temporaires et, au milieu de ces changements, des collègues ne s'entendent pas ; ils s'emportent et certains font des scènes à la moindre contrariété. C'est un peu comme si l'entreprise avait les nerfs à vif, en commençant par les patrons eux-mêmes. Ces derniers tranchent dans les budgets, mais augmentent leurs dépenses là où ça risque de ne rien rapporter, ou si peu. Les observateurs-travailleurs le savent mais ne peuvent intervenir, le pouvoir n'est pas entre leurs mains. Vous voilà au milieu d'un tollé qui se répand comme de la fumée. Le lundi 19, lentement mais sûrement, tout rentre dans l'ordre. Vous reprenez votre place qu'on a tenté de vous usurper, mais sans succès.

SANS TRAVAIL. Si vous avez perdu votre emploi, durant la première moitié du mois, c'est l'enfer ! Durant deux semaines, vous aurez une impression de rejet, vous vous sous-estimerez ; de plus, il vous faut économiser pour payer nourriture et logement. Si toutefois vous avez pris un congé de maladie parce que vous n'allez vraiment pas bien, vous vous torturez les méninges. Par contre, plus vous vous inquiétez, plus lentement vous récupérez. Si votre médecin vous a conseillé le repos total, écoutez-le.

AMOUR. Des arguments même dans les couples les plus unis. Vous n'êtes pas patient ; vous faites de l'interprétation parce qu'à la moindre remarque, vous vous sentez attaqué. En tant que célibataire, si vous n'avez plus envie de ce statut, réplique sèche et cynisme ne sont pas de très bons appâts. Révisez votre manière de flirter. Si vous faites partie des Poissons heureux, si vous êtes de ceux qui ne trouvent que du beau et du bien en l'autre, durant la semaine du 12, vous pourriez être celui qu'on critique à propos de tout et de rien. Si votre partenaire vit des moments difficiles, étant la personne la plus proche, vous devenez celui sur qui on se défoule. Vous aurez alors le mot juste et sage pour le stopper, et la vie reprend gentiment son cours.

FAMILLE. Sous ce ciel et ses symboles, dans la famille, ce sont vos frères et vos sœurs qui sont représentés et qui se mêlent d'affaires qui ne les concernent pas : les vôtres. En tant qu'enfant unique ou si vous vivez seul, ce sont vos voisins qui dérangent. Ce chahut cosmique a lieu durant la première moitié du mois. Si vous avez l'intention d'acheter une maison, un condo, un terrain ou même une entreprise, un parent vous dira quoi faire comme s'il savait ce qu'il y a de mieux à faire alors qu'il n'a aucune expérience semblable à celle que vous êtes sur le point de vivre. Vous ne le laisserez pas intervenir bien longtemps. Si un de vos parents est âgé, il est possible que vous deviez vous rendre à son chevet. Il est malade et vous réclame.

SANTÉ. Ces événements que vous n'avez pas choisi de vivre vous mettent l'estomac à l'envers. Il est impératif de bien vous nourrir pour éviter des ulcères et des excès d'acidité.

RÊVES ET MAL À L'ÂME. Les expériences traumatisantes et la lutte pour la survie font mûrir. La facilité vous enlise dans la paresse. Si vous avez beaucoup d'imagination, dites-vous que vous la possédez grâce à ce temps où vous étiez dans le besoin.

JUILLET

TRAVAIL. Ce mois-ci, vous serez nombreux à prendre des vacances, bien qu'il y ait aussi ceux qui les prendront plus tard. Donc, si vous êtes au boulot, attendez-vous à travailler beaucoup plus qu'à l'accoutumée ; si certains font du remplacement, d'autres se trouvent avec de nouvelles responsabilités quand ce n'est pas carrément une promotion. Pour ce dernier cas, si c'est à vous qu'on a offert le poste, vous n'avez rien à craindre, vous avez fait l'objet d'une longue délibération et vous méritez ce poste plus honorifique et plus payant que le précédent. Vous avez la responsabilité de mettre de l'ordre dans l'organisation en cours. Si vous êtes un porte-parole pour vos collègues, vous êtes habile à faire valoir vos droits et les leurs. On ne peut trouver meilleur représentant. S'il est question de renouvellement de contrat, ce sera fait tel que vous le voulez avant que le mois soit terminé.

SANS TRAVAIL. Si vous prenez votre tournant de carrière, même si vous avez du courage, vous êtes troublé, mais dites-vous que c'est naturel. Tout humain qui s'aventure dans l'inconnu se pose des tas de questions ; les réponses viendront en temps et lieu, au fur et à mesure de la progression professionnelle recherchée. Avec Jupiter en Gémeaux et Pluton en Sagittaire, si vous êtes sans emploi depuis longtemps, vous avez peut-être perdu l'habitude de chercher ; pourtant, dès l'instant où vous retrousserez vos manches, vous décrocherez un travail correspondant à vos compétences.

AMOUR. Ce mois est favorable au célibataire prêt à s'engager. Si vous aviez renoncé à l'amour, une belle surprise vous fera changer d'avis. Si vous êtes amoureux, si vous n'avez pas d'enfant, si vous en désirez un deuxième ou même un troisième, juillet symbolise la fertilité. Aucun Poissons ne porte d'étiquette au front sur laquelle serait écrit : marié ou sérieusement engagé ; en fait, vous serez flirté. C'est flatteur ; par contre, si vous laissez à la personne intéressée une lueur d'espoir alors qu'au fond, il n'y en a pas, vous courez le risque de subir du harcèlement. On peut tomber amoureux de vous, mais ça ne veut pas dire que c'est réciproque.

FAMILLE. Il est possible qu'un parent et vous décidiez d'acheter une maison pour accommoder deux familles. Si telle est la situation, vous chercherez et trouverez selon les budgets de chacun. Quelques Poissons se trouveront avec le ou les enfants des autres : un ami a besoin de votre aide et, par sympathie et par compassion, vous devenez temporairement gardien.

SANTÉ. C'est un mois où, en majorité, vous aurez plus d'énergie ; si vous avez été malade, vous récupérez rapidement. Une attitude mentale positive accélère la cicatrisation d'une plaie ou d'un membre brisé.

RÊVES ET MAL À L'ÂME. C'est en ce mois que se réalise au moins un de vos rêves. Ce n'est pas arrivé par hasard, vous y avez travaillé. Sur le plan émotif, vous vous sentirez plus léger même si la vie vous a éprouvé ; c'est comme si vous saviez le pourquoi, l'issue et, finalement, le positif que vous a apportés l'obstacle vécu et vaincu.

AOÛT

TRAVAIL. Plus le mois avance, plus vous serez à la course. L'autorité fait des pressions et vous somme d'accélérer. Il y a dans cet empressement une part de peur et une part de nécessité de produire à meilleur rythme. L'entreprise doit survivre, payer ses comptes et être rentable. Si vous avez eu une promotion le mois dernier ou en début d'année, attendez-vous à une autre augmentation de vos responsabilités et à des modifications de vos tâches. À partir du 7, si vous êtes à contrat et que celui-ci se termine, bien qu'on veuille le renouveler, vous hausserez le ton pour qu'on vous paie la même somme et qu'on vous donne les mêmes avantages qu'auparavant. Étant le dernier signe du zodiaque, vous pouvez être tout, même l'avocat qui défend sa cause. Si tel est le cas, après un débat pouvant durer deux semaines, la fin du mois vous redonne ce qui vous est dû.

SANS TRAVAIL. Entre le 6 et le 20, si vous faites des démarches pour trouver un emploi, lorsque vous rentrerez chez vous, vous aurez l'impression d'avoir fait ce chemin pour rien. Il est important que vous restiez confiant ; avant que le mois se termine, si vous faites assidûment des demandes, vous serez embauché. Si toutefois vous trouvez mille et une raisons pour ne pas travailler alors que vous êtes en bonne santé, à partir du 22, la position de quelques planètes vous précipite dans une déprime dont vous êtes responsable. Votre manque de volonté n'est attribuable à personne d'autre qu'à vous.

AMOUR. La vie de couple se compare à un océan : marée haute, marée basse, vagues irrégulières, tempêtes sur mer et vents doux, vaguelettes déferlantes, courants chauds, courants froids, etc., il suffit de savoir faire naviguer son couple et accepter l'irrégularité de l'eau parce qu'elle est en perpétuel mouvement. Si vous êtes amoureux, vous proposerez un compromis et serez surpris de la facilité avec laquelle votre partenaire consent. En tant que célibataire, vous ferez plusieurs rencontres mais attention, vous pourriez prendre vos désirs pour des réalités ! La personne rencontrée peut porter un masque. Essayez de voir au travers avant de vous engager.

FAMILLE. Si, le mois dernier, vous vouliez faire un achat à un membre de la famille, vous le finaliserez ce mois-ci. Si vous travaillez dans une entreprise familiale, un parent se fait dominant. Vous rétablirez la situation et vous ramènerez l'ordre qui, jusqu'à présent, a rapporté et a bien servi tous ceux qui sont engagés dans ce commerce en cours.

SANTÉ. Si vous avez un âge certain et un problème de pression sanguine, ce n'est pas le moment de stopper la médication prescrite par votre médecin. Quelqu'un tentera de vous persuader que c'est dans votre intérêt et pour votre bien-être de vous convertir à une médecine douce, alors que cette personne n'a même pas de diplôme dans cette discipline.

RÊVES ET MAL À L'ÂME. Un rêve encore plus beau que ce que vous souhaitiez se réalise et c'est extraordinaire. Mais le contraire est dévastateur parce qu'au début, on ne voit pas l'effet positif de l'épreuve.

SEPTEMBRE

TRAVAIL. Si l'entreprise comprime ses dépenses, vous devrez déployer votre talent dans plusieurs secteurs et accomplir vos tâches en double et parfois en triple ; il est possible que vous étudiiez une technique qui vous permettra de faire rapidement le travail de plusieurs employés. Vous apprenez avec une grande facilité. Jupiter et Saturne sont en Gémeaux dans le quatrième signe du vôtre, ce qui laisse supposer que vous serez plus nombreux à produire à la maison et à contrat. La position de ces planètes vous stimule et vous pousse à vous réinventer et parfois à changer d'orientation professionnelle. Si vous ne retournez pas aux études, des Poissons poseront les bases de leur commerce, leur point de départ étant le sous-sol de leur maison. Si vous êtes fortuné, vous ferez l'acquisition de propriétés et, parfois, de petites entreprises que vous réunirez sous un même nom.

SANS TRAVAIL. Si vous n'avez pas d'emploi, si vous en cherchez un, faites un maximum de démarches avant le 17 ; après cette date, vous serez moins chanceux. Par contre, si vous avez offert vos services en début du mois, vous serez embauché. À partir du 18, il est possible que la tension soit plus forte dans votre milieu professionnel ; s'il y a un affrontement, ne donnez pas votre démission sur un coup de tête, ce serait une erreur. Essayez plutôt d'arranger les choses entre votre patron et vous.

AMOUR. Vous proposerez à votre partenaire d'avoir plus d'activités avec lui afin que vous vous retrouviez plus souvent, et plus spécialement si vous ressentez que la distance se fait de plus en plus grande entre vous deux. En tant que célibataire, à partir du 18, dès que vous ferez une rencontre, vous verrez rapidement qui est véritablement votre flirt ; il y a toutefois un danger que vous lui trouviez plus de défauts que de qualités. Si vous êtes intolérant, si vous ne voyez en l'autre que des faux plis, vous resterez seul alors que ce n'est pas vraiment ce que vous désirez. S'il vous faut demeurer critique, tomber dans l'extrême et ne voir que le pire sont loin de vous garantir une vie amoureuse harmonieuse.

FAMILLE. En ce mois, il y a un resserrement entre les membres de la famille, la maladie de l'un d'eux vous rapproche. En vous soutenant les uns les autres, vous créez une nouvelle énergie, laquelle, même si elle est imperceptible, invisible, soutient le malade, lui redonne espoir et l'aide à guérir plus vite. S'il a un mal que le médecin qualifie d'incurable et sans retour, quand la présence de la parenté est harmonieuse, le souffrant traverse l'épreuve avec moins de douleurs ; s'il est accompagné, son angoisse diminue considérablement. Si un de vos enfants a l'âge de quitter le nid familial, bien que vous ne vous réjouissiez pas de son départ, l'accepter, c'est l'aider à devenir un adulte autonome. En ce qui concerne vos petits, ne les laissez pas sans surveillance près d'un cours d'eau.

SANTÉ. La position des planètes indique encore une fois une mauvaise circulation sanguine. Si vous avez des troubles de pression, prenez les médicaments qui vous sont prescrits et ne jouez pas au médecin si vous n'avez aucun diplôme en médecine.

RÊVES ET MAL À L'ÂME. Si vous avez l'intention de vous lancer dans une nouvelle aventure professionnelle, ne résistez pas. Les années passent et ce serait terrible de regretter de n'être pas passé à l'action quand le cœur vous le disait. Il y a souvent sur notre route des personnes qui ne sortiront jamais des rangs ; durant toute une vie, elles se contenteront de peu, car elles vivent dans la peur et pour la partager, elles se cherchent des partenaires. Ces gens sont d'excellents manipulateurs : ne les laissez pas détruire votre rêve et aussi fou que celui-ci puisse paraître, c'est le vôtre ; si vous y croyez, vous pouvez le concrétiser.

OCTOBRE

TRAVAIL. Vous ressentez une chute d'énergie durant la première semaine du mois, un manque d'entrain et de motivation. Vos charges s'alourdissent à un point tel que vous vous demandez si ça vaut le coup de continuer. Mars est en Vierge en face de votre signe : l'ennemi est votre monologue intérieur qui vous porte à voir en noir et gris et à vous sous-estimer. Il est vrai que le travail est exigeant, mais il ne l'est pas plus qu'à l'accoutumée, c'est votre vue sur l'avenir qui se brouille de temps à autre. Autour de vous, des collègues n'ont ni le désir ni la volonté de se dépasser. Ne tombez pas dans leur piège. Si vous occupez un poste temporaire et que vous y mettez toute votre âme, il deviendra permanent. Il vous est conseillé de ne pas raconter vos histoires personnelles à des collègues qui pourraient s'en servir contre vous, surtout à partir du 20.

SANS TRAVAIL. Malheureusement, sous votre signe, le ciel présage que vous êtes en tête quand l'entreprise procède à des licenciements, à la suppression de postes. En tant que dernier signe du zodiaque, vous êtes généralement rusé; vous avez une grande ouverture d'esprit et, la plupart du temps, de nombreux talents et capacités. Si jamais vous perdez votre emploi, vous en trouverez un autre rapidement grâce aux relations que vous avez cultivées au fil des ans. Si vous faites partie du groupe des Poissons avec un Neptune qui trouve mille raisons pour ne rien faire et si vous êtes en santé, ce mois d'octobre peut vous couper le peu d'argent que, jusqu'à présent, vous encaissiez.

AMOUR. Un brin d'agressivité entrecoupé de moments où vous êtes follement amoureux et hyperpassionné. Zone fertile: avis aux intéressés et à ceux qui ne le sont pas. Si vous vivez dans une famille reconstituée et que l'*ex* de votre présent conjoint veut s'immiscer dans votre vie, vous le chasserez de manière qu'il ne revienne jamais.

FAMILLE. La vie continue et les problèmes familiaux non réglés le mois dernier prennent de l'ampleur: vous interviendrez sans gants blancs mais plutôt avec une main de fer à découvert. En tant que femme, votre époux ou partenaire fait sans relâche des heures supplémentaires. Quand l'un accepte cette forme d'abandon parce qu'il est lui-même débordé, l'autre est si mécontent qu'il risque de semer la zizanie au foyer.

SANTÉ. Vous n'écoutez que rarement les signaux de détresse que votre corps vous envoie ici et là. Mais en ce mois, des maux à côté desquels vous ne pouvez passer vous obligeront à changer votre alimentation. Dès les premiers jours de ce nouveau régime, votre énergie vous reviendra.

RÊVES ET MAL À L'ÂME. C'est à partir du 20 et jusqu'à la fin du mois que vous souffrez quand l'amour n'est pas selon ce que vous aviez imaginé. Si la douleur morale ou psychique est insupportable, pourquoi ne pas consulter un psychothérapeute qui vous aidera à comprendre ce que vous ressentez?

NOVEMBRE

TRAVAIL. Vous avez tout à vivre. Période de relâchement suivie d'un intense dévouement; vous croyez en ce que vous faites pour ensuite douter de vos compétences. Un jour, vous espérez demeurer dans l'entreprise présente toute une vie; le lendemain, vous vous dites qu'il est essentiel de faire une autre expérience ailleurs dans une autre compagnie. Finalement, après toutes ces questions, vous constatez que vous avez de la chance d'en être là où vous êtes. À partir du 14, si vous avez desserré le collier, vous vous permettez de respirer. Vous donnez de vous-même, vous faites les heures nécessaires, mais vous êtes capable de partir lorsque la journée de travail est terminée. Sur le plan professionnel, vous ne laissez plus l'émotion vous emporter; la logique intervient de manière que vous fassiez des heures normales.

SANS TRAVAIL. Vous pouvez demander un congé; vous n'avez pas à quitter l'emploi actuel et si vous le faites, assurez-vous d'être embauché ailleurs. Si, officiellement, vous ne payez pas vos impôts parce que vous travaillez au noir et qu'en plus vous encaissez des chèques qui devraient revenir à des gens qui en ont vraiment besoin, le ciel présage que vous serez «épinglé» et dans l'obligation de rembourser ce qui ne vous a jamais appartenu.

AMOUR. Durant la première moitié du mois, vous n'êtes pas patient pour votre partenaire et, à la moindre faute qu'il commet, vous lui tombez dessus. Le calme revient dès le 14 et, en tant que célibataire, vous entrez dans une saison d'éclosion sentimentale.

FAMILLE. Si vous êtes à la maison pour vous occuper de vos enfants, il est possible que celui d'un ami vienne vivre chez vous pendant quelques semaines. L'ordre sera rompu, vos habitudes se modifieront et même vos attitudes seront différentes, mais ce ne sera que pour un temps seulement. Le symbolisme du ciel entrevoit un succès pour un des vôtres; si la moitié des Poissons encourage le gagnant, l'autre moitié le jalouse. L'envie n'est qu'une torture, un mal-être, une forme de sous-estimation de soi et un renoncement à en faire autant que le lauréat.

SANTÉ. Surveillez vos reins. Le meilleur moyen pour vous éviter des douleurs dans cette région, c'est de bien vous nourrir et à des heures régulières. On dit que les problèmes rénaux sont des larmes refoulées; si on y regarde de plus près, pleurer est aussi une rage exprimée sans gros mots.

RÊVES ET MAL À L'ÂME. Si la dépression hivernale prend du terrain, consultez un thérapeute; confiez-vous à un professionnel et non pas à un ami qui porterait le poids de vos tristes confidences. Vous êtes né de Neptune, le faiseur d'illusions; si la majorité de vos attentes ont été déçues, si vous n'avez pas trouvé le sauveur, celui qui, avez-vous cru, vous apporterait le bonheur sur un plateau d'argent, peut-être êtes-vous resté accroché à votre adolescence. Si ce dernier portrait vous ressemble et si vous êtes adulte, il est temps d'apprendre à vivre selon votre âge. Neptune qui régit votre signe vous veut large d'esprit au départ et si, malheureusement, vous mettez toutes vos énergies sur l'argent et vos possessions, il vous coupera du monde et vous isolera avec vos trésors. Cette attitude touche un grand nombre de Poissons qui ont 50 ans et plus.

DÉCEMBRE

TRAVAIL. Si vous travaillez sans relâche, si le stress vous gagne, vous commettrez des erreurs ici et là ; rien de dramatique mais c'est cependant agaçant et épuisant pour le système nerveux. Par ailleurs, vos fautes peuvent irriter des collègues qui seront sans ménagement pour vous. Vous avez choisi de gagner votre vie, de subvenir à vos besoins, à ceux de votre famille, vous n'êtes cependant pas tenu de vous épuiser. À partir du 9, vous serez invité à des fêtes. De nombreux Poissons iront, croyant qu'ainsi ils flatteront leurs relations ou rencontreront des gens susceptibles de les aider à avancer dans le domaine où ils sont engagés. En ce mois, rien n'est moins certain. Aussi, soyez sélectif, n'assistez qu'aux fêtes où vous savez que vous vous amuserez. Si vous faites moins d'heures au travail, celles où vous êtes présent sont si intenses que vous avez du mal à vous en remettre. Entre deux rendez-vous, entre deux réunions, décompressez.

SANS TRAVAIL. Qui n'a pas un jour le désir de partir à l'autre bout du monde parce que celui dans lequel il vit est dur, sans pitié ? Si vous faites partie des chômeurs qui savent qu'ils ne trouveront pas ici l'emploi souhaité, vous partirez, vous tenterez votre chance dans un autre pays, une autre province, ce qui n'est pas une décision facile à prendre. Quitter sa famille, ses amis, ceux qu'on aime, ne serait-ce que pour quelques mois, vous tourmentera. Si vous êtes à contrat, c'est tout près de Noël qu'on vous fera une commande et vous n'aurez que bien peu de temps pour vous exécuter.

AMOUR. En tant que célibataire, au début du mois, un ami vous en présentera un autre : l'attirance sera spontanée et réciproque. Si vous vivez en couple, si vous êtes heureux, amoureux, sans enfant ou peut-être n'en avez-vous qu'un, votre partenaire et vous serez d'accord pour concevoir ; par ailleurs, vous êtes en zone très fertile. Vous prendrez probablement quelques jours de repos avec l'amoureux, un long tête-à-tête langoureux. Si vous êtes parent, un membre de votre famille gardera votre progéniture pour vous permettre une autre lune de miel ; il s'agira pour certains de celle qu'ils n'ont jamais vécue.

FAMILLE. Si, au cours d'une de vos réunions de famille durant les fêtes de Noël, un parent se met à boire, stoppez-le, surtout si vous savez qu'il devient agressif dès qu'il dépasse sa dose habituelle. De grâce, ne laissez personne prendre le volant en étant d'ébriété, vous seriez aussi coupable que celle-ci ! C'est le genre de problème que vous pouvez et devez vous éviter. Le ciel donne des indices d'excès en ce qui concerne certains de vos parents ; vous les connaissez, empêchez les trouble-fêtes de ruiner votre Noël.

SANTÉ. Vous avez une bonne énergie, mais il vous suffit de trop manger ou de mal vous nourrir pour qu'aussitôt vous ressentiez des faiblesses. Méfiez-vous des sucreries en trop grande quantité, car votre système les élimine mal. Quand vous en serez trop gavé, vous serez emporté par des vagues de culpabilité.

RÊVES ET MAL À L'ÂME. Bientôt 2001 ou l'entrée officielle dans le XXIe siècle. L'an 2000 vous a émotionnellement secoué, il a remué vos désirs, vos rêves non vécus, vos talents non exploités. Si la moitié d'entre vous est passée à l'action, l'autre attend encore que la manne tombe du ciel. Si les premiers sont alignés sur le succès, les seconds ont le pouvoir de décider et de vouloir.

POSITION DE LA LUNE POUR CHAQUE JOUR DE L'ANNÉE 2000

JOUR	DATE	PLANÈTE	SIGNE	DÉBUT
JANVIER 2000				
Samedi	01/01/2000	Lune	en Scorpion	
Dimanche	02/01/2000	Lune	en Sagittaire	à partir de 16 h 30
Lundi	03/01/2000	Lune	en Sagittaire	
Mardi	04/01/2000	Lune	en Sagittaire	
Mercredi	05/01/2000	Lune	en Capricorne	à partir de 5 h 20
Jeudi	06/01/2000	Lune	en Capricorne	
Vendredi	07/01/2000	Lune	en Verseau	à partir de 17 h 50
Samedi	08/01/2000	Lune	en Verseau	
Dimanche	09/01/2000	Lune	en Verseau	
Lundi	10/01/2000	Lune	en Poissons	à partir de 5 h 00
Mardi	11/01/2000	Lune	en Poissons	
Mercredi	12/01/2000	Lune	en Bélier	à partir de 13 h 50
Jeudi	13/01/2000	Lune	en Bélier	
Vendredi	14/01/2000	Lune	en Taureau	à partir de 19 h 40
Samedi	15/01/2000	Lune	en Taureau	
Dimanche	16/01/2000	Lune	en Gémeaux	à partir de 22 h 20
Lundi	17/01/2000	Lune	en Gémeaux	
Mardi	18/01/2000	Lune	en Cancer	à partir de 23 h 00
Mercredi	19/01/2000	Lune	en Cancer	
Jeudi	20/01/2000	Lune	en Lion	à partir de 23 h 00
Vendredi	21/01/2000	Lune	en Lion	
Samedi	22/01/2000	Lune	en Lion	

Dimanche	23/01/2000	Lune	en Vierge	à partir de 0 h 10
Lundi	24/01/2000	Lune	en Vierge	
Mardi	25/01/2000	Lune	en Balance	à partir de 4 h 10
Mercredi	26/01/2000	Lune	en Balance	
Jeudi	27/01/2000	Lune	en Scorpion	à partir de 12 h 00
Vendredi	28/01/2000	Lune	en Scorpion	
Samedi	29/01/2000	Lune	en Sagittaire	à partir de 23 h 20
Dimanche	30/01/2000	Lune	en Sagittaire	
Lundi	31/01/2000	Lune	en Sagittaire	

FÉVRIER 2000

Mardi	01/02/2000	Lune	en Capricorne	à partir de 12 h 10
Mercredi	02/02/2000	Lune	en Capricorne	
Jeudi	03/02/2000	Lune	en Capricorne	
Vendredi	04/02/2000	Lune	en Verseau	à partir de 0 h 30
Samedi	05/02/2000	Lune	en Verseau	
Dimanche	06/02/2000	Lune	en Poissons	à partir de 11 h 00
Lundi	07/02/2000	Lune	en Poissons	
Mardi	08/02/2000	Lune	en Bélier	à partir de 19 h 20
Mercredi	09/02/2000	Lune	en Bélier	
Jeudi	10/02/2000	Lune	en Bélier	
Vendredi	11/02/2000	Lune	en Taureau	à partir de 1 h 20
Samedi	12/02/2000	Lune	en Taureau	
Dimanche	13/02/2000	Lune	en Gémeaux	à partir de 5 h 20
Lundi	14/02/2000	Lune	en Gémeaux	
Mardi	15/02/2000	Lune	en Cancer	à partir de 7 h 50
Mercredi	16/02/2000	Lune	en Cancer	
Jeudi	17/02/2000	Lune	en Lion	à partir de 9 h 10
Vendredi	18/02/2000	Lune	en Lion	
Samedi	19/02/2000	Lune	en Vierge	à partir de 10 h 50
Dimanche	20/02/2000	Lune	en Vierge	
Lundi	21/02/2000	Lune	en Balance	à partir de 14 h 20
Mardi	22/02/2000	Lune	en Balance	
Mercredi	23/02/2000	Lune	en Scorpion	à partir de 21 h 00
Jeudi	24/02/2000	Lune	en Scorpion	
Vendredi	25/02/2000	Lune	en Scorpion	
Samedi	26/02/2000	Lune	en Sagittaire	à partir de 7 h 10
Dimanche	27/02/2000	Lune	en Sagittaire	
Lundi	28/02/2000	Lune	en Capricorne	à partir de 19 h 40
Mardi	29/02/2000	Lune	en Capricorne	

MARS 2000

Mercredi	01/03/2000	Lune	en Capricorne	
Jeudi	02/03/2000	Lune	en Verseau	à partir de 8 h 10
Vendredi	03/03/2000	Lune	en Verseau	
Samedi	04/03/2000	Lune	en Poissons	à partir de 18 h 30
Dimanche	05/03/2000	Lune	en Poissons	
Lundi	06/03/2000	Lune	en Poissons	
Mardi	07/03/2000	Lune	en Bélier	à partir de 1 h 50
Mercredi	08/03/2000	Lune	en Bélier	
Jeudi	09/03/2000	Lune	en Taureau	à partir de 7 h 00
Vendredi	10/03/2000	Lune	en Taureau	
Samedi	11/03/2000	Lune	en Gémeaux	à partir de 10 h 40
Dimanche	12/03/2000	Lune	en Gémeaux	
Lundi	13/03/2000	Lune	en Cancer	à partir de 13 h 50
Mardi	14/03/2000	Lune	en Cancer	
Mercredi	15/03/2000	Lune	en Lion	à partir de 16 h 50
Jeudi	16/03/2000	Lune	en Lion	
Vendredi	17/03/2000	Lune	en Vierge	à partir de 19 h 50
Samedi	18/03/2000	Lune	en Vierge	
Dimanche	19/03/2000	Lune	en Balance	à partir de 23 h 50
Lundi	20/03/2000	Lune	en Balance	
Mardi	21/03/2000	Lune	en Balance	
Mercredi	22/03/2000	Lune	en Scorpion	à partir de 6 h 10
Jeudi	23/03/2000	Lune	en Scorpion	
Vendredi	24/03/2000	Lune	en Sagittaire	à partir de 15 h 40
Samedi	25/03/2000	Lune	en Sagittaire	
Dimanche	26/03/2000	Lune	en Sagittaire	
Lundi	27/03/2000	Lune	en Capricorne	à partir de 3 h 50
Mardi	28/03/2000	Lune	en Capricorne	
Mercredi	29/03/2000	Lune	en Verseau	à partir de 16 h 30
Jeudi	30/03/2000	Lune	en Verseau	
Vendredi	31/03/2000	Lune	en Verseau	

AVRIL 2000

Samedi	01/04/2000	Lune	en Poissons	à partir de 3 h 10
Dimanche	02/04/2000	Lune	en Poissons	
Lundi	03/04/2000	Lune	en Bélier	à partir de 10 h 20
Mardi	04/04/2000	Lune	en Bélier	
Mercredi	05/04/2000	Lune	en Taureau	à partir de 14 h 30
Jeudi	06/04/2000	Lune	en Taureau	

Vendredi	07/04/2000	Lune	en Gémeaux	à partir de 17 h 00
Samedi	08/04/2000	Lune	en Gémeaux	
Dimanche	09/04/2000	Lune	en Cancer	à partir de 19 h 10
Lundi	10/04/2000	Lune	en Cancer	
Mardi	11/04/2000	Lune	en Lion	à partir de 22 h 20
Mercredi	12/04/2000	Lune	en Lion	
Jeudi	13/04/2000	Lune	en Lion	
Vendredi	14/04/2000	Lune	en Vierge	à partir de 2 h 20
Samedi	15/04/2000	Lune	en Vierge	
Dimanche	16/04/2000	Lune	en Balance	à partir de 7 h 40
Lundi	17/04/2000	Lune	en Balance	
Mardi	18/04/2000	Lune	en Scorpion	à partir de 14 h 30
Mercredi	19/04/2000	Lune	en Scorpion	
Jeudi	20/04/2000	Lune	en Scorpion	
Vendredi	21/04/2000	Lune	en Sagittaire	à partir de 0 h 00
Samedi	22/04/2000	Lune	en Sagittaire	
Dimanche	23/04/2000	Lune	en Capricorne	à partir de 11 h 50
Lundi	24/04/2000	Lune	en Capricorne	
Mardi	25/04/2000	Lune	en Capricorne	
Mercredi	26/04/2000	Lune	en Verseau	à partir de 0 h 40
Jeudi	27/04/2000	Lune	en Verseau	
Vendredi	28/04/2000	Lune	en Poissons	à partir de 12 h 00
Samedi	29/04/2000	Lune	en Poissons	
Dimanche	30/04/2000	Lune	en Bélier	à partir de 19 h 50

MAI 2000

Lundi	01/05/2000	Lune	en Bélier	
Mardi	02/05/2000	Lune	en Taureau	à partir de 23 h 50
Mercredi	03/05/2000	Lune	en Taureau	
Jeudi	04/05/2000	Lune	en Taureau	
Vendredi	05/05/2000	Lune	en Gémeaux	à partir de 1 h 20
Samedi	06/05/2000	Lune	en Gémeaux	
Dimanche	07/05/2000	Lune	en Cancer	à partir de 2 h 10
Lundi	08/05/2000	Lune	en Cancer	
Mardi	09/05/2000	Lune	en Lion	à partir de 4 h 00
Mercredi	10/05/2000	Lune	en Lion	
Jeudi	11/05/2000	Lune	en Vierge	à partir de 7 h 40
Vendredi	12/05/2000	Lune	en Vierge	
Samedi	13/05/2000	Lune	en Balance	à partir de 13 h 30
Dimanche	14/05/2000	Lune	en Balance	

Lundi	15/05/2000	Lune	en Scorpion	à partir de 21 h 10
Mardi	16/05/2000	Lune	en Scorpion	
Mercredi	17/05/2000	Lune	en Scorpion	
Jeudi	18/05/2000	Lune	en Sagittaire	à partir de 7 h 10
Vendredi	19/05/2000	Lune	en Sagittaire	
Samedi	20/05/2000	Lune	en Capricorne	à partir de 19 h 00
Dimanche	21/05/2000	Lune	en Capricorne	
Lundi	22/05/2000	Lune	en Capricorne	
Mardi	23/05/2000	Lune	en Verseau	à partir de 8 h 00
Mercredi	24/05/2000	Lune	en Verseau	
Jeudi	25/05/2000	Lune	en Poissons	à partir de 20 h 00
Vendredi	26/05/2000	Lune	en Poissons	
Samedi	27/05/2000	Lune	en Poissons	
Dimanche	28/05/2000	Lune	en Bélier	à partir de 5 h 10
Lundi	29/05/2000	Lune	en Bélier	
Mardi	30/05/2000	Lune	en Taureau	à partir de 10 h 00
Mercredi	31/05/2000	Lune	en Taureau	

JUIN 2000

Jeudi	01/06/2000	Lune	en Gémeaux	à partir de 11 h 30
Vendredi	02/06/2000	Lune	en Gémeaux	
Samedi	03/06/2000	Lune	en Cancer	à partir de 11 h 30
Dimanche	04/06/2000	Lune	en Cancer	
Lundi	05/06/2000	Lune	en Lion	à partir de 11 h 50
Mardi	06/06/2000	Lune	en Lion	
Mercredi	07/06/2000	Lune	en Vierge	à partir de 14 h 00
Jeudi	08/06/2000	Lune	en Vierge	
Vendredi	09/06/2000	Lune	en Balance	à partir de 19 h 00
Samedi	10/06/2000	Lune	en Balance	
Dimanche	11/06/2000	Lune	en Balance	
Lundi	12/06/2000	Lune	en Scorpion	à partir de 2 h 50
Mardi	13/06/2000	Lune	en Scorpion	
Mercredi	14/06/2000	Lune	en Sagittaire	à partir de 13 h 20
Jeudi	15/06/2000	Lune	en Sagittaire	
Vendredi	16/06/2000	Lune	en Sagittaire	
Samedi	17/06/2000	Lune	en Capricorne	à partir de 1 h 30
Dimanche	18/06/2000	Lune	en Capricorne	
Lundi	19/06/2000	Lune	en Verseau	à partir de 14 h 20
Mardi	20/06/2000	Lune	en Verseau	
Mercredi	21/06/2000	Lune	en Verseau	

Jeudi	22/06/2000	Lune	en Poissons	à partir de 2 h 50
Vendredi	23/06/2000	Lune	en Poissons	
Samedi	24/06/2000	Lune	en Bélier	à partir de 13 h 00
Dimanche	25/06/2000	Lune	en Bélier	
Lundi	26/06/2000	Lune	en Taureau	à partir de 19 h 20
Mardi	27/06/2000	Lune	en Taureau	
Mercredi	28/06/2000	Lune	en Gémeaux	à partir de 22 h 00
Jeudi	29/06/2000	Lune	en Gémeaux	
Vendredi	30/06/2000	Lune	en Cancer	à partir de 22 h 10

JUILLET 2000

Samedi	01/07/2000	Lune	en Cancer	
Dimanche	02/07/2000	Lune	en Lion	à partir de 21 h 40
Lundi	03/07/2000	Lune	en Lion	
Mardi	04/07/2000	Lune	en Vierge	à partir de 22 h 20
Mercredi	05/07/2000	Lune	en Vierge	
Jeudi	06/07/2000	Lune	en Vierge	
Vendredi	07/07/2000	Lune	en Balance	à partir de 1 h 50
Samedi	08/07/2000	Lune	en Balance	
Dimanche	09/07/2000	Lune	en Scorpion	à partir de 8 h 50
Lundi	10/07/2000	Lune	en Scorpion	
Mardi	11/07/2000	Lune	en Sagittaire	à partir de 19 h 00
Mercredi	12/07/2000	Lune	en Sagittaire	
Jeudi	13/07/2000	Lune	en Sagittaire	
Vendredi	14/07/2000	Lune	en Capricorne	à partir de 7 h 30
Samedi	15/07/2000	Lune	en Capricorne	
Dimanche	16/07/2000	Lune	en Verseau	à partir de 20 h 30
Lundi	17/07/2000	Lune	en Verseau	
Mardi	18/07/2000	Lune	en Verseau	
Mercredi	19/07/2000	Lune	en Poissons	à partir de 8 h 40
Jeudi	20/07/2000	Lune	en Poissons	
Vendredi	21/07/2000	Lune	en Bélier	à partir de 19 h 10
Samedi	22/07/2000	Lune	en Bélier	
Dimanche	23/07/2000	Lune	en Bélier	
Lundi	24/07/2000	Lune	en Taureau	à partir de 2 h 40
Mardi	25/07/2000	Lune	en Taureau	
Mercredi	26/07/2000	Lune	en Gémeaux	à partir de 7 h 00
Jeudi	27/07/2000	Lune	en Gémeaux	
Vendredi	28/07/2000	Lune	en Cancer	à partir de 8 h 30
Samedi	29/07/2000	Lune	en Cancer	

Dimanche	30/07/2000	Lune	en Lion	à partir de 8 h 20
Lundi	31/07/2000	Lune	en Lion	

AOÛT 2000

Mardi	01/08/2000	Lune	en Vierge	à partir de 8 h 30
Mercredi	02/08/2000	Lune	en Vierge	
Jeudi	03/08/2000	Lune	en Balance	à partir de 10 h 30
Vendredi	04/08/2000	Lune	en Balance	
Samedi	05/08/2000	Lune	en Scorpion	à partir de 16 h 00
Dimanche	06/08/2000	Lune	en Scorpion	
Lundi	07/08/2000	Lune	en Scorpion	
Mardi	08/08/2000	Lune	en Sagittaire	à partir de 1 h 30
Mercredi	09/08/2000	Lune	en Sagittaire	
Jeudi	10/08/2000	Lune	en Capricorne	à partir de 13 h 40
Vendredi	11/08/2000	Lune	en Capricorne	
Samedi	12/08/2000	Lune	en Capricorne	
Dimanche	13/08/2000	Lune	en Verseau	à partir de 2 h 40
Lundi	14/08/2000	Lune	en Verseau	
Mardi	15/08/2000	Lune	en Poissons	à partir de 14 h 40
Mercredi	16/08/2000	Lune	en Poissons	
Jeudi	17/08/2000	Lune	en Poissons	
Vendredi	18/08/2000	Lune	en Bélier	à partir de 0 h 40
Samedi	19/08/2000	Lune	en Bélier	
Dimanche	20/08/2000	Lune	en Taureau	à partir de 8 h 30
Lundi	21/08/2000	Lune	en Taureau	
Mardi	22/08/2000	Lune	en Gémeaux	à partir de 13 h 50
Mercredi	23/08/2000	Lune	en Gémeaux	
Jeudi	24/08/2000	Lune	en Cancer	à partir de 17 h 00
Vendredi	25/08/2000	Lune	en Cancer	
Samedi	26/08/2000	Lune	en Lion	à partir de 18 h 20
Dimanche	27/08/2000	Lune	en Lion	
Lundi	28/08/2000	Lune	en Vierge	à partir de 18 h 50
Mardi	29/08/2000	Lune	en Vierge	
Mercredi	30/08/2000	Lune	en Balance	à partir de 20 h 30
Jeudi	31/08/2000	Lune	en Balance	

SEPTEMBRE 2000

Vendredi	01/09/2000	Lune	en Balance	
Samedi	02/09/2000	Lune	en Scorpion	à partir de 0 h 50
Dimanche	03/09/2000	Lune	en Scorpion	

Lundi	04/09/2000	Lune	en Sagittaire	à partir de 9 h 10
Mardi	05/09/2000	Lune	en Sagittaire	
Mercredi	06/09/2000	Lune	en Capricorne	à partir de 20 h 50
Jeudi	07/09/2000	Lune	en Capricorne	
Vendredi	08/09/2000	Lune	en Capricorne	
Samedi	09/09/2000	Lune	en Verseau	à partir de 9 h 40
Dimanche	10/09/2000	Lune	en Verseau	
Lundi	11/09/2000	Lune	en Poissons	à partir de 21 h 30
Mardi	12/09/2000	Lune	en Poissons	
Mercredi	13/09/2000	Lune	en Poissons	
Jeudi	14/09/2000	Lune	en Bélier	à partir de 7 h 00
Vendredi	15/09/2000	Lune	en Bélier	
Samedi	16/09/2000	Lune	en Taureau	à partir de 14 h 00
Dimanche	17/09/2000	Lune	en Taureau	
Lundi	18/09/2000	Lune	en Gémeaux	à partir de 19 h 20
Mardi	19/09/2000	Lune	en Gémeaux	
Mercredi	20/09/2000	Lune	en Cancer	à partir de 23 h 10
Jeudi	21/09/2000	Lune	en Cancer	
Vendredi	22/09/2000	Lune	en Cancer	
Samedi	23/09/2000	Lune	en Lion	à partir de 2 h 00
Dimanche	24/09/2000	Lune	en Lion	
Lundi	25/09/2000	Lune	en Vierge	à partir de 4 h 00
Mardi	26/09/2000	Lune	en Vierge	
Mercredi	27/09/2000	Lune	en Balance	à partir de 6 h 20
Jeudi	28/09/2000	Lune	en Balance	
Vendredi	29/09/2000	Lune	en Scorpion	à partir de 10 h 30
Samedi	30/09/2000	Lune	en Scorpion	

OCTOBRE 2000

Dimanche	01/10/2000	Lune	en Sagittaire	à partir de 17 h 50
Lundi	02/10/2000	Lune	en Sagittaire	
Mardi	03/10/2000	Lune	en Sagittaire	
Mercredi	04/10/2000	Lune	en Capricorne	à partir de 4 h 40
Jeudi	05/10/2000	Lune	en Capricorne	
Vendredi	06/10/2000	Lune	en Verseau	à partir de 17 h 30
Samedi	07/10/2000	Lune	en Verseau	
Dimanche	08/10/2000	Lune	en Verseau	
Lundi	09/10/2000	Lune	en Poissons	à partir de 5 h 40
Mardi	10/10/2000	Lune	en Poissons	
Mercredi	11/10/2000	Lune	en Bélier	à partir de 14 h 50

Jeudi	12/10/2000	Lune	en Bélier	
Vendredi	13/10/2000	Lune	en Taureau	à partir de 21 h 10
Samedi	14/10/2000	Lune	en Taureau	
Dimanche	15/10/2000	Lune	en Taureau	
Lundi	16/10/2000	Lune	en Gémeaux	à partir de 1 h 20
Mardi	17/10/2000	Lune	en Gémeaux	
Mercredi	18/10/2000	Lune	en Cancer	à partir de 4 h 30
Jeudi	19/10/2000	Lune	en Cancer	
Vendredi	20/10/2000	Lune	en Lion	à partir de 7 h 40
Samedi	21/10/2000	Lune	en Lion	
Dimanche	22/10/2000	Lune	en Vierge	à partir de 10 h 50
Lundi	23/10/2000	Lune	en Vierge	
Mardi	24/10/2000	Lune	en Balance	à partir de 14 h 30
Mercredi	25/10/2000	Lune	en Balance	
Jeudi	26/10/2000	Lune	en Scorpion	à partir de 19 h 20
Vendredi	27/10/2000	Lune	en Scorpion	
Samedi	28/10/2000	Lune	en Scorpion	
Dimanche	29/10/2000	Lune	en Sagittaire	à partir de 2 h 40
Lundi	30/10/2000	Lune	en Sagittaire	
Mardi	31/10/2000	Lune	en Capricorne	à partir de 13 h 00

NOVEMBRE 2000

Mercredi	01/11/2000	Lune	en Capricorne	
Jeudi	02/11/2000	Lune	en Capricorne	
Vendredi	03/11/2000	Lune	en Verseau	à partir de 1 h 40
Samedi	04/11/2000	Lune	en Verseau	
Dimanche	05/11/2000	Lune	en Poissons	à partir de 14 h 10
Lundi	06/11/2000	Lune	en Poissons	
Mardi	07/11/2000	Lune	en Poissons	
Mercredi	08/11/2000	Lune	en Bélier	à partir de 0 h 00
Jeudi	09/11/2000	Lune	en Bélier	
Vendredi	10/11/2000	Lune	en Taureau	à partir de 6 h 10
Samedi	11/11/2000	Lune	en Taureau	
Dimanche	12/11/2000	Lune	en Gémeaux	à partir de 9 h 30
Lundi	13/11/2000	Lune	en Gémeaux	
Mardi	14/11/2000	Lune	en Cancer	à partir de 11 h 20
Mercredi	15/11/2000	Lune	en Cancer	
Jeudi	16/11/2000	Lune	en Lion	à partir de 13 h 20
Vendredi	17/11/2000	Lune	en Lion	
Samedi	18/11/2000	Lune	en Vierge	à partir de 16 h 10

Dimanche	19/11/2000	Lune	en Vierge	
Lundi	20/11/2000	Lune	en Balance	à partir de 20 h 30
Mardi	21/11/2000	Lune	en Balance	
Mercredi	22/11/2000	Lune	en Balance	
Jeudi	23/11/2000	Lune	en Scorpion	à partir de 2 h 30
Vendredi	24/11/2000	Lune	en Scorpion	
Samedi	25/11/2000	Lune	en Sagittaire	à partir de 10 h 30
Dimanche	26/11/2000	Lune	en Sagittaire	
Lundi	27/11/2000	Lune	en Capricorne	à partir de 21 h 00
Mardi	28/11/2000	Lune	en Capricorne	
Mercredi	29/11/2000	Lune	en Capricorne	
Jeudi	30/11/2000	Lune	en Verseau	à partir de 9 h 30

DÉCEMBRE 2000

Vendredi	01/12/2000	Lune	en Verseau	
Samedi	02/12/2000	Lune	en Poissons	à partir de 22 h 20
Dimanche	03/12/2000	Lune	en Poissons	
Lundi	04/12/2000	Lune	en Poissons	
Mardi	05/12/2000	Lune	en Bélier	à partir de 9 h 20
Mercredi	06/12/2000	Lune	en Bélier	
Jeudi	07/12/2000	Lune	en Taureau	à partir de 16 h 30
Vendredi	08/12/2000	Lune	en Taureau	
Samedi	09/12/2000	Lune	en Gémeaux	à partir de 19 h 50
Dimanche	10/12/2000	Lune	en Gémeaux	
Lundi	11/12/2000	Lune	en Cancer	à partir de 20 h 50
Mardi	12/12/2000	Lune	en Cancer	
Mercredi	13/12/2000	Lune	en Lion	à partir de 21 h 10
Jeudi	14/12/2000	Lune	en Lion	
Vendredi	15/12/2000	Lune	en Vierge	à partir de 22 h 30
Samedi	16/12/2000	Lune	en Vierge	
Dimanche	17/12/2000	Lune	en Vierge	
Lundi	18/12/2000	Lune	en Balance	à partir de 2 h 00
Mardi	19/12/2000	Lune	en Balance	
Mercredi	20/12/2000	Lune	en Scorpion	à partir de 8 h 10
Jeudi	21/12/2000	Lune	en Scorpion	
Vendredi	22/12/2000	Lune	en Sagittaire	à partir de 17 h 00
Samedi	23/12/2000	Lune	en Sagittaire	
Dimanche	24/12/2000	Lune	en Sagittaire	
Lundi	25/12/2000	Lune	en Capricorne	à partir de 3 h 50
Mardi	26/12/2000	Lune	en Capricorne	

Mercredi	27/12/2000	Lune	en Verseau	à partir de 16 h 30
Jeudi	28/12/2000	Lune	en Verseau	
Vendredi	29/12/2000	Lune	en Verseau	
Samedi	30/12/2000	Lune	en Poissons	à partir de 5 h 30
Dimanche	31/12/2000	Lune	en Poissons	

Vous pouvez me lire sur mon site Internet :
www.norja.net

IMPRIMÉ AU CANADA